起重工工艺学

（中级）

沙慧忠　梁开成　编

哈尔滨工程大学出版社

内容简介

本书着重讲述了起重中级工应该掌握的基本知识和操作技能。主要内容有起重吊索具和机具的技术性能、规格、计算方法;起重吊装和设备运输工艺及计算方法;船厂及船舶大型设备的吊装工艺;船体分段翻身吊运工艺;船坞、船台、船排起重工艺和管理。书中还列举了工程实例并附有经验计算公式和图表。此外还扼要地介绍了吊装方案拟定、施工的组织和现场管理,并分析了常见起重事故发生的原因。

本书可作为起重中级工的培训教材,也可供有关工程技术人员、管理人员参考。

图书在版编目(CIP)数据

起重工工艺学:中级/沙慧忠,梁开成编. —哈尔滨:哈尔滨工程大学出版社,1988.10(2024.1重印)
ISBN 978-7-81007-032-4

Ⅰ.①起… Ⅱ.①沙… ②梁… Ⅲ.①起重机械-操作-技术培训-教材 Ⅳ.①TH21

中国版本图书馆CIP数据核字(2010)第012954号

出版发行 哈尔滨工程大学出版社
社　　址 哈尔滨市南岗区南通大街145号
邮政编码 150001
发行电话 0451-82519328
传　　真 0451-82519699
经　　销 新华书店
印　　刷 哈尔滨午阳印刷有限公司
开　　本 787 mm×1 092 mm　1/16
印　　张 18.5
字　　数 420千字
版　　次 1988年10月第1版
印　　次 2024年1月第8次印刷
定　　价 25.00元
http://www.hrbeupress.com
E-mail:heupress@hrbeu.edu.cn

前　言

哈尔滨工程大学出版社自成立以来就参与了船舶类各种教材、船舶工人技术等级和造船工人技术理论教育教学计划与教学大纲的编写及出版工作，填补了我国没有船舶类职工培训教材的空白。根据《船舶工业造船工人技术等级标准》的要求，先后组织编写并出版了船舶行业初、中、高级工的技术理论培训教材80余种，结束了我国船舶行业没有统编教材的历史，基本上满足了国内船舶行业各企业职工培训的要求，对推动职工培训工作，改变船厂职工队伍技术水平较低的状况，起到了显著的作用，成为各船舶企业培训的首选教材。

随着生产的发展、产品结构的调整及新工艺、新技术、新设备、新材料的应用，在早期的统编教材中有些技术标准、工艺方法及名词术语部分已过时，部分教材内容会略显陈旧。因此，为了使这批教材能更好地发挥它在培训中的作用，我们对上述教材分期进行修改或重编，逐步出版一套与各船舶企业培训相适应的初、中、高级工技术理论教材。

本套统编教材邀请了中国船舶工业集团公司和中国船舶重工集团公司所属有关船厂富有经验的工程技术人员、科技工作者及从事职工教育的同志作为编者，并对编写提纲作了广泛认真的调查和论证，是在对当今造船企业中实际培训的需求的基础上编写的。为了使教材在内容上具有一定的先进性，充分体现了我国当前采用的先进的造船方法、造船技术和造船工艺. 并具有较好的实用性，我们在紧密联系船厂实际的同时，充分考虑到各船厂在产品和工艺上的不统一性，力求满足不同地区、不同船厂的不同培训需求。

编好和出版一套真正实用的职工培训教材不容易，虽然我们尽量做到精心组织、认真编写和出版，但难免存在某些缺点和不足，希望从事职工教育的同志及读者，在教和学的过程中，能发现问题. 并及时地和我们联系，以便再版时修订使之更加完善，更好地为船舶工业服务。

船舶工业教材编审室
哈尔滨工程大学出版社

编者的话

本书是在中国船舶工业总公司的领导下，根据中国船舶工业总公司1983年编制的《起重、吊运工技术等级标准》和教学大纲要求编写的。

该书力求根据起重作业灵活、因地制宜的特点，结合船厂的生产实际和成熟经验，着重介绍起重作业的基础知识和操作原理，并通过具体的实例可以使读者加深理解。各船厂可以结合本地区和工厂的实际情况进行教学。

参加本书编写的有沙慧忠、梁开成同志。沙慧忠同志主编，由潘维忠同志主审。秦亚媛、刘文娟两位同志参加了本书部分插图的描图工作。本书在编写过程中还得到上海船厂有关人员的大力协助和支持，在此我们表示深切的感谢。

由于我们理论水平不高，加之仓促编写，错误和缺点一定不少，请读者批评指正。

编　者

目　　录

第一章　起重索具、吊具、滑轮

第一节　钢　丝　绳

钢丝绳是起重吊装工程中用途最广的一种绳索。合理选择，正确使用，细心保养钢丝绳与起重安全生产息息相关，如有不当，将会造成重大事故。

一、钢丝绳的构造

钢丝绳由钢丝、绳股和绳芯组成。

制绳用钢丝的机械性能，按公称抗拉强度可分为 1372MN/m^2(140kgf/mm^2)、1519MN/m^2(155kgf/mm^2)、1666MN/m^2(170kgf/mm^2)、1813MN/m^2(185kgf/mm^2)、1960MN/m^2(200kgf/mm^2)五级，一般较多选用前三级。较高的抗拉强度虽有利于提高安全系数，但它承受反复弯曲和扭转的性能就相对降低，决不能认为钢丝抗拉强度高，使用性能就一定好。

绳股是钢丝绳的主要组成部分，由制绳钢丝，用机械方法绞捻而成。除密封钢丝绳外，一般均有多股构成，股数多的有 18 股、34 股，最少 3 股。多股(17 股以上)和 4 股为不旋转钢丝绳。

绳芯的作用是支撑固定绳股的位置，保持钢丝绳形状稳定，减少绳股之间钢丝的摩擦。绳芯有纤维绳芯和金属绳芯两种。纤维绳芯分为天然纤维绳芯和合成纤维绳芯，它具有储油，从内部润滑钢丝和防止钢丝锈蚀，增加柔软性，对冲击载荷有吸振和缓冲的作用，但耐横向力差。金属绳芯分为金属股芯和细钢丝芯，具有耐横向挤压，不易变形的特点，还能增加整绳的破断拉力(约为 9%)，但柔软性和耐疲劳性较差。

新钢丝绳直径要比公称直径稍大，通常圆股钢丝绳、光面绳约大 6%，镀锌绳约大 7%。钢丝绳的直径测量方法，是用卡尺来测其外接圆的直径，如图 1-1 所示。

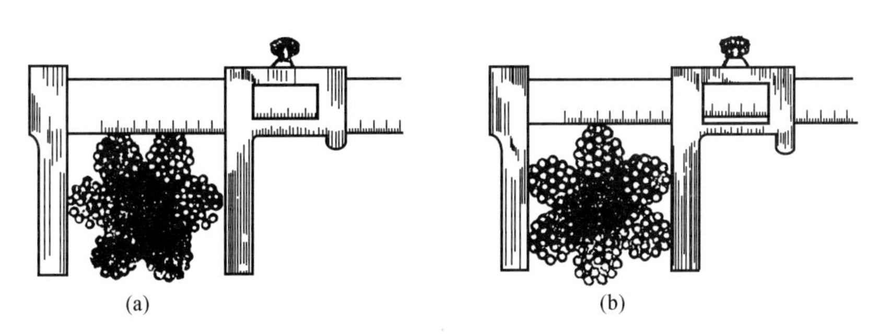
(a)　(b)

图 1-1　钢丝绳直径的测定法

(一)钢丝绳的制造特性

1. 捻向和捻法

(1)捻向:钢丝在股中或股在绳中的捻制螺旋方向,分为右捻和左捻。

左捻:把钢丝绳(或绳股)立起来观察,股(或钢丝)的捻制螺旋方向,从中心线左侧开始向上、向右,用符号“Z”表示。

左捻:从中心线右侧开始向上、向左,用符号“S”表示。

(2)捻法:股的捻向和绳的捻向配合,分为交互捻和同向捻。

交互捻:股的捻向与绳的捻向相反,也称逆捻。

同向捻:股的捻向与绳的捻向相同,也称顺捻。

根据捻向、捻法的关系,钢丝绳有图 1-2 中的四种捻法。

图 1-2　钢丝绳的捻法

右交互捻的“右”字代表绳捻向,绳为右捻,“交互”代表股和绳捻向相反,即股为左捻,同理左交互捻绳是左捻,股是右捻。右同向捻绳和股的捻向均为右捻;左同向捻绳和股的捻向均为左捻。

同向捻钢丝绳,从外形看,外层钢丝的位置与钢丝绳的纵向轴线相倾斜,如图 1-3 所示。使用时,表面钢丝与外部接触卡度较长,即接触面积大,耐磨性好,比较柔软。但由于捻法关系,自转性稍大,悬吊重物时容易旋转,易卷曲扭结,在吊装中不宜采用,通常用在两端固定的场合,如拖拉绳和牵引装置上。交互捻钢丝绳,从外形看,外层钢丝的位置几乎与钢丝绳纵向轴线平行,使用时,表面钢丝与外部接触长度较短,即接触面积较小,磨损较快。但其构造较为稳定,自转性较小,不易发生松捻和扭结现象,容易操作,比较安全,在起重机、滑轮组等起重吊装工程中多选用交互捻钢丝绳。

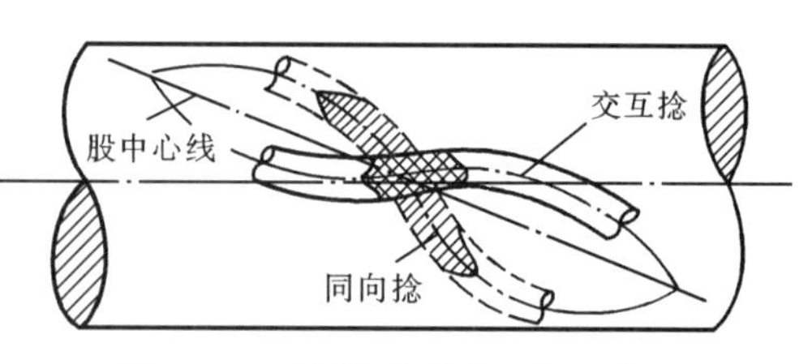

图 1-3　不同捻法的表面钢丝位置

2. 捻距

捻距是绳股绕钢丝绳芯旋转一周,两个相同点之间的距离(图 1-4)。普通捻距为钢丝绳直径的八倍。测量时可先在任何一股的表面做出记号,从这一点出发沿着钢丝绳的长度方向数，若为六股，就数六股，第七股与第一股间的距离即为一个捻距。捻距的变化一般与受到的外力大小有关，使用中如果发现捻距有明显变化时，需要加强观察和维护。

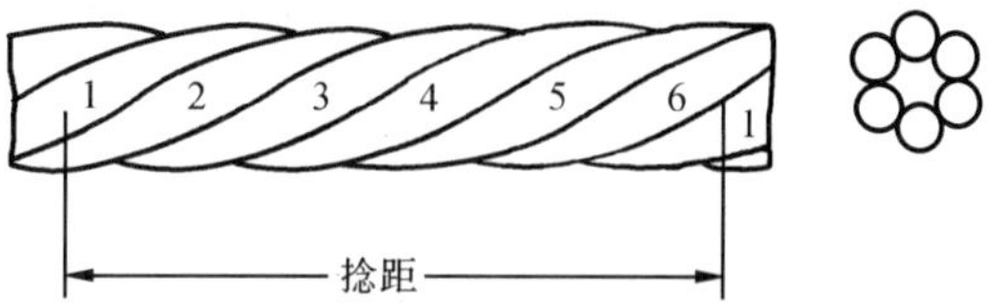

图 1-4　钢丝绳的捻距

3. 不松散性

钢丝绳在切断时绳头各股会自动松散开来，这就是钢丝绳的松散现象。制造过程中，如果对绳股采取预先变形等处理，钢丝绳切断以后，绳头各股就不会松散，称为钢丝绳的不松散性，这种钢丝绳称为不松散钢丝绳。不松散钢丝绳在制造时基本上消除捻制应力（反拨力），使用时柔软不易打结，安全方便，疲劳性能比松散钢丝绳提高约 40%。

4. 钢丝的直径

同一直径的钢丝绳由于构成的钢丝数不同，使用性能就有差异，股内钢丝愈多，钢丝直径愈小，则挠性也就愈好，易于弯曲，但不如粗钢丝耐磨。钢丝直径的大小与使用性能的关系见表 1-1。

表 1-1　钢丝直径的大小对使用性能的影响

钢丝直径	耐磨性	耐压性	柔软性	耐疲劳性	耐蚀性
大	强	强	劣	劣	强
小	弱	弱	优	优	弱

（二）品种分类

按钢丝绳断面形状分为：圆型钢丝绳和扁型钢丝绳，圆型钢丝绳按绳股断面形状又可分为圆型股（GB1102-74 圆股钢丝绳）和异型股（YB829-73 异型股钢丝绳）；按钢丝表面分为光面和镀层，钢丝镀层一般广泛采用镀锌；按绳股数可分为单股和多层股。如按股内各层钢丝相互间的接触状态分，又可分为点接触、线接触、面接触钢丝绳。目前使用的 6×19、6×24、6×37 等圆股型都是点接触钢丝绳，其绳股中相邻层钢丝的接触状态成点状。点接触钢丝绳的股中（除中心钢丝外）均用同一规格的钢丝组成，各层钢丝的捻角近似，捻距不同，虽较柔软，但绳中钢丝之间易滑移，受外力作用时，钢丝上同时受到钢丝与滑轮、卷筒之间所产生的一次弯曲应力和层与层之间相互挤压而产生的二次弯曲应力。因此，使用时弯曲应力较大，耐疲劳性能较差，破断拉力也较低。线接触钢丝绳股用几种规格钢丝配制而成，各层钢丝捻距相同，捻角不等，绳股中相邻钢丝的接触状态呈线状。有如图 1-5 中所示的四种类型。线接触钢丝绳与点接触钢丝绳相比，柔软性稍差；但其结构紧密，绳破断拉力相应地提高 6%～8%；使用时没有点接触钢丝绳中层与层之间互相挤压产生的二次弯曲应力；耐磨、耐疲劳性能较好；使用寿命比点接触钢丝绳提高 1.5～2 倍。而接触钢丝绳，相邻层钢丝接触状态成面状，柔软性虽然差，但使用时钢丝没有二次弯曲应力；在使用中钢丝因磨损、锈蚀变形后，绳股内钢丝产生间隙和松弛等现象；在外力作用时附加弯曲应力即三次弯曲应力也较小，所以结构特别紧密，破断拉力相应增加，耐磨、耐疲劳性能好，它是近年来发展起来的新品种，现在已开始制造结构简单的面接触钢丝绳，以 M 标记，例如 M6×7 表示面接触 6×7 结构的钢丝绳。

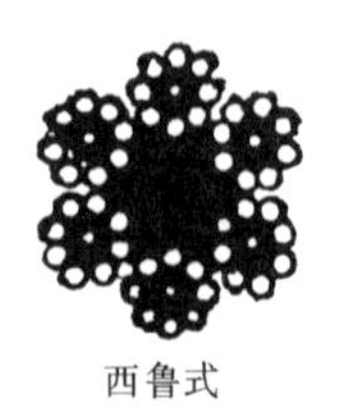

图 1-5　线接触钢丝绳的分类

钢丝绳按用途可分为

支持绳:用于悬挂桥梁、电缆、张拉桅杆和烟囱等。使用时,它承受拉力,主要指标是抗拉强度。伸长率要小,所以纤维绳芯不适用作支持绳。

承载绳:用作架空索道、矿车轨道索等。它主要承受压力和拉力,要求强度高、表面光滑、结构紧密、支撑表面大。

牵引绳:在动力传动装置和运输机械中传递拉力时使用。它主要承受拉力,要求耐磨;抗挤压;有韧性,经得起长期弯曲;其外层钢丝要稍粗些,采用金属绳芯。

提升绳:用来提升重物。它在使用时除了受拉力,还承受弯曲力和摩擦力,要求有较高的强度和韧性;弯曲应力要小;耐疲劳,耐磨损,并能较好地抵抗冲击载荷。

系扎绳:用于捆扎、拖船和系船等。使用时它基本处于受拉状态,由于需要手工捆扎、打结,要求柔软性好。

二、钢丝绳的选择

合理选择钢丝绳是正确使用的基础。选择钢丝绳要符合安全规程和使用对象的特性。钢丝绳的品种及其特性,例如钢丝绳的破断拉力、柔软性、耐疲劳性、耐挤压性、旋转性、耐腐蚀性等是影响钢丝绳使用性能和使用寿命的主要因素之一,选择适当与否将会明显地影响使用效果。

钢丝绳的各种特性与品种结构的关系如下

(一)钢丝绳的破断拉力

钢丝绳的破断拉力取决于钢丝的公称抗拉强度、绳的直径和结构。选择较高抗拉强度的钢丝有利于提高钢丝绳的安全系数。但强度的提高对钢丝韧性有影响(特别在含有酸碱的环境中),如果片面追求高强度,由于强度过高,钢丝表面产生的极微小的裂纹会加快促成钢丝早期疲劳断裂,所以应根据使用场合,同时考虑钢丝的强度和韧性,来进行选择。在一个品种中,在钢丝公称抗拉强度相同的情况下,绳的破断拉力与绳径成正比。

(二)柔软性

钢丝绳的柔软性在其弹性变形范围内主要取决于内部钢丝的相互滑动的易难。表 1-2 为钢丝绳的挠性系数,它是衡量柔软性的主要标志之一。绳径相同时,钢丝根数越多,挠性系数越大,柔软性也越好。

表 1-2　钢丝绳的挠性系数

品　　种	结　　构	挠性系数	品　　种	结　　构	挠性系数
圆股点接触钢丝绳	6×7	9	圆股线接触钢丝绳	6T(25)	15
	6×19	15		6T(29)	17
	6×37	21		6X(31)	15
	6×61	27		6XW(36)	17
	6×12	15		8X(19)	15
	6×24	18		8W(19)	18
	6×30	21		8T(25)	18
圆股线接触钢丝绳	6X(19)	12	圆股面接触钢丝绳	M6×7	—
	6W(19)	15		M6×19	—

挠性系数只是在一定程度上反映钢丝绳的柔软性能和结构、性能,同向捻比交互捻柔软;在钢丝根数相同的情况下,点接触比线接触柔软,线接触比面接触柔软;纤维绳芯比金属芯柔软;不松散比松散柔软;钢丝抗拉强度越高,柔软性能越差。

(三)耐疲劳性

钢丝绳在使用时,通常受到低于实际抗拉强度的交变应力的作用。当这种应力交变一定次数以后,钢丝绳表面没有明显的磨损,但会突然断裂,这种现象就是钢丝绳的疲劳断裂。

衡量钢丝绳的耐疲劳性是指在交变应力工作条件下,钢丝绳发生疲劳断裂时所受的交变应力的交变次数。一般情况下,线接触比点接触的耐疲劳性好,在接触比线接触的更好;相同直径、类型的钢丝绳外层钢丝粗时耐疲劳性较好;结构相同时同向捻比交互捻的好;纤维绳芯比金属绳芯好;异型股、八股、多股型比普通的圆股钢丝绳的好;钢丝绳的疲劳性能和使用时的安全系数成正比,见图 1-6。

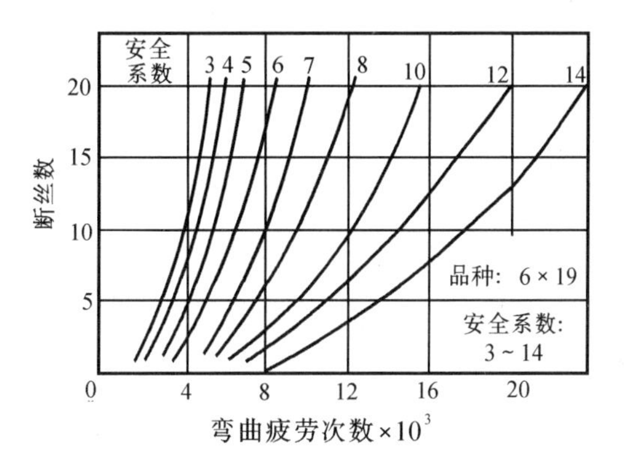

图 1-6　安全系数对疲劳性的影响

(四)耐磨性

钢丝绳在使用时,钢丝绳外部的磨损和内部的磨损,通常表现为绳径变细。其耐磨性主要取决于钢丝绳的表面钢丝与滑轮或卷筒的接触压应力。钢丝绳与滑轮或卷筒的接触面积越大,接触压应力就越小,耐磨性也越好。各种常用结构的钢丝绳与滑轮或卷筒接触面的由大到小顺序是:(1)密封钢丝绳;(2)异型钢丝绳;(3)多股钢丝绳;(4)面接触的圆股钢丝绳;(5)普通圆股钢丝绳。在结构相同时,同向捻比交互捻又具有较大的接触面。图 1-7 是圆股绳与滑轮的接触面。对于外部磨损,外层钢丝直径较粗

图 1-7　钢丝绳的接触面

的耐磨性好;对于内部磨损,线接触的耐磨性较好。

表 1-3 中列出了一般圆股钢线绳的柔软性、耐疲劳性、耐磨性三者之间的关系。

表 1-3 圆股钢丝绳的柔软性、耐磨性、耐疲劳性

结构	柔软性 软(A)→ 硬(F)	耐磨性 强(A)→ 弱(H)	耐疲劳性 高(A)→ 低(H)	结构	柔软性 软(A)→ 硬(F)	耐磨性 强(A)→ 弱(H)	耐疲劳性 高(A)→ 低(H)
6×7	F	A	H	6T(29)	C	D	C
6×19	D	C	G	6XW(36)	C	D	B
6X(19)	E	B	F	6×24	C	E	G
6W(19)	D	C	E	6XW(41)	B	F	A
6T(25)	D	C	D	6×37	B	G	G
6X(31)	D	C	C	6×61	A	H	—

(五)耐挤压性

耐挤压性是钢丝绳抵抗结构变形的能力。钢丝绳的耐挤压性主要表现在受到横向挤压时,抵抗变形的能力,和柔软性是恰恰相反的。当钢丝绳在卷筒上多层缠绕时更需要考虑其耐挤压性。一般情况下:金属芯比纤维芯耐挤压;相同结构时,交互捻比同向捻耐挤压;股内钢丝少比股内钢丝多的耐挤压;线接触比点接触的耐挤压,面接触比线接触的耐挤压;各种不旋转钢丝绳和多股钢丝绳的耐挤压性都比较好。

(六)旋转性

普通钢丝绳在使用时,无论同向捻还是交互捻当受拉时,都会产生由股和绳形成不同方向的不平衡的旋转力矩(图 1-8),使网丝绳随着提升高度和吊物质量的增加,旋转现象会加剧,严重时会造成互相缠绕的现象(图 1-9)。这种缠绕现象不仅使操作困难,而且使操作人员不安全,严重时吊钩无法升降,影响工作的正常进行。钢丝绳缠绕后如继续使用,由于绳之间的相互磨擦,捻距受到破坏,会加剧表面磨损及过早断丝,缩短使用寿命。

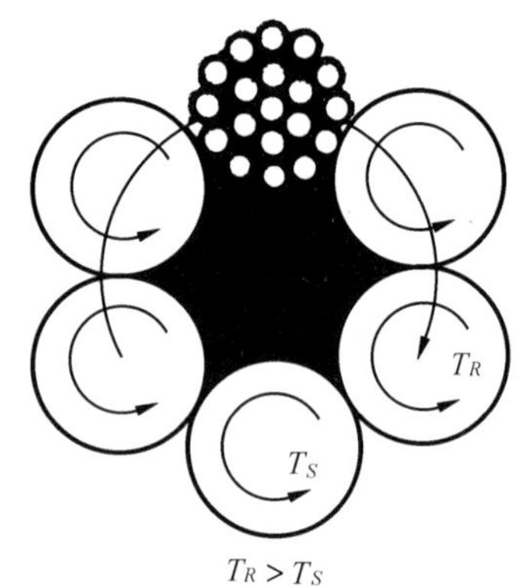

$T_R > T_S$

图 1-8 钢丝绳股和绳的旋转力矩

随着造船工业的发展,各类起重设备需要的卷扬提升高度的增加,更有必要减少使用时的旋转现象。除了设法增加滑轮的直径外,对普通钢丝绳,在条件许可的情况下可将左捻和右捻钢丝绳并列使用,使其各自产生的旋转力矩互相平衡,也可使用不旋转钢丝绳。图 1-10 为一些品种钢丝绳的旋转力矩。

必须注意的是,钢丝绳从盘上解下来要进行安装时,钢丝绳本身有些扭转引起的缠绕现象和起重吊货时发生的旋转现象不一样。因此在安装时,需把钢丝绳延伸一直线和通常所说的放"桥头",安装后再进行适当的调整,避免发生扭转现象。

(七)耐蚀性

生锈腐蚀是金属材料受化学或电化学作用引起的最常见表面破坏现象。在造船工业

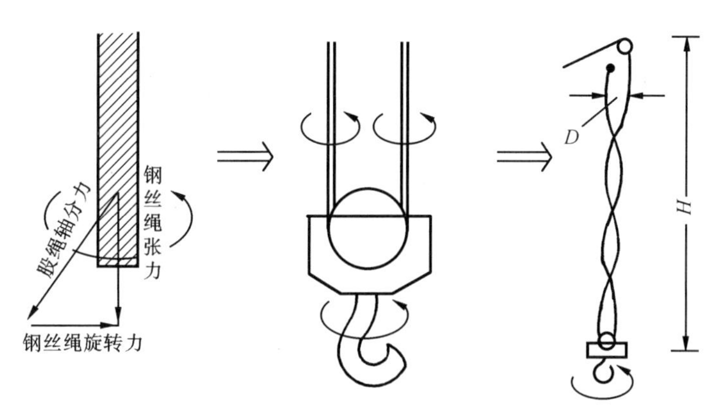

图 1-9　钢丝绳的旋转现象

中,钢丝绳的腐蚀,除海水及海洋性气候腐蚀,还有一般大气中或特殊环境中的腐蚀。提高钢丝绳的耐蚀性目前主要采用:

1. 覆盖保护镀层

作为阳极保护镀层,目前最广泛采用的是镀锌层。在以锈蚀为主的环境中,镀锌钢丝绳的寿命约为不镀锌的钢丝绳的两倍。

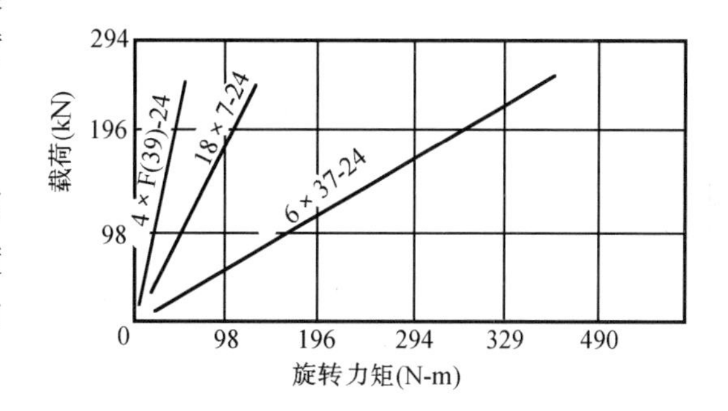

图 1-10　钢丝绳的旋转力矩

2. 油封防锈

在钢丝绳表面涂上油脂,即起防锈又起润滑的作用。图 1-11 表明钢丝绳涂上油脂与不涂油脂相比,其使用寿命会成倍的增加。

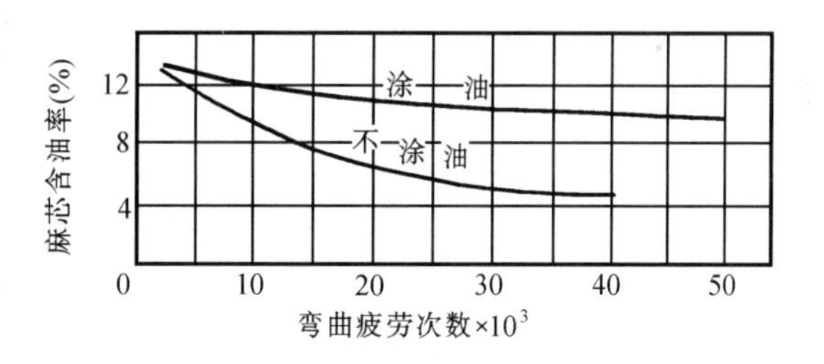

图 1-11　涂油对钢丝绳使用寿命的影响

3. 减少绳芯含水率

钢丝绳除了外部腐蚀外,还存在内部腐烂,即从里向外烂的问题。近年来的试验表明,采用不含水分的合成纤维聚丙烯与含有一定水分的天然纤维相比,在解决钢丝绳内部腐蚀上效果明显。

总的来讲,在通常情况下防止钢丝绳锈蚀和过早磨损,一般依靠油封来解决。

三、钢丝绳的使用和维护

在起重吊装作业中钢丝绳的使用形式很多,能否正确使用和加强维护与操作人员的人身安全、吊运质量、钢丝绳的使用寿命关系极大,必须引起足够的重视。

(一)使用

1. 新绳使用前应进行外观检查:钢丝绳直径、结构、表面和捻制情况;不允许有断丝、交错、折弯、锈蚀、切伤和绳股松紧不一,塌入和凸起等现象;绳芯的情况。

2. 成盘钢丝绳解卷时,须特别注意防止发生扭结。钢丝绳发生扭结,大多是先由圈眼

(图 1-12a)拉成小圈眼(图 1-12b)。若不立即纠正,继续再拉,则钢丝绳就会引起钢丝与各股的变位、扭曲和凸出等现象(图 1-12c),即使修正后也不能恢复原状。产生扭结后,由于钢丝绳的扭转而引起拉应力的再分配。根据其扭结程度的不同,将使钢丝绳破断拉力降低约 40%~60%。正确的解圈应按图 1-13 所示。

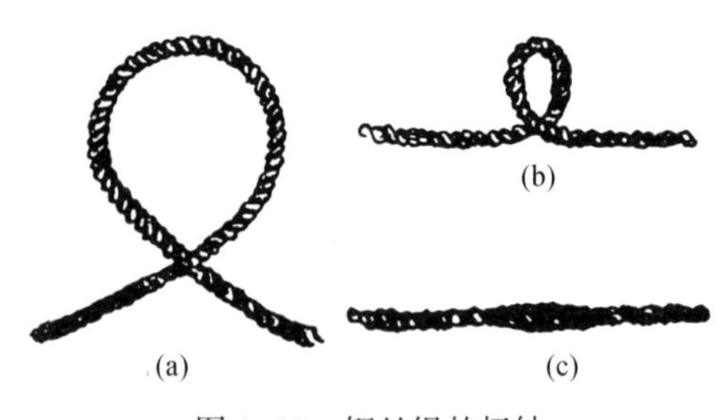

图 1-12　钢丝绳的扭结

(a)圈眼;(b)小圈线;(c)扭结

3. 钢丝绳的切断可借助于断线钳、液压钢丝绳切断器、钢锯或乙炔气割均可。但为防止切断时钢丝绳各股与钢丝的松动,须在切断前,先在切断处的两边用钢丝扎结牢靠(参见图 1-14)。

图 1-13　钢丝绳的解开

图 1-14　扎结钢丝的位置和顺序

扎结钢丝的匝数:麻芯的为 3 匝,钢芯的为 4 匝。扎结所用钢丝的规格,按钢丝绳直径的大小进行选择,一般可参照表 1-4。必须注意的是剩余部分的钢丝绳还须按原货签标志标好,以利再用时查找。

表 1-4　扎结钢丝绳用的钢丝规格

钢丝绳直径(mm)	扎结用钢丝(号数)	钢丝绳直径(mm)	扎结用钢丝(号数)
≤6	26	28~32	12
7~18	18	≥33	10
19~27	14		

4. 钢丝绳的连接。起重吊物时,要求绳结或系结的方法是可以自动勒紧或毫无变化的,以利于安全,而在到达预定位置后,又能不费力地解脱下来。起重安装工作中绳结和系结的方法多种多样,常用绳结已在上册中介绍过了,此处着重分析各种连结方法的受力状况和有关的计算方法。

(1)绳结

在起重吊装工作中的各种绳结,由于受到附加剪切应力的作用,所以在打绳结处对破断拉力有一定的影响。一些常见的绳结与破断拉力保持率关系如图 1-15 所示。

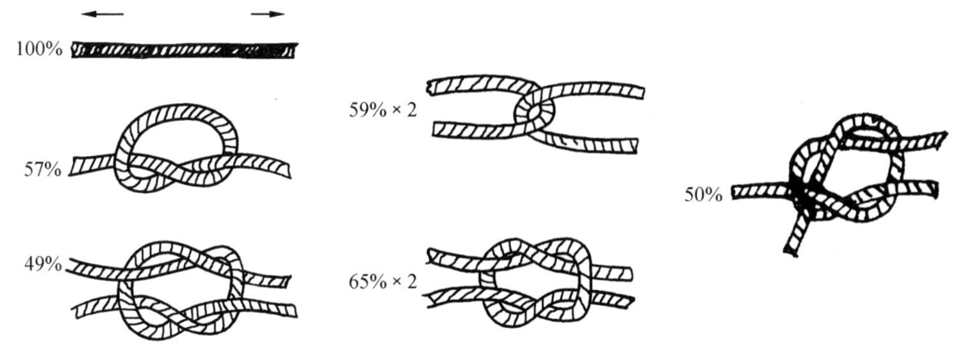

图 1-15　绳结的破断拉力保持率

(2)绳卡法(图 1-16b)

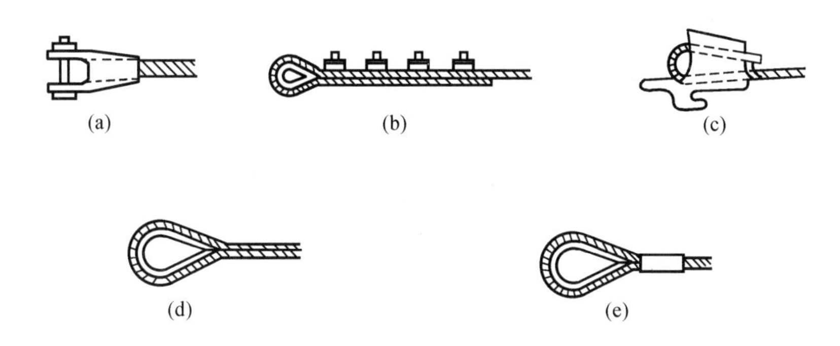

图 1-16　绳头加工方法

(a)锥形套筒固定法;(b)绳卡法;(c)楔形套筒固定法;(d)插接(带套环)法;(e)金属套筒固定法

钢丝绳绳夹在钢丝绳一端上的必需数目,可按下面的方法计算。

a. 对马鞍式及抱合式的绳夹

$$n=\frac{T}{2P(f_1+f_2)}=1.677\times\frac{T}{2P} \tag{1-1}$$

式中　n——绳夹数;

T——钢丝绳所受的力(N);

P——栓紧绳夹螺帽时,螺栓所受的力(N)(根据螺栓直径,按表 1-5 求出);

f_1——钢丝绳与钢丝绳的摩擦系数,$f_1=0.4$;

f_2——钢丝绳与绳夹夹箍的摩擦系数,$f_2=0.2$。

b. 对骑马式一类绳夹

钢丝绳与钢丝绳的摩擦系数 f_1 可近似为零,则得出

$$n=\frac{T}{2Pf_2}=2.5\frac{T}{P} \tag{1-2}$$

表 1-5　栓紧绳夹螺帽时,螺栓上受的力

螺栓直径(mm)	螺纹外的断面计算面积(cm^2)	螺栓上所受的力(P)		螺栓直径(mm)	螺纹外的断面计算面积(cm^2)	螺栓上所受的力(P)	
		N	kgf			N	kgf
9.5	0.44	3920	400	22.2	2.72	34300	3500
12.7	0.78	7350	750	25.4	3.57	45080	4600
15.8	1.31	15190	1550	28.6	4.49	56840	5800
19.0	1.96	24500	2500	31.8	5.77	73500	7500

说明:拉力值 P,是以用把长 20cm 的螺帽扳手,双手用力栓紧螺帽为前提而采取的。

除了计算的钢丝绳夹数目以外,有时还常常加上一个保险绳夹。使钢丝绳末端的最后一段不被勒紧(图 1-17)。

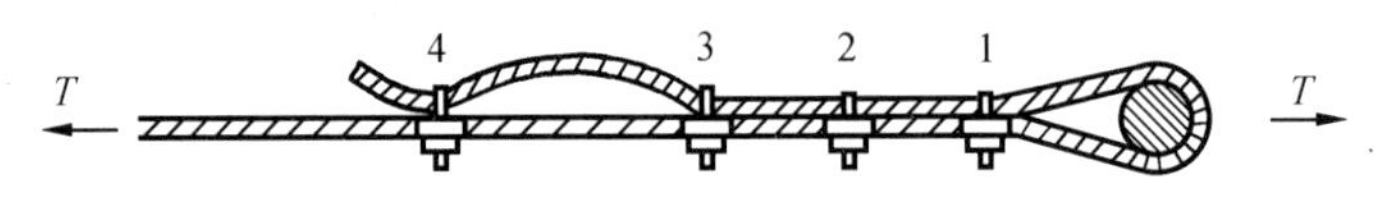

图 1-17　保险绳夹的装置

起重吊装工作中,往往来不及经过详细计算,立即需要进行装置绳夹,则可根据表 1-6 查出必需的绳夹数目和间距分布。

表 1-6　绳夹需用的数量及间距

钢丝绳直径(mm)	马鞍式绳类		抱合式绳类	
	绳夹数(个)	绳夹之间距离(mm)	绳夹数(个)	绳夹之间距离(mm)
8	—	—	2	100
13	3	100	3	100
15	3	100	3	100
17.5	3	120	4	120
19.5	4	120	4	120
21.5	4	140	4	140
24	5	150	5	150
28	5	180	5	180
34.5	7	230	—	—
37	8	250	—	—

c. 插接(带套环)法(图 1-16d)

俗称镶琵琶头或八股头法。钢丝绳一端绕过套环后与其自身编结在一起,编结长度不小于钢丝绳的三个捻距,其最低编结长度可按钢丝绳直径由表 1-7 而定。

表 1-7　钢丝绳的编结长度

钢丝绳直径(mm)	6～10	13	16～19	22～25	28	32	38
最低编结长度(mm)	300	460	600	750	900	1100	1200

钢丝绳在此固定处的拉力随绳径的大小而有不同程度的降低,表 1-8 为使用套环时拉力的降低率,如不用套环时拉力仍须按表中的数值降低 10%。

表 1-8　使用套环时钢丝绳的连接效率

钢丝绳直径(mm)	连接效率(%)	钢丝绳直径(mm)	连接效率(%)
<19	95	48～50	75
22～25	88	756	70
28～38	82	—	—

d. 锥形套筒固定法(图 1-16a)

此固定法的拉力接近其自身拉力。

e. 楔形套筒固定法(图 1-16c)

此固定法的拉力为其自身拉力的 75%～85%。

f. 金属套筒固定法(图 1-16e)

此种方法是国外较为流行的新方法,具有式样新颖,加工使用方便,耐腐蚀,接合强度约可达到其自身拉力的 90%～100%。

5. 起重设备。钢丝绳在使用过程中,会产生弯曲疲劳、磨损、变形等现象。这些现象与其直接接触的设备卷筒和滑轮尺寸、形状、材料以及卷筒中心与滑轮之间夹角即移动角等有关。

(1)移动角

滑轮与卷筒中心内侧间的夹角,称为钢丝绳的移动角(图 1-18)。钢丝绳绕进或绕出卷筒和滑轮时,通常都要发生移动,造成偏斜,当此偏斜即移动角超过一定限度时,钢丝绳会碰擦绳槽侧边以及与相邻的钢丝绳之间引起擦伤("咬绳"),甚至会发生跳槽。移动角对于有绳槽的卷筒应不大于 2°,光面卷筒应不大于 1. 5°。

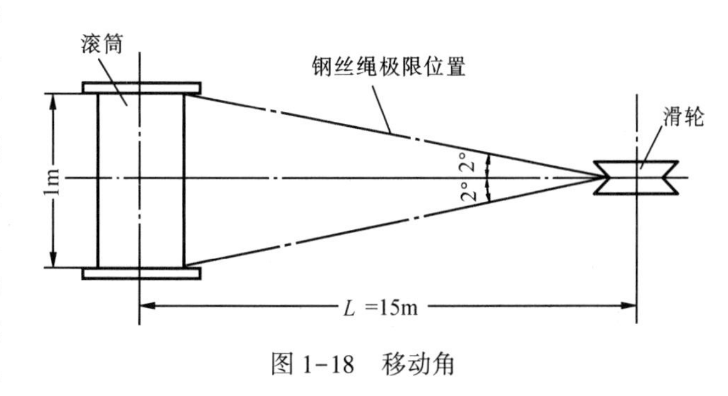

图 1-18　移动角

卷筒与滑轮的中心距 L 和相对应的卷筒宽度 l 的关系为

$$\frac{L}{0.5l}=\cot a \qquad (1-3)$$

如卷筒宽 l 为 1m,则得

$$\frac{L}{0.5\times 1}=\cot 2°\approx 29,\ L=15\text{m}$$

即异向滑轮和卷筒中心的间距 L 不宜小于卷筒宽的 15 倍。

(2)滑轮

钢丝绳绕过滑轮不断地作反复弯曲运动时,钢丝所受到弯曲应力,称为钢丝绳使用时钢丝的一次弯曲应力。滑轮的直径对其有直接的影响,由表 1-9 中可见,滑轮的直径与钢丝绳直径的比值(D/δ)越大,钢丝绳的使用寿命越长。图 1-19 和表 1-10 则反映了滑轮直径与钢丝绳直径的比值(D/d)越大,钢丝绳弯曲疲劳性能就越好,绳的破断拉力也增大。

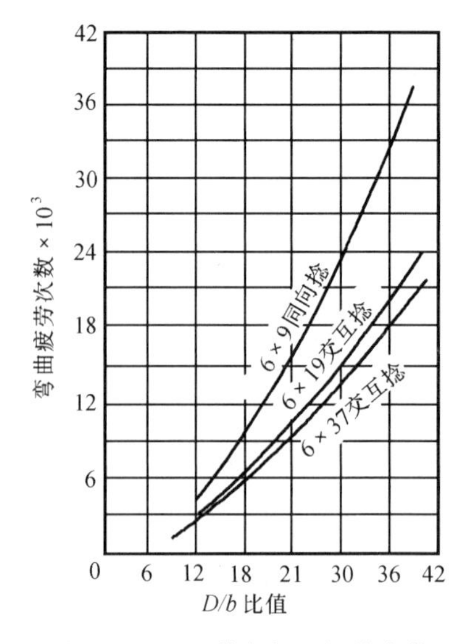

图 1-19 D/d 值与钢丝绳的疲劳性能的关系

为了使钢丝绳有一定的使用寿命,滑轮或卷筒的最小直径应按下式决定

$$D\geqslant e_1e_2d \tag{1-4}$$

式中 D——滑轮或卷筒直径(mm);

e_1——根据起重设备的形式及使用工作类型决定的系数:手摇和轻型工作机构 $e_1=16$;中型 $e_1=18$;重型 $e_1=20$;

e_2——根据钢丝绳结构决定的系数:交互捻 $e_2=1$;同向捻 $e_2=0.9$。

表 1-9 D/δ 值与钢丝绳的使用寿命

D/d	>1000	>600	>400	<300
使用寿命	非常长	长	一般	非常短

表 1-10 D/d 值与钢丝绳破断拉力的关系

D/d	30	26	24	18	16	14	12	10	6	2
破断拉力保持率%	95	93	91	90	88	86	81	79	70	53

一般起重安装工作中,采用滑轮直径 $D\geqslant(16\sim20)d$。

滑轮槽形应能保证钢丝绳顺利绕过而且使其接触面尽可能增大。如槽形过小钢丝绳卡在槽内,使用时受到严重挤压,寿命显著降低;槽形过大则钢丝绳在槽内容易滑动,增加摩擦,也会降低使用寿命。因此滑轮槽底的半径应稍大于钢丝绳的半径。一般取 $R\approx(0.53\sim0.6)d$;绳槽两侧的夹角 $2\beta\approx35°\sim45°$;$B\approx(2\sim2.8)d$(图 1-20)。具体尺寸参照表 1-11。

滑轮与钢丝绳的接触角 θ 的大小也会影响钢丝绳的疲劳性,图 1-21 表示 θ 在 20°附近时的使用条件恶化,弯曲疲劳值最低。

表 1-11　钢丝绳使用的滑轮槽形断面尺寸　　单位:mm

<table>
<tr><th>钢丝绳直径 d</th><th>A</th><th>B</th><th>C</th><th>R</th><th>R₁</th><th>S</th><th>n</th><th>m</th><th>K</th><th>r</th><th>r₁</th></tr>
<tr><td>6. 2~7. 7</td><td>30</td><td>21</td><td>17. 5</td><td>5</td><td>10</td><td>8</td><td rowspan="2">1</td><td>5</td><td rowspan="2">1</td><td>3</td><td rowspan="2">2</td></tr>
<tr><td>>7. 7~11</td><td>38</td><td>27</td><td>22. 5</td><td>6. 5</td><td>14</td><td>10</td><td>6</td><td>4</td></tr>
<tr><td>>11~18. 5</td><td>52</td><td>38</td><td>30</td><td>10</td><td>20</td><td>12</td><td>3</td><td>8</td><td rowspan="2">2</td><td>5</td><td rowspan="2">3</td></tr>
<tr><td>>18. 5~26</td><td>72</td><td>53</td><td>40</td><td>14. 5</td><td>28</td><td>14</td><td>5</td><td>10</td><td>6</td></tr>
<tr><td>>26~32. 5</td><td>90</td><td>68</td><td>52. 5</td><td>18. 5</td><td>34</td><td>16</td><td>7</td><td>12</td><td rowspan="2">3</td><td>8</td><td rowspan="2">4</td></tr>
<tr><td>>32. 5~43. 5</td><td>108</td><td>82</td><td>62. 5</td><td>23</td><td>42</td><td>20</td><td>10</td><td>16</td><td>10</td></tr>
<tr><td>>43. 5~52</td><td>130</td><td>98</td><td>75</td><td>27. 5</td><td>52</td><td>24</td><td>12</td><td>20</td><td rowspan="2">4</td><td>12</td><td rowspan="2">5</td></tr>
<tr><td>>52~65</td><td>150</td><td>115</td><td>90</td><td>32</td><td>64</td><td>30</td><td>15</td><td>25</td><td>15</td></tr>
</table>

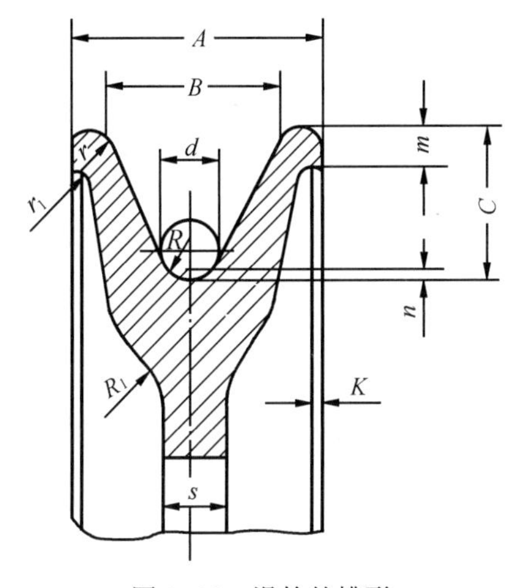

图 1-20　滑轮的槽形

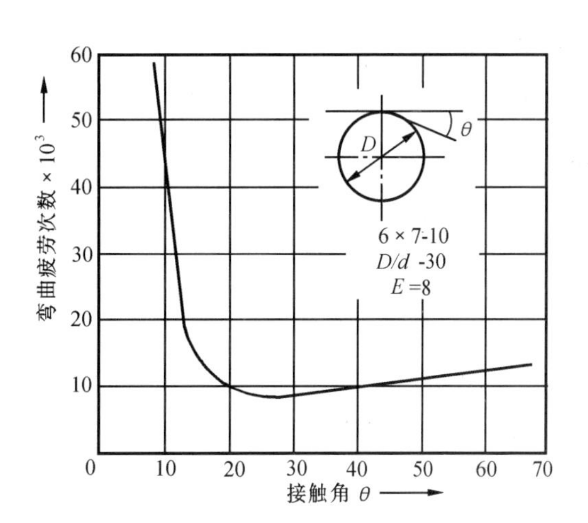

图 1-21　接触角与钢丝绳疲劳性的关系

制造滑轮的材料有铸铁(HT15-33)、球墨铸铁(QT40-10)、铸钢(ZG25 或 35)。在吊装大型设备中一般都使用铸钢滑轮。选用滑轮材质时除了考虑经济性外,还应按照滑轮槽底承受的许用压力进行选择。在使用中如滑轮材质太硬,钢丝绳易磨损;太软,则会在其上压出钢丝绳的痕迹。钢丝绳对滑轮槽底的接触压力可按下式计算:

$$P_b = \frac{2T}{KDd} \tag{1-5}$$

式中　P_b——钢丝绳对滑轮槽底的压力(N/m^2);

T——钢丝绳的张力(N);

D——滑轮的直径(m);

d——钢丝绳的直径(m);

K——槽形系数(对 U 形槽一般状态为 1/2,接触状态,理想槽为 1;平槽为 1/4)。

选择时,滑轮的接触压力必须小于材料的许用压力(表 1-12)。

表 1-12　各种材质滑轮槽底的许用压力

滑轮材质	交互捻钢丝绳				同向捻钢丝绳			
	6×19		6×37		6×19		6×37	
	MN/m^2	kgf/mm^2	MN/m^2	kgf/mm^2	MN/m^2	kgf/mm^2	MN/m^2	kgf/mm^2
木材	1. 76	0. 18	2. 06	0. 21	1. 86	0. 19	2. 25	0. 23
铸铁	3. 33	0. 34	4. 02	0. 41	3. 82	0. 39	4. 51	0. 46
铸钢	6. 17	0. 63	7. 35	0. 75	6. 86	0. 70	8. 13	0. 83
白口铁	7. 55	0. 77	9. 11	0. 93	8. 33	0. 85	10. 00	1. 02
锰钢	16. 50	1. 68	20. 6	2. 10	18. 9	1. 93	22. 6	2. 31

钢丝绳通过滑轮、卷筒时要注意钢丝绳的弯曲方向，一般有图 1-22 中的 L 向弯曲和 S 向弯曲两种。S 向弯曲钢丝绳同时受到弯曲和侧压的作用，使用寿命比同向弯曲降低约 50%。所以应避免采用反向弯曲，实在不可避免时，应设法延长滑轮间距 l，但仍降低约 20%~30%左右。

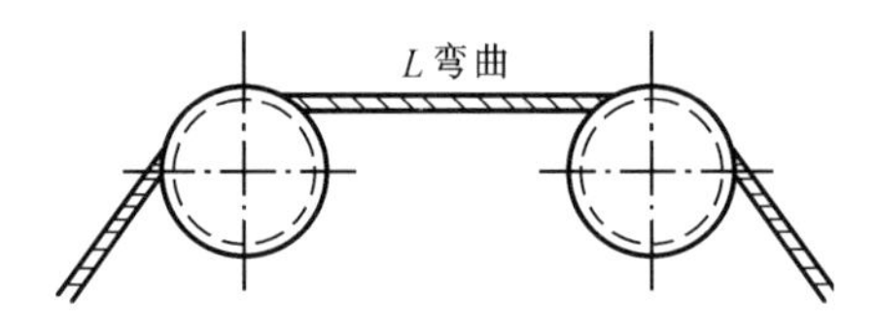

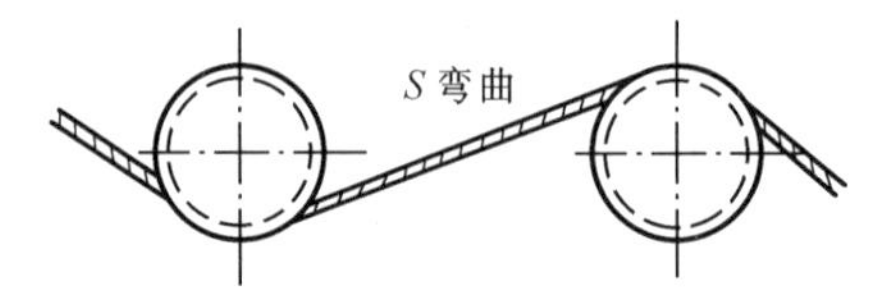

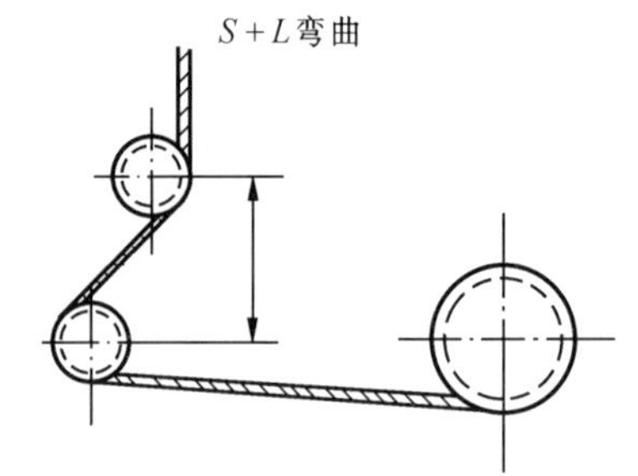

图 1-22　弯曲方向

6. 钢丝绳使用时的受力变化。在起重吊装工作中，钢丝绳使用的形式很多，但对它们实际受力的大小往往容易搞错，而造成事故，为便于分析，下面以起重吊装作业中常见的情况来加以说明。

（1）单点捆绑绳扣

在起重吊装中应用较普遍，虽没有角度因素的影响，但在弯曲处同时承受拉力和剪力，钢丝绳制成吊索时有效断面面积显著减小，破断拉力降低约 30%左右。图 1-23 标明各部分承受拉力的能力。在选择绳扣时，应找出其中的薄弱点来选择吊索。

（2）吊圆柱体

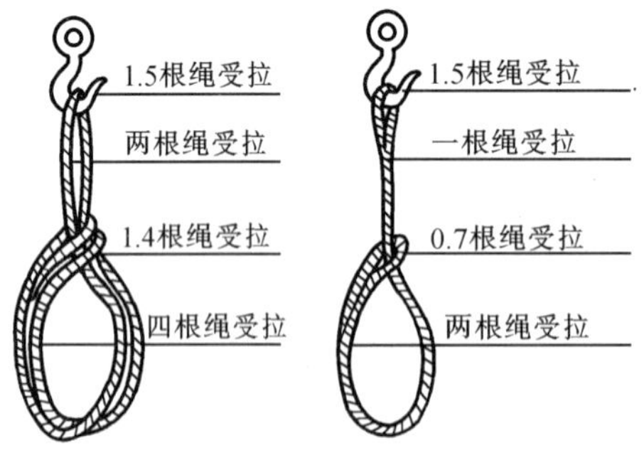

图 1-23　单点捆绑绳扣的受力变化

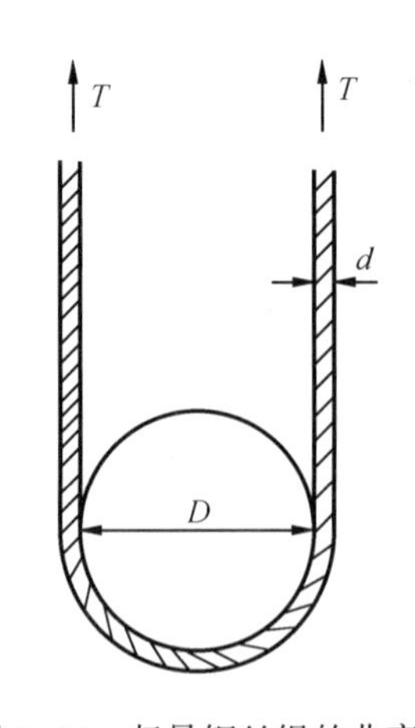

图 1-24　起吊钢丝绳的曲率图

起重吊起圆柱体物体时，钢丝绳的起重能力与所吊物体的直径大小有关（图 1-24），吊物的直径变小，吊绳的曲率半径也变小，绳的破断拉力也降低，降低率见表 1-13。

表 1-13　钢丝绳破断拉力与曲率半径的关系

$\frac{吊物直径}{钢丝绳直径}(D/d)$	25	20	15	5	3	2	1
破断拉力降低率(%)	5	7	10	20	25	35	50

(3)吊物的底端有角度

用钢丝绳吊起有锐角的物体时,钢丝绳的破断拉力也会有所降低。图 1-25a 为吊物底端有角度的情况,其降低率见表 1-14。图 1-25b 所示的情况,一般降低率约为 20。

表 1-14　底端角度与破断拉力的关系

底端角度(α)	120°	90°	60°	45°
破断拉力降低率(约%)	30	35	40	47

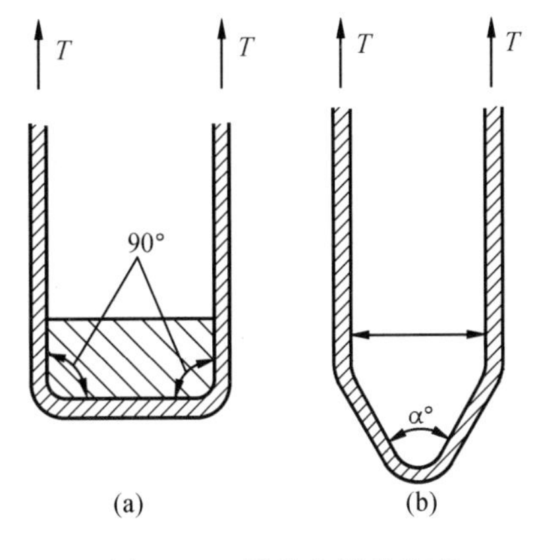

图 1-25　吊物底端的角度

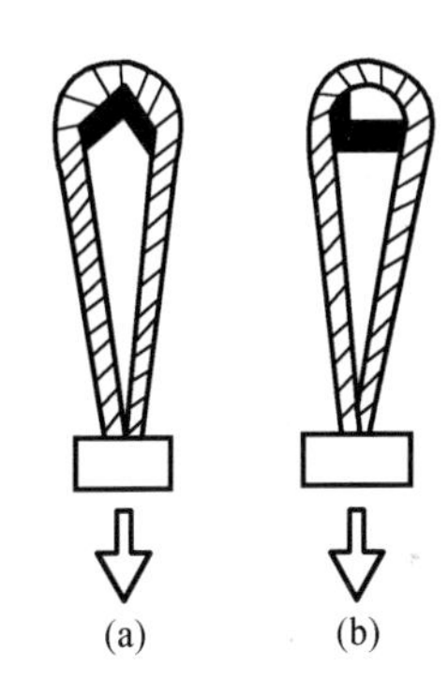

图 1-26　角钢悬挂钢丝绳

(a)∧方向;(b)L 方向

(4)角钢上悬挂钢丝绳

图 1-26 是钢丝绳悬挂在角钢上的两种方法,经试验表明,角钢成∧方向(图 1-26a)和成 L 方向(图 1-26b)悬挂钢丝绳时,绳的破断拉力分别降低为 33%和 42%。

(5)其他吊法

表 1-15 列出了起重吊运工作中,常见的各种吊法与破断拉力保持率的关系。

(6)异向滑轮

图 1-27 是当起吊绳索受力均为 P 时,异向角度不等,则滑轮固定绳扣和锚桩的受力就相应地发生变化。因此,我们绝不能按照起吊绳索的受力,简单地确定钢丝绳都受同样大小的力。

表 1-15　吊法与破断拉力保持率的关系

名称	直　吊	钩 吊(1)	兜 吊(1)	兜 吊(2)	兜 吊(3)	兜 吊(4)
图例				60° 60°	45° 45°	30° 30°
拉　力保持率	1	0.75	2	1.73	1.42	1
名称	套圈吊	钩 吊(2)	兜 吊(5)	兜 吊(6)	兜 吊(7)	兜 吊(8)
图例						
拉　力保持率	0.5	1.5	3	2.6	2.1	1.5

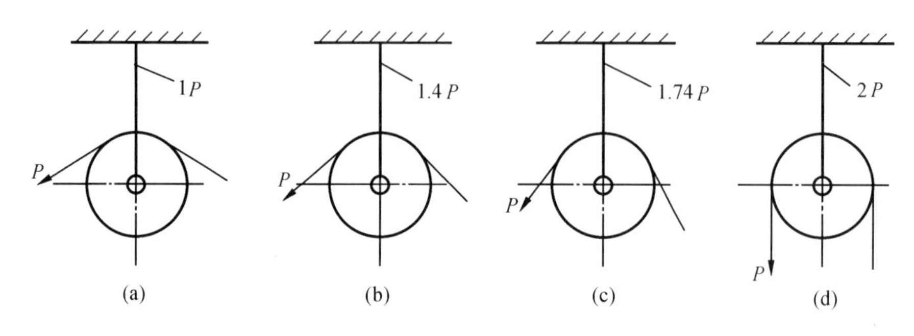

图 1-27　钢丝绳在导向滑轮上的张角不同时的受力

(a)120°;(b)90°;(c)60°;(d)0°

(7)冲击载荷

在吊运过程中如果操作不慎,钢丝绳受到的冲击载荷往往是静载荷的几倍,严重时会造成断绳事故。钢丝绳所受的冲击载荷的大小与所吊重物落下的距离 h 是成正比的(图 1-28),其值可按下式计算:

$$P_s = Q\times\left(1+\sqrt{1+\frac{2ESh}{QL}}\right) \tag{1-6}$$

式中　P_s——冲击载荷(N);

Q——静载荷(N);

E——钢丝绳的弹性模量(N/m^2);

L——钢丝绳的悬挂长度(m);

h——落下距离(m);

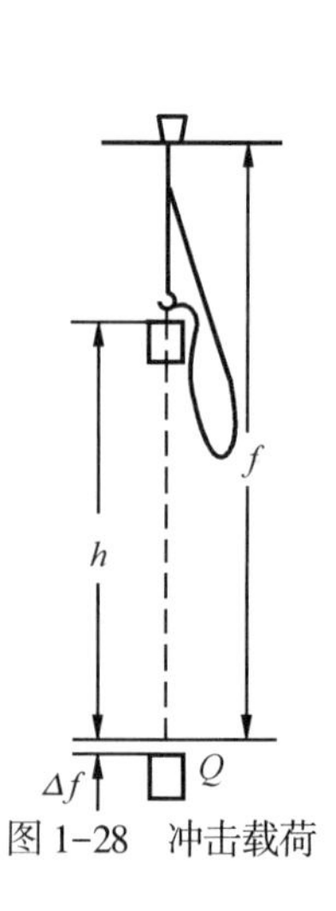

图 1-28　冲击载荷

S——钢丝绳截面积(m^2)。

例 1 6×37-16mm 钢丝绳($S=100m^2$,$E=78400MN/m^2$,即 $E=8000kgf/mm^2$)悬挂长度5m,吊重(静载荷)22.54kN,落下距离为175mm,问其冲击载荷为静载荷的多少?

解 先统一各计量单位:$S=100mm^2=1\times10^{-4}m^2$,$E=7.84\times10^{10}N/m^2$,$Q=2.25\times10^4N$,$L=5m$,$h=175mm=1.75\times10^{-1}m$,然后代入(1-6)式

$$P_s=2.25\times10^4\times(1+\sqrt{1+\frac{2\times7.84\times10^6\times1.75\times10^{-1}}{2.25\times10^4\times5}})$$
$$=2.25\times10^4\times6.04=1.36\times10^5N=136kN$$

从计算可知,冲击载荷为静载荷的六倍,要比想像的大得多。如令上式中 $1+\sqrt{1+\frac{2ESh}{QL}}$ 为 n,则(1-6)式可改写为

$$P_s=nQ \tag{1-7}$$

式中,n——冲击载荷与静载荷的比值,在表1-16中表示了 h 与 n 值的关系。

表 1-16 6×37 钢丝绳的 n 值

h(mm)	n	h(mm)	n	说 明
25	3.12	125	5.31	钢丝绳直径:$d=16mm$
50	3.73	150	5.70	$L=5000mm$
75	4.40	175	6.06	$W=22.54kN$
100	4.88			

钢丝绳在使用中如果受到震动,实质上也是受到一定程度的冲击载荷,从图1-29可看到,震动将会大大缩短钢丝绳的使用寿命,因此在使用中必须避免冲击和震动,不准急剧改变升降运行速度(突然刹车),以免产生冲击载荷,致使钢丝绳破断。

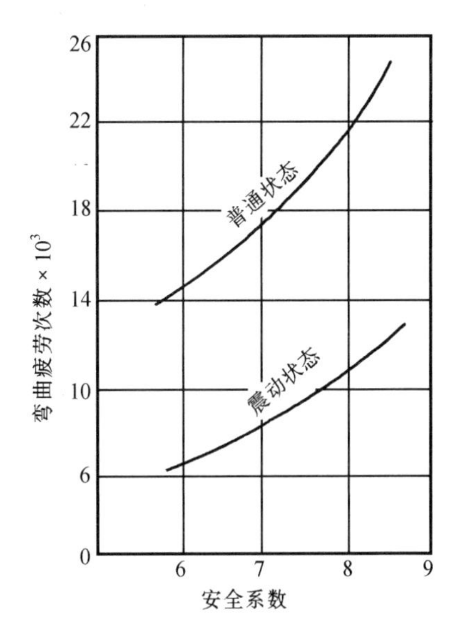

图1-29 震动对钢丝绳使用寿命的影响

(8)加速度和减速度

起重机开始或停止运转而产生的加减速度,引起钢丝绳附加张力的变化,可按(1-8)式计算

$$P_a=Q+Q\frac{a}{g}=Q(1+\frac{a}{g}) \tag{1-8}$$

式中 P_a——加速或减速时钢丝绳受到的载荷(N);

Q——静载荷(N);

a——加速度或减速度(m/s^2);

g——重力加速度($9.8m/s^2$)。

例 2 有一台起重机以0.5m每秒的速度,匀速将98kN的重物起吊到一定的高度后,以1秒的时间制动,此时钢丝绳受到的张力为多少?

解 已知 $Q=9.8\times10^4N$,$g=9.8m/s^2$,$t=1s$,初速度 $V_0=0.5m/s$,末速度 $V_t=0$。由运动

方程解得

$$a=-1.207\text{m/s}^2(\text{减速度})$$

代入(1-8)式得

$$P_a=9.8\times10^4(1+\frac{1.207}{9.8})=1.1\times10^5\text{N}=110\text{kN}$$

从(1-8)式可知,在起重安装作业中钢丝绳所受到的附加载荷与吊物的速度变化率成正比。因此,在起重安装工作中不得急剧改变升降运行速度,以免钢丝绳受到附加的张力。

(9)润滑

新钢丝绳涂有润滑油脂,除了可以防腐,还能起到减磨和提高疲劳性的作用。钢丝绳在使用过程中油脂会逐渐减少,定期对钢丝绳的表面涂抹油脂,使钢丝绳始终保持一定的含油率,将会延长使用寿命。

油脂的配方有以下三种:

a. 油膏——含煤焦油 60%、石油沥青 10%、松香 10%、凡士林 7%、石墨 3%、石蜡 2%;

b. 油膏——含干黄油 90%,牛油 10%;

c. 油液——含干黄油 90%,石油沥青 10%。

钢丝绳的涂抹用油量,可按下式计算

$$\text{用油量}=\text{钢丝绳直径(mm)}\times\text{钢丝绳长度(m)}\times0.0294(\text{N})$$

按上述计算的用油量,一般情况下是有余的。

(10)腐蚀

起重用的钢丝绳都是在与空气、水、海洋性气雾等介质接触的环境中工作的,这些介质都会在不同程度上侵蚀钢丝绳,使绳锈蚀。钢丝绳锈蚀后金属断面面积减少,破断拉力降低,并导致绳芯(天然纤维绳芯)腐烂,股与股之间钢丝磨损加快,绳直径变细,股间松动,钢丝的韧性,尤其是扭转值将明显下降,从某种意义上来讲,比断丝、磨损更为严重,锈蚀的产生是随时随地无孔不入的,只要防护上稍有疏忽,就可能造成极为严重的后果。

由此可见,减少钢丝绳锈蚀是极其重要的。一般可以在绳表面定期涂抹油脂和采用镀锌钢丝绳(也要适当涂油),为防止绳芯腐烂可采用合成纤维绳芯。

(二)维护

钢丝绳在使用一段时间后,将会出现磨损和受自然或化学腐蚀,结构受到破坏,以及因使用不妥引起绳的变形等,所以必须定期对钢丝绳进行以下项目的检查,鉴别其是否可用,以确保安全。

1. 磨损程度

通过肉眼观察和对绳径的测量来测定其磨损程度,其测量位置必须对全长进行检查后予以确定(下同),并观察是单面磨损还是均匀磨损。一般情况下,钢丝绳破断拉力的下降率是和绳直径的减少率成正比的,而单面磨损比均匀磨损的下降率要增加将近一倍。

2. 断丝情况

检查断丝根数及断丝的分布状况。一般,是测量断丝最严重处一个捻距内断丝的根数,并观察其分布状态,是否集中在一股上。钢丝绳出现断丝后使绳内钢丝断面面积减少,破断拉力降低,降低的数值与断丝多少和分布情况有关。由表 1-17 中可以看出,如断丝集中在一股中,其破断拉力的降低要比断丝分散在各股中有成倍的变化。一般,在各种规程中,规定的允许断丝数,是指断丝分布在一个捻距的各股中。如果断丝集中在一股或一个面上,由于拉力降低会成倍增加，所以其断丝的允许数，要相应减少一半左右。表1-18中列出了国家规范规定的钢丝绳报废标准，在一个捻距内所达到的断丝根数。

表1-17　断丝及其位置对破断拉力的影响

断丝数	断丝位置	破断拉力降低率(%)	说　明
14根(约10%)	集中在一股，一个面上	26.6	1. 试验钢丝绳6×24-14mm 2. 断丝方法在新钢丝绳上用人工切断
	分散在三个捻距上	2.3	
	分散在各股，在绳子同一横断面上	9.6	
	分散在三个捻距上	3.6	
30根(约20%)	集中在两股，一个面上	42.2	
	分散在三个捻距上	5.0	
	分散在各股，在绳子同一横断面上	21.6	
	分散在三个捻距上	3.7	
42根(约30%)	集中在三股，一个面上	43.1	
	分散在三个捻距上	6.2	
	分散在各股，在绳子同一横断面上	27.5	
	分散在三个捻距上	6.0	

表1-18　钢丝绳断丝的报废标准

安全系数	钢丝绳的结构					
	6×19=114+1		6×37=222+1		6×61=366+1	
	交绕捻	同向捻	交绕捻	同向捻	交绕捻	同向捻
<6	12	6	22	11	36	18
6~7	14	7	26	13	38	19
>7	18	8	30	15	40	20

3. 锈蚀程度

用肉眼检查钢丝表面是否有磨点。如发现钢丝绳局部发生细瘦现象或发现绳股不顺不正，表示内层腐蚀情况较重。对使用时间较长的钢丝绳，也可用小锤轻轻敲击，如有咔嚓咔嚓的响声，就说明内部已有锈蚀，或设法将钢丝绳股与股之间拧开检查。为了便于分析，表1-19列出了钢丝绳的锈蚀程度和对机械性能的影响。

表1-19　钢丝绳锈蚀的分级

级别	机械性能损失	钢丝绳表面锈蚀程度	对使用影响
Ⅰ	约10%	钢丝变色，失去光泽，钢丝表面有细小黑点，有锈皮或麻点	轻度锈蚀，使用时锈蚀影响不大，可按其他规定报废
Ⅱ	10%~25%	钢丝表面锈皮较厚或有麻坑，但尚未连接	使用时应考虑锈蚀影响

Ⅲ	25%~40%	有锈蚀裂纹,麻点形或麻坑,连成麻沟,外层钢丝松动	严重锈蚀,使用不安全
Ⅳ	40%	锈蚀面积大,钢丝失圆,股间钢丝咬痕深达 1/3~1/2	危险状态

4. 变形及其他异常现象

用肉眼检查有无扭结及其痕迹、压扁、损伤、绳芯处及凹处,股松出处或松捻处的程度和位置等缺陷。钢丝绳的变形不仅直接损坏了一部分钢丝,而且改变了钢丝绳的形状,破坏了原来的合理结构,产生了诸如拉应力再分析等现象,破坏拉力降低,影响使用。表 1-20 列出了在使用中常见的变形特征和对使用的影响。

表 1-20　钢丝绳变形的分类和特征

名称	图例	特征	对使用影响
压扁		局部压扁	使钢丝部分损坏,绳和绳股的结构破坏,拉力降低,对性能影响较大,加速造成断丝和不规则磨损
股松弛		个别股出现松弛或陷弛、陷落现象	由于各股所承担的负荷失去平衡,使钢丝绳破断拉力降低很大
波浪形		全长呈现波浪形现象	当波浪形程度 $X>(1/3)d$(绳径)时,对拉力有影响,一般下降 30%以下
弯折		钢丝绳局部弯曲,产生永久变形	弯折处拉力大大降低,严重时可达 80%左右
起壳		外层股浮起形成灯笼形	一般不能正常使用
绳芯外露		绳芯外露或绳芯和股的位置互相交替	拉力稍有减少,但明显影响使用寿命
捻距变化		发生松捻,捻距变化	虽对拉力没有影响,但影响疲劳性能

四、钢丝绳的计算

在起重吊装中,每根吊索的受力及选择,是关系到安全吊装的重要数据,都应进行仔细计算和校核,不得随意估算。

(一)钢丝绳最大许用拉力的计算

1. 安全系数

钢丝绳在使用过程中的受力情况很复杂,除承受拉力外,还要承受由于弯曲、扭转、挤压和工作速度的变化等所产生的应力。这些应力又随钢丝绳的结构和工作条件不同而变化。钢丝绳的磨损、锈蚀和由于反复弯曲、拉伸产生的疲劳现象也会降低钢丝绳的强度。所以,在起重吊装中考虑钢丝绳的承载能力时,为安全起见,要留有一定的裕度,即我们通常所说的安全系数。

安全系数——为了弥补材料的不均匀,外力确定的不准确,计算的不精确以及考虑载荷性质,材料性质和施工作业的安全,一般要求材料在实际工作时所承受的力,是它在试验时强度极限的几分之一,而不是全部,这样材料在工作时就有几倍的安全系数。

合理正确地选择安全系数是选择与计算钢丝绳的重要前提,它必须在保证安全的基础上,又要符合节约的原则。选择安全系数应考虑如下的因素:

(1)要有足够的强度来承受最大的负荷;

(2)有足够抵抗挠曲和磨损的强度;

(3)能承受冲击载荷;

(4)不利的环境,例如温度、潮湿、酸的侵蚀等。

钢丝绳的安全系数详见表1-21。

表1-21 钢丝绳的安全系数

使用情况	安全系数 K	使用情况	安全系数 K
缆风绳用	3.5	用于吊索,无弯曲时	6~7
用于手动起重设备	4.5	用作绑扎吊索	8~10
用于机动起重设备	5~6	用于载人的升降机	14

2. 破断拉力

钢丝绳的破断拉力主要取决于钢丝的公称抗拉强度、钢丝绳的直径、结构。必须注意的是,整根钢丝绳的实际破断拉力与组成钢丝绳的各根钢丝的破断拉力的总和是不相等的,相差的数值就是捻制丝的削弱值,这是随钢丝绳的结构而定的。按GB1102-74标准,圆钢丝绳的破断拉力是根据钢丝的破断拉力总和乘上一个“换算系数”求得的,亦即

$$P=CP_{总} \tag{1-9}$$

式中 P——钢丝绳的破断拉力(N);

$P_{总}$——钢丝的破断拉力总和(N),查表1-22;

C——换算系数,$C(6\times19)=0.85$,$C(6\times37)=0.82$,$C(6\times61)=0.80$。

3. 钢丝绳的最大许用拉力

钢丝绳的最大许用拉力 T,可按下式计算:

$$T=\frac{P}{K} \tag{1-10}$$

式中 T——钢丝绳的许用拉力(N);

P——钢丝绳破断拉力(N);

K——安全系数(表1-21查出)。

表 1-22 钢丝绳的主要规格

直径		钢丝总断面积	参考重量	钢丝公称抗拉强度(MN/m²)				
钢丝绳	钢丝			1372	1519	1666	1813	1960
				钢丝破断拉力总和				
mm		mm²	kg/100m	N(不小于)				
6×19 钢丝绳								
6. 2	0. 4	14. 32	13. 53	19600	21658	23814	25872	28028
7. 7	0. 5	22. 37	21. 14	30674	33908	37240	40474	43806
9. 3	0. 6	32. 22	30. 45	44198	48902	53606	58408	63112
11. 0	0. 7	43. 85	41. 44	60074	66542	73010	79478	85946
12. 5	0. 8	57. 27	54. 26	78498	86926	95354	103390	112210
14. 0	0. 9	72. 49	68. 5	98980	109760	120540	131320	141610
15. 5	1. 0	89. 49	84. 57	122500	135730	148960	162190	174930
17. 0	1. 1	108. 28	102. 3	148470	164150	180320	196000	212170
18. 5	1. 2	128. 87	121. 8	176400	195510	214620	233240	252350
20. 0	1. 3	151. 24	142. 9	207270	229320	251860	273910	295960
21. 5	1. 4	175. 40	165. 8	240590	266070	292040	317520	343490
23. 0	1. 5	201. 35	190. 3	275870	305760	335160	364560	394450
24. 5	1. 6	229. 09	216. 5	314090	347900	381220	415030	448840
26. 0	1. 7	258. 63	244. 4	354760	392490	430710	468440	506660
28. 0	1. 8	289. 95	274	397390	440020	482650	525280	567910
31. 0	2. 0	357. 96	338. 3	490980	543410	596330	648760	701190
34. 0	2. 2	433. 13	409. 3	593880	657580	721280	784980	
37. 0	2. 4	515. 46	487. 1	707070	782530	858480	934430	
40. 0	2. 6	604. 95	571. 7	829570	918750	1004500	1092700	
43. 0	2. 8	701. 60	663	962360	1063300	1166200	1269100	
46. 0	3. 0	805. 41	761. 1	1102500	1220100	1337700	1460200	
6×37 钢丝绳								
8. 7	0. 4	27. 88	26. 21	38220	42336	46354	50470	54586
11. 0	0. 5	43. 57	40. 96	59682	66150	72520	78988	85358
13. 0	0. 6	62. 74	58. 98	86044	95256	104370	113680	122500
15. 0	0. 7	85. 39	80. 27	117110	129360	142100	154350	167090
17. 5	0. 8	111. 53	104. 8	152880	169050	185710	201880	218540
19. 5	0. 9	141. 16	132. 7	193550	214130	234710	255780	276360
21. 5	1. 0	174. 27	163. 8	238630	264600	290080	315560	341530
24. 0	1. 1	210. 87	198. 2	289100	319970	350840	382200	413070
26. 0	1. 2	250. 95	235. 9	343980	380730	417970	454720	491470

表 1-22(续一)

直径		钢丝总断面积	参考重量	钢丝公称抗拉强度(MN/m²)				
钢丝绳	钢丝			1372	1519	1666	1813	1960
				钢丝破断拉力总和				
mm		mm²	kg/100m	N(不小于)				
28. 0	1. 3	294. 52	276. 8	403760	447370	490490	533610	577220
30. 0	1. 4	341. 57	321. 1	468440	518420	568890	618870	669340
32. 5	1. 5	392. 11	368. 6	537530	595350	653170	710500	768320
34. 5	1. 6	446. 13	419. 4	612010	677670	742840	808500	874160
36. 5	1. 7	503. 64	473. 4	690900	764890	838880	912870	984900
39. 0	1. 8	564. 53	530. 8	774200	857500	940310	101920	1102500
43. 0	2. 0	697. 08	655. 3	955990	1058400	1161300	1259300	1362200
47. 5	2. 2	843. 47	792. 9	774200	1278900	1401400	1528800	
52. 0	2. 4	1003. 80	994. 62	1376900	1523900	1670900	1817900	
56. 0	2. 6	1178. 07	1107. 4	1612100	1788500	1960000	2131500	
60. 5	2. 8	1366. 28	1284. 3	1871800	2072700	2273600	2474500	
65. 0	3. 0	1568. 43	1474. 3	2151100	2381400	26611700	2842000	
6×61 钢丝绳								
11. 0	0. 4	45. 97	43. 21	63014	69776	76538	83300	90062
14. 0	0. 5	71. 83	67. 52	98490	108780	119560	129850	140630
16. 5	0. 6	103. 43	97. 22	141610	156800	171990	187180	202370
19. 5	0. 7	140. 78	132. 3	193060	213640	234220	254800	275870
22. 0	0. 8	183. 88	172. 8	251860	279300	306250	333200	360150
25. 0	0. 9	232. 72	218. 8	318990	353290	387590	421890	455700
27. 5	1. 0	287. 31	270. 1	393960	436100	478240	520870	563010
30. 5	1. 1	347. 65	326. 8	476770	527730	579180	630140	681100
33. 0	1. 2	413. 73	388. 9	567420	628180	688940	749700	810460
36. 0	1. 3	485. 55	456. 4	665190	737450	808500	880040	951580
38. 5	1. 4	563. 13	529. 3	772240	855050	937860	1019200	1102500
41. 5	1. 5	646. 45	607. 7	886900	980000	1073100	1171000	1264200
44. 0	1. 6	735. 51	691. 4	1004500	1117200	1225000	1332800	1440600
47. 0	1. 7	830. 33	780. 5	1136800	1259300	1381800	1504300	1626800
50. 0	1. 8	930. 88	875	1274000	1411200	1548400	1685600	1822800
55. 5	2. 0	1149. 24	1080. 3	1572900	1744400	1911000	2082500	2250080
61. 0	2. 2	1390. 58	1307. 1	1906100	2111900	2312800	2518600	
66. 5	2. 4	1654. 91	1555. 6	2268700	2513700	2753800	2998800	
72. 0	2. 6	1942. 22	1825. 7	2660700	2949800	3234000	3518200	
77. 5	2. 8	2252. 51	2117. 4	3087000	3420200	3748500	4081700	
83. 0	3. 0	2585. 79	2430. 6	3547600	3924900	4307100	4684400	

表(付)1-22　国家标准钢丝绳的主要规格(GB1104-74)

直径		钢丝总断面积	参考重量	钢丝公称抗拉强度(MN/m²)				
钢丝绳	钢丝			140	155	170	185	20
				钢丝破断拉力总和				
mm		mm²	kg/100m	kg(不小于)				
6×19 钢丝绳								
6. 2	0. 4	14. 32	13. 53	2000	2210	2430	2640	2860
7. 7	0. 5	22. 37	21. 14	3130	3460	3800	4130	4470
9. 3	0. 6	32. 22	30. 45	4510	4990	5470	5960	6440
11. 0	0. 7	43. 85	41. 44	6130	6790	7450	8110	8770
12. 5	0. 8	57. 27	54. 12	8010	8870	9730	10550	11450
14. 0	0. 9	72. 49	68. 50	10100	11200	12300	13400	14450
6×19 钢丝绳								
15. 5	1. 0	89. 49	84. 57	12500	13850	15200	16550	17850
17. 0	1. 1	108. 28	102. 30	15150	16750	18400	20000	21650
18. 5	1. 2	128. 87	121. 80	18000	19950	21900	23800	25750
20. 0	1. 3	151. 24	142. 90	21150	23400	25700	27950	30200
21. 5	1. 4	175. 40	165. 80	24550	27150	29800	32400	35050
23. 0	1. 5	201. 35	190. 30	28150	31200	34200	37200	40250
24. 5	1. 6	229. 09	216. 50	32050	35500	38900	42350	45800
26. 0	1. 7	258. 63	244. 40	36200	40050	43950	47800	51700
28. 0	1. 8	289. 95	274. 00	40550	44900	49250	53600	57950
31. 0	2. 0	357. 96	338. 30	50100	55450	60850	66200	71550
34. 0	2. 2	433. 13	409. 30	60600	67100	73600	80100	
37. 0	2. 4	515. 46	487. 1	72150	79850	87600	95350	
40. 0	2. 6	604. 95	571. 7	84650	93750	102500	111500	
43. 0	2. 8	701. 60	663. 0	98200	108500	119000	129500	
46. 0	3. 0	805. 41	761. 1	112500	124500	136500	149000	
6×37 钢丝绳								
8. 7	0. 4	27. 88	26. 21	3900	4320	4730	5150	5570
11. 0	0. 5	43. 57	40. 96	6090	6750	7400	8060	8710
13. 0	0. 6	62. 74	58. 98	8780	9720	10650	11600	12500
15. 0	0. 7	85. 39	80. 27	11950	13200	14500	15750	17050
17. 5	0. 8	111. 53	104. 8	15600	17250	18950	20600	22300
19. 5	0. 9	141. 16	132. 7	19750	21850	23950	26100	28200
21. 5	1. 0	174. 27	163. 8	24350	27000	29600	32200	34850
24. 0	1. 1	210. 87	198. 2	29500	32650	35800	39000	42150

表(付)1-22(续一)

直径		钢丝总断面积	参考重量	钢丝公称抗拉强度(MN/m²)				
钢丝绳	钢丝			140	155	170	185	20
				钢丝破断拉力总和				
mm		mm²	kg/100m	kg(不小于)				
26.0	1.2	250.95	235.9	35100	38850	42650	46400	50150
6×37 钢丝绳								
28.0	1.3	294.52	276.8	41200	45650	50050	54450	58900
30.0	1.4	341.57	321.1	47800	52900	58050	63150	68300
32.5	1.5	392.11	368.6	54850	60750	66650	72500	78400
34.5	1.6	446.13	419.4	62450	69150	75800	82500	89200
36.5	1.7	503.64	473.4	70500	78050	85600	93150	100500
39.0	1.8	564.63	530.8	79000	87500	95950	104000	112500
43.0	2.0	697.08	655.3	97550	108000	118500	128500	139000
47.5	2.2	843.47	792.9	118000	130500	143000	156000	
52.0	2.4	1003.80	943.6	140500	155500	170500	185500	
56.0	2.6	1178.07	1107.4	164500	182500	200000	217500	
60.5	2.8	1366.28	1284.3	191000	211500	232000	252500	
65.0	3.0	1568.43	1474.3	219500	243000	266500	290000	
6×61 钢丝绳								
11.0	0.4	45.97	43.21	6430	7120	7810	8500	9190
14.0	0.5	71.83	67.52	10050	11100	12200	13250	14350
16.5	0.6	103.43	97.22	14450	16000	17550	19100	20650
19.5	0.7	140.78	132.3	19700	21800	23900	26000	28150
22.0	0.8	183.88	172.8	25700	28500	31250	34000	36750
25.0	0.9	232.72	218.8	32550	36050	39550	43050	46500
27.5	1.0	287.31	270.1	40200	44500	48800	53150	57450
30.5	1.1	347.65	326.8	48650	53850	59100	64300	69500
33.0	1.2	413.73	388.9	57900	64100	70300	76500	82700
36.0	1.3	485.55	456.4	67950	75250	82500	89800	97100
38.5	1.4	453.13	529.3	78800	87250	95700	104000	112500
41.5	1.5	646.45	607.7	90500	100000	109500	119500	129000
44.0	1.6	735.51	691.4	102500	114000	125000	136000	147000
47.0	1.7	830.33	780.5	116000	128500	141000	153500	166000
50.0	1.8	930.88	875.0	130000	144000	158000	172000	186000
55.5	2.0	1149.24	1080.3	160500	178000	195000	212500	229600
61.0	2.2	1390.58	1307.1	194500	215500	236000	257000	
66.5	2.4	1654.91	1555.6	231500	256500	281000	306000	
72.0	2.6	1942.22	1825.7	271500	301000	330000	359000	
77.5	2.8	2252.51	2117.4	315000	349000	382500	416500	
83.0	3.0	2585.79	2430.6	362000	400500	439500	478000	

注：表中粗线左侧，适用于光面或镀锌钢丝绳；右侧只适用于光面钢丝绳。在海水或河水中使用的钢丝绳，以及在特殊工作条件下使用的钢丝绳，应用镀锌钢丝制造。

例 3 用一根直径为 24mm 的钢丝绳，其规格是 6×37，钢丝抗拉强度 1519MN/m²，用作绑扎吊索，求它的最大许用拉力？

解 由表 1-22 查得 $P_{总}=319970$N，根据表 1-21，取 $K=8$，对 6×37 钢丝绳 $C=0.82$，最大许用拉力从(1-10)式可知

$$T=\frac{P}{K}=\frac{CP_{总}}{K}=\frac{0.82\times319970}{8}=32797\text{N}=32.797\text{kN}$$

例 4 某厂整体吊装一台桥式起重机，要立一金属把杆，选择缆风钢丝绳时，根据计算，主缆风绳的拉力应为 78.4kN，试问需选用多粗的钢丝绳？

解 根据表 1-21，取 $K=3$。已知 $T=78400$N，由(1-10)式得

$$P=KT=3\times78400=235200\text{N}=235.2\text{kN}$$

一般缆风绳选用 6×19+1 型式的，选用抗拉强度为 $\sigma=1519\text{MN/m}^2$ 的钢丝绳。

查表 1-22，选用 $d=21.5$mm 的钢丝绳时，$P_{总}=266070$N，则 $P=0.85\times266070=226160\text{N}<235200\text{N}$（不安全）；选用 $d=23$mm 的钢丝绳，$P_{总}=305760$N，则 $P=0.85\times305760=256838\text{N}>235200\text{N}$（安全）。

有时在工作中因查表不便，可用下式估算破断拉力和许用拉力

英制钢丝绳：破断拉力 $P\approx4.9d^2(\text{kN})$，即　(1-11)

$$P\approx500d^2(\text{kgf}) \tag{1-11′}$$

许用拉力 $T\approx0.98d^2(\text{kN})$，即　(1-12)

$$T\approx100d^2(\text{kgf}) \tag{1-12′}$$

式中的 P、T 值为钢丝的抗拉强度为 1519MN/m² 时的近似值，d 为钢丝绳的直径。

公制钢丝绳：破断拉力 $P\approx529d^2(\text{N})$，即　(1-13)

$$P\approx54d^2(\text{kgf}) \tag{1-13′}$$

许用拉力 $T\approx88d^2(\text{N})$，即　(1-14)

$$T\approx9d^2(\text{kgf}) \tag{1-14′}$$

式中的 P 值为钢丝的抗拉强度为 1372MN/m² 时的近似值，T 值为 $K=6$ 时的近似值，d 为钢丝绳的直径。

（二）吊装绳索的计算

在起重安装作业中吊索上受力的大小，通常随吊装的方式而定。按力学定律，一根钢丝绳吊物时，这根钢丝绳上所受到的拉力和吊物的自重相同。用两根或若干根平行的钢丝绳起吊时，钢丝绳的受力将视吊点所在重物的位置有所不同。如果重物被彼此互成角度的钢丝绳索吊起时，每根吊索的受力将与吊物的重力、吊索的根数和吊索之间的夹角有关。

1. 两根吊索的长度相等

如果重物被彼此互成角度的两根长度相等的吊索吊起时，则每根吊索上钢丝绳的受力将为（图 1-30）

$$T=\frac{Q}{2\cos\frac{\alpha}{2}}\leqslant\frac{P}{K}(\text{N}) \tag{1-15}$$

式中　T——每根吊索所承受的拉力(N)；

Q——所吊物体产生的重力(N)；

a——吊索之间的夹角；

P——钢丝绳的破断拉力(N)；

K——安全系数。

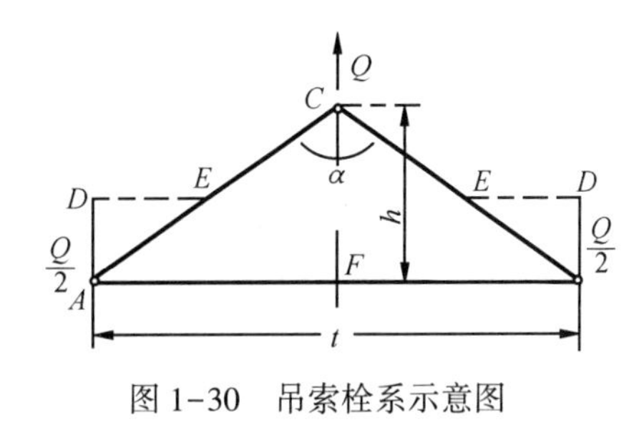

图 1-30　吊索栓系示意图

如以 l 表示重物两吊点之间的水平距离，h 表示吊点至吊钩的垂直距离，则从三角形 CFA 中得出

$$\cos\frac{\alpha}{2}=\frac{h}{\sqrt{(\frac{l}{2})^2+h^2}}$$

代入(1-15)式的 $\cos\frac{\alpha}{2}$ 可得

$$T=Q\frac{\sqrt{(\frac{l}{2})^2+h^2}}{2h}=\frac{Q}{2}\sqrt{(\frac{1}{2h})^2+1}$$

由此可见，吊索绑扎越平缓(l/h 或 l 值越大)，即 α 角越大，则吊索受力也越大，承载能力就越小。

为了计算方便起见，令 $\frac{1}{\cos\frac{\alpha}{2}}=k$ 为张力系数，则(1-15)式可改写为

$$T=kQ/2 \tag{1-16}$$

式中，k 值可由表 1-23 查出。

表 1-23　吊装夹角与张力系数 k 值

α	h/l	k	α	h/l	k
0°		1.0000	80°	0.60	1.3054
10°	5.72	1.0038	90°	0.50	1.4142
20°	2.84	1.0154	100°	0.42	1.5557
30°	1.87	1.0353	110°	0.35	1.7434
40°	1.37	1.0642	120°	0.29	2.0000
50°	1.07	1.1034	130°	0.23	2.3662
60°	0.87	1.1547	140°	0.18	2.9238
70°	0.71	1.2208	150°	0.13	3.8637

根据力的分解原理，每根吊索的张力可以分解为水平分力和垂直分力，吊索的水平分力即是对所吊设备的压力，其值为

$$H=T\sin\frac{\alpha}{2}(\mathrm{N}) \tag{1-17}$$

例 5　设备产生的重力为 49kN，使用双分支吊索吊装该设备，当吊索与吊索互相平行，或吊索间的夹角为 60°、90°、120°时，试问每根吊索受力多少？吊索对设备的压力为多少？选用多粗的钢丝绳？

解　根据下列公式计算

$$T=kQ/2$$

$$H=T\sin\frac{\alpha}{2}$$

$$P=KT$$

计算结果见表1-24。

表1-24

简图	90° 90° 49kN	60° 49kN	90° 49kN	120° 49kN
α	0°	60°	90°	120°
k	1. 000	1. 155	1. 414	2. 000
每根吊索的拉力 $T=\frac{1}{2}kQ$	24kN	28. 3kN	34. 65kN	49kN
吊索的水平分力 $H=T\sin\frac{\alpha}{2}$	sin0°=0 $H=0$	sin30°=0. 5 14. 15kN	sin45°=0. 707 24. 5kN	sin60°=0. 866 42. 43kN
钢丝绳直径	$P=147$kN $d=17.5$mm	$P=170$kN $d=19.5$mm	$P=208$kN $d=19.5$mm	$P=294$kN $d=24$mm

2. 多根吊索的长度相等(图1-31)

在起重吊装工作中,经常采用多根长度相等的吊索进行吊装,每根吊索的受力可按下式求得

$$T=\frac{Q}{n}\frac{1}{\cos\alpha}=\frac{1}{n}kQ\leqslant\frac{P}{K} \qquad (1-18)$$

式中 T——每根吊索所承受的拉力(N);

Q——所吊物体产生的重力(N);

n——吊索根数;

α——吊索与垂直方向之间的夹角;

k——张力系数(由表1-23查出)。

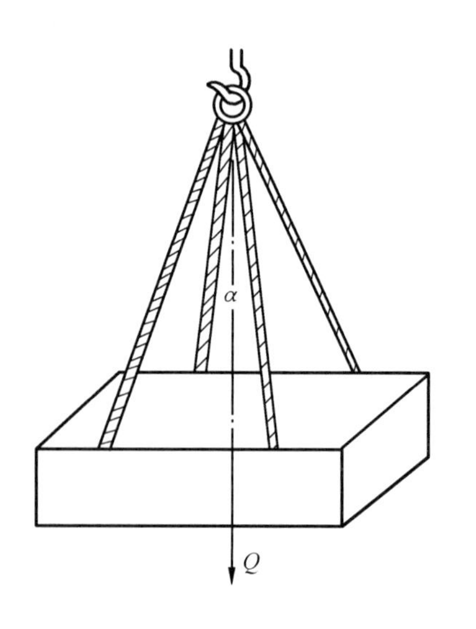

图1-31　多根吊索的吊装

例6　用6×37四根同样长的钢丝绳吊一重98kN的设备,吊索与垂线之间的夹角为30°时,问需用多粗的钢丝绳?

解　当$\alpha=30°$时,查表1-23知$k=1.035$,所以

$$T=\frac{1}{4}\times1.035\times9.8\times10^4=2.536\times10^4\text{N}$$

吊表1-21知安全系数$K=6$;所以

$$P=6\times 2.536\times 10^4=1.522\times 10^5\text{N}$$

查表 1-22,选择钢丝绳抗拉强度为 1519MN/m² 时,钢丝绳直径为 17.5mm 时,$P=1.691\times 10^5\text{N}>1.522\times 10^5\text{N}$,合乎要求。

3. 两根吊索长度不相等(图 1-32)

在起重安装工作中有时可能碰到用两根长度不相等的吊索进行吊装,这时每根吊索承受的张力不相等,应按下式计算

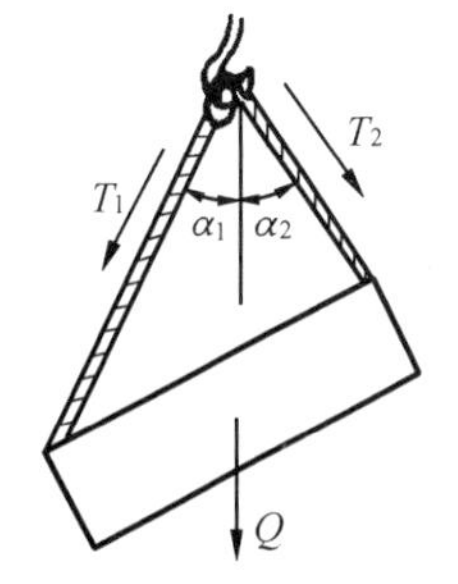

图 1-32　两根吊索的长度不相等

$$T_1=\frac{\sin\alpha_1}{\sin\alpha_1+\sin\alpha_2}kQ \tag{1-19}$$

$$T_2=\frac{\sin\alpha_2}{\sin\alpha_1+\sin\alpha_2}kQ \tag{1-20}$$

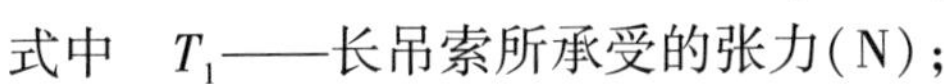

式中　T_1——长吊索所承受的张力(N);

T_2——短吊索所承受的张力(N);

α_1——长吊索与垂线之间的夹角;

α_2——短吊索与垂线之间的夹角;

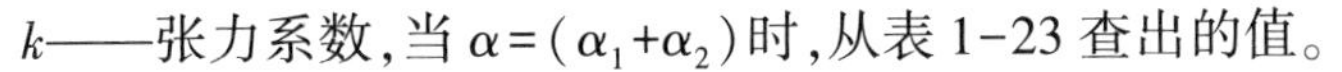

k——张力系数,当 $\alpha=(\alpha_1+\alpha_2)$ 时,从表 1-23 查出的值。

例 7　起吊一设备,产生的重力为 980kN,由于条件限制,需用两根长度不等的吊索吊装,长、短吊索与垂线之间的夹角分别为 20°、30°,求每根吊索所承受的张力?

解　由 $\alpha=\alpha_1+\alpha_2=20°+30°=50°$,查表 1-23 可知 $k=1.103$。

由(1-19)式得　$T_1=\dfrac{\sin30°}{\sin20°+\sin30°}\times 1.103\times 9.8\times 10^5$

$$=\frac{0.5}{0.342+0.5}\times 1.103\times 9.8\times 10^5=6.419\times 10^5\text{N}=641.9\text{kN}$$

由(1-20)式得　$T_1=\dfrac{\sin20°}{\sin20°+\sin30°}\times 1.103\times 9.8\times 10^5$

$$=\frac{0.342}{0.342+0.5}\times 1.103\times 9.8\times 10^5=4.391\times 10^5\text{N}=439.1\text{kN}$$

第二节　麻　　绳

麻绳是起重吊装工作中常用的绳索之一,它具有轻便、柔韧、容易捆绑等优点。但其强度低,仅为同直径钢丝绳的 10%左右,且容易磨损,所以在起重吊装工作中,往往只用来做辅助作业和吊装小于 4900N 的设备。

一、麻绳的种类和结构型式

麻绳有机制和手工制两种,因其拧搓均匀紧密,能承受较大的拉力,在起重吊装作业中,广泛采用。麻绳是以抗拉耐磨、不易腐烂的龙舌兰麻、西沙尔麻或马尼拉麻制成,通称白棕绳。

麻绳按照拧成的股数可分为三股、四股和九股三种,在有特殊用途时、亦有十二股,而常用者为三股居多。麻绳又可分为浸油和不浸油两种,浸油的抗潮防腐性能好,但质地变硬,

挠性较差，强度要比不浸油的降低约10%~20%；不浸油的在干燥状态下，强度和弹性都好，但易受潮湿，受潮后强度会下降约50%。

二、麻绳受力的计算

麻绳在交捻时虽受有扭转作用，在工作时受拉伸和弯曲作用，但其强度仍按拉伸计算。为了保证起重吊装作业的安全可靠，考虑到麻绳可能存在着制造上的缺点；容易磨损和起重时受冲击载荷作用等因素影响，因此，麻绳的许用拉力必须低于数倍产品规定的破断拉力，其计算公式为

$$T=\frac{P}{K} \tag{1-21}$$

式中 T——麻绳的许用拉力（N）；

P——麻绳的破断拉力（N），查表1-25；

K——安全系数，见表1-26。

表1-25 白棕绳的规格

直径（mm）	重量	最小破断拉力					
		Ⅰ		Ⅱ		Ⅲ	
	kgf/m	N	kg	N	kg	N	kg
6	0.03	3969	405	2626	268	1725	176
8	0.06	6527	666	4312	440	2842	290
10	0.08	9016	920	5978	610	3920	400
12	0.11	11427	1166	7399	755	4988	509
14	0.14	15974	1630	10682	1090	7076	722
16	0.18	19208	1960	13132	1340	8536	871
18	0.23	24108	2460	16268	1660	10780	1100
20	0.28	30576	3120	20678	2110	13622	1390
22	0.34	36848	3760	24010	2450	16464	1680
24	0.40	42924	4380	29008	2960	19208	1960
26	0.48	48706	4970	33124	3380	21854	2230
28	0.55	55958	5710	38122	3890	25088	2560
30	0.63	64876	6620	43610	4450	29302	2990
32	0.72	72912	7440	49098	5010	33026	3370
34	0.81	80752	8240	54488	5560	36652	3740
36	0.91	88200	9000	59682	6090	40180	4100
40	1.12	107506	10970	72912	7440	49098	5010
44	1.36	117698	12010	79968	8160	53802	5490
48	1.61	137200	14000	93688	9560	63014	6430
52	1.90	158760	16200	108094	11030	72618	7410
56	2.20	177870	18150	110152	11240	82026	8370
60	2.52	203350	20750	139650	14250	93982	9590

64	2.87	225400	23000	155722	15890	107506	10970
68	3.24	249900	25500	173362	17690	116620	11900
72	3.63	276360	28200	191394	19530	128674	13130
80	4.48	326536	33320	226870	23150	153174	15630
88	5.42	385140	39300	268422	27390	181300	18500

注:本表参照原水产部 SC-1 标准编制

表 1-26　麻绳的安全系数 *K* 值

使用情况	一般吊装用		重要的起重吊装用	吊索及缆风绳用	
	新绳	旧绳		新绳	旧绳
K 值	≥3	≥6	10	≥6	12

如果在工地使用,一时缺少麻绳破断拉力 *P* 的数据时,可按下列公式估算麻绳的许用拉力值,公式中已计入五倍的安全系数。

$$T=4.9d^2(\mathrm{N}) \tag{1-22}$$

式中　T——许用拉力(N);

　　　d——麻绳直径(mm)。

或

$$T=\pi d^2/4[\sigma](\mathrm{N}) \tag{1-23}$$

式中　$[\sigma]$——麻绳的许用应力($\mathrm{N/m^2}$),见表 1-27;

　　　d——麻绳的直径(m)。

由(1-23)式可得麻绳的直径

$$d=\sqrt{\frac{4T}{\pi[\sigma]}}\quad(\mathrm{mm}) \tag{1-24}$$

表 1-27　麻绳的许用应力

规　　格	起重用麻绳		捆绑用麻绳	
	$\mathrm{MN/m^2}$	$\mathrm{kgf/mm^2}$	$\mathrm{MN/m^2}$	$\mathrm{kgf/mm^2}$
亚麻绳	9.8	1.0	4.9	0.5
浸油亚麻绳	8.82	0.9	4.41	0.45

为了保证安全,麻绳在使用前必须进行仔细检查,当麻绳表面的均匀磨损不超过直径的30%,局部触伤不超过同截面直径的 10%时,可按直径进行折减,降级使用。如局部触伤和局部腐蚀情况严重时,可截去受损部分,插接好后继续使用。若经外观检查,均匀磨损超过直径的 30%和大部分已被腐蚀的麻绳,应予报废。如果使用旧绳起重时,应预先作超载25%的静载试验或超载 10%的动载试验。

第三节　尼　龙　绳

在起运和吊装表面光洁的零件、软金属制品、磨光的轴销或其他表面不许磨损的设备时，必须使用尼龙绳等非金属绳索。

一、尼龙绳的特性和规格

尼龙绳具有质量小、柔软、耐油、耐腐蚀、不怕虫蛀；并具有弹性，能减少冲击，吸水率只有4%等优点。尼龙绳在开始吊装时，伸长很显著，当额定满载时，它的最大伸长率达到40%左右。弹性好，延伸率大，这是尼龙绳的一个重要特性。所以在破断拉力相同的情况下，尼龙绳的抗冲击能力比钢丝绳好。我国生产的尼龙绳技术规格见表1-28。

表1-28 尼龙绳的技术规格

规格		直径允差（mm）	破断拉力					
公称直径 mm	周长近似 in		锦纶		丙纶		维纶	
			N	kgf	N	kgf	N	kgf
8	1	7~8	7840	800	6860	700	4410	450
10	$1\frac{1}{4}$	9~10	10780	1100	9800	1000	5880	600
12	$1\frac{1}{2}$	11~12	15680	1600	15680	1600	8820	900
14	$1\frac{3}{4}$	13~14	24500	2500	23520	2400	9800	1000
16	2	15~16	29400	3000	29400	3000	13720	1400
18	$2\frac{1}{4}$	17~18	36260	3700	35280	3600	17640	1800
20	$2\frac{1}{2}$	19~20	47040	4800	45080	4600	19600	2000
22	$2\frac{3}{4}$	21~22	56840	5800	52920	5400	22540	2300
24	3	23~24	68600	7000	60760	6200	29400	3000
26	$3\frac{1}{4}$	25~26	78400	8000	70560	7200		
28	$3\frac{1}{2}$	27~28	88200	9000	80360	8200		
30	$3\frac{3}{4}$	29~30	102900	10500	90160	9200		
32	4	31~32	112700	11500	98000	1000		
34	$4\frac{1}{4}$	33~34	119560	12200	107800	11000		
36	$4\frac{1}{2}$	35~36	137200	14000	122500	12500		
38	$4\frac{3}{4}$	37~38	156800	16000	142100	14500		
40	5	39~40	171500	17500	156800	16000		

42	$5\frac{1}{4}$	41~42	186200	19000	170520	17400		
44	$5\frac{1}{2}$	43~44	196000	20000	176400	18000		
46	$5\frac{3}{4}$	45~46	215600	22000	191100	19500		
48	6	47~48	230300	23500	205800	21000		
50	$6\frac{1}{4}$	49~50	245000	25000	225400	23000		
55	$6\frac{7}{8}$	52~56	274400	28000	245000	25000		
60	$7\frac{1}{2}$	57~61	294000	30000	274400	28000		
64	8	62~65	343000	35000	294000	30000		
70	$8\frac{3}{4}$	66~71	392000	40000	362600	37000		
75	$9\frac{1}{4}$	72~76	431200	44000	401800	41000		
80	10	77~81	490000	50000	450800	46000		
85	$10\frac{1}{2}$	82~86	539000	55000	499800	51000		
90	11	87~91	597800	61000	558600	57000		
95	$11\frac{1}{4}$	92~96	646800	66000	597800	61000		
100	$12\frac{1}{2}$	97~102	705600	72000	656600	67000		

注:表内 50mm 以下为三股尼龙绳,55mm 以上为八股尼龙绳。

二、尼龙绳的计算

起重作业中,尼龙绳的强度计算仍按拉伸强度进行计算,其公式为

$$T=\frac{P}{K} \tag{1-25}$$

式中 T——尼龙绳的许用拉力(N);

P——尼龙绳的破断拉力(N),见表 1-27 或有关的技术数据;

K——安全系数,用于人力扛抬、拖拉时 $K=3.5$,用于系挂或吊装设备时 $K=6$。

在起重安装作业中,有时缺乏技术资料,可用下列公式估算:

破断拉力: $$P\approx108d^2\text{(N)} \tag{1-26}$$

许用拉力: $$T\approx18d^2\text{(N)} \tag{1-27}$$

式中 P——近似为表 1-28 中锦纶、丙纶绳的破断拉力(N);

T——锦纶、丙纶绳在安全系数为 6 时的近似许用拉力(N);

d——锦纶、丙纶绳的直径(mm)。

例 1　一根直径 18mm 的丙纶绳用于吊运设备，其许用拉力为多少？

解　从表 1-28 查知，$P=35280\text{N}$，吊运设备取 $K=6$，由(1-18)式得

$$T=\frac{35280}{6}=5880\text{N}$$

如按(1-27)式进行估算：

$$T\approx 18\times 18^2=5832\text{N}$$

此计算结果与实际计算的值比较，略有误差，然而这种误差在起重吊装中一般还是允许的。

尼龙绳经过插接后，由于在插接处造成股、组之间松紧不一致，受载时每股载荷不均匀，另外，由于插接处纤维受挤压、弯曲等因素，而使绳的强度降低，一般为原来的 90%左右。由于尼龙绳打结，其强度也会降低，有的资料介绍降低约 50%左右。在使用旧尼龙绳时，注意旧尼龙绳的强度会因其纤维损伤程度脆化变质情况、磨损等因素而降低。故在使用时应根据上述情况的程度而适当折减，才能做到安全使用。

第四节　链　　条

一、链条的结构和特性

链条又称为链索和铁链，由 A3 或 A2 低碳钢制成(在焊接后应作退火处理)，根据用途不同可分为环链、片状链、撑环链三种。起重作业中使用较普遍的是焊接环链，统称焊接链。根据链环各部分尺寸比例的不同，焊接链环又可分为长环链和短环链两种。凡是链环长度 $L\leqslant 5d$(d 为圆钢直径)，宽度 $B\leqslant 3.5d$ 的链条，都属短环链，其余属长链环。起重吊装一般只用短环链。当链环误差极限为链钢直径的±3%，宽为±5%，为标准环链；非标准链其误差极限是，链环长度及宽度均为链钢直径的±10%。目前国内使用的焊接链的规格已经标准化，起重用的焊接链主要规格见表 1-29 和图 1-33。

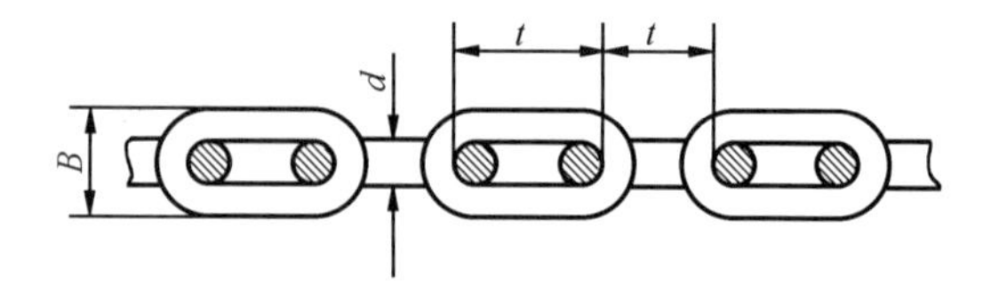

图 1-33　起重焊接链

链条的缺点是自重大，对撞击和过载的敏感性大，链条在其薄弱环节处有突然断裂的可能性大，安全性差。链环接触处的磨损大，传动不平稳，不能承受冲击载荷。

二、焊接链的计算

链条在工作时，在链环中产生的应力是很复杂的。当链条受拉时，链环中的受力是三次超静定问题。把链条看成是曲杆进行分析，链环中除了拉伸应力外，尚有弯曲应力。此外，当链条绕上滑轮时，还有附加的弯曲应力。因此，链环受力相当复杂，理论和实际有较大的差别。为了保证设备吊装的安全可靠，目前，一般采用许用载荷的计算方法，其计算公式为：

$$T=\frac{P}{K}$$

式中　T——链条的许用拉力(N);
P——链条的破断拉力(N);
K——链条的强度安全系数,见表1-30。

表1-29　焊接起重链(标准链)的主要规格

链环尺寸(mm)			破坏载荷		链环尺寸(mm)			破坏载荷	
直径 d	节距 t	宽度 B	N	kgf	直径 d	节距 t	宽度 B	N	kgf
5	19	19	6272	640	20	56	66	156800	16000
6	19	21	9800	1000	23	64	76	205800	21000
7	21	24	15680	1600	26	72	84	260680	26600
8	23	27	23520	2400	28	78	91	305760	31200
9	27	32	30380	3100	30	84	98	348880	35600
11	31	36	45080	4600	32	91	104	401800	41000
13	36	43	64680	6600	35	98	114	454720	46400
16	44	53	99960	10200	38	106	123	537040	54800
18	50	58	125440	12800	40	114	133	593880	60600

表1-30　焊接链的安全系数 K 值

工作情况	光面滚动起重		链轮带动起重		绑扎物体起重	
	手动	电动	手动	电动	手动	电动
K	3	6	3	8	≥6	≥6

在缺乏资料时,焊接链的破断拉力可用下式计算

$$P=2\frac{\pi d^2}{4}[\sigma](\mathrm{N}) \tag{1-29}$$

式中　d——链环断面的直径(mm);
$[\sigma]$——许用拉应力(N/m²),对于非标准链$[\sigma]=39.2\sim58.8\mathrm{MN/m^2}$;
对于标准$[\sigma]=24.5\sim34.3\mathrm{MN/m^2}$。

在实际使用中,有时因查表不便,可用下式估算焊接链的破断拉力:

无挡链条:
$$P\approx392d^2(\mathrm{N}) \tag{1-30}$$

有挡链条:
$$P\approx588d^2(\mathrm{N}) \tag{1-31}$$

式中　P——链条的近似破断拉力(N);
d——链条的直径(mm)。

按上述公式计算后的链条,在使用中如果链条磨损量超过链环直径的5%时,应重新计算校核,根据计算结果降低吊重量或另换新链。

链式吊索开始使用前,应先用超过许用载荷一倍的荷重作试验。一般每经半年至少以同样方法重新试验一次。在上述试验时,悬挂重物持续十分钟,如无破裂或个别链环无明显伸长,即可使用。

第五节　眼板和吊环

眼板和吊环,在船厂起重作业中是经常用来固定索具和吊具的。在船体分段建造过程中,眼板是用来吊运各种型材的,吊环用于分段吊运和翻身。眼板和吊环通常用钢板制成,因为气割孔眼容易损坏卸扣及产生应力集中。所以其眼孔宜采用钻孔,吊环可分为有肘板和无肘板两种,有肘板在两个方向上的刚度都较好,而无肘板只有一个方向上有较好的刚度。吊运分段的吊环孔眼周围常加焊腹板,以增强其抗剪能力。吊环要求采用碱性焊条焊接,并经严格检查,每个吊环的安装位置应与其受力方向一致,以免使吊环承受扭矩。表 1-31 列出了常用吊环的数据,供使用时参考。

表 1-31　吊环的尺寸及吊运重量

允许用负荷		尺　　寸(mm)										
kN	tf	*A*	*B*	*C*	*D*	*R*	*F*	*G*	*H*	*P*	*N*	*M*
≤49	≤5	14	150	120	40	60	90					
49~98	5~10	16	180	150	50	75	105					
98~196	10~20	20	210	200	60	100	120(110)					
196~294	20~30	25	240	250	70	125	135(115)					
294~392	30~40	30	280	280	80	140	160(140)			10	140	260
392~490	40~50	35	310	310	90	155	175(155)	18~25	220	18	155	290
490~588	50~60	35	340	340	100	170	190(170)	18~25	240	22	170	320
588~686	60~70	35	370	370	110	185	205(185)	18~25	275	22	185	350

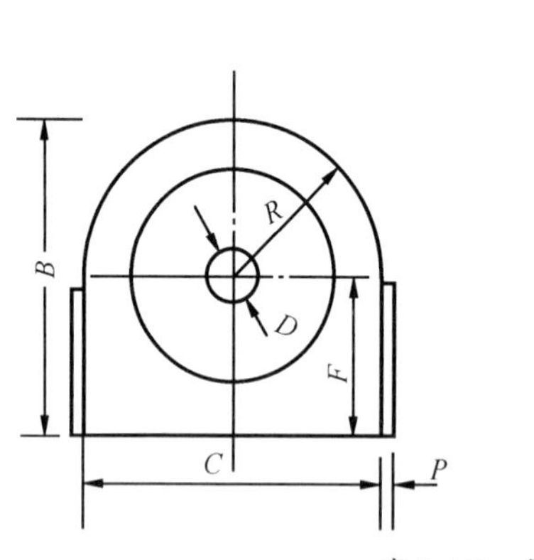

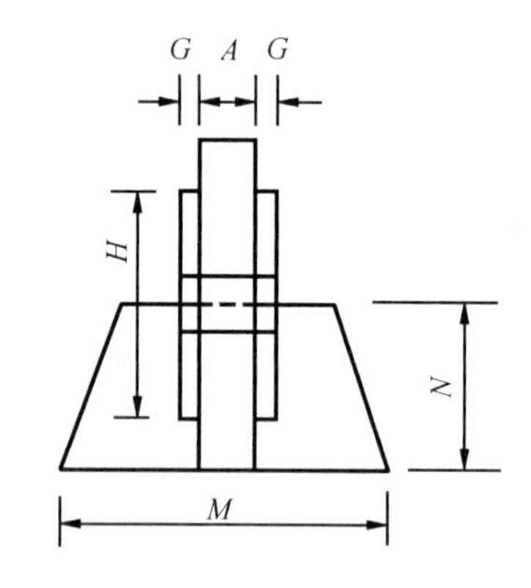

表 1-31　吊环简图

图中吊环的材料是低碳钢。

起重吊运中的眼板和吊环是处在剪切、挤压的应力状态下的,因此应对它们进行抗拉强度和剪切强度的计算,计算步骤如下:

一、计算眼板或吊环的负荷

$$P=\frac{K_{不}Q}{n} \tag{1-32}$$

式中 P——每只眼板或吊环的计算负荷(N);

$K_{不}$——不均匀受力系数,一般取 $K_{不}=1.5\sim2$;

Q——所吊物体产生的重力(N);

n——同时受力的吊环(眼板)数。

二、眼板或吊环的强度校核

正应力: $$\sigma=\frac{P}{F_{min}}\leqslant[\sigma] \tag{1-33}$$

剪应力: $$\tau=\frac{P}{A_{min}}\leqslant[\tau] \tag{1-34}$$

式中 F_{min}——垂直于 P 力方向的最小截面面积(m^2);

A_{min}——平行于 P 力方向的最小截面面积(m^2);

$[\sigma]$——材料的许用应力(N/m^2)(由有关手册查出);

$[\tau]$——材料的许用剪应力(N/m^2),一般取 $\tau=0.6[\sigma]$ 或查阅有关手册。

在一般情况下,眼板和吊环的强度仅校核其剪切强度即可。

例 1 某船的舵约重 127.4kN,安装时需要在舵叶上方的船底烧焊两只吊环,试设计一个最小的吊环尺寸。

解 在船底安装的吊环,设计时应以每只吊环能单独吊装满负荷为限,则该船的每只吊环应能吊起 127.4kN 才行。

对吊环来说,在焊接允许的情况下,其强度最薄弱的环节应是图 1-34 中 *ABCD* 所组成的截面,此截面应力集中,主要承受剪切作用,破坏也将会从此截面开始,确定此截面的尺寸时须确保吊装的安全。

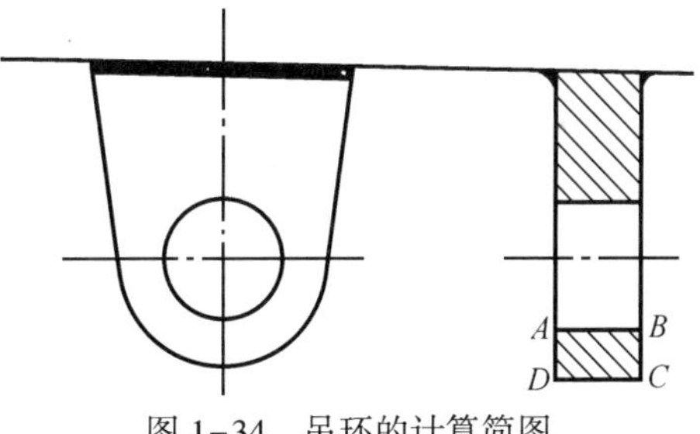

图 1-34 吊环的计算简图

吊环的计算负荷 $P=\frac{K_{不}Q}{n}=\frac{1.5\times1.274\times10^5}{1}=1.911\times10^5(N)$

吊环一般用 A3 钢制成,其许用应力 $[\sigma]=156.8MN/m^2$,因此 $[\tau]=0.6[\sigma]=94.08MN/m^2$,

由(1-32)式知 $\frac{P}{A_{min}}\leqslant[\tau]$,即

$$A_{min}\geqslant\frac{P}{[\tau]}=\frac{1.911\times10^5}{9.408\times10^7}$$
$$=0.2031\times10^{-2}m^2=2031mm^2$$

如果这个吊环选用的钢板厚为 30mm,则眼孔离吊环边缘最起码的高度应是

$$h=\frac{A_{\min}}{\sigma}=\frac{2031}{30}=67.7\text{mm}\approx 68\text{mm}$$

第六节　起重卸扣

起重卸扣又称卡环，是设备吊装使用的重要工具，可以用来连接起重滑轮与固定吊索等。

一、起重卸扣的构造和规格

起重卸扣的构造很简单，有卸体和横销组成。卸体可分直形和圆形两种，卸体是用 A3、20 号、25 号钢锻制成而的，横销一般采用 40 号或 45 号钢。

卸体和横销在进行机械加工前应经过正火处理，零件表面不得有斑疤、裂纹及夹层。装配后的每个起重卸扣应由制造厂按标准许用负荷的两倍做拉力试验，试验的延续时间不得少于五分钟，试验后应检查横销螺纹处是否卡住。目前，国内生产的卸扣如图 1-35 及表 1-32 所示。

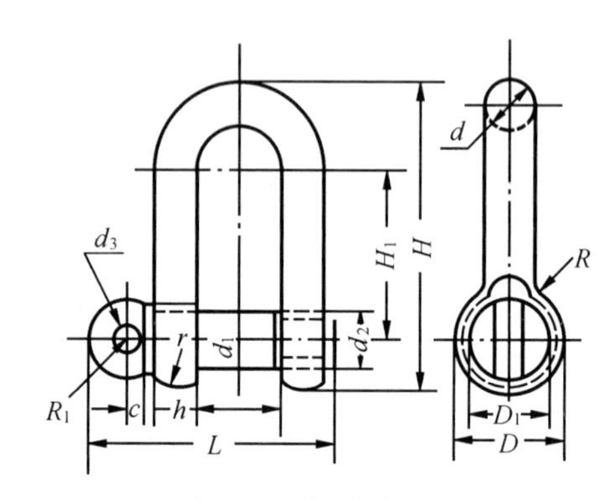

图 1-35　螺旋式卸扣

表 1-32　卸扣技术规格(mm)(GB559-65)

型号(GD)	使用负荷		D	H	H_1	L	d	d_1	d^2	C	重量
	N	kgf									kg
0.2	2450	250	16	49	35	34	6	8.5	M8	1	0.04
0.4	3920	400	20	63	45	44	8	10.5	M10	1	0.09
0.6	5880	600	24	72	50	53	10	12.5	M12	1	0.16
0.9	8820	900	30	87	60	64	12	16.5	M16	1	0.30
1.2	12250	1250	35	102	70	73	14	18.5	M18	1	0.46
1.7	17150	1750	40	116	80	83	16	21	M20	1	0.69
2.1	20580	2100	45	132	90	98	20	25	M22	1.5	1
2.7	26950	2750	50	147	100	109	22	29	M27	1.5	1.54
3.5	34300	3500	60	164	110	122	24	33	M30	1.5	2.20
4.5	44100	4500	68	182	120	137	28	37	M36	1.5	3.21
6	58800	6000	75	200	135	158	32	41	M39	2	4.57
7.5	73500	7500	80	226	150	175	36	46	M42	2	6.20
9.5	93100	9500	90	255	170	193	40	51	M48	2	8.63
11	107800	11000	100	285	190	216	45	56	M52	2.5	12.03

14	137200	14000	110	318	215	236	48	59	M56	2.5	15.58
17.5	171500	17500	120	345	235	254	50	66	M64	2.5	19.35
21	205800	21000	130	375	250	288	60	71	M68	2.5	27.83

二、起重卸扣的计预

卸体部分的最大弯矩

$$M_1 \approx (\frac{1}{7} \sim \frac{1}{6}) P l_1 \tag{1-35}$$

式中　P——卸扣的载荷(N)；

　　l_1——卸体部分的计算跨度(m)，见图 1-35。

卸体部分的最大弯曲应力，应按弯梁计算，但弯梁的弯曲应力计算仍可采用直梁公式，只是应乘一个校正系数 ψ。

$$\sigma_N = \psi \frac{M_1}{W_1} \leqslant [\sigma_N] \tag{1-36}$$

式中　σ_N——弯曲应力(N/m^2)；

　　W_1——断面的截面系数(m^3)；

　　ψ——弯梁系数，见表 1-33；

　　$[\sigma_N]$——容许弯曲应力(N/m^2)，对于 A3 钢取 $[\sigma_N] = 98MN/m^2$。

横销部分的最大弯矩

$$M^2 = \frac{1}{4} P l_2 \tag{1-37}$$

式中　l_2——横销的计算跨度(m)。

横销部分的最大弯曲应力

$$\sigma_n = \frac{M_2}{W_2} \leqslant [\sigma_n]$$

式中　W_2——断面的截面模量(m^3)。

表 1-33　弯梁的系数 ψ 值

断面形状尺寸	R/C	在内侧纤维	在最外侧纤维	R/C	在内侧纤维	在最外侧纤维
R 曲率中心线 c h	1.2	3.41	0.54	3.0	1.33	0.79
	1.4	2.40	0.60	4.0	1.23	0.84
	1.6	1.98	0.65	6.0	1.14	0.89
	1.8	1.75	0.68	8.0	1.10	0.91
	2.0	1.62	0.71	10.0	1.08	0.93

卸扣的强度取决于卸体部分的直径 d，因此根据 d 的大小，便可对卸扣的使用荷重作出近似估算

$$P \approx 59d^2(\mathrm{N}) \tag{1-38}$$

式中 P——许用负荷(N)；

d——卸体的直径(mm)。

为了保证安全，使用卸扣时必须注意：

1. 标记不清或未经拉力试验，没有钢印的卸扣不得使用；
2. 必须按规定的负荷使用，不准超负荷使用；
3. 卸扣如有裂纹，螺纹磨损松动和弯曲变形现象，应禁止使用。

第七节　滑轮和滑轮组

大型金属构件和设备的安装与修理，经常使用滑轮及滑轮组配合绞车进行吊装、搬运。单滑轮用作提升较轻的物件或作导向用；滑轮组用来提升较重的物件。

一、钢滑轮安全荷重的计算

在钢滑轮上一般均附有允许吊重的标记，对于没有这种标记的滑轮，可按下述任一方法进行简便的计算求得其安全荷重。

(一)根据滑轮轴的直径计算

根据滑轮轴直径的大小和支承滑轮轴的钢板总厚，从表 1-34 中所示的安全荷重与滑轮数相乘，选择较小的乘积，即为所求该滑轮的安全荷重。

表 1-34　按滑轮轴直径计算的安全荷重量

滑轮轴直径	滑轮轴的安全荷重（以单滑轮计）		滑轮轴支承钢板的安全荷重		滑轮轴直径	滑轮轴的安全荷重（以单滑轮计）		滑轮轴支承钢板的安全荷重	
mm	N	kgf	N	kgf	mm	N	kgf	N	kgf
10	9800	1000	10780	1100	32	117600	12000	37240	3800
13	19600	2000	14700	1500	35	147000	15000	41160	4200
16	29400	3000	18620	1900	38	176400	18000	45080	4600
19	39200	4000	22540	2300	41	205800	21000	48020	4900
22	58800	6000	25480	2600	44	235200	24000	51940	5300
25	78400	8000	29400	3000	47	274400	28000	55860	5700
29	98000	10000	33320	3400	50	303800	31000	58800	6000

例 1　如图 1-37 所示的双门滑轮，量得轮轴直径为 19mm，三块支承钢板的总厚为 32mm，求其安全荷重。

解　从表 1-34 查得滑轮轴的直径为 19mm 时，滑轮轴的支承钢板每厘米厚可受安全荷重 22540N。量得三块钢板共厚 32mm，则可承受的安全荷重量为

$$22540\times3.2=72128\text{N}$$

滑轮轴可承受的安全荷重为

$$39200\times2=78400\text{N}$$

比较两个可承受的安全荷重的数值,择其较小者(即 72128N),作为所求得的滑轮的安全荷重。

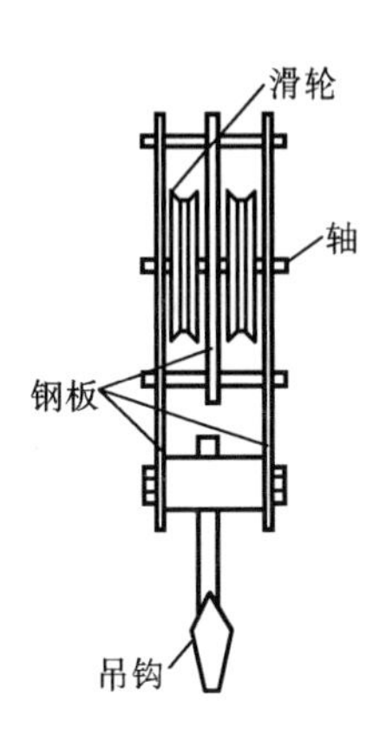

图 1-37　滑轮轴及其支承钢板

(二)根据滑轮的直径进行估算

当现场无表可查时,可采用一列公式进行粗略的估算

$$P=9.8n\frac{d^2}{16}=0.61nd^2(\text{N}) \tag{1-39}$$

或

$$P=n\frac{d^2}{16}(\text{kgf})$$

式中 P——滑轮的近似允许荷重(N);

n——滑轮的滑轮数;

d——滑轮的直径 mm。

例 2　一只四门滑轮,滑轮槽底直径为 185mm,其允许荷重为多大。

解

$$P=0.61\times4\times185^2=83509(\text{N})$$

二、滑轮主要零件的简单计算

(一)滑轮轴的弯曲校核

$$\sigma_{弯}=1.25\frac{Ql}{d^3}\leqslant[\sigma] \tag{1-40}$$

式中 $\sigma_{弯}$——轴的实际应力(N/m^2);

Q——滑轮的起重力(N);

l——夹板中心间的距离;

d——轴的直径(m);

$[\sigma]$——轴材料的许用弯曲应力,一般轴用 A5 号钢,$[\sigma]\leqslant117.6\text{MN/m}^2$。

(二)滑轮轴单位面积上压力的校核

$$P=\frac{Q}{dl'}\leqslant P_{许} \tag{1-41}$$

式中 P——计算所得的单位面积上的压力(N/m^2);

l'——衬板间的距离(m);

$P_{许}$——轴材料单位面积上的允许压力,

对于生铁和钢:$P_{许}\ngtr3.92\text{MN/m}^2$;

对于红铜和钢:$P_{许}\ngtr9.8\text{MN/m}^2$。

(三)单门滑轮用作导向滑轮时作用力的计算

导向滑轮只能改变绳索运动的方向,既不能省力,也不能改变速度。图 1-38 为导向滑轮的受力计算简图。

从图中可知 $\alpha=\varphi/2$;因分力 T_1、T_1' 与合力 P 构成一个任意三角形 POT_1,$\angle PT_1O=180°-\alpha-\alpha=180°-\varphi$,因此

$$P=\sqrt{T_1^2+T_1'^2-2T_1T_1'\cos(180°-\varphi)}=\sqrt{T_1^2+T_1'^2+2T_1T_1'\cos\varphi}$$

$$\frac{T_1}{\sin\alpha}=\frac{T'_1}{\sin\alpha}=\frac{P}{\sin(180°-\varphi)}=\frac{P}{\sin\varphi}$$

则
$$\sin\alpha=\frac{T_1\sin\varphi}{P}$$

$\because\ \alpha=\varphi/2;\therefore\ T_1=T'_1$

即
$$P=\frac{T_1\sin\varphi}{\sin\alpha}=\frac{T_1\sin2\alpha}{\sin\alpha}=2T_1\cos\alpha \tag{1-42}$$

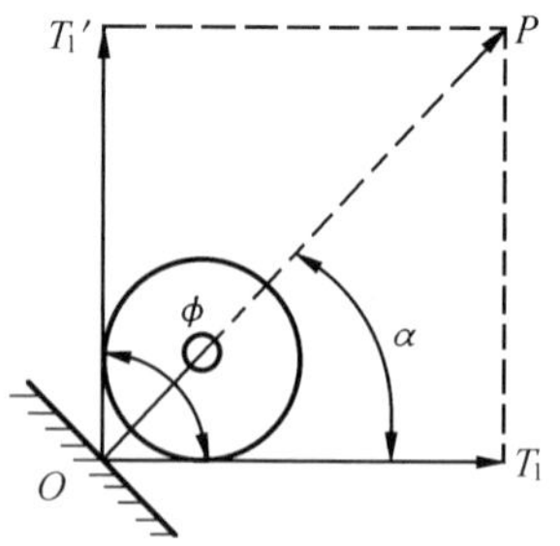

令 $k=2\cos\alpha$ 为角度系数,(1-42)式可简化为

$$P=kT_1 \tag{1-43}$$

式中 P——导向滑轮所受的力(N);

T_1——跑绳的拉力(N);

k——角度系数,由表 1-35 查得。

图 1-38 导向滑轮的受力计算简图

表 1-35 角度系数 k 值

α	0°	15°	22.5°	30°	45°	60°
k	2	1.94	1.84	1.73	1.41	1

例 3 拖移万匹柴油机时,使用一导向滑轮,绳索折角为 90°(即 $\alpha=45°$),跑绳通向 49kN 的电动绞车,试求需要多大规格的导向滑轮?

解 已知 $T_1=49\times10^3$N,$\alpha=45°$时,由表 1-24 知 $k=1.41$,则

$$P=1.41\times49\times10^3=69.09\times10^3\text{N}=66.03\text{kN}$$

需要采用 78.40kN 的导向滑轮。

三、滑轮的效率

绳索经过滑轮时,其出端的拉力总是大于入端的拉力。滑轮有用功与所作功之比叫做滑轮的效率。滑轮的效率是随着滑轮的类型而改变的。

(一)定滑轮的效率

图 1-39 中当重物的起吊高度上升至 h 时,这时拉力 T 也移动 h 距离,故定滑轮的效率为

$$\eta=\frac{有用功}{作功}=\frac{Qh}{Th}=\frac{Qh}{fQh}=\frac{1}{f} \tag{1-44}$$

式中 f——滑轮阻力系数,滚动轴承取 $f=1.02$;青铜衬套取 $f=1.04$,无青铜衬套 $f=1.06$。

从(1-44)式可看出,定滑轮的效率为其总阻力系数的倒数,要提高定滑轮的效率,应尽量降低其总阻力系数。

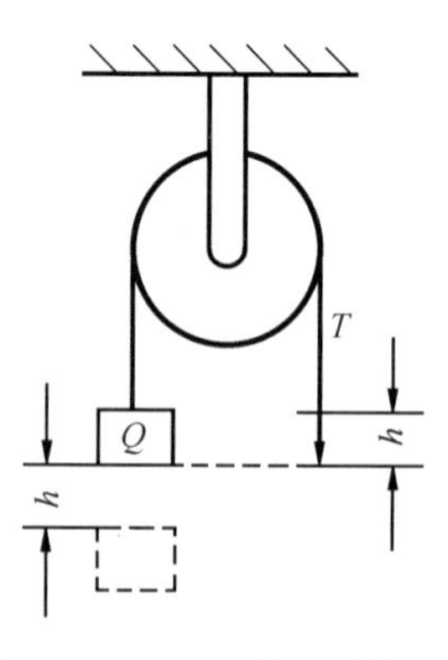

图 1-39 定滑轮的计算图

(二)动滑轮的效率

图 1-40 中重物起吊高度上升 h 时,拉力 T_2 移动 $2h$ 距离,则滑轮的效率为

$$\eta=\frac{Qh}{2hT_2} \tag{1-45}$$

因为 $Q=T_1+T_2$，$T_2=fT_1$，所以 $T_2=\frac{fQ}{1+f}$

代入(1-45)式得

$$\eta=\frac{1+f}{2f}>\frac{1}{f} \tag{1-46}$$

因此动滑轮的效率高于定滑轮，在起吊同样荷重的重物时，动滑轮绳索所需拉力比定滑轮小。

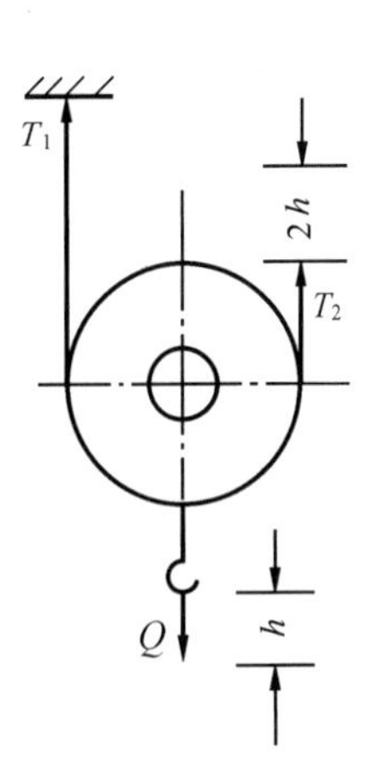

图 1-40 动滑轮的计算简图

四、滑轮组的计算

一定数量的定滑轮和动滑轮的组合叫滑轮组，它综合了定滑轮和动滑轮的优点，既能省力又能改变力的方向。滑轮组中穿过动滑轮上的绳子越多，就越省力；但用来克服绳子与滑轮的摩擦等的消耗力也增多了，所以效率变低，高升的速度也变慢了。

图 1-41 中滑轮组，如定动滑轮数为 m，绳索分支数为 Z，各分支绳索的张力为 T_1、T_2、T_3，…，T_n，吊重为 Q。

因为 $T_2=fT_1$，$T_3=fT_2=f^2T_1$，$T_4=fT_3=f^3T_1$，…，$T_n=fT_{n-1}=f^{n-1}T_1$

所以 $Q=T_1+T_2+T_3+\cdots+T_n$

所以 $Q=T_1(1+f+f^2+f^3+\cdots+f^{n-1})$

求此几何级数的代数和可得

$$T_1=\frac{f-1}{f^n-1}Q$$

则 $$T_Z=f^{Z-1}T_1=\frac{f-1}{f^n-1}f^{Z-1}Q$$

若跑绳是从定滑轮绕出时，$m=Z-1$，若导向滑轮数为 K 时，可得

$$T_Z=\frac{f-1}{f^n-1}f^mf^KQ \tag{1-47}$$

式中 T_Z——跑绳拉力(N)；

Q——所吊重物产生的重力(N)；

m——滑轮数；

n——工作绳数；

f——滑轮阻力系数，见表 1-36。

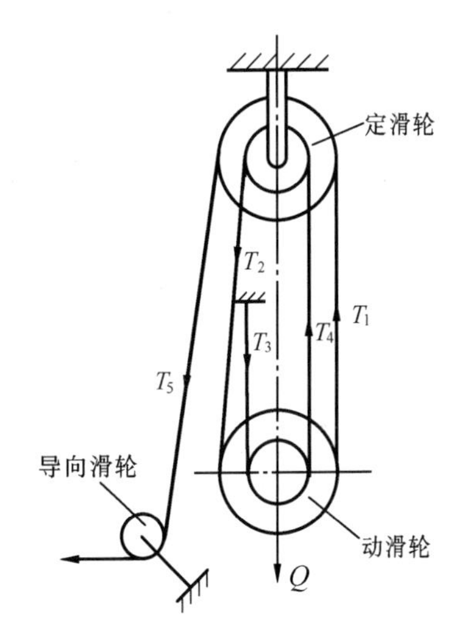

图 1-41 滑轮组的计算简图

表 1-36　阻力系数(f)的数值

阻力系数 f	轴承类型			阻力系数 f	轴承类型		
	滚动轴承	滑动轴承（青铜套）	滑动轴承（无青铜套）		滚动轴承	滑动轴承（青铜套）	滑动轴承（无青铜套）
f^0	1. 000	1. 000	1. 000	f^{11}	1. 243	1. 539	—
f^1	1. 020	1. 040	1. 060	f^{12}	1. 268	1. 601	—
f^2	1. 040	1. 082	1. 124	f^{13}	1. 294	1. 665	—
f^3	1. 061	1. 125	1. 191	f^{14}	1. 319	1. 732	—
f^4	1. 082	1. 170	1. 262	f^{15}	1. 345	1. 800	—
f^5	1. 104	1. 217	1. 338	f^{16}	1. 370	1. 860	—
f^6	1. 126	1. 265	1. 418	f^{17}	1. 395	1. 948	—
f^7	1. 149	1. 316	1. 504	f^{18}	1. 420	2. 000	—
f^8	1. 172	1. 368	1. 594	f^{19}	1. 450	2. 040	—
f^9	1. 195	1. 423	1. 689	f^{20}	1. 415	2. 160	—
f^{10}	1. 219	1. 480	1. 791				

如令 $\alpha=\frac{f-1}{f^n-1}f^m f^K$ 为载荷系数，则（1-47）式可写为

$$T_Z=\alpha Q \qquad (1-48)$$

式中载荷系数 α，可由表 1-37 查出。

表 1-37　载荷系数 α 的数值表

工作绳索数	滑轮个数（动）定滑轮的和	导　向　滑　轮						
		0	1	2	3	4	5	6
1	0	1. 000	1. 040	1. 082	1. 125	1. 170	1. 217	1. 265
2	1	0. 507	0. 527	0. 549	0. 571	0. 594	0. 617	0. 642
3	2	0. 346	0. 360	0. 375	0. 390	0. 405	0. 421	0. 438
4	3	0. 265	0. 276	0. 287	0. 298	0. 310	0. 323	0. 335
5	4	0. 215	0. 225	0. 234	0. 243	0. 253	0. 263	0. 274
6	5	0. 187	0. 191	0. 199	0. 207	0. 215	0. 244	0. 330
7	6	0. 160	0. 165	0. 173	0. 180	0. 187	0. 195	0. 203
8	7	0. 143	0. 149	0. 155	0. 161	0. 167	0. 174	0. 181
9	8	0. 129	0. 134	0. 140	0. 145	0. 151	0. 157	0. 163
10	9	0. 119	0. 124	0. 129	0. 134	0. 139	0. 145	0. 151
11	10	0. 110	0. 114	0. 119	0. 124	0. 129	0. 134	0. 139
12	11	0. 102	0. 106	0. 111	0. 115	0. 119	0. 124	0. 129

13	12	0.096	0.099	0.104	0.108	0.112	0.117	0.121
14	13	0.091	0.094	0.098	0.102	0.106	0.111	0.115
15	14	0.087	0.090	0.083	0.091	0.100	0.102	0.108
16	15	0.084	0.086	0.090	0.093	0.095	0.100	0.104

注:表中的工作绳数是按动滑轮绕出进行计算的,一般跑绳是由定滑轮绕出,计算时,最后一个定滑轮应按导向滑轮数再加上 1,即定动滑轮数 m 等于工作绳数 n。

例 4 拆卸重 147kN 的螺旋桨,使用具有 7 支工作绳(即有 7 根有效工作线数)和 2 个导向滑轮(其中 1 个装在定滑轮上),求在绞车的绳索上的作用力。

解 从表 1-37 中,在工作绳数为 7,导向滑轮为 2 的行列内查得 $\alpha=0.173$ 则

$$T_z=0.173\times147\times10^3=25.431\times10^3\text{N}=25.431\text{kN}$$

因此,该螺旋桨可用起重量为 29.4kN 的绞车吊起。

若查不到表时,可按(1-47)工行计算,该滑轮用的是青铜套滑动轴承。

$f=1.04,n=7,m=6,K=2$ 则

$$T=\frac{1.04-1}{1.04^7-1}\times1.04^2\times147\times10^3=25.431\times10^3\text{N}=25.431\text{kN}$$

关于重物起吊时跑绳所需的拉力值与效率的计算参见表 1-38。

表 1-38 滑轮组的连接法及其效率 η 与拉力值

滑轮组的绳数	单绳	双绳	三绳	四绳	五绳	六绳	七绳	八绳
滑轮组的连接方法	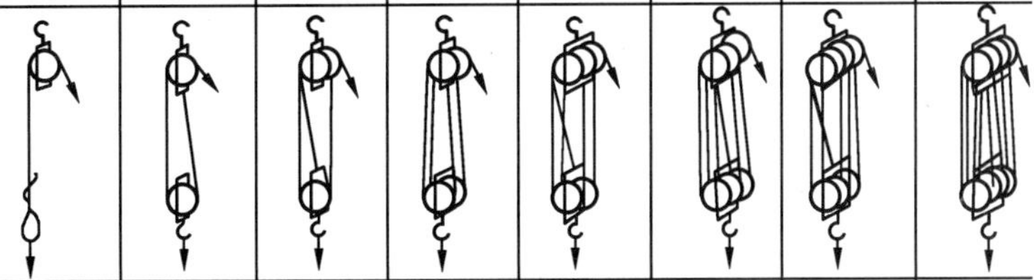							
滑轮组的效率 η	0.96	0.94	0.92	0.90	0.88	0.87	0.86	0.85
起吊时所需的拉力 T	$1.04Q$	$0.53Q$	$0.36Q$	$0.28Q$	$0.23Q$	$0.19Q$	$0.17Q$	$0.15Q$

在吊装重型设备时,为了减少滑轮组引出端跑绳的拉力值,可增加滑轮组的滑轮数目,即加大速比,但滑轮组的滑轮数目增加过多时,对滑轮组工作是不利的。例如当滑轮数为 12,工作绳数为 13,如采用青铜衬套时 $f=1.04$,根据表 1-37 则 $1.04^{12}=1.601$,这说明引出端跑头绳拉力 T_Z 比 T_1 的拉力大 1.6 倍。绳索各分支拉力相差很大时,容易使滑轮产生歪扭现象。而且绞车的容绳量也要求很大。这就牵涉到起重滑轮组钢丝绳的穿绕方法(详见上册)。为了提高起重滑轮组的起重能力,减少滑轮组的阻力,保证吊装工作的安全操作,在吊装重型设备时,最后采用双跑头双联滑轮组。如受到条件限制时,只能采用单头的穿绕法时,以采用花穿法为好,其中以大花穿法最好,对于使用滑轮组门数多时尤其有利。

滑轮组起重钢丝绳长度可按下式确定:

$$L=n(h+3d)+l+10(\text{m}) \tag{1-49}$$

式中　L——滑轮组起重钢丝绳长度(m)；

n——工作绳数；

d——滑轮直径(m)；

h——提升高度(m)；

l——定滑轮至绞车之间的距离(m)。

例 5　某厂起吊一设备，需要设置一套滑轮组，工作绳为 6 根，滑轮直径为 350mm，提升高度 22m，定滑轮到电动绞车距离为 15m，求所需钢丝绳的长度？

解

$$L=n(h+3d)+l+10$$
$$=6(22+3\times0.35)+15+10=163.3\text{m}$$

第八节　平衡梁

对透平机转子、发电机轴等精密机件和超长设备的吊装要求很严格，既要保持机件平衡，又要保持机件不致被绳索擦坏。一般多采用平衡梁和特制的平衡梁进行吊装。它具有以下的优点：

1. 吊装方法简单，安全可靠，能承受由于倾斜吊装所产生的水平分力，减少设备起吊时所承受的压力；
2. 能改善吊环的受力情况，使设备不会出现危险变形；
3. 可以降低吊索的高度和缩短捆绑起吊设备的时间。

一、平衡梁的形式及构造

在起重安装工作中，所使用的平衡梁的结构形式很多，一般都是根据设备产生的重力、长度、结构的特殊要求等条件，来选用圆木、方木、型钢、无缝钢管等制作平衡梁，通常可分为钢管形、型钢形、桁架形和特殊结构的平衡梁。

图 1-42a 为管式平衡梁，是由无缝钢管、吊环、加强板等焊接而成。当它和吊索联合使用时，对使吊索高度降低得不多，但它能消除起吊时吊索对设备的压力，这个压力由平衡梁来承受。

图 1-42b 为工字钢形平衡梁，是由工字钢、吊环组成的。它不但使设备不受压力，并且可以使设备起吊时的高度降低。

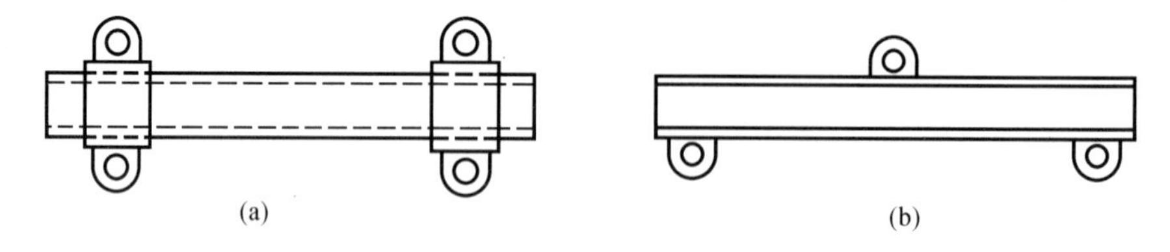

图 1-42　平衡梁

(a)管式平衡梁；(b)工字钢型平衡法

桁架式平衡梁由钢管、槽钢、吊环、加强板、撑角板等焊接而成。当吊点伸开的距离较大时,一般采用桁架式平衡梁,以增加其刚度。

二、平衡梁的计算

图 1-42a 管式平衡梁的受力特点是承受轴向压力(图 1-43),其力学简化图形是一个压杆。因此,这种形式的平衡梁可按压杆的稳定条件进行校核,即

$$\sigma=\frac{K_{不}P_1}{\varphi F}\leqslant[\sigma] \quad (1-50)$$

式中 σ——梁的应力(N/m^2);

$K_{不}$——不均衡系数,一般 $K_{不}=1.2$;

P_1——轴向压力(N);

φ——折减系数,根据长细比 $\lambda=\frac{\mu\cdot l}{i}$,查表 1-39 确定;

F——截面面积(m^2);

$[\sigma]$——材料的许用应力(N/m^2),查有关手册。

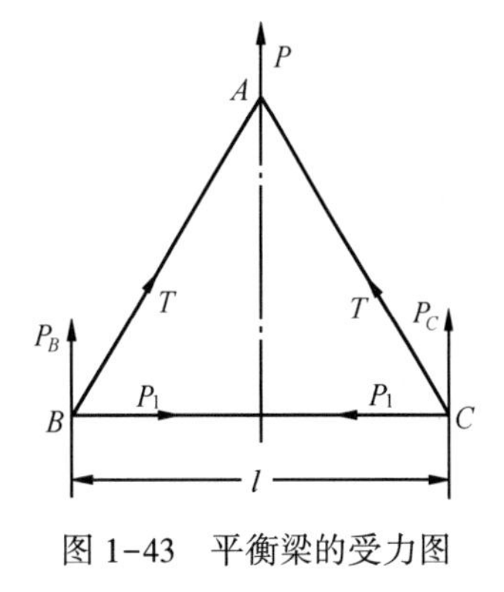

图 1-43 平衡梁的受力图

表 1-39 折减系数 φ 值

长细比 $\lambda=\frac{\mu l}{i}$	2、3、4 号钢	16 锰钢	木材	长细比 $\lambda=\frac{\mu l}{i}$	2、3、4 号钢	16 锰钢	木材
0	1.00	1.00	1.00	110	0.52	0.39	0.25
10	0.99	0.98	0.99	120	0.45	0.33	0.22
20	0.97	0.95	0.97	130	0.40	0.29	0.18
30	0.95	0.92	0.93	140	0.36	0.25	0.16
40	0.92	0.89	0.87	150	0.32	0.23	0.14
50	0.89	0.84	0.80	160	0.29	0.21	0.12
60	0.86	0.78	0.71	170	0.26	0.19	0.11
70	0.81	0.71	0.60	180	0.23	0.17	0.10
80	0.75	0.63	0.48	190	0.21	0.15	0.09
90	0.69	0.54	0.38	200	0.19	0.13	0.08
100	0.60	0.46	0.31				

注:式中 μ—长度系数,如两端铰支时 $\mu=1$,一端固定,另一端自由时 $\mu=2$,两端固定 $\mu=\frac{1}{2}$,一端固定,另一端铰支时 $\mu=0.7$;l—梁长度;i—截面惯性半径。

例 1 如图 1-42a 所示的管式平衡梁吊装一设备,设备产生的计算重力为 588kN,平衡梁长 4.5cm,用双分支吊装,吊索间的夹角为 60°,试计算梁的强度。

解 $T=\frac{Q}{n}\frac{1}{\cos\alpha}=\frac{588\times10^3}{2}\frac{1}{\cos\alpha}=339.492\times10^3N$

$P_1=T\cdot\sin30°=339.492\times10^3\times0.5=169.746\times10^3N$

若该平衡梁用∅220×9 无缝管制成,钢管的几何性质:$F=59.659cm^2$,$i=7.46cm$。材料

的许用应用：$[\sigma]=82.33\text{MN/m}^2$，

因为该平衡梁两端是可转动的，所以有成绞支座，取 $\mu=1$，

故 $$\lambda=\frac{\mu l}{i}=\frac{1\times4.5}{7.46\times10^{-2}}\approx60.3$$

查表1-39，得 $\varphi=0.86$，代入(1-41)式得

$$\sigma=\frac{K_{不}P_1}{\varphi\cdot F}=\frac{1.2\times169.746\times10^3}{0.86\times59.659\times10^{-4}}=3.97\times10^7\text{N/m}^2$$

$$=39.7\text{MN/m}^2<[\sigma]，安全。$$

图1-41b中所示的平衡梁，工作时在横向载荷作用下产生弯曲变形，若载荷过大，梁将发生破坏。破坏的主要形式是弯断，因此，这种形式的平衡梁的强度计算主要是考虑弯矩对梁强度的影响。弯矩最大的截面就是危险截面。从图1-44可知，弯矩最大的截面在梁的中间，应用截面法，将梁假想地截开，取左段梁为研究对象，根据平衡条件可得

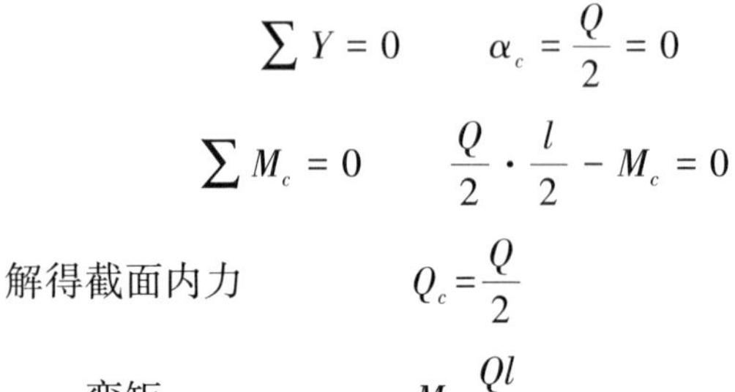

$$\sum Y=0 \qquad \alpha_c=\frac{Q}{2}=0$$

$$\sum M_c=0 \qquad \frac{Q}{2}\cdot\frac{l}{2}-M_c=0$$

解得截面内力 $$Q_c=\frac{Q}{2}$$

弯矩 $$M=\frac{Ql}{4}$$

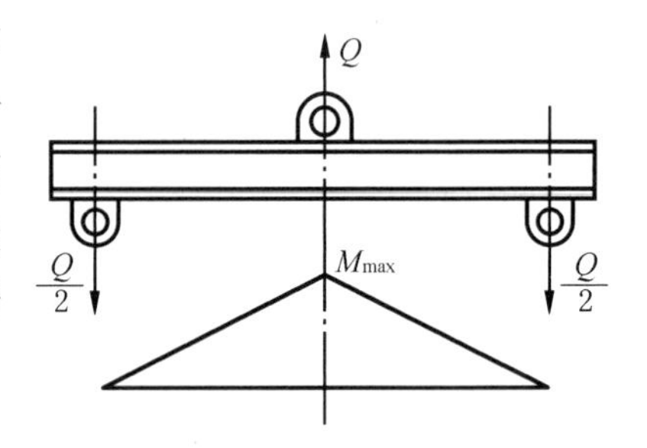

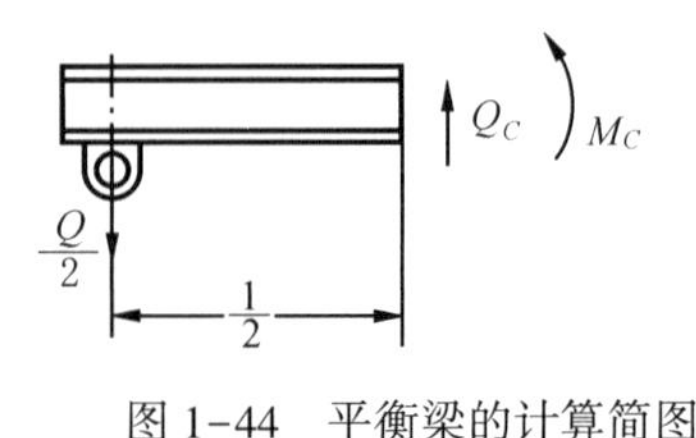

图1-44 平衡梁的计算简图

如考虑动载荷系数 K，则此梁的最大弯矩为

$$M_{\max}=\frac{1}{4}KQl(\text{N}\cdot\text{m}) \tag{1-51}$$

式中 $M_{\max}$——梁的最大弯矩(N·m)；

K——动载荷系数，一般取 $K=1.1\sim1.2$；

Q——所吊设备产生的重力(N)；

l——两吊点间的距离(m)。

求出了危险截面的最大弯矩，只要使该点处的最大正应力不超过材料的许用应力$[\sigma]$，即可保证梁安全正常地工作，其强度条件为

$$\sigma_N=\frac{M_{\max}}{W_Z}\leqslant[\sigma_N] \tag{1-52}$$

式中 σ_N——弯曲应力 N/m^2；

W_Z——计算截面的抗弯截面模量 m^3；

$[\sigma_N]$——材料许用弯曲应力(N/m^2)。

应用强度条件，可以解决三个方面的问题：

1. 校核平衡梁的强度

已知梁的形状、尺寸和许用应力，可用(1-52)式校核强度，若 $\sigma_N\leqslant[\sigma_N]$ 则梁的强度足够。

2. 设计平衡梁的截面

已知梁所承受的载荷和许用应力，可求出梁的抗弯截面模量即

$$W_Z \geqslant \frac{M_{max}}{[\sigma_N]}$$

然后根据截面形状确定尺寸。

3. 计算平衡梁的许用载荷

已知梁的形状、尺寸和许用应力，可求出最大弯矩即

$$M_{max} \leqslant W_Z[\sigma_N]$$

然后根据 M_{max} 与载荷的关系确定许用载荷。

例 2 一根平衡梁用工字钢 28a 制成，长 1m，材料为 A3 钢，许用应力 $[\sigma]=156.8\text{MN/m}^2$，起吊重 196kN 的设备是否安全（参见图 1-43）。

解 取动载荷系数 $K=1.1$，代入（1-51）式得

$$M_{max}=\frac{1}{4}\times 1.1\times 1.96\times 10^5\times 1=5.39\times 10^4\text{N}\cdot\text{m}$$

查有关表，28a 工字钢，$W_Z=508.15\text{cm}^3$ 代入（1-52）式得

$$\sigma_N=\frac{5.39\times 10^4}{508.15\times 10^{-5}}=1.061\times 10^8\text{N/m}^2=106.1\text{MN/m}^2<[\sigma_N]$$

$$=156.8\text{MN/m}^2\text{，安全。}$$

例 3 如图 1-44 中平衡梁，用工字钢 28a 制成，材料为 A3 钢，其许用应力 $[\sigma]=156.8\text{MN/m}^2$，$W_Z=508.15\text{cm}^3$，长度 $l=0.5\text{m}$，此平衡梁最大许用载荷为多少？

解 已知 $[\sigma]=156.8\text{MN/m}^2$，$W_Z=508.15\text{cm}^3$，$l=0.5\text{m}$，取 $K=1.1$，则

$$M_{max}=W_Z[\sigma]=508.15\times 10^{-6}\times 1.568\times 10^8=796.779\times 10^2\text{N}\cdot\text{m}$$

$$M_{max}=\frac{1}{4}KWl$$

$$Q=\frac{4M_{max}}{Kl}=\frac{4\times 796.79\times 10^2}{1.1\times 0.5}=5794.76\times 10^2\text{N}=579.5\text{kN}$$

第九节　移动重物梁

在起重安装工作中，往往要用临时性的横梁移动重物，根据现场的具体条件，梁可采用工字钢、槽钢、圆钢、圆管、圆木或方木等。常见的形式有两端铰支，图（1-45a）和一端固定

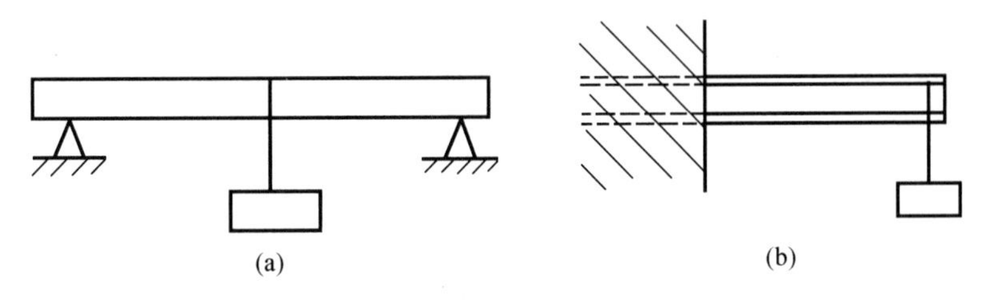

图 1-45　梁的形式

一端外伸(图 1-45b)的梁。它们的共同特点是承受横向载荷后,梁产生弯曲变形。因此,强度计算时主要考虑弯矩对梁的强度影响。

一、梁在跨度中央时许用集中载荷的计算

梁在跨度中央的允许集中载荷,可按照上节型钢形平衡梁的计算方法计算,对于木方还可用下式进行计算

$$Q=\frac{2}{3l}bh^2[\sigma] \tag{1-53}$$

式中 Q——木方中央的许用集中载荷(N);

b——木方的宽度(m);

h——木方的厚度(m);

l——两端支点的距离(m);

$[\sigma]$——木材的许用应力(N/m^2),见表 1-40。

应用(1-53)式进行计算时应注意:

1. 木方中如有大的节疤时,计算宽度应减去其节疤所占的宽度。

2. 木方的两端支点下面所垫的宽度应不小于 15cm。

例 4 一根长 8m,宽 300mm,厚 200mm 的杉木木方,两头搁起,木方中央可以承受多少负荷?

解 由 $l=8\text{m}$,$b=0.3\text{m}$,$h=0.2\text{m}$,查表 1-40,$[\sigma]=8.81\text{MN/m}^2$,由(1-53)式得

$$Q=\frac{2}{3\times8}0.3\times0.2^2\times8.81\times10^6=8.81\times10^3\text{N}=8.81\text{kN}$$

为了便于工作,梁中央的许用载荷可按下列公式进行简化计算

钢梁: $$Q=490W_Z/l(\text{N}) \tag{1-54}$$

木梁(方木或圆木): $$Q=39.2W_Z/l(\text{N}) \tag{1-55}$$

式中 Q——许用集中载荷(N);

W_Z——断面系数 cm^3,查表 1-41;

l——两头搁置的距离(cm)。

二、悬臂梁的许用载荷

从图 1-43b 知,悬臂梁的危险截面在固定端处,该截面的弯矩为

$$M_{\max}=Ql(\text{N}\cdot\text{m}) \tag{1-56}$$

若该截面处的正应力 $$\sigma=\frac{M_{\max}}{W_Z}\leqslant[\sigma] \tag{1-57}$$

梁的强度足够。

例 5 有一用工字钢制成的悬臂梁,外伸长度为 1m,工字钢为 20a,材料为 A3 钢,许用应力$[\sigma]=156.8\text{MN/m}^2$,梁端承受 29.4kN 的载荷是否安全?

解 由(1-56)式得

$$M=29.4\times10^3\times1=29.4\times10^3\text{N}\cdot\text{m}$$

查表 1-41 知 20a 工字钢 $W_Z=250\text{cm}^3$,代入(1-51)式得

$$\sigma=\frac{29.4\times10^3}{250\times10^{-6}}=1.176\times10^8\text{N/m}^2=117.6\text{MN/m}^2<156.8\text{MN/m}^2\text{,安全。}$$

表 1-40　常用木材的许用应力

木材种类	木材名称	应力等级	受弯顺纹受压		顺纹受压		顺纹受剪		横纹受压					
									全表面		局部表面及齿面		拉力螺栓垫板下面	
			MN/m²	kgf/cm²	MN/m²	kgf/cm²	MN/m²	kgf/cm²	MN/m²	kgf/cm²	MN/m²	kgf/cm²	MN/m²	kgf/cm²
针叶材	东北落叶松、陆均松	A-1	11. 76	120	7. 35	75	1. 27	13	1. 86	19	2. 84	29	3. 72	38
	鱼鳞云杉、西南云杉、铁杉、红杉、赤松、新疆落叶松	A-2	10. 78	110	6. 86	70	1. 18	12	1. 67	17	2. 35	24	3. 33	34
	红松、樟子松、华山松、马尾松、云南松、广东松、油松、红皮云松	A-3	9. 8	100	6. 37	65	1. 08	11	1. 47	15	2. 16	22	2. 94	30
	杉木、华北落叶松、秦岭落叶松	A-4	8. 82	90	5. 88	60	0. 98	10	1. 47	15	2. 16	22	2. 94	30
	冷杉、西北云杉、山西云杉、山西油松	A-5	7. 84	80	5. 39	55	0. 98	10	1. 37	14	2. 06	21	2. 74	28
	栎木(板木)青冈、楠木	B-1	15. 68	160	9. 8	100	2. 16	22	3. 33	34	5. 00	51	6. 66	68
	水曲柳	B-2	13. 72	140	8. 82	90	1. 86	19	3. 04	31	4. 51	46	6. 08	62
	楝栗、(椤木)、桦木	B-3	11. 76	120	7. 84	80	1. 57	16	2. 45	25	3. 63	37	4. 90	50

表 1-41　各种梁的断面系数

工字钢									
型号	10	12	14	16	18	20	24	27	30
$W_Z(\mathrm{cm}^3)$	49	73	102	141	185	250	400	509	657

槽　钢									
型号	12	14	16	18	20	22	24	27	30
$W_Z(\mathrm{cm}^3)$	58	80	108	141	180	223	254	323	409

钢　轨				
型号	P-38	P-43	P-44. 6	P-50
$W_Z(\mathrm{cm}^3)$	180. 3	214. 5	217. 3	287. 2

圆　钢						
直径	18	20	24	26	28	30
$W_Z(\mathrm{cm}^3)$	573	785	1357	1726	2155	2651

思　考　题

1. 同向捻和交互捻钢丝绳各有什么特性？起重吊运工作中常选用哪种捻向的钢丝绳？

2. 钢丝绳按用途可分为哪几种，各有什么要求？

3. 钢丝绳钢丝的抗拉强度越高，钢丝绳的破断拉力越大，就有利于提高安全系数，因此使用性能就一定好，这句话对不对，为什么？

4. 起重吊装工作中的各种绳结对钢丝绳的破断拉力有否影响？常见绳结的破断拉力保持率为多少？

5. 单点捆绑绳扣的受力有什么变化？

6. 吊索的受力情况与吊索底端的角度、被吊圆柱体的直径和吊法有什么关系？

7. 角钢成∧和L方向悬挂时，破断拉力有什么变化？

8. 在起重吊运作业中，为什么不准急剧改变升降速度？

9. 什么叫移动角？一般应控制在什么范围内？

10. 钢丝绳产生断丝后，破断拉力的降低与断丝多少及分布状况的关系如何？

11. 钢丝绳的报废标准有哪些规定？

12. 钢丝绳在使用中，常见的变形有几种？对使用的影响如何？

13. 钢丝绳的锈蚀分几级？各级的特征有哪些？对使用的影响如何？

14. 确定钢丝绳安全系数时，主要考虑哪些因素？如何选择钢丝绳的安全系数？

15. 钢丝绳的破断拉力和钢丝的破断拉力总和有什么区别？它们之间的关系如何？

16. 如何选择麻绳、尼龙绳、链条的安全系数？

17. 在跑头绳拉力相同的情况下，滑轮组的数目增多，吊物的重量就增大，因此滑轮组的效率就高，对不对，为什么？

18. 两根吊索起吊一个重物，如果每根吊索所承受的张力和重物产生的重力相等时，那么此时吊索之间的夹角应该是多少？

习　　题

1. 一根 6×37+1 的钢丝绳，直径为 15mm，钢丝的抗拉强度为 $1519MN/m^2$，用作吊索，试计算其最大许用拉力。如用经验公式估算为多少，两者误差为多少？

2. 两根同样长，直径均为 17. 5mm 的钢丝绳，钢丝的抗拉强度为 $1519MN/m^2$，规格为 6×37+1 的钢丝绳吊索，当吊索之间的夹角分别为 60°，90°，120°时，允许的吊重为多少？如用经验公式估算，吊重又为多少？

3. 一设备重 46. 785kN，使用双分支吊索吊装，如吊索间的夹角为 90°时，钢丝绳的抗拉强度为 $1519MN/m^2$，应选用直径为多少的 6×37+1 规格的钢丝绳吊索？起吊时吊索对设备的压力为多少？

4. 一船体分段产生的重力为 147kN，如用四根 6×37+1 的钢丝绳吊运，其抗拉强度为 $1519MN/m^2$，直径为 17. 5mm，当吊索与吊重垂线间的夹角为 30°时，能否安全吊运？如不安全，应改用直径为多少的钢丝绳？

5. 有一设备产生的重力为 4. 116kN，用二根直径为 16mm，许用应力 $[\sigma]=9.8MN/m^2$ 的白棕绳，吊运上船安装，如绳索间的夹角为 90°时是否安全？如不安全，应改用直径为多少的白棕绳吊运？

6. 一根直径为 16mm 的二级白棕绳，用作吊索时其许用载荷为多少？如用经验公式估算又为多少，两者误差为多少？

7. 二根直径为 18mm 的丙纶绳，在吊索互成 60°时，能够吊运产生多少重力的设备？

8. 一根直径为 20mm 的丙纶绳或锦纶绳用于吊运设备，试估算其破断拉力和使用拉力为多少？

9. 一根直径为 15mm 的焊接无档链条，用于机械驱动链轮，用经验公式求出其破断拉力和使用拉力各为多少？

10. 一根直径为 13mm 的有档链条用于吊运重物，试估算其破断拉力和使用拉力各为多少？

11. 一焊接链链环直径为 15mm，许用应力为 $[\sigma]=24.5MN/m^2$，用作捆绑吊索时，其许用拉力为多少？

12. 某船的舵产生的重力约为 225. 4kN，安装时需要在舵叶上方船底烧焊两只吊环，试设计一个最起码的吊环尺寸？

13. 一只 4 门滑轮，槽底直径 245mm，试估算其许用载荷为多少？

14. 如图所示，一设备产生的重力为 196kN，滑轮工作绳为 6 根，并带有三个导向滑轮，求跑绳拉力？

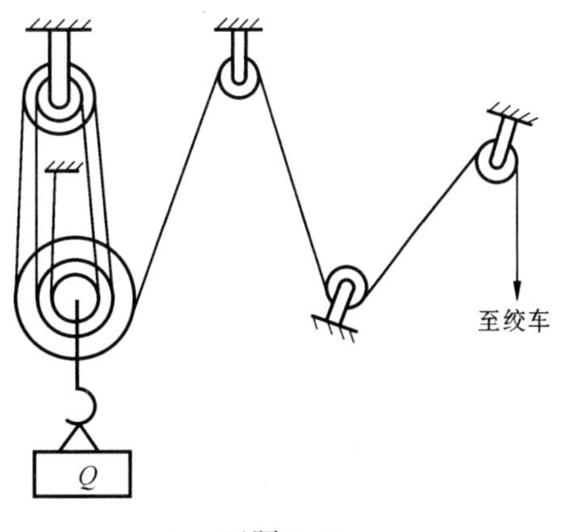

习题 1-14

15. 如图所示，利用滑轮组起吊一个产生重力约 49kN 的机件，试求：(1)滑轮组钢丝绳的直径最少应为多少？(2)导向滑轮 A 的最起码的承荷规格应选用多少？

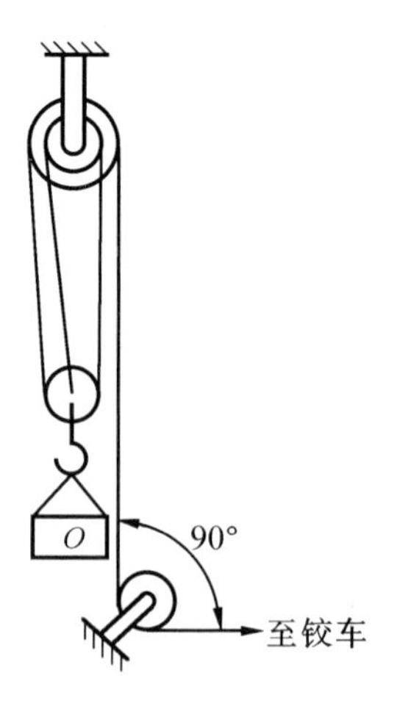

习题 1-15

16. 如使用图 1-42a 所示的管型平衡梁吊装一钢架，钢架产生的重力为 490kN，用双分支吊装，平衡梁用 ∅220×9 的无缝钢管制成($F = 59.659\text{cm}^2$，$i = 7.46\text{cm}$)，两吊点间的距离长为 4.5m，试校核平衡梁的强度，钢丝绳的直径为多少？

17. 一设备产生的重力为 392kN，采用图 1-42b 中的平衡梁吊运，平衡梁用 28a 工字钢制成，材料为 A3 钢，其许用应力为 $[\sigma] = 156.8\text{MN/m}^2$，两吊点间的距离为 0.5m，试问此平衡梁能否安全起吊？

18. 有一设备产生的重力为 9.8kN，由于安装条件的限制，需要搁置一根木方，在木方的中间挂一葫芦来起吊安装，两头搁置的距离为 6m，如木方的宽度为 300mm，应选用厚度为多少毫米的杉木木方才安全？

第二章　起重吊装和运输设备的计算

第一节　独脚把杆

独脚把杆又称单柱桅杆，是用一根实体的、管式的或桁架式的立杆，装置成竖直或略有倾斜的简易起重装置。独脚把杆倾斜的角度一般在5°左右，若倾角太大，把杆容易滑动。把杆由四根以上的钢丝缆风绳保持它的稳定。缆风绳与地面夹角一般取30°~45°；周围环境不允许时，也可适当增大角度，但不得超过60°。如果缆风绳与地面夹角增大，垂直分力随之增大，必将引起把杆内力的增大，会影响把杆的强度。如果风绳拉得过紧，会增加把杆的压力。所以要根据施工条件，合理选择缆风绳的角度、数量及松紧程度。

根据把杆所用的材料，独脚把杆可分为木质独脚把杆和钢质独脚把杆两种。

一、独脚把杆的结构及性能

（一）木质独脚把杆

木质独脚把杆由笔直而结实的杉木和红松圆木或木方、缆风绳、地锚、起重索具、滑轮组和绞车等组成（图2-1）。一般用于起重量为29.4~98kN、起升高度为8~12m的吊装工作。当缺乏粗木料时，可用二根或三根等长木料扎在一起使用。如长度不够，可设法接长，接长的方法可分为切口对接式（图2-2a）和两杆并联搭接式（图2-2b）以及三杆并联搭接式（图2-2c）。接合处可用钢箍以螺栓旋紧，也可用8号镀锌铁丝扎结牢固。接合长度，按把杆的提升重量及圆木尺寸的大小选择，一般接口长度为1~1.5m，吊重较大的把杆接口长度须适当加长。表2-1为圆木并联搭接时的长度。

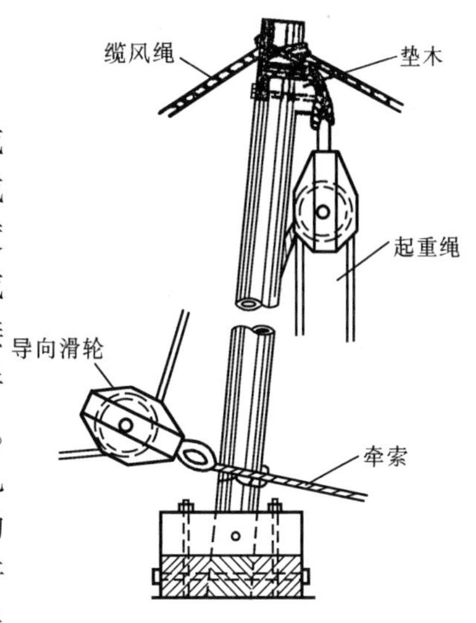

图2-1　木质独脚把杆

表2-1　圆木独脚把杆并连的搭接尺寸

起重量		把杆高度（m）	圆木上部系绳处的直径（cm）	起重用钢丝绳直径（mm）	把杆并连接搭处长度L（m）
kN	tf				
29.4	3	8.5	20	15.5	2.5~3.0
		13.0	22		3.0~3.5
		15.0	24		3.0~3.5

49.0	5	8.5 15.0	24 27	19.5	3.0~3.5 3.5~4.0
98.0	10	8.5 13.0	30 32	21.5	3.5~4.0 4.0~5.0

表 2-2 列出了圆木独脚把杆在不同的起重量、起重高度及其他条件下的基本资料，可供使用时参考。

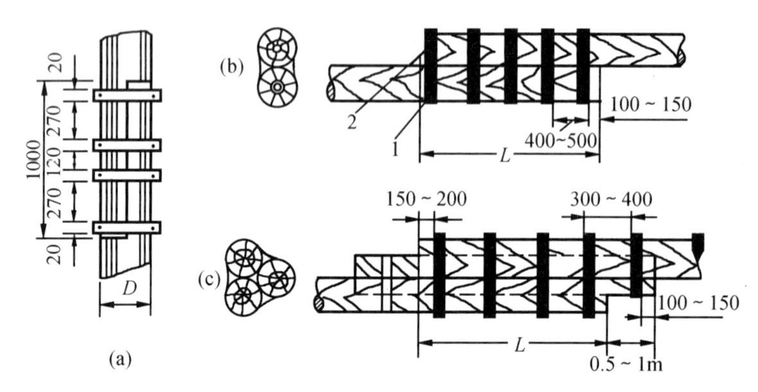

图 2-2　木质独脚把杆的接长方法

1—每段缠绕镀锌铁丝不少于 10 圈；2—铁爪钉

必须注意，木质把杆的木料材质区别很大，不同种类的木料，其力学性能各不相同，即使是同一种材质的把杆，由于存放的场合及使用年限的不同，其承载能力也有区别，因此使用前要认真检查。检查范围包括：

1. 木质把杆有无外伤，外表是否被虫蛀，是否因磨损而出现局部损坏。

2. 把杆有无腐烂现象，不仅要观察两端顶部有无烂心，而且要对把杆全长进行检查。检查时可用敲击的方法根据不同的声响来判断是否烂心。

木质独脚把杆使用时应注意：

1. 悬挂滑轮之钢丝绳需在把杆上部绕两圈后落在横木支撑之上。

2. 把杆起立时，需先将上头两根夹角为 60°的绳索固定好，再将小头抬起，使用机械或人力牵引，缓慢起立与地面成 70°角时，再用缆风绳找正。

3. 缆风绳与把杆的连接点，以及滑轮绳扣与把杆的连接点，其两点的距离越近越好，最好交于一点，以便使把杆横向弯曲趋近于零，提高其起重能力。如果滑轮绳与缆风绳在把杆连接处有距离，就会产生横向弯曲，容易引起把杆弯断。

木质把杆存放时，要放在透风透光处，一般宜竖放而不宜平放，因场地限制必须平放时，下部要垫高、垫平，避免把杆直接与地面接触，以防把杆受潮腐烂。

（二）钢质独脚把杆

钢质独脚把杆有用钢管制成，也有用型钢拼装成的，与木质把杆不同的地方，在于滑轮组与把杆连接处多用眼板及钩环。钢质独脚把杆比木质把杆起重量大，起升高度高。钢质独脚把杆可分为钢管独脚把杆和桁架独脚把杆两种。

表 2-2　圆木独脚把杆的基本资料

把杆起重量		把杆高度（m）	把杆上部系绳处的直径(cm)	缆风绳位置，当倾斜角度为		标准支承枕座(方木)						缆风绳根数	缆风钢丝绳尺寸			钢丝绳滑轮组			绞车的拉力	
						上面的			下面的				直径（mm）	长度（当倾斜角为）		钢丝绳直径（mm）	滑轮数			
kN	tf			45°	30°	方木数目	断面尺寸（cm）	长度（m）	方木数目	断面尺寸（cm）	长度（m）			45°	30°		上面	下面	kN	tf
29.4	3	8.5	20	8.5	14.8	2	20×24	0.7	3	16×20	0.8	4	15.5	70	80	11.5	2	1	9.8	1
		11.0	22	11.0	19.1	2	20×24	0.7	3	16×20	0.8	4	15.5	86	100	11.5	2	1	9.8	1
		13.0	22	13.0	22.5	2	20×24	0.7	3	16×20	0.8	4	15.5	96	112	11.5	2	1	9.8	1
		15.0	24	15.0	26.1	2	20×24	0.7	3	16×20	0.8	4	15.5	100	120	11.5	2	1	9.8	1
49.0	5	8.5	24	8.5	14.8	2	20×24	0.9	4	16×20	1.0	4	20	70	80	15.5	2	1	29.4	3
		11.0	26	11.0	19.1	2	20×24	0.9	4	16×20	1.0	4	20	86	100	15.5	2	1	29.4	3
		13.0	26	13.0	22.5	2	20×24	0.9	4	16×20	1.0	4	20	96	112	15.5	2	1	29.4	3
		15.0	27	15.0	26.1	2	20×24	0.9	4	16×20	1.0	4	20	100	120	15.5	2	1	29.4	3
98.0	10	8.5	30	8.5	14.8	3	20×24	1.1	5	16×20	1.4	4	21.5	70	80	17.0	3	2	29.4	3
		11.0	30	11.0	19.1	3	20×24	1.1	5	16×20	1.4	4	21.5	86	100	17.0	3	2	29.4	3
		13.0	31	13.0	22.5	3	20×24	1.1	5	16×20	1.4	4	21.5	96	112	17.0	3	2	29.4	3

1. 钢管独脚把杆

图 2-3 为钢管独脚把杆的结构。把杆上端为了系结缆风绳和定滑轮,焊接了钩环、风绳盘(顶板)等。挂定滑轮的钩环,外伸距离愈小愈好,一般取决于滑轮直径,以 100~150mm 为宜,而且在钩环对侧,与之对称的位置要布置主缆风绳。如前所述,缆风绳一般不少于 4~6 根,具体根数可根据把杆高度和载荷大小而定。

钢管独脚把杆接长时的连接接头处,可用角钢焊接加固。钢管对接处要铲坡口,补强角钢一般不少于四根,角钢尺寸取决于钢管直径的大小,可参照表 2-3 所示。

也可采用凸缘连接的螺栓紧固(图 2-4a)或套管连接(图 2-4b)的办法接长把杆。这两种方法装拆方便,当把杆较高时,为便于运输转移,多采用这种方式。

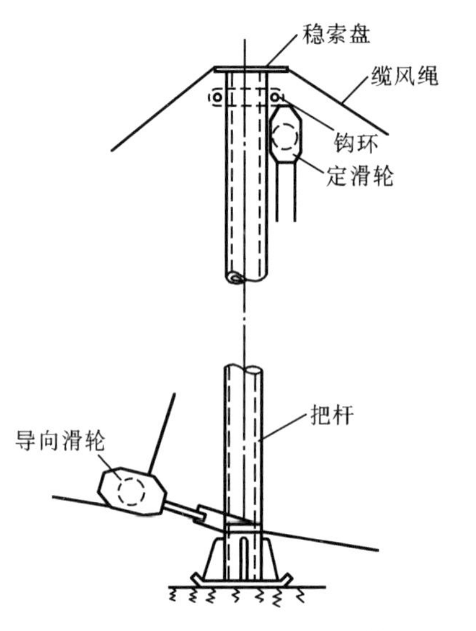

图 2-3 钢管独脚把杆的结构

表 2-3 钢管独脚把杆接头处所用的角钢规格

钢管公称直径(mm)	152~168	194~245	273	299~325	351	377	426
角钢规格(mm)	50×50×5	60×60×6	65×65×8	75×75×8	90×90×8	90×90×10	100×100×10
角钢长度(mm)	50	50	50	600	600	600	600

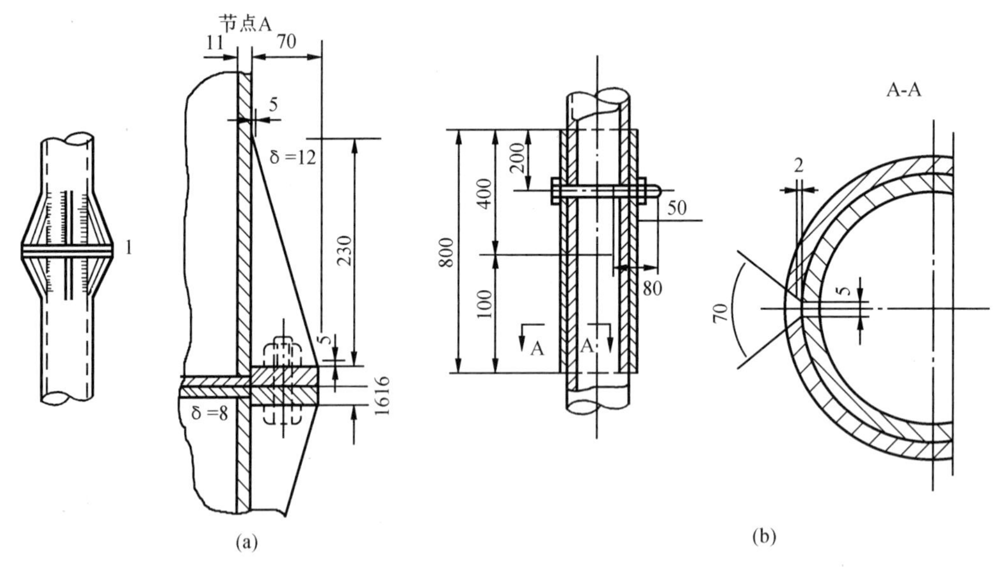

图 2-4 钢管把杆的接长方法

(a)凸缘螺栓连接;(b)套筒连接

如缺乏大直径钢管时,可用小直径的钢管采用双管并行连接(图 2-5a)或三管并行连接

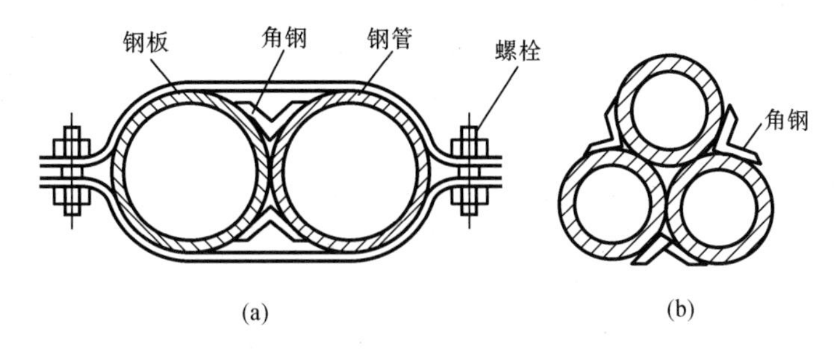

图 2-5　钢管的并行连接

(a)双管并行连接;(b)三管并行连接

(图 2-5b)代替大直径钢管,需要的小直径钢管的根数,可按下式计算

小钢管根数=大钢管面积/小钢管面积

拼合连接时用角钢及钢板卡子的尺寸如表 2-4 所示。

表 2-4　钢管把杆的拼合连接尺寸

钢管直径(mm)	所用角钢尺寸(mm)	焊接长度(mm)	间隔距离(m)	钢板卡子尺寸厚度×宽度(mm)
152	50×50	400	5	10×100
200	60×60	400	5	10×100

表 2-5 为不同高度和起重量的钢管独脚把杆的尺寸。

表 2-5　钢管独脚把杆的尺寸和起重量

起重量		把杆高度(mm)											
		8		10		15		20		25		30	
kN	tf	管径	壁厚	管径	壁厚	管径	壁厚	管径	壁厚	管径	壁厚	管径	壁厚
29.4	3	152	6	152	6	219	8	299	9	351	10	426	10
49.0	5	152	8	168	10	245	8	299	11	351	11	426	10
98.0	10	194	8	194	10	245	10	299	13	351	12	426	12
147.0	15	219	8	219	10	273	8	325	9	351	14	426	12
196.0	20	245	8	245	10	299	10	325	10	377	10	426	14
294.0	30	325	9	325	9	325	9	325	12	377	12	426	14

2. 桁架独脚把杆

桁架独脚把杆多数是用角钢拼装的,把杆的横截面一般为正方形,由横向支撑和斜向支撑组成。把杆上的构件用焊接连接(图 2-6)。为了装拆方便,通常做成几段,一般每段长 6~8m,安装时用连接板与精制螺栓连接成整体。在每段连接处均装有隔板,防止搬运、装卸

时发生变形。把杆底是钢板或装置有轨小车，以便推动移位。由缆风绳及锚碇来保证把杆工作时的稳定性。

桁架独脚把杆的尺寸与承载能力的关系，如表 2-6 所示。

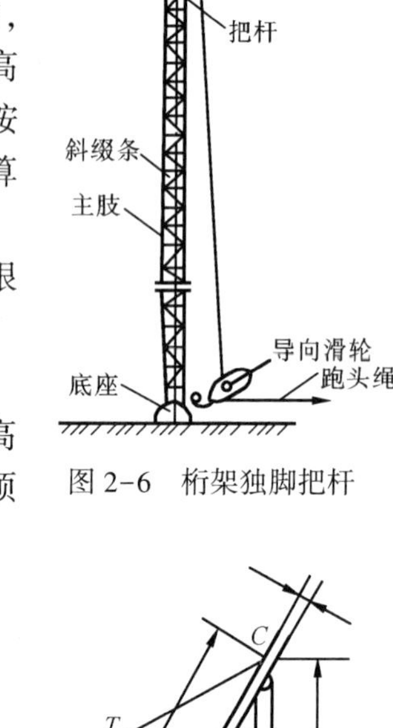

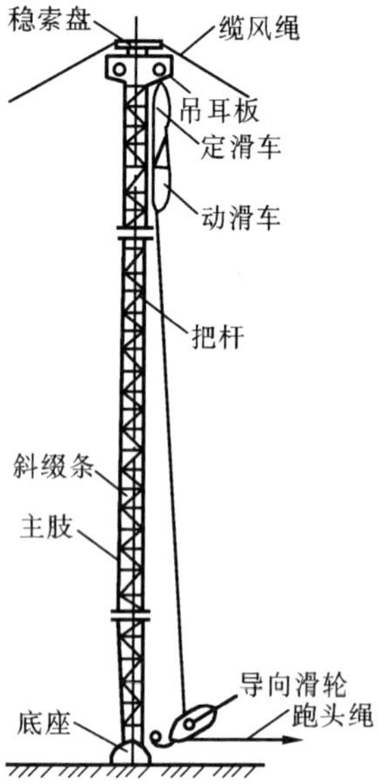

图 2-6　桁架独脚把杆

二、独脚把杆的计算

把杆的计算是合理选择把杆装置的一个重要步骤。特别是在大型的吊装工作中，对把杆各部分受力的分析是必不可少的，对中小型重物的吊装工作，可按实际吊装要求（起吊重量，起吊高度），从各种把杆的规格表中初选。为了安全，对初选的把杆应按使用要求作强度计算。所以，本节的主要内容是把杆的强度计算及缆风绳的计算。

独脚把杆和起重常用的各种把杆，其力学简化图形都是一根压杆。因此独脚把杆的强度计算包括强度和稳定性的计算。

（一）木质独脚把杆的计算

图 2-7 为木质独脚把杆的计算简图，设把杆的长度为 L，高为 H，起吊重量 Q，滑轮组重 q，滑轮组和重物偏心地挂在把杆顶部，偏离把杆轴心的距离为 e；与把杆的夹角为 β；绞车牵引力为 S；主缆风绳拉力为 T。

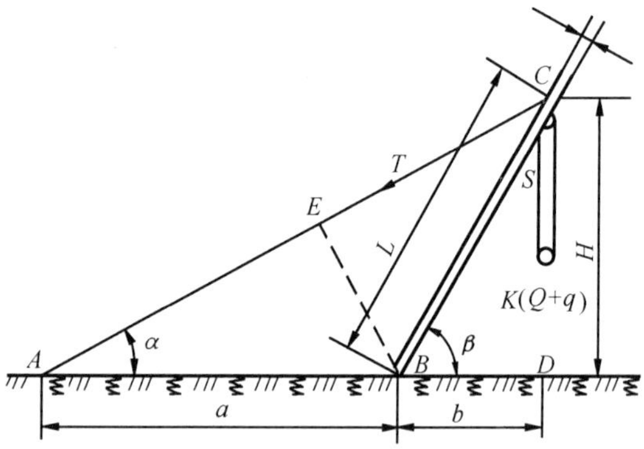

由于受重物和滑轮组自重等的作用，使把杆产生轴向压力 P 和弯矩 M_0 把杆所受的轴向压力由以下几部分组成。

1. 起吊物体产生的重力 Q 和滑轮组产生的重力 q 作用在把杆上的压力为 P_1

设　$AB=a, BD=b$，

因 $\triangle AEB \backsim \triangle BCD$，故 $AE=\dfrac{aH}{L}$

对 A 点列力矩方程 $\sum M_A=0$，则得

图 2-7　木质独脚把杆的计算简图

$$P_1=\frac{K_{动}(Q+q)(a+b)L}{aH}(\mathrm{N}) \tag{2-1}$$

式中　P_1——起吊物体产生的重力和滑轮组产生的重力引起的轴向压力（N）；

$K_{动}$——动载荷系数，一般取 $K_{动}=1.1$；

Q——起吊物体产生的重力（N）；

q——滑轮组和吊索具产生的重力（N）；

a——把杆底部到地锚之间的距离（m）；

b——倾斜把杆水平投影的长度（m）；

L——把杆的长度（m）；

H——把杆顶部到地面的垂直距离（m）。

表 2-6　桁架独脚把杆的尺寸和起重量

序　号	桁架把杆的结构简图	起重量		把杆高度	把杆自重	
		kN	tf	(m)	kN	tf
1	L50 × 50 × 5 L65 × 65 × 8 a　a　450 450 a-a L b-b b　b　250 250	49.0	5	30	21.56	2.2
		98.0	10	22.5	17.64	1.8
		147.0	15	15	12.74	1.3
2	L50 × 50 × 5 a-a L75 × 75 × 10 L　a　a　650 650 b-b b　b　350 350	147.0	15	30	43.12	4.4
		196.0	20	25	36.26	3.7
		245.0	25	20	29.40	3.0
		294.0	30	15	22.54	2.3
3	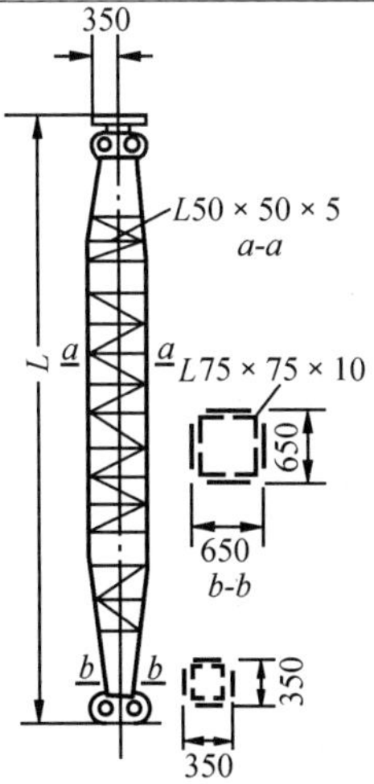 350 L50 × 50 × 5 a-a L　a　a　L75 × 75 × 10 650 650 b-b b　b　350 350	98.0	10	35	45.08	4.6
		117.6	12	30	39.20	4.0
		137.2	14	27.5	37.24	3.8
		166.6	17	22.5	31.36	3.2
		186.2	19	20	29.40	3.0
		215.6	22	15	22.54	2.3

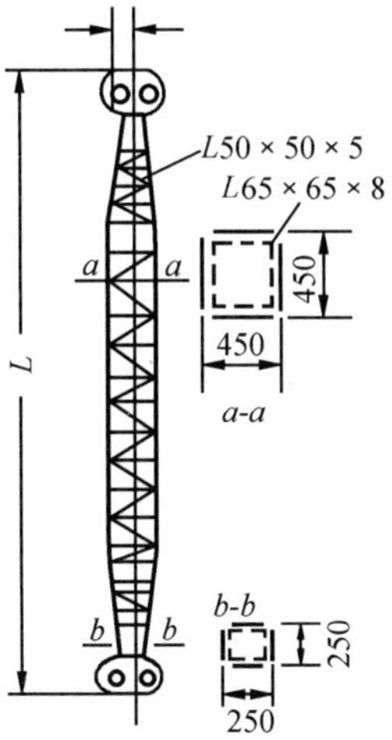

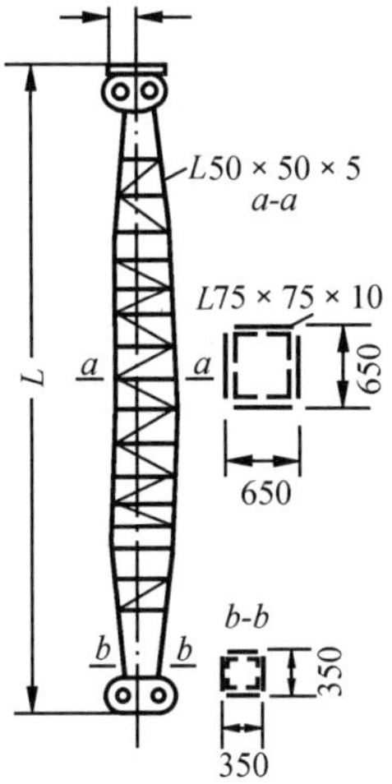

<table>
<tr><td>4</td><td> 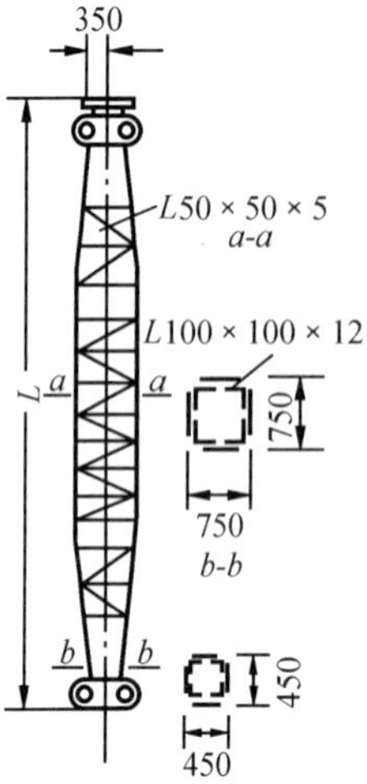350
L50 × 50 × 5
a-a
L100 × 100 × 12
L a a
750 750
b-b
b b
450 450</td><td>294. 0
352. 8
372. 4</td><td>30
36
38</td><td>30
22. 5
15</td><td>52. 92
43. 12
32. 34</td><td>5. 4
4. 4
3. 3</td></tr>
<tr><td>5</td><td> 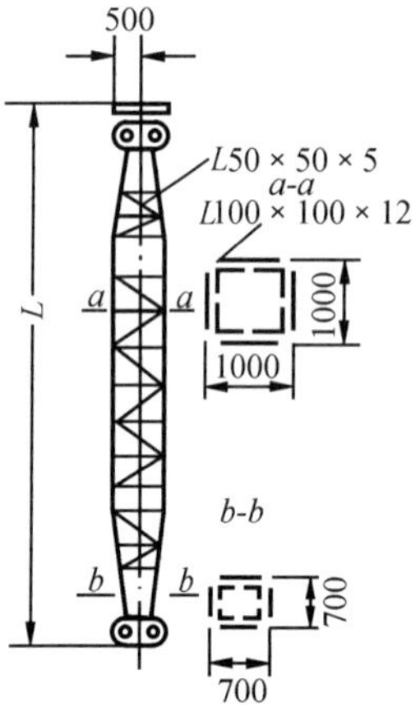500
L50 × 50 × 5
a-a
L100 × 100 × 12
L a a
1000 1000
b-b
b b
700 700</td><td>245. 0
294. 0
343. 0
392. 0
441. 0</td><td>25
30
35
40
45</td><td>40
35
30
25
20</td><td>98. 98
84. 28
82. 32
69. 58
67. 62</td><td>10. 1
8. 6
8. 4
7. 1
6. 9</td></tr>
<tr><td>6</td><td> 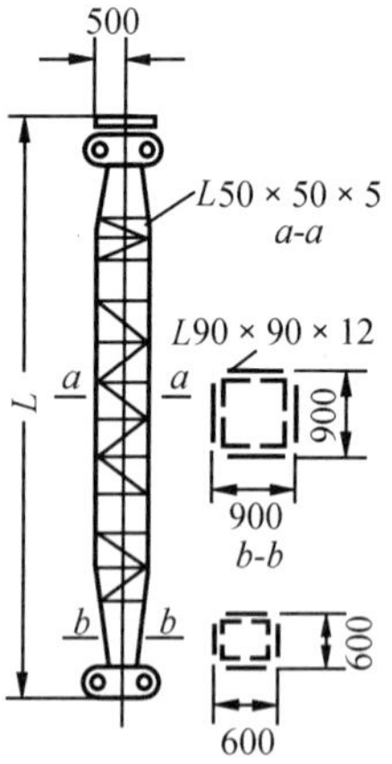500
L50 × 50 × 5
a-a
L90 × 90 × 12
L a a
900 900
b-b
b b
600 600</td><td>196. 0
245. 0
264. 6
284. 2
294. 0
323. 4</td><td>20
25
27
29
30
33</td><td>40
32. 5
30
25
22. 5
15</td><td>95. 06
85. 26
75. 46
69. 58
59. 78
52. 92</td><td>9. 7
8. 7
7. 7
7. 1
6. 1
5. 4</td></tr>
</table>

7	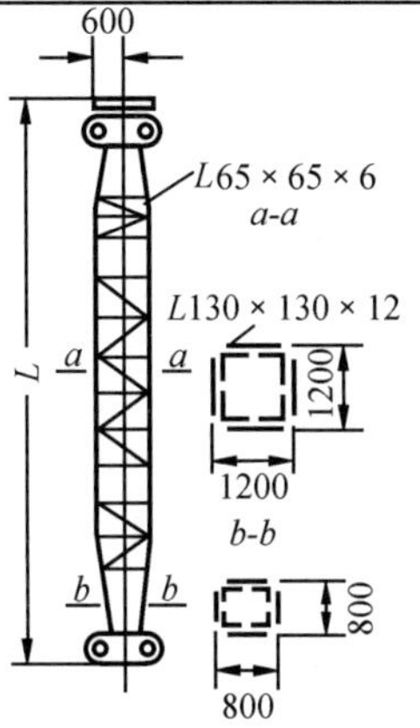 600 $L65 \times 65 \times 6$ a-a $L130 \times 130 \times 12$ L a a 1200 1200 b-b b b 800 800	392. 0 441. 0 490. 0 539. 0 588. 0 637. 0	40 45 50 55 60 65	45 40 35 30 25 20	151. 90 135. 24 126. 42 110. 74 102. 90 86. 24	15. 5 13. 8 12. 9 11. 3 10. 5 8. 8
8	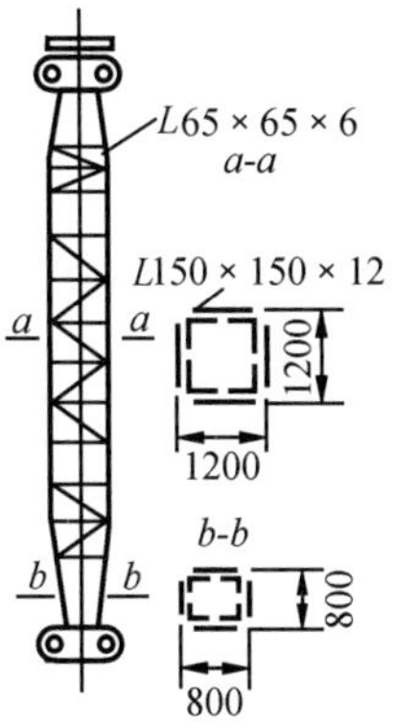 $L65 \times 65 \times 6$ a-a $L150 \times 150 \times 12$ a a 1200 1200 b-b b b 800 800	490. 0 539. 0	50 55	45 40	147. 00 127. 40	15. 0 13. 0

注:①把杆允许向垂直中心线两边倾斜 10°;

②缆风绳与地面倾斜夹角应不大于 45°。

2. 滑轮组跑头绳的拉力 S 对把杆产生的轴向压力 P_2

为计算方便,假设跑头绳和把杆轴线平行,则

$$P_2 = K_{动}(Q+q)\frac{f-1}{f^n-1}f^m f^K(\mathrm{N}) \tag{2-2}$$

或

$$P_2 = aK_{动}(Q+q)(\mathrm{N}) \tag{2-3}$$

式中符号与(1-47)、(1-48)式相同。

3. 缆风绳的自重及初拉力 T 对把杆产生的轴向压力 P_3

为计算方便,认为把杆是垂直的,则

$$P_3 = nT\sin\alpha(\mathrm{N}) \tag{2-4}$$

式中 n——缆风绳的根数;

T——缆风绳的自重及初拉力,一般可取 2. 94~9. 80kN;

α——缆风绳与地面的夹角。

4. 把杆的自重 G 对把杆产生的轴向压力 P_4

P_4 和把杆的部位有关，在把杆的顶部为零，在把杆的中部则为

$$P_4 = G/2(\mathrm{N}) \tag{2-5}$$

式中　G——把杆的自重(N)。

5. 把杆所受到的轴向总压力 P 为各轴向压力之和

在把杆顶部：　$P_{顶} = P_1 + P_2 + P_3(\mathrm{N})$　(2-6)

在把杆中部：　$P_{中} = P_{顶} + P_4(\mathrm{N})$　(2-7)

6. 滑轮组偏心距 e 对把杆产生的弯矩

由于滑轮组的悬挂到把杆中心线的距离为 e，则滑轮组上的全部荷重就会在把杆顶部对把杆轴心产生弯曲力矩 M，其值为

$$M_{顶} = [K_{动}(Q+q)+S]e(\mathrm{N \cdot m}) \tag{2-8}$$

在把杆中部：

$$M_{中} = 2M_{顶}/3(\mathrm{N \cdot m}) \tag{2-9}$$

在把杆底部的弯矩为零。

式中　S——滑轮组跑头绳拉力(N)；

e——滑轮组和把杆轴线的偏心距离(m)。

7. 把杆的强度校核

因为把杆顶部的弯矩最大，应校核其强度

$$\sigma = \frac{P_{顶}}{F_{顶}} + \frac{M_{顶}}{W_{顶}} \leqslant [\sigma] \tag{2-10}$$

式中　σ——把杆的顶部横截面的正应力($\mathrm{N/m^2}$)；

$F_{顶}$——把杆顶部截面面积($\mathrm{m^2}$)；

$W_{顶}$——把杆截面的抗弯截面系数($\mathrm{m^3}$)，

圆截面的 $W = \frac{\pi d^3}{32}$（d 为把杆直径），

正方形截面的 $W = \frac{a^3}{6}$（a 为把杆的宽度）；

$[\sigma]$——木材的许用应力　$\mathrm{N/m^2}$。

把杆中部的挠度最大，应校核其稳定性

$$\sigma = \frac{P_{中}}{\varphi F_{中}} + \frac{M_{中}}{W_{中}} \leqslant [\sigma] \tag{2-11}$$

式中　φ——木材纵向弯曲系数，由长细比 λ 所决定，圆截面 $\lambda = \frac{L_0}{0.25d}$，方形截面 $\lambda = \frac{L_0}{0.289a}$

其中 L_0 为把杆的计算长度，φ 值可从表 2-7 中查。

8. 缆风绳工作张力的计算

缆风绳的计算比较复杂。为了便于计算和选择钢丝绳的规格，我们假定所有受力缆风绳为一根，其位置在把杆倾斜平面内(见图 2-7)。则所受的张力可根据 O 点的平衡条件($\sum M_0 = 0$)求得主缆风绳的工作张力为

$$T_0 = \frac{K_{动}(Q+q)b}{a\sin\alpha}(\mathrm{N}) \tag{2-12}$$

表 2-7　木材的纵向弯曲系数 φ 值

长细比 λ	φ	长细比 λ	φ	长细比 λ	φ	长细比 λ	φ
30	0. 928	80	0. 484	130	0. 183	180	0. 10
40	0. 872	90	0. 383	140	0. 158	190	0. 09
50	0. 800	100	0. 310	150	0. 138	200	0. 08
60	0. 712	110	0. 255	160	0. 12		
70	0. 608	120	0. 215	170	0. 11		

缆风绳工作拉力的计算，与缆风绳的数目和布置方式有关，但要计算每根缆风绳的受力，是极其复杂的，一般按缆风绳中因水平分力的作用而引起的拉力来进行计算

$$T_1=K_{分}\left(\frac{M_{顶}}{H}+P\sin\beta\right)\frac{1}{\cos\alpha}(\mathrm{N}) \tag{2-13}$$

式中　P——起重滑轮组所受的力(N)；

　　$K_{分}$——分配系数，查表 2-8。

表 2-8　分配系数 $K_{分}$ 值

缆风绳根数	4	6	8	10	12
分配系数 $K_{分}$	1. 000	0. 667	0. 500	0. 400	0. 333

例 1　有一木质独脚把杆梢径为 300mm，把杆长度为 10m，倾斜 15°，用四根缆风绳来固定，缆风绳与地面的夹角为 45°，吊装重 39. 2kN 的设备，用 2×2 的滑轮组，滑轮组重 3. 92kN，与把杆中心线的偏心距为 100mm，问此把杆使用的是否安全？

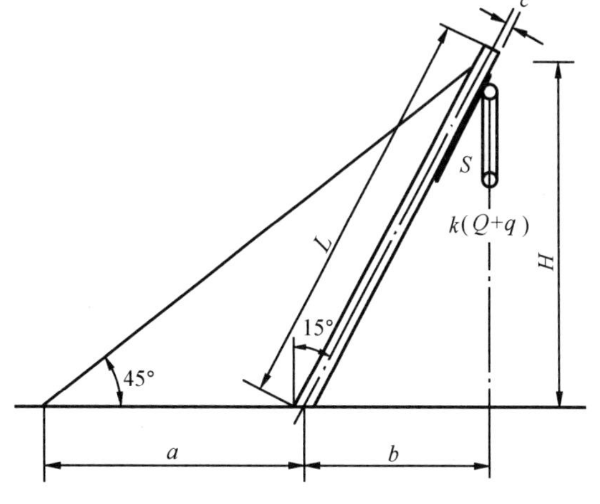

图 2-8　木质独脚把杆的计算简图

解　从图 2-8 中知

$b=L\cos75°=10\times0.2588=2.588\mathrm{m}$，

$H=L\sin75°=10\times0.9659=9.569\mathrm{m}$，

因 $\alpha=45°$　故 $a+b=H=9.66\mathrm{m}$，

$a=9.66-2.588=7.071\mathrm{m}$

(1)起吊设备和起重滑轮组产生的重力作用于把杆上的压力 P_1

$$P_1=\frac{K_{动}(Q+q)(a+b)L}{aH}=\frac{1.1\times(39.2\times10^3+3.92\times10^3)\times9.659\times10}{7.071\times9.659}$$

$$=67.08\times10^3\mathrm{N}=67.08\mathrm{kN}$$

(2)滑轮组跑头绳的拉力作用于把杆的压力 P_2

采用 2×2 的滑轮组，工作绳数四根，动定滑轮数三只，导向滑轮一只，查表 1-37，$\alpha=0.276$，则

$$P_2 = \alpha K_{动}(Q+q)$$
$$= 0.276\times1.1\times(39.2\times10^3+3.92\times10^3)$$
$$= 13.09\times10^3\text{N} = 13.09\text{kN}$$

(3)缆风绳的自重和初拉力作用于把杆上的压力 P_3

缆风绳的初拉力 $T=4.9\times10^3$N,则

$$P_3 = nT\sin\alpha = 4\times4.9\times10^3\times\sin45°$$
$$= 13.857\times10^3\text{N} = 13.857\text{kN}$$

(4)把杆自重对把杆产生的压力 P_4

如原木径缩率每米按 0.9cm 计算,把杆顶部 $r=15$cm,根部 $R=19.5$cm,密度 $\gamma=5.88\times10^2\text{kg/m}^3$,则

$$G = \frac{\pi L}{3}(R^2+Rr+r^2)\gamma g$$
$$= \frac{3.14\times10}{3}\times[(19.5\times10^{-2})^2+(19.5\times15\times10^{-4})+(15\times10^{-2})^2]\times5.88\times10^3$$
$$= 5.524\times10^3\text{N} = 5.524\text{kN}$$

把杆顶部:$P_4=0$

把杆中部:$P_4 = G/2 = 5.524\times10^3/2 = 2.762\times10^3\text{N}$

$$= 2.762\text{kN}$$

(5)把杆受到的轴向总压力

把杆顶部:$P_{顶} = P_1+P_2+P_3 = 67.08\times10^3+13.09\times10^3+13.857\times10^3$

$$= 94.027\times10^3\text{N} = 94.027\text{kN}$$

把杆中部:$P_{中} = P_{顶}+P_4 = 94.027\times10^3+2.762\times10^3 = 96.789\times10^3\text{N} = 96.789\text{kN}$

(6)把杆上端因连接起重滑轮组而产生的弯矩

$\because e=0.1$m

把杆顶部:$M_{顶} = [K_{动}(Q+q)+S]e$

$$= [1.1\times(3.92\times10^3+3.92\times10^3)+13.09\times10^3]\times0.1$$
$$= 6.0522\times10^3\text{N}\cdot\text{m} = 6.052\text{kN}\cdot\text{m}$$

把杆中部:$M_{中} = 2M_{顶}/3 = 4.035\text{kN}\cdot\text{m}$

(7)把杆的强度校核

$$F_{顶} = \frac{\pi d^2}{4} = \frac{3.14\times30^2}{4} = 706.5\text{cm}^2 = 706.5\times10^{-4}\text{m}^2$$

$$W_{顶} = \frac{\pi d^3}{32} = \frac{3.14\times30^3}{32} = 2649\text{cm}^3 = 2649\times10^{-3}\text{m}^3$$

把杆顶部的强度校核:

$$\sigma = \frac{P_{顶}}{F_{顶}}+\frac{M_{顶}}{W_{顶}} = \frac{94.027\times10^3}{706.5\times10^{-4}}+\frac{6.052\times10^3}{2649\times10^{-3}}$$
$$= 3.6156\times10^6\text{N/m}^2 = 3.6156\text{MN/m}^2$$

把杆的材料用东北松,查表 1-30 知许用应力 $[\sigma]=11.76\text{MN/m}^2$,$\sigma<[\sigma]$,所以顶部的强度满足要求。

把杆中部的稳定性校核:

把杆全长 1/3 处的截面直径 $d=32.97\text{cm}=32.97\times10^{-2}\text{m}$，截面面积 $F_{中}=854\text{cm}^2=854\times10^{-4}\text{m}^2$，$W_{中}=3518\text{cm}^3=3518\times10^{-6}\text{m}$，$\lambda=L_0/0.25d=121$，查表 2-7，$\varphi=0.215$，则

$$\sigma=\frac{P_{中}}{\varphi F_{中}}+\frac{M_{中}}{W_{中}}=\frac{96.789\times10^3}{0.215\times8.54\times10^{-4}}+\frac{4.0347\times10^3}{3518\times10^{-6}}$$

$$=6.419\times10^6\text{N/m}^2=6.419\text{MN/m}^2<[\sigma]$$

把杆中部的稳定性也满足要求，所以安全。

（二）钢管独脚把杆的计算

钢管独脚把杆的轴向压力、弯矩和缆风绳的计算与木质独脚把杆一样，只是在强度和稳定性方面的计算有所差异。根据《钢结构设计规范，TJ14-74》（试行）的有关新规定，钢结构变压抗弯杆件的稳定性计算，应取距把杆顶部 1/3 把杆全长处截面的压力和弯矩值来计算。

1. 把杆的强度计算

把杆顶部的弯矩最大，应校核该截面的强度：

$$\sigma=\frac{P_{顶}}{F_{顶}}+\frac{M_{顶}}{W_{顶}}\leqslant[\sigma] \tag{2-14}$$

式中 $F_{顶}$——把杆顶部的净截面面积（m^2），

钢管：

$$F=\frac{\pi}{4}(D^2-d^2)$$

$[\sigma]$——钢材的许用应力，见表 2-9

表 2-9 钢材的许用应力

应力种类	符号	钢号															
		A_2				A_3				16 锰钢或 16 锰桥钢							
		第 1 组		第 2/3 组		第 1 组		第 2/3 组		第 1 组		第 2 组		第 3 组			
		MN/m²	kgf/cm²	MN/m²	kgf/cm²	MN/m²	kgf/cm²	MN/m²	kgf/cm²	MN/m²	kgf/cm²	MN/m²	kgf/cm²	MN/m²	kgf/cm²		
抗拉、抗压和抗弯	$[\sigma]$	151.9	1550	137.2	1400	166.6	1700	151.9	1550	235.2	2400	225.4	2300	210.7	2150		
抗剪	$[\tau]$	93.1	950	83.3	850	98.0	1000	93.1	950	142.1	1450	137.2	1400	127.4	1300		
端面承压（磨平顶紧）	$[\sigma cd]$	225.4	2300	205.8	2100	249.9	2550	225.4	2300	352.8	3600	338.1	3450	313.6	3200		

注：（1）3 号镇静钢第 2 组钢材的许用应力，按表中的数值再增加 5%。

（2）计算下列情况的结构或连接时，按上表规定的许用应力值，应再乘以相应的折减系数：

①重级工作制的吊车梁及其连接：0.95；

②恒载（包括自重小于总荷载 4% 的屋盖檩条、屋架和托架的杆件和连接）：0.95；

③施工条件较差的高空安装焊缝和铆钉连接：0.90；

④埋头或半埋头铆钉连接：0.80。

2. 在压力和弯矩的共同作用下，应校核其稳定性

$$\varepsilon \leqslant 30 \text{ 时} \quad \sigma = \frac{P}{\varphi_p F} \leqslant [\sigma] \qquad (2-15)$$

$$\varepsilon > 30 \text{ 时} \quad \sigma = \frac{M}{W} \leqslant [\sigma] \qquad (2-16)$$

式中 P——把杆承受的轴向总压力(N);

M——计算弯矩,采用梁全长的中间,1/3 长度范围内的最大弯矩,但不小于构件最大弯矩的一半(N·m);

F——把杆的毛截面面积(m^2);

φ_p——实腹式的偏心受压构件,在弯矩作用平面内的稳定系数,根据截面形式、长细比 λ、偏心距 ε($\varepsilon = \frac{MF}{PW}$),按表 2-10 选取;

λ——构件的长细比;

$$\lambda = \frac{L_0}{r} \qquad (2-17)$$

L_0——把杆的计算长度(m);

r——把杆截面的回转半径(m);

$$r = \sqrt{\frac{J}{F}} \qquad (2-18)$$

J——所截截面的惯性矩(m^4);

F——所截截面的面积(m^2)。

例 2 有一钢管独脚把杆,A3 钢管制成,钢管外径为 300mm,壁厚 14mm,把杆长 14m,把杆顶部钢板吊环的 $e = 25$cm。把杆底部用水平轴与能够绕竖轴旋转的支座底板连接(见图 2-9)。故把杆能在竖直方向和水平方向上做较大幅度的俯仰或回转。把杆顶距把杆支座的水平轴所在平面的距离 H 为 12.65m。四根缆风绳,分别与地面的夹角为 45°。重物产生的重力为 137.2kN。起重滑轮组采用"四四走八"穿绕过一个导向滑轮后引向绞车,滑轮组和索具产生的重力为 9.60kN,校核此把杆的强度和稳定性。

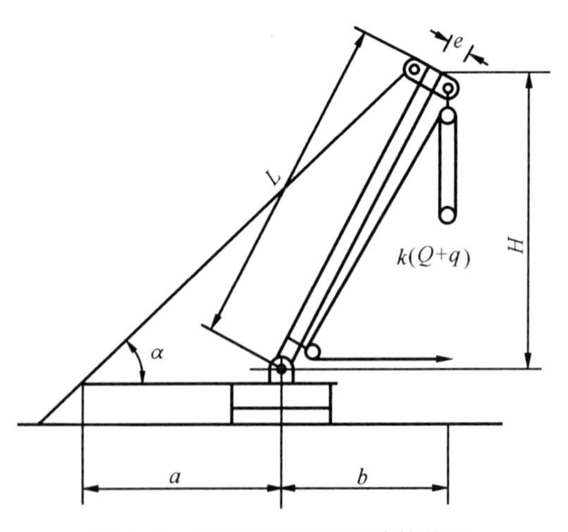

图 2-9 钢管独脚把杆的计算简图

解 从图 2-9 知 $b = \sqrt{L^2 - H^2} = \sqrt{14^2 - 12.65^2} = 6$m

$$a = 12.65 - 6 = 6.65\text{m}$$

1. 重物和吊索具产生的重力对把杆引起的轴向压力

$$P_1 = \frac{K_{动}(Q+q)(a+b)L}{aH} = \frac{1.1 \times [(137.2 + 9.604) \times 10^3] \times (6.65 + 6) \times 14}{6.56 \times 12.65}$$

$$= 339.97 \times 10^3 \text{N} = 339.97\text{kN}$$

表 2-10　实腹式偏心受压的构件在弯矩作用平面内的稳定系数 φ_p

[TJ17-74(试行)附表 18]

λ \ ε	0	0.2	0.4	0.6	0.8	1.0	1.2	1.4	1.6	1.8	2.0	2.5	3.0	3.5	4.0
0	1.000	0.865	0.763	0.682	0.616	0.563	0.517	0.479	0.446	0.417	0.319	0.340	0.300	0.267	0.240
10	0.995	0.848	0.743	0.666	0.601	0.548	0.503	0.467	0.434	0.406	0.382	0.332	0.294	0.263	0.237
20	0.981	0.831	0.725	0.645	0.582	0.529	0.488	0.452	0.419	0.391	0.368	0.322	0.285	0.255	0.231
30	0.958	0.812	0.705	0.623	0.560	0.509	0.469	0.433	0.402	0.377	0.355	0.311	0.275	0.247	0.224
40	0.927	0.788	0.679	0.598	0.537	0.487	0.448	0.414	0.385	0.361	0.342	0.299	0.265	0.238	0.216
50	0.888	0.760	0.650	0.571	0.512	0.465	0.426	0.395	0.367	0.345	0.327	0.287	0.255	0.229	0.208
60	0.842	0.730	0.619	0.543	0.486	0.442	0.406	0.375	0.349	0.328	0.312	0.275	0.245	0.221	0.201
70	0.789	0.693	0.586	0.513	0.461	0.419	0.385	0.356	0.332	0.312	0.297	0.263	0.235	0.212	0.193
80	0.731	0.651	0.553	0.485	0.434	0.396	0.363	0.338	0.316	0.297	0.283	0.252	0.255	0.203	0.186
90	0.669	0.602	0.515	0.455	0.409	0.373	0.344	0.320	0.299	0.282	0.267	0.240	0.215	0.195	0.178
100	0.604	0.549	0.474	0.423	0.383	0.350	0.325	0.302	0.283	0.267	0.256	0.229	0.205	0.186	0.171
110	0.536	0.494	0.434	0.390	0.356	0.328	0.306	0.285	0.268	0.253	0.243	0.218	0.196	0.178	0.164
120	0.466	0.443	0.394	0.358	0.329	0.306	0.286	0.268	0.252	0.240	0.230	0.208	0.187	0.170	0.157
130	0.401	0.397	0.358	0.328	0.303	0.284	0.266	0.251	0.237	0.226	0.219	0.199	0.179	0.163	0.152
140	0.349	0.354	0.321	0.299	0.279	0.262	0.248	0.234	0.222	0.212	0.206	0.189	0.171	0.156	0.145
150	0.306	0.306	0.294	0.274	0.257	0.242	0.229	0.218	0.208	0.200	0.194	0.179	0.163	0.150	0.139
160	0.272	0.272	0.267	0.250	0.236	0.225	0.213	0.203	0.195	0.187	0.181	0.169	0.155	0.143	0.134
170	0.243	0.243	0.243	0.229	0.217	0.207	0.197	0.189	0.182	0.177	0.172	0.160	0.147	0.136	0.128
180	0.218	0.218	0.218	0.209	0.200	0.192	0.184	0.177	0.170	0.166	0.162	0.151	0.139	0.129	0.122
190	0.197	0.497	0.197	0.193	0.184	0.177	0.170	0.164	0.158	0.156	0.152	0.142	0.132	0.123	0.116
200	0.180	0.180	0.180	0.178	0.171	0.164	0.158	0.153	0.148	0.145	0.142	0.134	0.125	0.117	0.110

表 2-10(续)

λ \ ε	4.5	5.0	5.5	6.0	6.5	7.0	8.0	9.0	10	12	14	16	18	20	25	30
0	0.218	0.199	0.183	0.170	0.157	0.147	0.130	0.116	0.105	0.088	0.076	0.066	0.059	0.053	0.042	0.035
10	0.215	0.196	0.181	0.168	0.156	0.146	0.129	0.115	0.104	0.087	0.075	0.066	0.059	0.053	0.042	0.035
20	0.211	0.193	0.178	0.156	0.153	0.143	0.127	0.114	0.103	0.086	0.074	0.065	0.058	0.052	0.041	0.035
30	0.205	0.189	0.174	0.162	0.150	0.140	0.125	0.112	0.101	0.085	0.074	0.065	0.058	0.052	0.041	0.034
40	0.199	0.183	0.170	0.158	0.147	0.138	0.122	0.110	0.100	0.084	0.073	0.064	0.057	0.052	0.041	0.034
50	0.192	0.177	0.165	0.154	0.144	0.135	0.120	0.108	0.098	0.083	0.072	0.063	0.056	0.051	0.040	0.033
60	0.185	0.171	0.159	0.149	0.140	0.132	0.117	0.106	0.096	0.081	0.071	0.062	0.056	0.050	0.040	0.033
70	0.178	0.165	0.154	0.144	0.136	0.128	0.114	0.103	0.094	0.080	0.070	0.061	0.055	0.049	0.039	0.033
80	0.171	0.159	0.148	0.139	0.131	0.124	0.111	0.101	0.092	0.078	0.068	0.060	0.054	0.049	0.039	0.033
90	0.164	0.153	0.143	0.134	0.127	0.120	0.108	0.099	0.090	0.077	0.067	0.059	0.053	0.048	0.038	0.032
100	0.158	0.147	0.138	0.130	0.122	0.116	0.105	0.096	0.088	0.075	0.066	0.058	0.053	0.048	0.038	0.032
110	0.152	0.142	0.133	0.125	0.118	0.112	0.102	0.093	0.086	0.074	0.065	0.057	0.052	0.047	0.037	0.031
120	0.146	0.136	0.128	0.120	0.114	0.108	0.098	0.090	0.083	0.072	0.063	0.056	0.051	0.046	0.037	0.031
130	0.140	0.131	0.123	0.116	0.110	0.104	0.095	0.088	0.081	0.070	0.062	0.055	0.050	0.045	0.037	0.030
140	0.135	0.126	0.118	0.112	0.106	0.101	0.092	0.085	0.079	0.069	0.061	0.054	0.049	0.045	0.036	0.030
150	0.130	0.121	0.114	0.108	0.102	0.097	0.089	0.082	0.076	0.067	0.059	0.053	0.048	0.044	0.036	0.030
160	0.125	0.116	0.110	0.104	0.099	0.094	0.086	0.079	0.074	0.065	0.058	0.052	0.047	0.043	0.035	0.029
170	0.120	0.112	0.106	0.100	0.095	0.091	0.084	0.077	0.071	0.063	0.056	0.051	0.046	0.043	0.035	0.029
180	0.115	0.108	0.102	0.097	0.092	0.088	0.081	0.075	0.069	0.061	0.055	0.050	0.045	0.042	0.034	0.028
190	0.110	0.104	0.098	0.094	0.089	0.085	0.078	0.072	0.067	0.060	0.054	0.049	0.044	0.041	0.034	0.028
200	0.105	0.099	0.094	0.090	0.086	0.083	0.076	0.070	0.065	0.058	0.052	0.048	0.043	0.040	0.033	0.028

注:对 3 号和 2 号钢,应取实际长细比 λ;对 16 锰钢和 16 锰桥钢,应取假定长细比 $\lambda=(\sqrt{\frac{\sigma_s}{2400}}$ 代替实际长细比。

圆管和矩形管截面实腹式偏心受压构件的 φ_p 值按上表选用。

2. 起重滑轮组跑绳拉力对把杆产生的轴向压力

跑头绳未绕过把杆底部一只导向滑轮时,“四四走八”滑轮组,工作绳数 8 根,动定滑轮数 7 只,导向滑轮 1 只,查表 1-37,α=0. 149,则

$$P_2 = S = \alpha K_{动}(Q+q) = 0.149\times1.1\times[(137.2+9.604)\times10^3]$$
$$= 24.06\times10^3\text{N} = 24.06\text{kN}$$

3. 缆风绳自重及初拉力对把杆产生的轴向压力

设缆风绳的初拉力的 T=9. 8kN,则

$$P_3 = nT\sin\alpha = 4\times9.8\times10^3\times\sin45°$$
$$= 27.714\times10^3\text{N} = 27.71\text{kN}$$

4. 把杆自重对把杆产生的轴向压力

把杆截面面积 $F=\dfrac{\pi(D^2-d^2)}{4}=\dfrac{3.14\times(30^2-27.2^2)}{4}$

钢的密度　$r=764.4\text{kg/m}^3$

则

$$G = g\cdot r\cdot F\cdot L = 76.44\times10^3\times125.79\times10^{-4}\times14$$
$$= 13.46\times10^3\text{N} = 13.46\text{kN},$$
$$P_4 = G/3 = 13.46\times10^3/3 = 4.487\times10^3\text{N} = 4.487\text{kN}$$

5. 把杆承受的总轴向压力

$$P_{顶} = P_1+P_2+P_3 = 391.74\text{kN},$$
$$P_{中} = P_{顶}+P_4 = 396.23\text{kN}$$

6. 把杆上端因连接起重滑轮组而产生的弯矩

$$M_{顶} = [K_{动}(Q+q)+S]e = [1.1\times(137.2+9.604)\times10^3+24.06\times10^3]$$
$$\times25\times10^{-2} = 46.385\times10^3\text{N}\cdot\text{m} = 46.385\text{kN}\cdot\text{m}$$
$$M_{中} = \frac{2}{3}M_{顶} = \frac{2}{3}\times46.385 = 30.923\text{kN}\cdot\text{m}$$

7. 把杆的强度校核

把杆顶部承受最大弯矩时危险截面的强度校核

抗弯截面系数

$$W = \frac{\pi(D^4-d^4)}{32D} = \frac{3.14\times(30^4-27.2^4)}{32\times30}$$
$$= 859.1\text{cm}^3 = 859.1\times10^{-6}\text{m}^3,$$
$$\sigma = \frac{P_{顶}}{F_{顶}}+\frac{M_{顶}}{W_{顶}} = \frac{391.744\times10^3}{125.79\times10^{-14}}+\frac{46.385\times10^3}{859.1\times10^{-6}} = 85.133\times10^6\text{N/m}^2$$
$$= 85.133\text{MN/m}^2$$

查表 2-9 知,许用应力[σ]=166. 6MN/m²,σ<[σ],所以顶部的强度满足要求。在压力和弯矩共同作用下把杆的稳定性校核

$$r = 0.35\times d_p = 0.35\times0.5\times(30+27.2) = 10.01\text{cm} = 10.01\times10^{-2}\text{m},$$
$$\lambda = \frac{L_0}{r} = \frac{14}{10.01\times10^{-2}} \approx 140,$$
$$\varepsilon = \frac{M}{P}\times\frac{F}{W} = \frac{30.923\times10^3}{396.23\times10^3}\times\frac{125.79\times10^{-4}}{859.1\times10^{-6}} = 1.14<30$$

当 $\lambda=140, \varepsilon=1.14$ 时查表 2-10,由内插法求得 $\varphi_p=0.252$,则

$$\sigma=\frac{P}{\varphi_p F}=\frac{396.23\times10^3}{0.252\times125.79\times10^{-4}}=12.499\times10^7 \mathrm{N/m^2}$$

$$=124.99 \mathrm{MN/m^2}<[\sigma]$$

所以稳定性满足要求,此把杆能安全使用。

(三)桁架式独脚把杆

桁架式独脚把杆的轴向总压力、弯矩、缆风绳、把杆的强度和稳定性的校核与钢管独脚把杆相同。但是在校核把杆的稳定性时,要把计算钢管独脚把杆时所采用的长细比 λ 代入换算长细比 λ_h,根据换算长细比 λ_h 和偏心率 ε_1,查表 2-11 求出稳定系数 φ_{pg},按下式校核弯矩作用平面内的稳定性

$$\sigma=\frac{P}{\varphi_{pg} F}\leqslant[\sigma] \tag{2-19}$$

式中 φ_{pg}——桁架式偏心受压构件在弯矩作用平面内的稳定系数,根据换算长细 λ_h 和偏心率 ε_1 按表 2-11 选用。

λ_h 的计算式:

$$\lambda_h=\sqrt{\lambda^2+\frac{40F_{主}}{F_{缀}}} \tag{2-20}$$

式中 λ_h——换算长细比;

$F_{主}$——把杆主肢毛截面面积之和,即把杆四角立柱总截面面积($\mathrm{m^2}$);

$F_{缀}$——由把杆横截面所截,把杆侧面两根斜缀条的毛截面面积之和。

偏心率 ε_1 的计算式:

$$\varepsilon_1=\frac{MF_{x0}}{PJ} \tag{2-21}$$

式中 x_0——从中心轴到压力较大的肢的轴线间的距离,如果这一距离小于中心轴至较大压力肢腹板的距离,取后一距离。

例 3 如果把例 2 的钢管独脚把杆改用桁架式独脚把杆,试选择此桁架独脚把杆的截面形式。

解 根据表 2-6,起重量为 147kN,把杆高度为 15m,立柱角钢为 L65×65×8mm,连缀角钢为 L30×30×4mm,把杆中部截面为 450×450mm,两端截面为 250×250mm。因为起重量和把杆长度与题设数据接近,故选此截面的数据进行校核。把杆中部的横截面为 450×450mm,四角立柱角钢为 L65×65×8mm,连缀角钢为 L30×30×4mm,杆顶截面为 250×250mm,各侧面均焊以 8mm 厚的钢板加强,如图 2-10 所示。

查型钢表知,L65×65×8 单个角钢的横截面面积 $F_0=9.87\mathrm{cm^2}$,重心距 $Z_0=1.9\mathrm{cm}$,惯性矩 $J_x=3.81\mathrm{cm^4}$;L30×30×4 单个角钢的横截面面积 $F_0=2.27\mathrm{cm^2}$。

故 $F_{主}=4\times9.87+4\times23\times0.8=113.08\mathrm{cm^2}=113.08\times10^{-4}\mathrm{m^2}$

$$J=4[38.1+9.87\times(12.5-1.9)+2\times0.8\times23^3+2\times(23\times0.8)\times12.9^3$$

$$=12334\mathrm{cm^4}=12334\times10^{-8}\mathrm{m^4},$$

$$W=\frac{123.34\times10^{-8}}{13.3\times10^{-2}}=927.4\mathrm{cm^3}=927.4\times10^{-6}\mathrm{m^3}$$

把杆顶部的强度校核

表 2-11　桁架式偏心受压在弯矩作用平面内的稳定系数 φ_{pg}　[TJ-17-74(试行)附表 21]

λ_h \ ε_1	0	0.2	0.4	0.6	0.8	1.0	1.2	1.4	1.6	1.8	2.0	2.5	3.0	3.5	4.0
0	1.000	0.833	0.714	0.625	0.555	0.500	0.455	0.417	0.385	0.357	0.333	0.286	0.250	0.223	0.200
10	0.995	0.825	0.709	0.621	0.551	0.496	0.451	0.413	0.382	0.355	0.332	0.284	0.249	0.222	0.200
20	0.981	0.816	0.703	0.615	0.545	0.488	0.446	0.408	0.378	0.352	0.330	0.283	0.248	0.220	0.199
30	0.958	0.801	0.689	0.601	0.534	0.479	0.437	0.401	0.370	0.345	0.326	0.280	0.245	0.218	0.197
40	0.927	0.783	0.671	0.586	0.520	0.467	0.426	0.392	0.362	0.338	0.320	0.275	0.241	0.215	0.194
50	0.888	0.757	0.648	0.565	0.502	0.452	0.413	0.380	0.352	0.329	0.313	0.269	0.237	0.212	0.191
60	0.842	0.730	0.620	0.544	0.484	0.435	0.399	0.367	0.340	0.318	0.304	0.263	0.231	0.207	0.187
70	0.789	0.696	0.594	0.517	0.460	0.416	0.381	0.352	0.327	0.306	0.294	0.255	0.225	0.202	0.183
80	0.731	0.654	0.556	0.487	0.436	0.396	0.363	0.337	0.313	0.295	0.283	0.246	0.218	0.196	0.178
90	0.669	0.606	0.574	0.456	0.411	0.374	0.345	0.320	0.299	0.280	0.272	0.237	0.211	0.190	0.173
100	0.604	0.560	0.474	0.423	0.384	0.351	0.325	0.302	0.283	0.267	0.259	0.227	0.203	0.184	0.168
110	0.536	0.510	0.435	0.389	0.356	0.327	0.305	0.285	0.267	0.255	0.247	0.218	0.195	0.177	0.162
120	0.466	0.453	0.395	0.358	0.330	0.304	0.284	0.267	0.252	0.242	0.244	0.207	0.187	0.171	0.156
130	0.401	0.401	0.359	0.329	0.304	0.282	0.265	0.250	0.236	0.228	0.221	0.197	0.178	0.163	0.150
140	0.349	0.350	0.325	0.300	0.279	0.262	0.246	0.233	0.222	0.214	0.208	0.187	0.170	0.156	0.144
150	0.306	0.306	0.295	0.275	0.258	0.242	0.229	0.218	0.208	0.201	0.196	0.177	0.162	0.149	0.138
160	0.272	0.272	0.268	0.251	0.237	0.224	0.213	0.203	0.195	0.189	0.185	0.168	0.154	0.142	0.132
170	0.243	0.243	0.243	0.230	0.218	0.207	0.198	0.189	0.182	0.177	0.173	0.158	0.146	0.135	0.126
180	0.218	0.218	0.218	0.211	0.201	0.192	0.184	0.176	0.170	0.166	0.163	0.149	0.138	0.129	0.120
190	0.197	0.197	0.197	0.194	0.185	0.178	0.170	0.164	0.159	0.155	0.153	0.141	0.131	0.122	1.115
200	0.180	0.180	0.180	0.178	0.171	0.165	0.159	0.153	0.148	0.145	0.143	0.133	0.124	0.116	0.110

表 2-11(续)

λ_h \ ε_1	4.5	5.0	5.5	6.0	6.5	7.0	8.0	9.0	10	12	14	16	18	20	25	30
0	0.182	0.167	0.154	0.143	0.134	0.125	0.111	0.100	0.091	0.077	0.067	0.059	0.053	0.048	0.038	0.032
10	0.181	0.166	0.154	0.143	0.134	0.125	0.110	0.099	0.091	0.077	0.067	0.059	0.053	0.048	0.038	0.032
20	0.180	0.165	0.153	0.142	0.133	0.124	0.110	0.099	0.091	0.077	0.067	0.059	0.053	0.048	0.038	0.032
30	0.179	0.164	0.152	0.141	0.132	0.123	0.110	0.099	0.090	0.076	0.066	0.058	0.052	0.047	0.037	0.031
40	0.177	0.162	0.150	0.140	0.131	0.122	0.109	0.098	0.090	0.076	0.066	0.058	0.052	0.047	0.037	0.031
50	0.174	0.160	0.148	0.138	0.129	0.121	0.108	0.097	0.089	0.075	0.065	0.058	0.052	0.047	0.037	0.031
60	0.171	0.157	0.146	0.136	0.127	0.120	0.107	0.096	0.088	0.075	0.065	0.057	0.051	0.047	0.036	0.030
70	0.167	0.154	0.143	0.133	0.125	0.118	0.105	0.095	0.087	0.074	0.064	0.057	0.051	0.046	0.036	0.030
80	0.163	0.151	0.140	0.131	0.123	0.115	0.103	0.094	0.086	0.073	0.064	0.056	0.050	0.046	0.036	0.030
90	0.159	0.147	0.137	0.128	0.120	0.113	0.102	0.092	0.084	0.072	0.063	0.056	0.050	0.046	0.035	0.029
100	0.154	0.143	0.133	0.125	0.117	0.111	0.100	0.090	0.083	0.071	0.062	0.055	0.049	0.045	0.035	0.029
110	0.149	0.139	0.129	0.121	0.114	0.108	0.097	0.089	0.081	0.070	0.061	0.054	0.049	0.045	0.035	0.029
120	0.144	0.134	0.126	0.118	0.111	0.105	0.095	0.087	0.080	0.069	0.060	0.053	0.048	0.044	0.034	0.028
130	0.139	0.130	0.122	0.114	0.108	0.102	0.093	0.085	0.078	0.067	0.059	0.052	0.048	0.044	0.034	0.028
140	0.134	0.125	0.118	0.111	0.105	0.100	0.090	0.083	0.076	0.066	0.058	0.052	0.047	0.043	0.034	0.028
150	0.129	0.121	0.113	0.107	0.102	0.097	0.088	0.091	0.075	0.065	0.057	0.051	0.047	0.043	0.033	0.027
160	0.123	0.116	0.109	0.103	0.098	0.094	0.085	0.078	0.073	0.063	0.056	0.050	0.046	0.042	0.033	0.027
170	0.118	0.111	0.105	0.100	0.095	0.091	0.083	0.076	0.071	0.062	0.055	0.049	0.045	0.041	0.033	0.027
180	0.113	0.107	0.101	0.096	0.092	0.087	0.080	0.074	0.069	0.006	0.054	0.048	0.044	0.041	0.032	0.026
190	0.108	0.102	0.097	0.093	0.088	0.084	0.078	0.072	0.067	0.059	0.053	0.047	0.043	0.040	0.032	0.026
200	0.104	0.098	0.093	0.089	0.085	0.082	0.075	0.070	0.065	0.058	0.052	0.046	0.042	0.039	0.032	0.026

注:对 3 号和 2 号钢应取换算长细比 λ_h,对 16 锰钢和 16 锰桥钢应取假定长细比 $\lambda_n = \sqrt{\sigma_s/2400}$ 代替换算长细比 λ_h

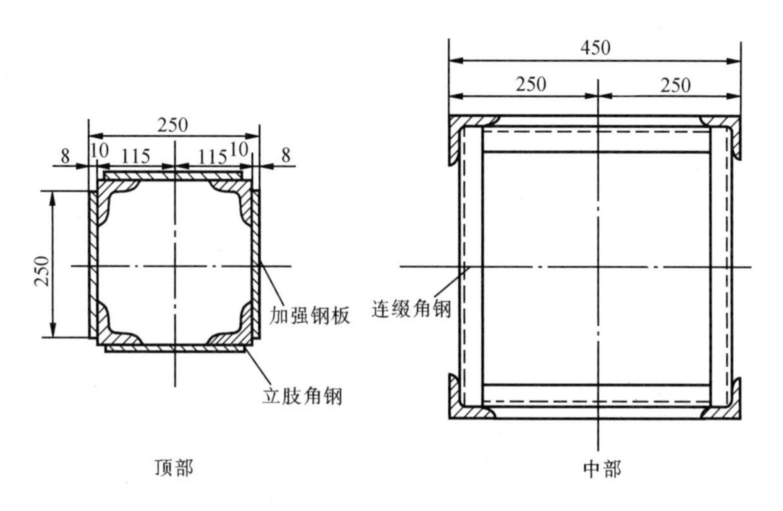

图 2-10　桁架式把杆的横截面

根据例 2 的计算 $P_{顶}=391.74\text{kN}$, $P_{中}=396.23\text{kN}$, $M_{顶}=46.385\text{kN}\cdot\text{m}$, $M_{中}=30.923\text{kN}\cdot\text{m}$,则

$$\sigma=\frac{P_{顶}}{F_{顶}}+\frac{M_{顶}}{W_{顶}}=\frac{391.74\times10^{3}}{113.08\times10^{-4}}+\frac{46.385\times10^{3}}{927.4\times10^{-6}}=84.653\times10^{6}\text{N/m}^{2}$$
$$=84.653\text{MN/m}^{2}$$

所用的材料用 A3 钢,许用应力$[\sigma]=166.6\text{MN/m}^2$,$\sigma<[\sigma]$,所以顶部危险截面满足强度要求。

在压力和弯矩共同作用下把杆中部的稳定性校核

$F_{主}=4\times9.87=39.48\text{cm}^2=39.48\times10^{-4}\text{m}^2$,

$J=4\times[38.1+9.87\times(22.5-1.9)^2]=16906\text{cm}^4=16906\times10^{-8}\text{m}^4$,

$r=\sqrt{\frac{16906}{39.48}}=20.7\text{cm}$,

$\lambda=\frac{1400}{20.7}=68$,

$\lambda_h=\sqrt{68^2+40\times\frac{39.48}{2\times2.27}}=71$,

$\varepsilon_1=\frac{30.923\times10^3}{396.23\times10^3}\times\frac{39.48\times10^{-4}\times22.5\times10^{-2}}{16906\times10^{-8}}=0.41$

查表 2-11　$\lambda_h=71$,$\varepsilon_1=0.41$,$\varphi_{pg}=0.588$ 则

$$\sigma=\frac{P_{中}}{\varphi_{pg}F}=\frac{396.23\times10^3}{0.588\times39.48\times40^{-4}}=17.068\times10^7\text{N/m}^2=170.68\text{MN/m}^2,$$

$$\sigma=170.68\text{MN/m}^2>[\sigma]=166.6\text{MN/m}^2,$$

但是
$$\frac{\sigma-[\sigma]}{[\sigma]}=\frac{170.68-166.6}{166.6}=0.024=2.4\%<5\%$$

故仍认为此桁架式独脚把杆在压力和弯矩作用下的稳定满足要求。

(四)把杆长度和高度的计算和选择

1. 把杆长度,把杆长度应保证对它所需起吊安装重物的最大高度,由下式求得

$$L=\sqrt{b^2-H^2} \qquad (2-22)$$

式中 b——把杆的倾斜幅度(m);

H——把杆上端至地面的距离(m)。

2. 把杆高度,可以根据所吊重物的直径、宽度、高度和吊索高与滑轮组尺寸(高)来计算,如图 2-11 所示,由下式求得

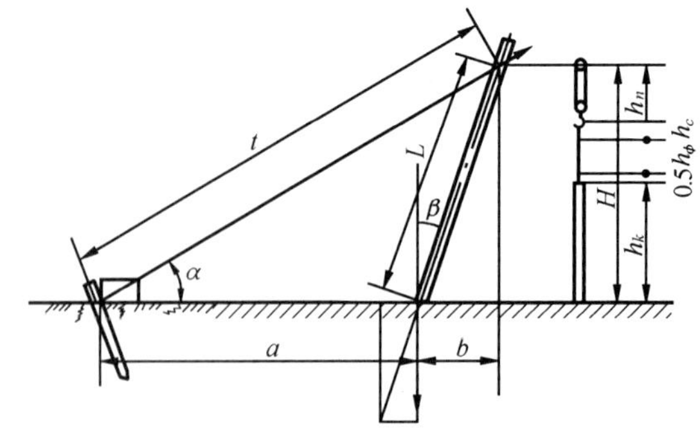

图 2-11 把杆高度的计算简图

$$H \geqslant h_k+0.5+h_\phi+h_c+h_n$$

式中 h_k——把杆吊装重物的高度(m);

0.5——保留的应有裕量高度(m);

h_ϕ——需要起吊重物的高度(例如在吊装立柱后,还须利用该把杆吊装其上的桁架之类;倘不需要时,则不予考虑(m);

h_c——吊索所占的高度(m);

h_n——滑轮组合中上下两滑轮间的最小距离(m)。

亦可根据吊起重物的直径或宽度、高度和它的质量,从图 2-12 中进行选择。

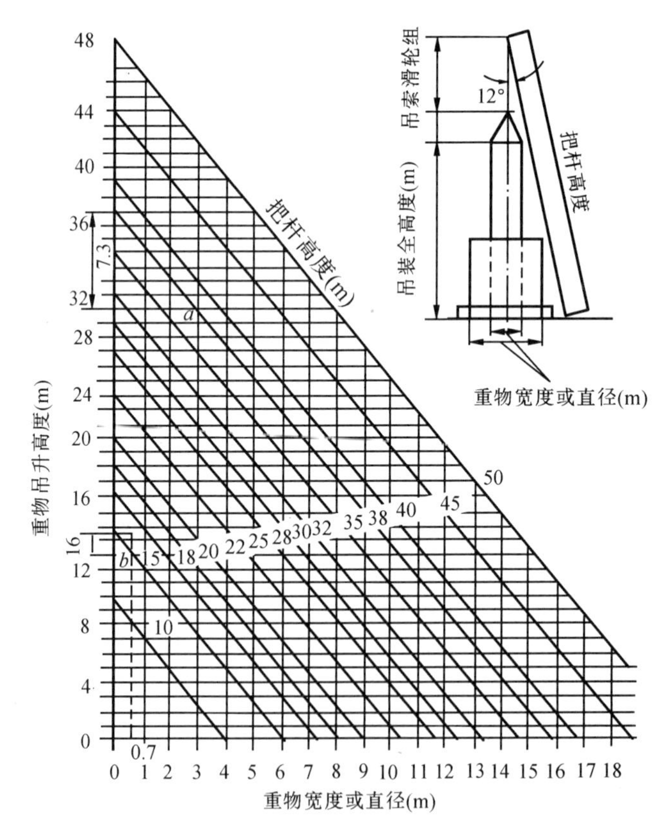

图 2-12 选择把杆高度的图解

例 4 吊升直径为 3m,高 30m,产生的重力为 392kN 的设备,选择把杆的高度。

解 在图 2-12 中,在横轴的坐标 3 处引一垂线,在纵轴的坐标 30 处引一水平线,得交点为 a,正处于斜线 38 上,即为把杆的高度。

第二节 人字把杆

一、人字把杆的结构型式

人字把杆是由两根木料或钢管交叉捆绑成人字形的一种简易起重装置。人字把杆起重能力大,横向稳定性好,与独脚把杆相比,具有构造简单、稳定、装置和架设方便等优点。根据把杆所使用的材料可分为木质人字把杆和钢质人字把杆两种。

(一)木质人字把杆

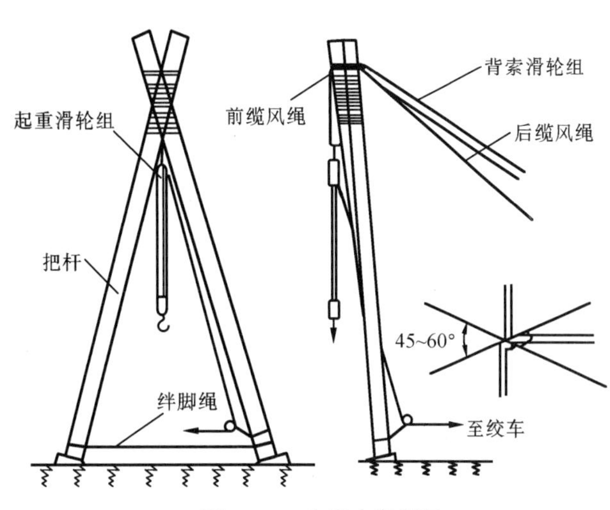

图 2-13 木质人字把杆

木质人字把杆由两根圆木或方木交叉捆绑成人字形(图 2-13)。在顶部交叉处用直径 11~21. 5mm 的钢丝绳绑扎两层,共绕 20~40 道,绑扎的各圈靠紧。绑扎后,在交叉处打入木楔,绳结上下方钉以扒钉或固定木块以防止松脱。然后在交叉处挂上起重滑轮组。使用的把杆木料如有弯曲,应使弯曲向外。

人字把杆的两杆底脚的宽度 $b \approx h/8$,h 是指从把杆交叉点处至地面的垂直高度。若宽度太小,两把杆相交角就小,把杆就不稳定;宽度太大,两把杆相交角度就大,则把杆内力就大。在选择人字把杆时,必须同时顾及所吊重物的重力、外形尺寸、起升高度,以及其他施工要求,以免重物起吊后,重物碰到把杆。表 2-12 中列出了把杆与地面夹角和起重量之间的关系。

把杆的长度(从交点起至把杆底脚),通常可按下列的标准估算:

1. 重型起重量的长度 $\ngtr 40d$;
2. 极轻的起重量的长度 $\ngtr 60d$。

亦即把杆长度一般不大于 40~60d,d 是指木把杆的上部交叉点处的直径。

(二)钢质人字把杆

人字把杆也可用钢管或用型钢制成桁架式人字把杆。起重量不大的钢管人字把杆,把杆的头部也可用钢丝绳绑扎,绑扎时要注意,因钢丝绳与钢管之间是容易滑动的,一定要垫上硬质的木块,以增加摩擦系数。起重量大的钢管人字把杆和桁架式人字把杆,在其顶部常用钢板制成的横梁以钢销连接起来。这种把杆使用时,呈轴向受压状态。表 2-13 给出了钢管人字把杆的常用数据,供使用时参考。

表 2-12　圆木人字把杆的规格和起重量

把杆长度（m）	把杆梢径（cm）	把杆与地面的夹角 α 和起重量					
		75°		65°		55°	
		kN	tf	kN	tf	kN	tf
6 8 11 13 15	20 21 23 24 25	49	5	36. 76	3. 75	29. 4	3
6 8 11 13 15	26 27 28 29 30	88. 2	9	68. 6	7	49	5
6 8 11 13	31 32 33 34	147	15	122. 5	12. 5	98	10

注:①把杆底宽为把杆高的 1/2；　②后缆风绳夹角为 45°~60°；　③缆风绳与地面交角为 30°。

人字把杆的底脚多栓上绊脚绳或用拉杆相连,把杆底部用木楔垫塞,以防止受力后把杆底脚向外滑动。前后各用两根互成 45°~60°角的缆风绳固定,起重量不大的人字把杆,前后缆风绳可各用一根,前缆风绳受力不大,吊重后呈松弛状态,故缆风绳可细些。后缆风绳受力较大,其直径相应地大一些。起重滑轮组的跑绳穿绕过捆绑在底脚处的导向滑轮后,引向绞车,底脚处要用溜绳拉住,以免牵引起重钢丝绳时,人字把杆移动。

表 2-13　钢管人字把杆常用的技术数据

起重量		把杆与地面的斜角	把杆的工作长度（m）	钢管的断面尺寸（外径×壁厚）mm
kN	tf			
49	5	65°	6 8 11	∅127×4 ∅140×5 ∅168×8, ∅194×5
98	10	65°	6 8 11	∅140×5 ∅168×5 ∅194×6
147	15	65°	8 11 13	∅168×6 ∅194×10, ∅203×8 ∅219×10, ∅245×6
196	20	65°	8 11 13	∅194×6 ∅219×8 ∅245×8

二、人字把杆的计算

上节对木质和钢质的独脚把杆的计算做了较详细的介绍。这是因为独脚把杆是各种起重把杆的基础，各类起重把杆都是独脚把杆的变型和发展。计算时可以分解、简化为独脚把杆。

如图 2-14 示，把杆平面与地面平角为 β，缆风绳与地面夹角为 α，两把杆夹角为 θ，把杆长 L，杆顶至地面距离为 H。

则
$$b=L\cos\beta,\ H=L\sin\beta,$$
$$a+b=H,\ a=L\sin\beta-b$$

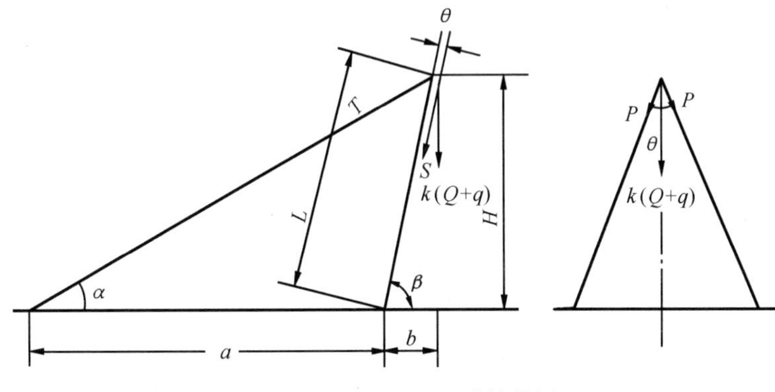

图 2-14　人字把杆的计算简图

（一）把杆轴向压力的计算

如人字把杆中两根把杆的夹角不大，在计算时，可近似地当做两根单根的独脚把杆的组合来看待。每根把杆所承受的重物和起重滑轮组的质量所引起的对把杆的压力 P_1，缆风绳的初拉力所引起的对把杆的压力 P_3，及把杆自重引起的轴向压力 P_4，都是按独脚把杆的相应公式计算后，再乘以 1/2 而求得的，即

$$P_1=\frac{1}{2}\times\frac{K_{动}(Q+q)(a+b)L}{aH} \tag{2-24}$$

$$P_3=\frac{nT\sin a}{2} \tag{2-25}$$

$$P_4=(G_{总}/3)/2. \tag{2-26}$$

起重滑轮组的跑绳，可能穿绕过捆绑在两根把杆中任何一根把杆底部的导向滑轮再和绞车连接，所以滑轮组跑绳的拉力引起的对把杆的压力 P_2，仍按独脚把杆的相应公式计算，不再乘以 1/2。

如两根把杆的夹角大于 30°时，应考虑夹角的影响。每根把杆所承受的重物和起重滑轮组产生的重力所引起的对把杆的压力 P_1，缆风绳的初拉力所引起的对把杆的压力 P_3，除按上述公式计算后，应再除以两杆夹角之半的余弦，即

$$P_1=\frac{1}{2}\quad\frac{K_{动}(Q+q)(a+b)L}{aH\cos\dfrac{\theta}{2}} \tag{2-27}$$

$$P_3=\frac{1}{2}\quad\frac{nT\sin\alpha}{\cos\dfrac{\theta}{2}} \tag{2-28}$$

起重滑轮组跑绳拉力引起的对把杆的轴向压力 P_2，把杆自重引起的轴向压力 P_4 的计

算，不考虑夹角的影响，仍按前述方法进行。

(二)把杆上端因起重滑轮偏心距 e 产生的弯矩计算

每根把杆所承受的弯矩，在不计把杆自重所产生的弯矩的情况下，把杆顶部横截面的弯矩值最大，其数值为

$$M_{顶}=\left[\frac{K_{动}(Q+q)}{2}+S\right]e \tag{2-29}$$

把杆的强度和稳定性校核，参照独脚把杆的方法进行。如果钢管人字把杆和桁架式人字把杆的顶部与钢板上横梁用钢销相连接，钢销通过把杆中心线，吊重时把杆呈轴向受压状态，此时把杆应按轴向受压构件校核稳定性，

$$\sigma=\frac{P}{\varphi F}\leqslant[\sigma] \tag{2-30}$$

式中 φ——轴向受压构件的应力折减系数，查表2-14。

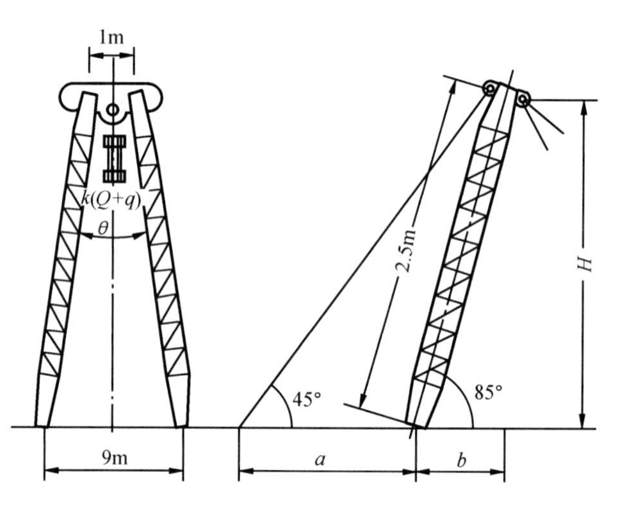

图 2-15 桁架式人字把杆

例1 如图2-15所示，桁架式人字把杆顶部与钢板横梁用钢销相连接，钢销通过把杆轴中心线。人字把杆底部宽9m，钢板上横梁销孔轴线间的距离为1m，把杆长25m，四角主肢角钢受用L80×8，连缀角钢采用L40×4，中部截面为1000×700mm，两端截面为450×450mm，并在两端侧面分别焊以钢板加强，缆风绳与地面夹角为45°，前后各有3根缆风绳。把杆所在平面与地面夹角为85°，起重滑轮组为“四四走八”，吊索具受重力19.6kN，吊物所受重力392kN，把杆受重力为78.4kN，此把杆能否安全使用？

解

$$b=L\cos\beta=25\times\cos85°=2.18\text{m},$$

$$a=L\sin\beta-b=25\times\sin85°-2.18=28.73\text{m}$$

表2-14 2号、3号钢轴向受压构件的应力折减系数 φ

λ	0	1	2	3	4	5	6	7	8	9
0	1.000	1.000	1.000	1.000	0.999	0.999	0.998	0.998	0.997	0.996
10	0.995	0.994	0.993	0.992	0.991	0.989	0.988	0.987	0.985	0.983
20	0.981	0.979	0.977	0.975	0.973	0.971	0.969	0.966	0.963	0.961
30	0.958	0.956	0.953	0.950	0.947	0.944	0.941	0.937	0.934	0.931
40	0.927	0.923	0.920	0.916	0.912	0.908	0.904	0.900	0.896	0.892
50	0.888	0.884	0.879	0.875	0.870	0.866	0.861	0.856	0.851	0.847
60	0.842	0.837	0.832	0.826	0.821	0.816	0.811	0.805	0.800	0.795
70	0.789	0.784	0.778	0.772	0.767	0.761	0.755	0.749	0.743	0.737

80	0. 731	0. 725	0. 719	0. 713	0. 707	0. 701	0. 695	0. 688	0. 682	0. 676
90	0. 669	0. 663	0. 657	0. 650	0. 644	0. 637	0. 631	0. 624	0. 617	0. 611
100	0. 604	0. 597	0. 591	0. 584	0. 577	0. 570	0. 563	0. 557	0. 550	0. 543
110	0. 536	0. 529	0. 522	0. 515	0. 508	0. 501	0. 494	0. 487	0. 480	0. 473
120	0. 466	0. 459	0. 452	0. 445	0. 439	0. 432	0. 426	0. 420	0. 413	0. 407
130	0. 401	0. 396	0. 390	0. 384	0. 379	0. 374	0. 369	0. 364	0. 359	0. 354
140	0. 349	0. 344	0. 340	0. 335	0. 331	0. 327	0. 322	0. 318	0. 314	0. 310
150	0. 306	0. 303	0. 299	0. 295	0. 292	0. 288	0. 285	0. 281	0. 278	0. 275
160	0. 272	0. 268	0. 265	0. 262	0. 259	0. 256	0. 254	0. 251	0. 248	0. 245
170	0. 243	0. 240	0. 237	0. 235	0. 232	0. 230	0. 227	0. 225	0. 223	0. 220
180	0. 218	0. 216	0. 214	0. 212	0. 210	0. 207	0. 205	0. 203	0. 201	0. 199
190	0. 197	0. 196	0. 194	0. 192	0. 190	0. 188	0. 187	0. 185	0. 183	0. 181
200	0. 180	0. 178	0. 176	0. 175	0. 173	0. 172	0. 171	0. 169	0. 167	0. 166
210	0. 164	0. 163	0. 162	0. 160	0. 159	0. 158	0. 156	0. 155	0. 154	0. 152
220	0. 151	0. 150	0. 149	0. 147	0. 146	0. 145	0. 144	0. 143	0. 142	0. 141
230	0. 139	0. 138	0. 137	0. 136	0. 135	0. 134	0. 133	0. 132	0. 131	0. 130
240	0. 129	0. 128	0. 127	0. 126	0. 125	0. 125	0. 124	0. 123	0. 122	0. 121
250	0. 120									

$$\sin(\theta/2)=4/25=0.16，得\ \theta/2=9°15',\theta=18°30'$$

因为 $\theta<30°$，故以下计算中，忽略不计两把杆间夹角的影响。

$$P_1=\frac{K_{动}(Q+g)(a+b)L}{2aH}=\frac{1.1\times(392+19.6)\times10^3\times(22.73+2.18)\times25}{2\times22.73\times24.91}$$

$$=248.99\times10^3\mathrm{N}=248.99\mathrm{kN}$$

$$P_2=\alpha K_{动}(Q+g)=0.15\times1.1\times(392+19.6)\times10^3$$

$$=67.914\times10^3\mathrm{N}=67.9\mathrm{kN}$$

设缆风绳的初拉力 $T=9.8\mathrm{kN}$

$$P_3=\frac{nT\sin\alpha}{2}=\frac{6\times9.8\times10^3\times\sin45°}{2}=20.7858\times10^3\mathrm{N}=20.79\mathrm{kN}$$

$$P_4=(1/2G)/3=(1/2\times78.4\times10^3)/3$$

$$=13.07\times10^3N=13.07\mathrm{kN}$$

$$P=P_1+P_2+P_3+P_4=248.99+67.91+20.79+13.07=350.76\mathrm{kN}$$

由于把杆端部焊有加强钢板，局部也采取了加强措施，故虽然靠近把杆两端，而截面面积却显著增加。因而仅对把杆中段截面进行校核稳定性。

查型钢表知：L80×80×8 的单个角钢的截面面积 $F_0=12.3\mathrm{cm}^2$，质心距 $Z_0=2.27\mathrm{cm}$，惯性矩：$J_x=73.3\mathrm{cm}^4$；L40×40×4 的单个角钢截面面积 $F_0=3.08\mathrm{cm}^2$，则

$$F_{主}=4\times12.3=49.2\mathrm{cm}^2=49.2\times10^{-4}\mathrm{m}^2$$

$$J=4\times[J_x+F_0(3.5\times10^{-1}-Z_0)^2]$$

$$=4\times[73.3+12.3\times(35-2.27)^2]=52999\mathrm{cm}^4=52999\times10^{-8}\mathrm{m}^4$$

$$r=\sqrt{\frac{J}{F_{主}}}=\sqrt{\frac{52999}{49.2}}=32.82\mathrm{cm}=32.82\times10^{-2}\mathrm{m}$$

$$\lambda = \frac{L}{r} = \frac{2500}{32.82} = 76$$

$$\lambda_h = \sqrt{\lambda^2 + 40 \times \frac{F_{主}}{F_{缀}}} = \sqrt{76^2 + 40 \times \frac{49.2}{2 \times 3.08}} = 78.07 \approx 78.1$$

由于人字把杆顶部,固定钢板上横梁的钢销中心线通过把杆中心线,而且人字把杆所在平面的倾斜角度不大,故按轴向受压构件公式计算。

查表 2-13,$\lambda_h = 78.1$,$\varphi = 0.742$,则

$$\sigma = \frac{P}{\varphi F} = \frac{350.76 \times 10^3}{0.742 \times 49.2 \times 10^{-4}} = 9.608 \times 10^7 \text{N/m}^2$$

$$= 96.08 \text{MN/m}^2 < [\sigma]$$

由上述计算可知,此人字把杆的每根把杆满足稳定性要求,由于把杆截面没有局部削弱,因而强度也满足要求。所以,此桁架式把杆能安全使用。

三、图解法求人字把杆的内力

在计算独脚把杆和人字把杆的轴向力时,我们往往要经过大量的运算求得。而在实际工作中,有时需要迅速而简便地求出把杆的内力。所以下面通过具体的例子介绍如何运用图解法迅速而简便地求得把杆的内力。

例 2 某人字把杆,吊重时呈轴向受压状态,设重物、滑轮组和吊索具共产生重力 100kN,缆风绳与地面夹角为 45°,人字把杆所在平面的倾角为 10°,两把杆的夹角为 30°,两根后缆风绳互成 60°,忽略不计起重滑轮组跑绳、缆风绳的初拉力和把杆自重的影响,试用图解法求出人字把杆的内力。

解 图解法就是把力用矢量表示,用力的平行四边形法则或力的三角形法则进行求解。

本例中先用大比例尺准确画出人字把杆的侧面简图、正面简图和后缆风绳平面简图(图 2-16a、b、c),然后如图(d)所示,先画出垂直线 *AB* 为 10 个单位长度(在图 2-16a 上直接画上也可),表示总重 100kN,从 *A* 点引与人字把杆平行的平行线;从 *B* 点引与缆风绳平行的平行线,两线相交于 *C* 点,则 *BC* 线段就表示后风绳的合力,经测量知,其数值为 30.3kN;*CA* 线段表示人字把杆的合力,经测量知,其数值为 123.5kN。用同样的方法作出人字把杆的力矢量三角形(图 2-16e),即可求出每根把杆所受的轴向力为 63.8kN。作出后缆风绳的力矢量三角形(图 2-16f),可求得每根后缆风绳的拉力为 17.5kN。由于本例中忽略不计起重滑轮组跑绳的拉力、缆风绳初拉力和把杆自重影响,所以所得的结果是近似的。

例 3 利用双人字钢管把杆吊装设备,如图 2-17 所示,人字把杆长度为 15m,两把杆夹角为 30°,缆风绳与把杆夹角为 60°,把杆平面与地面垂直。将所受重力为 441kN 的设备从 *A* 处吊到 *B* 处,试用图解法求把杆Ⅰ和把杆Ⅱ的压力。

解 1. 求出各点力的大小(图 2-17a)

A 点:作图求出 $S_1 = 351\text{kN}$,$S_2 = 113\text{kN}$;

B 点:作图求出 $S_3 = 154\text{kN}$,$S_4 = 338\text{kN}$;

C 点:根据求出的 $S_1 = 351\text{kN}$,作图求出 $T_1 = 71\text{kN}$,$P_{C1} = 394\text{kN}$;

D 点:根据求出的 $S_4 = 338\text{kN}$,作图求出 $T_2 = 114\text{kN}$,$P_{D1} = 384\text{kN}$。

2. 设在 *C* 点缆风绳为 6 根,每根初拉力为 15kN,六根缆风绳产生的力 $T'_1 = 6 \times 15 = 90\text{kN}$。

用作图法求得(图 2-16c)$P_{C2} = 44\text{kN}$。

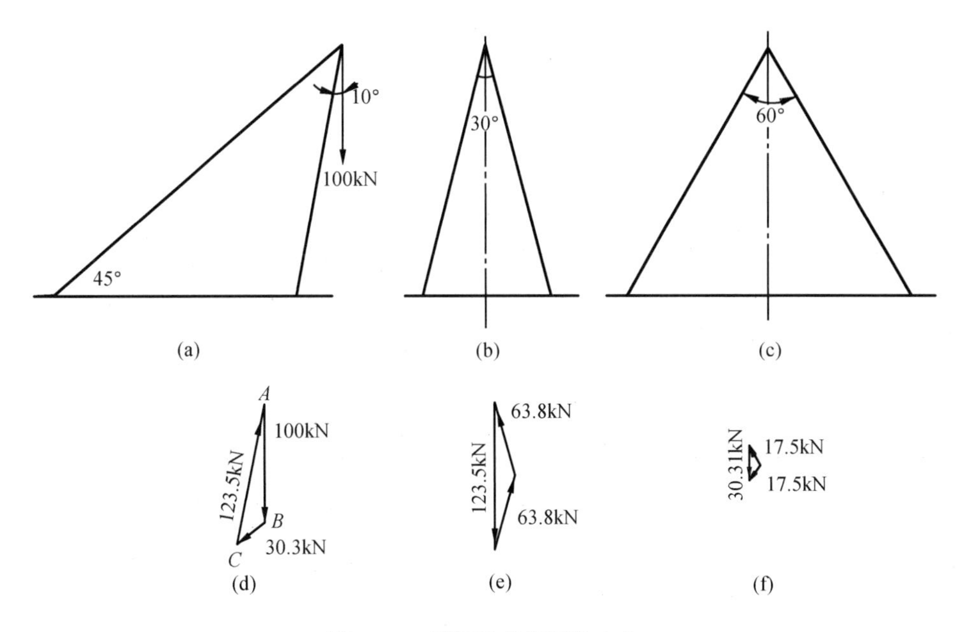

图 2-16　图解法求把杆的内力

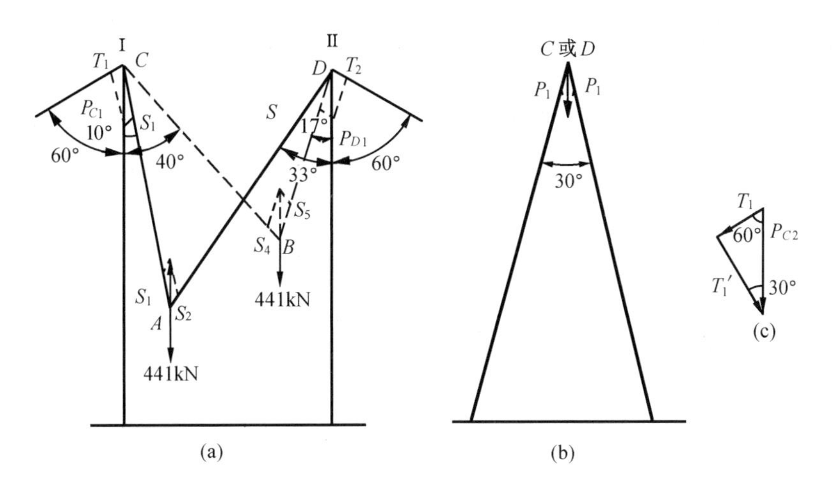

图 2-17　双人字把杆的计算简图

3. 把杆轴向力求解

如忽略起重滑轮组跑绳的拉力和把杆自重对把杆的影响，则 C 点把杆所承受的轴向压力为

$$P'_C = P_{C1} + P_{C2} = 394 + 44 = 438\text{kN}$$

每根把杆所受到的轴向压力，用作图法求得（图 2-16c）$P_C = 227\text{kN}$。

第三节 双 把 杆

一、双把杆的结构形式

图 2-18 所示,双把杆是二根独脚把杆的组合,常用来吊装大型设备或构件。图中所示的吊物捆扎点(即吊索的吊点)在被吊物体高度的 1/3 处便于起吊时的滑移升起。表 2-15 为选择双把杆吊装设备的技术参考数据。

表 2-15 双把杆吊装设备的技术参考数据

吊升重物			把杆高度(m)	把杆的额定起重量		重物顶至捆扎处的距离(m)	把杆中心线至重物的距离	起重绞车的作用力		缆风绳的数量(根)
物重		高度(m)					不得大于(m)			
kN	tf			kN	tf			kN	tf	
29.4 49.0 58.8	3 5 6	8 5 10	8 5 10	14.7 24.5 24.5	1.5 2.5 2.5	3 2 3.5	1 1 1	14.7 14.7 14.7	1.5 1.5 1.5	8 8 8
78.4	8	8 12	9 11.5	24.5 39.2	2.5 4	2.5 4	1	19.6	2	8
98.0	10	5 10 15	7 11 14	39.2 49.0	4 5	2 3 5	1.2	24.5	2.5	8
11.7	12	8 12 18	9 12 15	58.8	6	3 4 7	1.2	24.5	2.5	8
147.0	15	10 15 22	12 15 20	73.5	7.5	3 5 7	1.5	29.4	3	8
176.4	18	12 18 25	13 17 22	88.2	9	4 6 8	1.5	29.4	3	8
196.0	20	16 22 30	15 20 25	98.0	10	5 7 10	1.5	29.4	3	8
215.6	22	18 25 35	17 22 28	107.8	11	6 8 12	1.5	29.4	3	8
245.0	25	22 30 40	20 25 30	122.5	12.5	7 10 15	1.5	49.0	5	8
294.0	30	22 30 40	20 25 30	147.0	15	7 10 15	1.5	49.0	5	8
343.0	35	25 35	24 30	171.5	17.5	8 12	2.0	49.0	5	8
392.0	40	30 40	27 33	196.0	20	10 14	2.0	49.0	5	8
441.0 490.0	45 50	35 40	30 32	220.5 245.0	22.5 25	12 15	2.0 2.0	49.0 49.0	5 5	8 8

双把杆的捆扎和竖立方法与独脚把杆基本相同,可参照上册有关的章节进行。

二、双把杆的计算

双把杆起吊重物进行受力分析时,按平面力系问题进行处理。如图 2-19 所示,直立式双把杆在起吊重物时,起重滑轮组与把杆轴中心线的夹角为 γ,缆风绳与地面的夹角为 α。

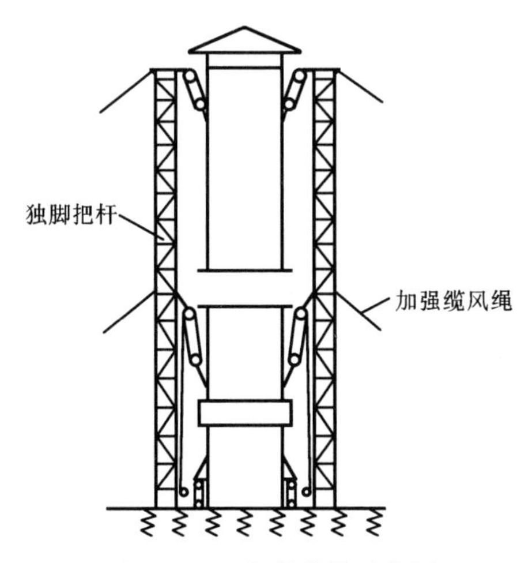

图 2-18　双把吊装的示意图

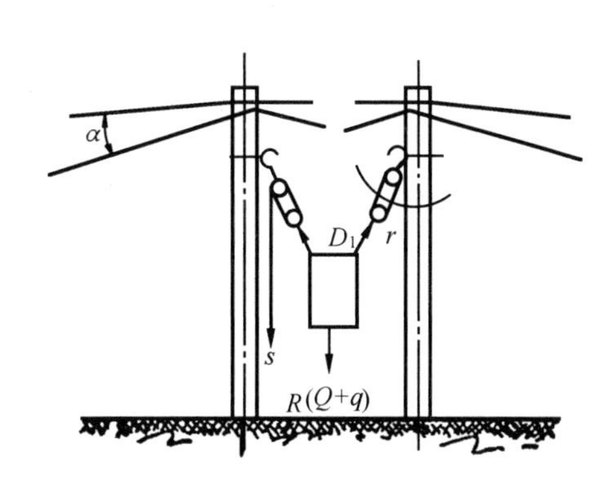

图 2-19　双把杆的计算简图

作用在各部分上的力可按下式进行:

1. 作用于起重滑轮组上吊索的受力

$$P_1=\frac{K_{动}(Q+q)}{2\cos\gamma}(\mathrm{N}) \tag{2-31}$$

式中　P_1——一侧起重滑轮组上的吊索承受的力(N),

$K_{动}$——动载荷系数,一般取 1. 1~1. 2;

Q——起吊重物产生的重力(N);

q——吊索具产生的重力(N);

γ——滑轮组中心线与把杆轴中心线的夹角。

2. 起重滑轮组跑绳的拉力

$$S=P_1\frac{f-1}{f^n-1}f^m f^k(\mathrm{N}) \tag{2-32}$$

或

$$S=\alpha P_1(\mathrm{N}) \tag{2-33}$$

3. 缆风绳上的受力

$$T_1=\frac{P_1\sin\gamma}{\cos\alpha}(\mathrm{N}) \tag{2-34}$$

式中,a——缆风绳与地面的夹角。

4. 一根把杆所承受的轴向压力

设　一根把杆的自重为 G,缆风绳的初拉力为 T_0。

则

$$P_{顶}=P_1\cos\gamma+S+T_1\sin\alpha+nT_0\sin\alpha(\mathrm{N}) \tag{2-35}$$

$$P_{中}=P_1\cos\gamma+S+T_1\sin\alpha+nT_0\sin\alpha+G/3(\mathrm{N}) \tag{2-36}$$

式中，n——一根把杆缆风绳根数。

根据求出的受力情况，即可按独脚把杆的计算方法，对把杆进行强度和稳定性校核。

例1 有一副双把杆，起重量为294kN，每根把杆自重29.4kN，每侧用一组滑轮组，每组滑轮组重7.35kN，滑轮组为“三三走六”，滑轮组中心线与把杆轴中心线的夹角为5°，共用八根缆风绳，与地面夹角为35°，求各部分的受力为多少？

解 一侧滑轮组吊索的受力为

$$P_1=\frac{K_{动}(Q+q)}{2\times\cos\gamma}=\frac{1.1\times(294+2\times7.35)\times10^3}{2\times\cos5^\circ}$$

$$=170.47\times10^3\mathrm{N}=170.47\mathrm{kN}$$

起重滑轮组跑绳的拉力为

“三三走六”滑轮组，工作绳数6根，动定滑轮5只，导向滑轮1只，查表1-37，$\alpha=0.191$，则

$$S=\alpha P_1=0.191\times170.47=32.56\mathrm{kN}$$

缆风绳承受的拉力为

$$T_1=\frac{P_1\sin\gamma}{\cos\alpha}=\frac{170.47\times\sin5^\circ}{\cos35^\circ}=18.15\mathrm{kN}$$

设：缆风绳的初拉力 $T_0=9.8\mathrm{kN}$，把杆中部的轴向压力为

$$P_{中}=P_1\cos\gamma+S+T_1\sin\alpha+nT_0\sin\alpha+G/3$$

$$=170.47\times\cos5^\circ+32.56+18.15\times\sin35^\circ+4\times9.8\times\sin35^\circ+29.4/3=245.1\mathrm{kN}$$

第四节 龙门把杆

一、龙门把杆的结构

龙门把杆也称龙门架，主要有两副直立的独脚把杆，也称架腿，用横梁连结而成（图2-20）。有木质龙门把杆和钢质龙门把杆两种。起重量较大时，要用钢质龙门把杆，其架腿和横梁多由型钢拼装成桁架结构。对于起重量大，起升高度高的龙门把杆，有时架腿还辅以补强腿，以增强腿的刚度。这种结构的特点是横向稳定性好，起重量大，起升高度也高。

龙门把杆横梁与架腿间的连接可用钢销连接。架腿与基础的连接同样可采用钢销或螺栓连接。缆风绳的布置一般设有前、后、左、右缆风绳（图2-21a），如受场地限制时，左、右缆风绳可用斜撑代替。缆风绳也有用外八字布置法（图2-21b）的。

龙门把杆由于起重高度高，起重量大，所以一般用于缺乏机械起重条件的大型部件组装的场合。龙门把杆一经竖立后，一般不移动。船厂中组装高架吊车时，多利用龙门把杆。目前龙门把杆最大的起重量为2.45MN，高达80m。几种龙门把杆的起吊能力和受力情况，见表2-16。

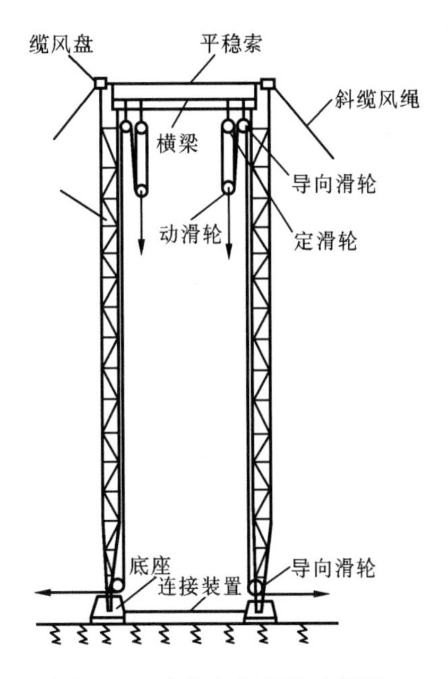

图 2-20　龙门把杆的构造简图

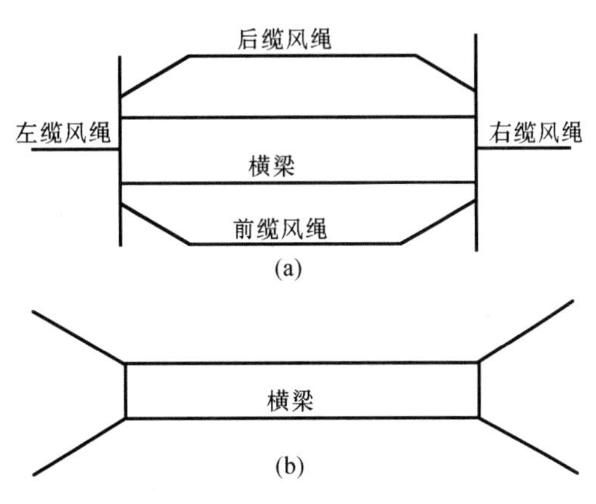

图 2-21　龙门把杆缆风绳的布置

表 2-16　龙门把杆的起吊能力和受力情况

起重量		把杆底部至吊点的距离(m)	工作绳数	绞车所需的牵引力		滑轮组上部吊具的受力		把杆承受的正压力				对称缆风绳承受的工作张力			
								30°		45°		30°		45°	
kN	tf			kN	tf	kN	tf	kN	tf	kN	tf	kN	tf	kN	tf
490	50	6 7 8	2×8	49.0	5.0	346.9	35.4	391.0 393.0 394.0	39.9 40.1 40.3	401.8 403.8 405.7	41.0 41.2 41.4	2.744	2.8	3.528	3.6
686	70	6 7 8	2×12	49.0	5.0	468.4	47.8	527.2 443.0 533.1	53.8 45.2 54.4	562.5 566.4 568.4	57.4 57.8 58.0	3.724	3.8	4.704	4.8
980	100	6 7 8	2×2×8	49.0	5.0	697.8	71.2	785.0 789.0 792.8	80.1 80.5 80.9	836.9 840.8 844.8	85.4 85.8 86.2	5.488	5.6	6.958	7.1
1470	150	6 8 10	2×4×8	44.1	4.5	1032.9	105.4	1163.3 1176.0 1186.8	118.7 120.0 121.1	1242.6 1254.4 1266.2	126.8 128.0 129.2	8.232	8.4	10.486	10.7
1960	200	6 8 10	2×4×8	44.1	5.0	1395.5	142.4	1570.0 1585.6 1601.3	160.2 161.8 163.4	1674.8 1690.5 1706.2	170.9 172.5 174.1	10.88	11.1	13.916	14.2

注:表中的角度为缆风绳与水平面之间的夹角。

二、龙门把杆的捆扎和竖立

1. 木质龙门把杆的捆扎

根据要求选择两根规格相同的架腿和一根横梁。在距架腿端200mm处分别开凿一长方孔，横梁每端锯一榫头，而后楔进孔内，再打上角掌。横梁上，根据计算和需要挂扎一～三只起重滑轮组，架腿端角上系扎缆风绳。把杆腿的捆扎、固定与独脚把杆相同。

架腿与横梁捆扎的另一种方法，是将横梁搁置在架腿端上，两侧用较厚的木板夹牢，并打好角撑。

2. 龙门把杆的竖立

龙门把杆的横梁通常挂有2～3组起重滑轮组。在龙门把杆没有竖立之前，滑轮组一般应交叉拉紧(图2-22a)，以增强龙门把杆的整体稳定性。对于高跨比较大的大龙门把杆，除起重滑轮组交叉拉紧外，最好另用两组滑轮组，完全成对角线拉紧，这样的效果要比只用起重滑轮组封架好得多。高跨比大的大龙门把杆为了增加龙门把杆的整体稳定性，可如图2-22b所示，在架腿中用两根横撑撑好之后，再用滑轮组交叉拉紧。对于架腿与基础用钢销连接的龙门把杆，下部的系绳点只能选用在钢销上部，与钢销的距离越近越好。对于架腿不用钢销与基础连接的龙门把杆，在竖立之前两腿之间，一定要用横撑撑好底部之后，再拉紧封架起重滑轮组(图2-22c)。

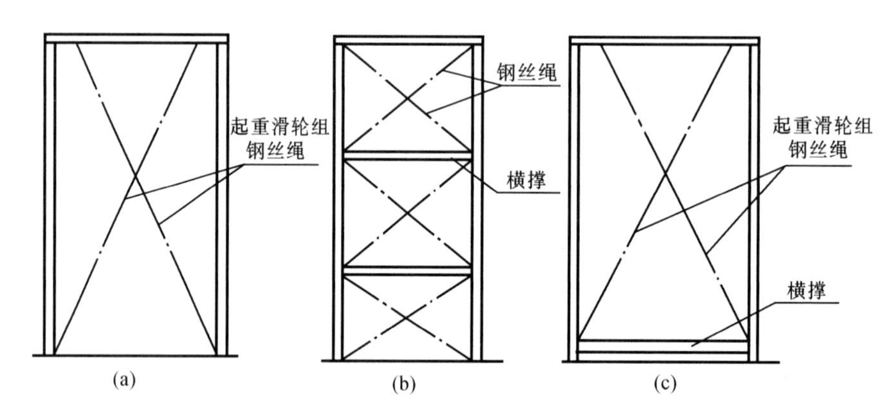

图2-22　龙门把杆封架的示意图

龙门把杆的竖立，一般采用旋转竖立法和倒杆竖立法。这两种方法都是利用辅助把杆扳起大把杆，开始时基础受到很大的水平推力。所以一般将大龙门把杆垫起，使龙门把杆与地面有一个夹角，这个夹角越大，扳起大龙门把杆的拉力越小，并且产生的水平推力也小。对于大龙门把杆，要垫起较大的角度不易做到，一般可垫至2°～3°。水平推力除了用基础平衡外，还要用钢丝绳绊好，以防龙门把杆移动。

龙门把杆在扳起过程中，架腿除受压外，还受弯曲，容易引起变形，变形的最大处在架腿中部，所以架腿中段的螺栓、焊缝等尤其需要仔细检查。为了减少架腿中部的弯矩及应力，扳起的系绳点可不选择在架腿的最端点，而是稍向下移一些，具体移多少，要根据施工要求和把杆的结构条件而定，一般在八分之一左右。为了克服在扳起初始时受力过大，大龙门把杆也可用吊车先抬一下，但也要考虑到，采用这种做法时架腿的压应力虽然减小，但增加了弯曲应力。

采用倒杆法时，辅助把杆与基础在倾倒平面内一定要铰接，并且辅助把杆架腿底部距大龙门把杆架脚底部越近越好。这样不仅施工简单，而且在某些情况下水平推力还可以互相抵消。在大龙门把杆扳起过程中，辅助把杆也随之倾倒。因此辅助把杆与大龙门把杆间要有滑轮组连接，以便在辅助把杆倾倒到一定角度后，可以拉住辅助把杆，不致使辅助把杆突然倾倒。

龙门把杆刚扳起时，是处于竖立过程中的最不利状态，也是对龙门把杆的全面考验。一般升起半米后，应稍停检查一下(不宜停顿时间过长)，无异常情况后，再一次扳起。大龙门把杆扳起过程中，两台绞车必须保持同步，否则把杆横梁将产生扭曲。龙门把杆在扳起过程中，后面需设溜索，有时直接用缆风绳代替。尤其当大龙门把杆与地面夹角大于 30°时，溜索与拉绳更需配合协调，随拉随松。左右缆风绳也应参与调整把杆的垂直度，要力求保证把杆在纵向、横向两个平面内与地面都垂直，使把杆不倾不斜，在把杆高度超过 50m 时，这个要求更加严格。

把杆竖立后，主要是靠缆风绳将其固定，无论是采用前后左右布置还是外八字布置，都应力求对称。因为对称设置不仅使得龙门把杆内力对称，不产生附加应力，同时，在拉起过程中也容易找正。

3. 注意事项

龙门把杆在使用前，要按起重规范做吊重试验，检查把杆的缆风绳、基础、纵横平面内的垂直度及横梁的挠度等。在作业过程中，也应经常检查把杆的各部分情况，如果发现异常现象，应及时采取措施，以免酿成灾难性的后果。尤其在刮风、下雨和冰雪融化时更要随时注意架腿基础及锚碇情况，以防不测。把杆太高时，横梁上还应该安装避雷针和防撞保护装置，如小红灯、红旗等。

三、龙门把杆的计算

龙门把杆各部分的受力分析，类似于双把杆，可按平面力系问题进行分析。图 2-23 为龙门把杆的计算简图，各部分的受力如下：

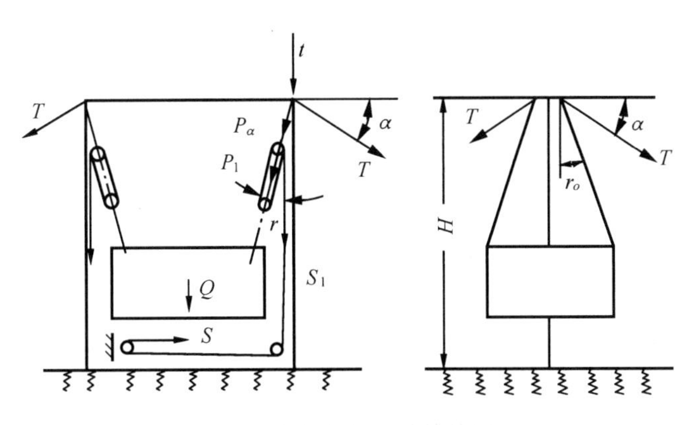

图 2-23　龙门把杆的计算简图

一侧滑轮组的受力为

$$P_1=\frac{k_{动}(Q+q)}{2\times\cos\gamma}(\mathrm{N}) \tag{2-37}$$

滑轮组跑头绳的拉力为

$$S=\alpha\frac{P_1}{m\cos\gamma_0}(\mathrm{N}) \tag{2-38}$$

式中　m——一侧滑轮组的组数；

γ_0——一侧两滑轮组中心线的夹角之半，如用一组滑轮组，$\gamma_0=0$。

滑轮组上部吊具的受力为

$$P_d=\sqrt{P_1^2+(ms)^2+2P_1 ms\cos\gamma_0}\,(\mathrm{N}) \tag{2-39}$$

对称缆风绳初拉力给予龙门把杆顶部垂直压力之和为

$$t=0.7T(n-2)\sin\alpha \qquad (\mathrm{N}) \tag{2-40}$$

式中 n——龙门把杆顶部缆风绳的总根数；

T——对称缆风绳的工作张力，可按与缆风绳有关的公式计算，或按吊物产生的重力 Q 选取 $T(\alpha=30°)$；$Q=196\text{kN}$ $T=9.8\text{kN}$；

$Q=392\text{kN}$ $T=19.6\text{kN}$；

$Q=588\text{kN}$ $T=32.3\text{kN}$；

$Q=784\text{kN}$ $T=44.1\text{kN}$；

$Q=980\text{kN}$ $T=53.9\text{kN}$；

龙门把杆一侧架腿受的正压力为

$$P_2=\frac{K_{动}(Q+q)}{2}+mS+G_1+\frac{G_2}{2}+t+T\sin\alpha \tag{2-41}$$

式中 G_1——架腿产生的重力(N)；

G_2——龙门把杆横梁产生的重力(N)。

根据求出的受力情况，可按独脚把杆的计算方法，对龙门把杆中部进行强度和稳定性校核。

例1 有一副龙门把杆，起重量 $Q=588\text{kN}$，一根架腿自重 $G_1=78.4\text{kN}$，横梁自重 $G_2=9.8\text{kN}$，每侧用两组滑轮组，每组滑轮组自重 $g_1=7.84\text{kN}$，滑轮组中心线与垂线间夹角 $\gamma=5°$，一侧两滑轮中心线夹角 $2\gamma_0=30°$，用六根缆风绳，每根与地平面夹角 $\alpha=30°$，求把杆各部分的受力？

解 一侧滑轮组的受力

$$P=\frac{K_{动}(Q+q)}{2\cos\alpha}=\frac{1.1\times(588+4\times7.84)\times10^3}{2\times\cos5°}=342.02\times10^3\text{N}=342.02\text{kN}$$

滑轮组跑头绳拉力

$m=2$，$\gamma_0=15°$，如工作绳数为 2×8，$\alpha=0.086$，则

$$S=\alpha\frac{P_1}{m\cos\gamma_0}=0.086\times\frac{342.02\times10^3}{2\times\cos15°}=15.22\times10^3=15.22\text{kN}$$

滑轮组上部吊具的受力 P_d

$$P_d=\sqrt{P_2^1+(ms)^2+2P_1 ms\cos\gamma_0}$$
$$=\sqrt{342.02^2+(2\times15.22)^2+2\times342.02\times2\times15.2\times\cos15°}=341.47\text{kN}$$

对称缆风绳的初拉力，使龙门把顶杆部产生的垂直压力之和 t

$\because$ $Q=588\text{kN}$，取 $T=32.34\text{kN}$ 则

$$t=0.7T(n-2)\sin\alpha=0.7\times32.34\times(6-2)\times\sin30°=45.276\text{kN}$$

龙门把杆一侧架腿受的正压力：

$$P_2=\frac{K_{动}(Q+q)}{2}+mS+G_1+\frac{G_2}{2}+t+T\sin\alpha$$
$$=\frac{681.30}{2}+2\times152.2+78.4+\frac{9.8}{2}+45.276+32.34\sin30°=515.83\text{kN}$$

龙门把杆竖立过程的受力计算,可按平面力系进行计算,下面通过实例说明计算过程。

例 2　某船厂安装重力为 980kN 的高架吊车,需要竖立一跨度为 15. 5m,高 62m 的龙门把杆。为了增加龙门把杆的整体稳定性,竖立前,在把杆中间临时加设三道横撑(如图 2-24 所示)和滑轮组交叉拉紧封架。两根把杆产生的重力为 432. 18kN,横梁重 72. 52kN,三道横撑共重 39. 2kN,滑轮组及全部索具重 34. 3kN。现有两种方案扳起把杆,第一种方案是利用 51m 高的辅助人字把杆,直接扳起龙门把杆。第二种方案是用两台汽车吊吊到极限高度后,再利用 51m 高的辅助人字把杆扳起。试比较一下采用哪一种方案,把杆受力情况好?

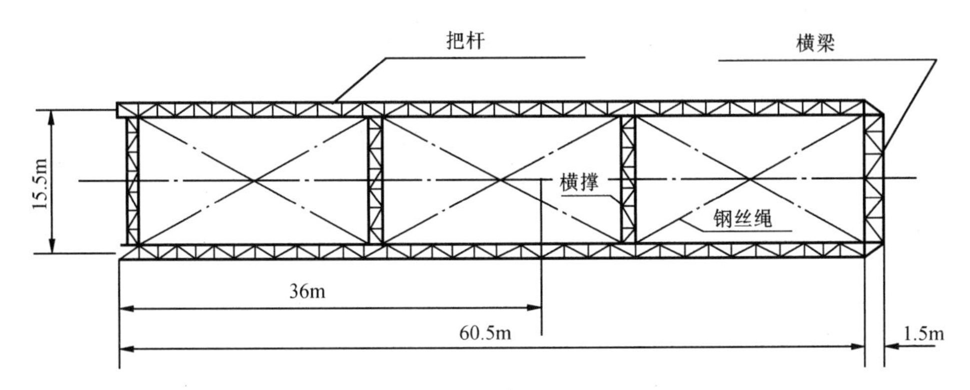

图 2-24　龙门把杆加强的示意图

解　第一种方案

利用 51m 高的人字把杆直接扳起,如图 2-25 所示。

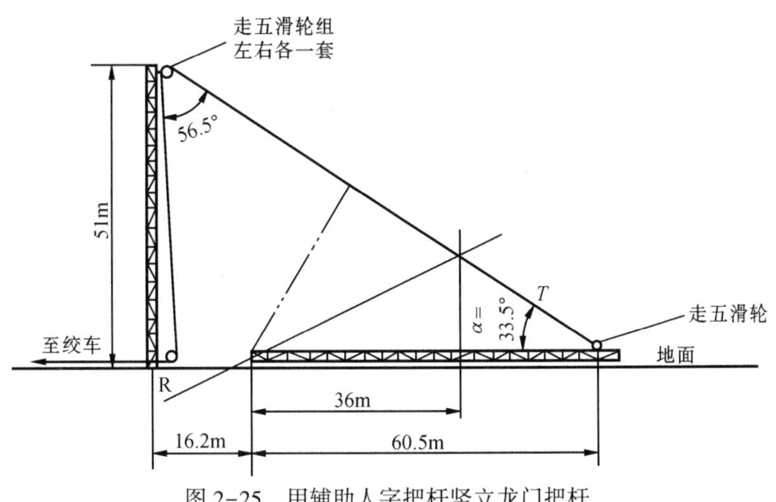

图 2-25　用辅助人字把杆竖立龙门把杆

1. 龙门把杆产生的重力及重心的计算

(1)重力的估算:由于自重动力的影响,各净重力应乘以动荷系数($K_{动}=1.1$)作为计算重力。

两根架腿产生的重力:$Q_1=432.18$kN,$Q_{计}=475.398$kN

横梁产生的重力:$Q_2=72.52$kN,$Q_{2计}=79.772$kN

三道横撑产生的重力:$Q_3=39.2$kN,$Q_{3计}=43.12$kN

滑轮组及索具产生的重力：$Q_4 = 34.3\text{kN}$，$Q_{4计} = 37.73\text{kN}$

龙门把杆产生的重力：$Q_{计} = 636.02\text{kN}$

（2）重心位置的计算：设把杆与横撑组合，其质心在把杆长度的中间，距根部 30.25m 处，横梁与全部滑轮索具组合，重心在横梁中间，距根部 61.25m 处。

设整根把杆的重心距根部的距离为 X_c

$$X_c = \frac{51.8518 \times 30.25 + 11.7502 \times 61.25}{63.602} = 35.977\text{m} \approx 36\text{m}$$

2. 龙门把杆刚离地面时的受力计算

龙门把杆顶端钢丝绳与地面夹角为 α

$$\alpha = \arctan \frac{51}{16.2 + 60.5} = 33.5°$$

龙门把杆顶部钢丝绳的张力 T：由 $\sum M_0 = 0$，则

$$T = \frac{636.02 \times 36}{60.5 \times \sin 33.5°} = 685.69\text{kN}$$

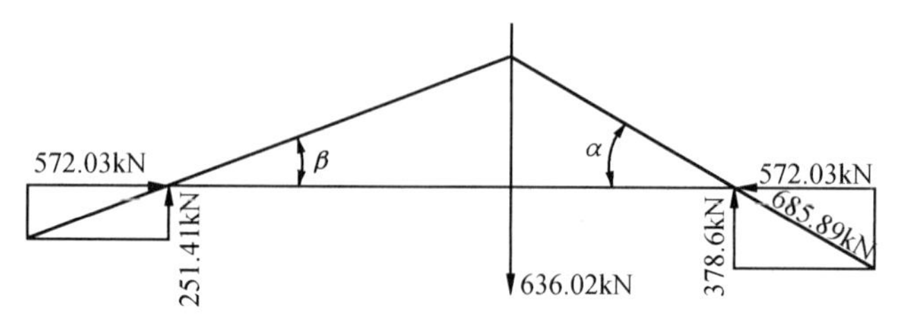

图 2-26　龙门把杆的受力简图

龙门把杆根部的受力计算，如图 2-26 所示。

龙门把杆顶端的轴向力：$P_{顶} = 685.89 \times \cos\alpha = 572.03\text{kN}$，

把杆顶端的垂向力：$P_{顶_\perp} = 685.89 \times \sin 33.5° = 378.61\text{kN}$，

把杆根部的轴向力：$\sum X = 0, P_{根} = P_{顶} = 636.02\text{kN}$，

把杆根部的垂向力：$\sum Y = 0, P_{根_\perp} = 636.02 - 378.61 = 257.41\text{kN}$，

地面支反力的大小：　$R = \sqrt{572.03^2 + 257.41^2} = 627.28\text{kN}$

地面支反力的方向：　$\beta = \arctan \dfrac{257.41}{572.03} = 24°14'$

弯矩的计算：因为横梁的产生的重力位于吊点位置以外，横梁作为悬臂部分，并设架腿重力均布，重心位于架腿中间。

$$M = \frac{Q_{1计}/2l}{8} = \frac{237.70 \times 60.5}{8} = 1797.61\text{kN} \cdot \text{m}$$

第二种方案

第一阶段：用汽车吊，把处于水平状态的龙门把杆吊到吊车吊钩的极限，高度为 h。

第二阶段：龙门把杆在汽车吊吊到极限高度 h 后，准备松钩，由人字把杆来继续扳起龙门把杆。

第一阶段的受力计算（如图 2-27）

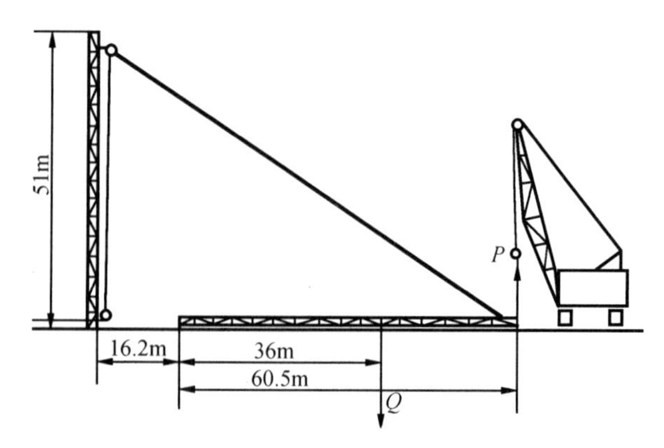

图 2-27　第一阶段的受力分析

1. 作用在吊钩上的最大起升力 P（由两台吊车共同承受）

$$P=\frac{636.02\times36}{60.5}=378.46\text{kN}$$

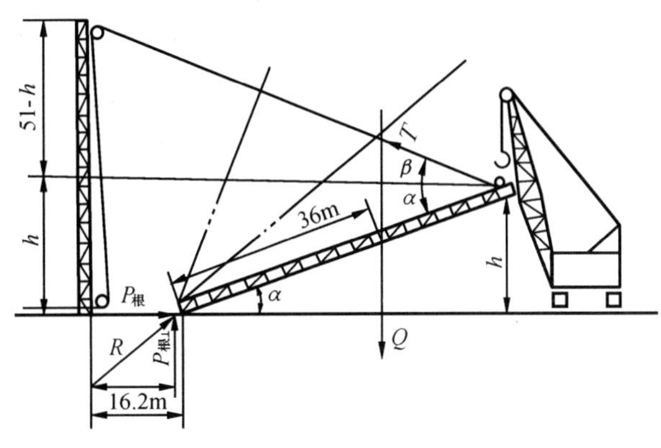

图 2-28 第二阶段的受力分析

2. 龙门把杆刚开始脱开地面时的最大弯矩

$$M=0.125Ql$$
$$=0.125\times237.70\times60.5$$
$$=1797.6\text{kN}\cdot\text{m}$$

假定取吊车的极限高度为 8m、10m、12m、15m 分别进行计算。

第二阶段的受力分析(如图 2-28)

设龙门把杆顶端的拉力为 T,根部的水平分力为

$$P_{根}=T\cos\beta,$$

(1)顶端受力

$$T=\frac{636.02\times36\cos\alpha}{60.5\times\sin(\alpha+\beta)},$$

$$\alpha=\arcsin\frac{h}{60.5},\beta=\arctan\frac{51-h}{16.2+60.5\times\cos\alpha}$$

计算结果见表 2-17。

表 2-17 T 值计算结果

h (m)	$\frac{h}{60.5}$	$\alpha°$	$\cos\alpha$	$\beta°$	$\sin(\alpha+\beta)$	T (kN)
8	0.132	7.55	0.992	29.4	0.603	624
10	0.165	9.5	0.987	28.3	0.615	607.5
12	0.198	11.4	0.982	27.3	0.631	596.4
15	0.248	14.3	0.97	25.7	0.645	569.5

(2)根部水平力的计算

为保证龙门把杆根部不滑动,须知水平力 $P_{根}$,

由 $P_{根}=T\cos\beta$ 求出,计算结果见表 2-18。

结论:从以上的分析,可以看出第二个方案较第一个方案有利,各构件受力均较小。

表 2-18 水平力 $P_{根}$ 值

h(m)	T(kN)	$P_{根}$(kN)	h(m)	T(kN)	$P_{根}$(kN)
8	624	543.5	12	596.4	530.2
10	607.5	535.2	15	569.5	513.1

第五节　抬令把杆

一、抬令把杆的结构、性能

抬令把杆(又称甩把杆),最简单的抬令把杆是在独脚把杆上再安装吊杆而成,有木质和钢质两种(图 2-29)。

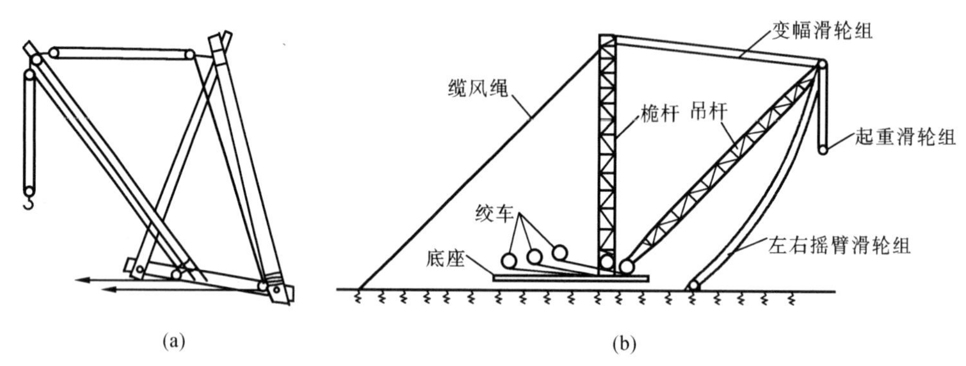

图 2-29　抬令把杆

(a)—木质抬令把杆;(b)—钢质抬令把杆

抬令把杆利用变幅滑轮组的拉、松来实现吊杆的上、下起落,利用左右摇臂滑轮组实现吊杆的左右旋转。所以吊杆根部要有较好的旋转性,一般用鹅头式立销(图 2-30)连接。立销插入基座内,销眼与吊杆根部用钢销连接。若用木质吊杆时,多将吊杆根部削成圆锥体,在基座上凿成一个圆窝,吊杆可左右摆动约 90°。

抬令把杆的缆风绳一般不少于 6 根,在吊重的一侧,可略少一些。在旋转范围之背侧的缆风绳,称主缆风绳。吊杆转向时,在任何位置上,必须保证主缆风绳不少于两根。

起重、摇臂、变幅绞车可根据施工情况布置,一般是在左右两侧,这样操作方便,视野宽阔。吊大部件时,起重滑轮组的跑头绳一般不宜沿吊杆经过桅杆根部的导向滑轮而通向绞车,最好由吊杆上端经桅杆顶端的导向滑轮,再沿桅杆穿过根部的导向滑轮通向绞车。这样可以使左、右摇臂索与起重滑轮组钢丝绳互不干扰,活动范围大,在 360° 水平面内均可导向。

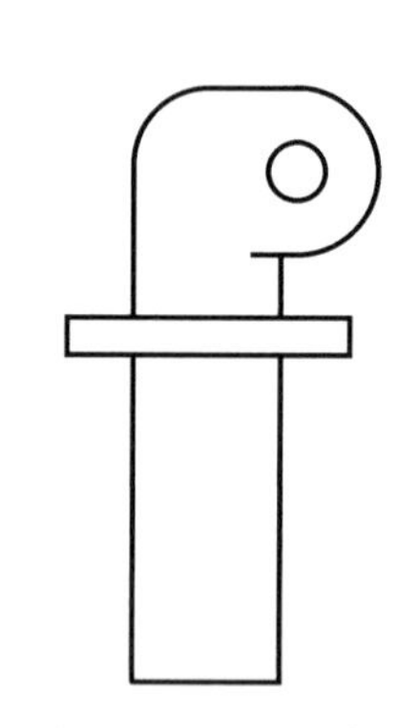

图 2-30　立销示意图

吊杆与桅杆的变幅滑轮组连接眼板,是受力的关键部位。吊杆旋转时,眼板除受拉伸、挤压、纵向弯曲外,还有横向弯曲,使桅杆产生水平平面内的扭转。因此安装时,一定要使桅杆根部的吊杆旋转立销与桅杆眼板在同一平面内,以减少附加扭矩。

抬令把杆在使用时,若变幅幅度增大,起升高度就减小;反之,变幅幅度减小,起升高度就增大。当变幅幅度增大时,吊杆所受轴向压力的变化虽然很小,但吊杆自重引起的弯矩却显著增大，变幅滑轮组、缆风绳所受的拉力及桅杆所受的轴向压力都相应地增加，因而起重量必须适当减小。反之，变幅幅度减小，起重量就相应增大。

二、抬令把杆的竖立

抬令把杆的竖立一般分两步进行，首先用与竖立独脚把杆相同的方法将桅杆竖起，然后将吊杆起重滑轮组等在地面上准备好，并把吊杆与支座连接好，再把预先已悬挂在桅杆顶端的变幅滑轮组的动滑轮落下来与吊杆顶端相连接，开动变幅绞车，升起吊杆即可完工。

上述的习惯竖立方法，需要先立一辅助把杆，再立起桅杆，较麻烦。而采用自身平衡竖立法比较简单，不必另配工具，工作步骤如下。

1. 先拼接吊杆，其长度相当于60%桅杆长。如图2-31所示，吊杆一头连于底盘上，另一头置于木楞上（或用小人字木挂手拉葫芦吊起这一头，或将木楞头竖起撑住均可），并在吊杆端头连三根缆风绳，以备临时固定。

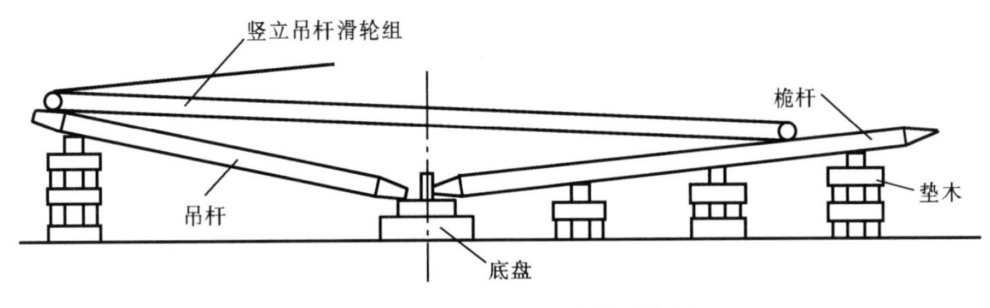

图2-31　自身平衡竖立法的示意图

2. 拼接桅杆，可按吊装所需要的高度全部接好，并在端部第二节的接头处挂一组滑轮组，与吊杆端头的滑轮组相连，并接入绞车，桅杆与缆风绳也相应接好。

3. 桅杆固定不动，开动绞车，则吊杆升起，此时吊杆上的缆风绳应配合放松，直至吊杆接近垂直时停机，并将吊杆的三根缆风绳临时固定。

4. 以吊杆作独脚把杆，放松桅杆的缆风绳，仍用这组滑轮组开动绞车将桅杆扳起。

5. 桅杆缆风绳固定后，即把吊杆放下，将吊杆接至需要的长度，下端与桅杆正式连接好，上端用变幅滑轮组与桅杆连接好，即可将吊杆拉起。

三、抬令把杆的计算

抬令把杆的计算，包括吊杆、变幅滑轮组、缆风绳和桅杆等的计算。进行受力分析时，取分离体，按平面力系进行分析，图2-32为抬令把杆的受力分析图。从图中可以看出，吊杆是一种承受轴向压力的双铰压杆，同时还承受因吊杆自重引起的弯曲作用，因此，当在水平位置时（$\alpha_1=0°$），吊杆所承受

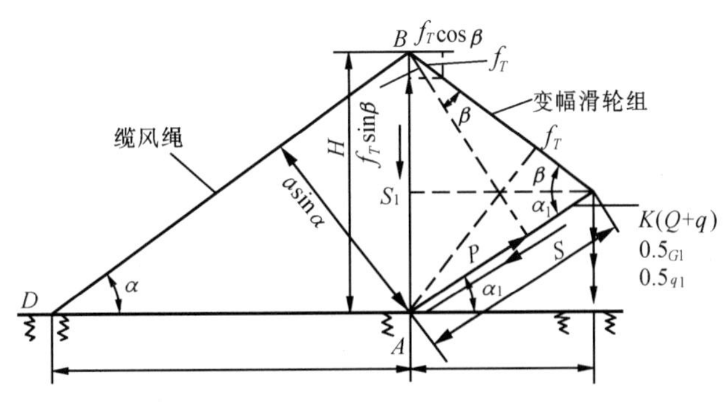

图2-32　抬令把杆的计算简图

的压力和弯矩最大。但一般木制抬令把杆的最小角 α_1 限制在 30°左右,并以此作为受力最不利的情况来计算。

(一)吊杆的计算

由图 2-32 可见,重物产生的重力 Q;起重滑轮组产生的重力 q;变幅滑轮组产生的重力 q_1 之半;吊杆产生的重力 G_1 之半所引起的对吊杆的轴向压力 P_1,由对 B 点的力矩平衡条件可求得

$$P_1=\frac{[K_{动}(Q+q)+0.5q_1+0.5G_1]\cos\beta}{\sin(\alpha_1+\beta)}(\mathrm{N}) \tag{2-42}$$

式中 β——变幅滑轮组与水平面的夹角;

α_1——吊杆与水平面的夹角。

起重滑轮组跑绳对吊杆的轴向压力 P_2 按(2-2)式或(2-3)式进行计算。

吊杆上半部所受到的轴向总压力为

$$P=P_1+P_2(\mathrm{N}) \tag{2-43}$$

吊杆顶部由于作用力的偏心所产生的弯矩为

$$M_{顶}=[K_{动}(Q+q)+S]e(\mathrm{N}\cdot\mathrm{m}) \tag{2-44}$$

吊杆自重在吊杆中部所产生的弯矩为

$$M_1=\frac{G_1L_{计}\cdot\cos\alpha_1}{8}(\mathrm{N}\cdot\mathrm{m}) \tag{2-45}$$

式中,$L_{计}$——吊杆的计算长度(m)。

距吊杆顶部杆全长的 1/3 处的弯矩为

$$M_{中}=2M_{顶}/3+M_1(\mathrm{N}\cdot\mathrm{m}) \tag{2-46}$$

根据求出的轴向压力 P 和弯矩 M,按独脚把杆的计算方法,对吊杆进行强度校核和稳定性校核。

(二)变幅滑轮组的计算

由于重物,起重滑轮组产生的重力,以及吊杆自重之半对变幅滑轮组引起的拉力,由对 A 点的力矩平衡条件可求得

$$f_1=\frac{[K_{动}(Q+q)+0.5G_1]}{\sin(\alpha_1+\beta)}(\mathrm{N}) \tag{2-47}$$

变幅滑轮组的自重引起的拉力为

$$f_2=g_1(\mathrm{N}) \tag{2-48}$$

变幅滑轮组受的总拉力为

$$f_T=f_1+f_2(\mathrm{N}) \tag{2-49}$$

根据求出的 f_T 值,即可选择变幅滑轮组,求出跑绳的拉力 S_1,然后选择变幅钢丝绳和绞车。

(三)缆风绳的计算

由于变幅滑轮组的总拉力所引起的拉力,由对 A 点的力矩平均条件求得

$$T_1=\frac{Hf_T\cos\beta}{a\sin\alpha}(\mathrm{N}) \tag{2-50}$$

缆风绳的初拉力 T_0,则缆风绳承受的总拉力为

$$T=T_1+T_0(\mathrm{N}) \tag{2-51}$$

（四）桅杆的计算

变幅滑轮组的总拉力所引起的对桅杆的压力，由对 D 点的力矩平衡条件求得

$$P_1=\frac{f_T a\sin\beta+f_T H\cos\beta}{a}(\mathrm{N}) \tag{2-52}$$

变幅滑轮组跑头绳对桅杆的压力为

$$P_2=S=f_T\frac{f-1}{f^n-1}f^m f^K(\mathrm{N}) \tag{2-53}$$

或
$$P_2=S=\alpha\cdot f_T(\mathrm{N}) \tag{2-54}$$

缆风绳初拉力对桅杆的压力 P_3 按（2-4）式进行计算。

桅杆自重 G_2 在距杆顶全长的1/3处的截面产生的压力为

$$P_4=G_2/3(\mathrm{N}) \tag{2-55}$$

桅杆承受的轴向总压力为

桅杆顶部：
$$P_{顶}=P_1+P_2+P_3(\mathrm{N}) \tag{2-56}$$

桅杆中部：
$$P_{中}=P_{顶}+P_4(\mathrm{N}), \tag{2-57}$$

桅杆承受的弯矩为

桅杆顶部：
$$M_{顶}=(f_T+S)e(\mathrm{N}\cdot\mathrm{m}), \tag{2-58}$$

距杆顶全长的1/3处：$M_{中}=2M_{顶}/3(\mathrm{N}\cdot\mathrm{m})$。

根据求出的轴向压力和弯矩，即可按独脚把杆的计算方法，对把杆进行强度和稳定性校核。

例1 有一副钢管抬令把杆，均用A3钢管制成，钢管外径为245mm，管壁厚10mm，桅杆长12m，吊杆长9m，用六根缆风绳，与地面夹角为45°，吊重量为98kN，起重滑轮组和变幅滑轮组采用“二二走四”，重力均为9.8kN，桅杆和吊杆顶部钢板吊耳偏心距均为25cm，问此抬令把杆能否安全？

解 取吊杆处于水平位置时，最不利的情况进行计算。

1. 吊杆

$\alpha_1=0$，$\beta=\arctan(12/9)\approx 53°7'$，$\sin\beta=0.8$，$\cos\beta=0.6$，钢管截面积 $F=73.83\mathrm{cm}^2$，吊杆自重 $G_1=5.112\mathrm{kN}$，则

$$P_1=\frac{[K_{动}(Q+q)+0.5q_1+0.5G_1]\cos\beta}{\sin(\alpha_1+\beta)}$$

$$=\frac{[1.1\times(98+9.8)\times10^3+0.5\times9.8+0.5\times5.112\times0.6]}{0.8}$$

$$=94.53\times10^3\mathrm{N}=94.53\mathrm{kN}$$

$$P_2=\alpha K_{动}(Q+q)=0.276\times1.1\times(98+9.8)\times10^3$$

$$=32.73\times10^3\mathrm{N}=32.73\mathrm{kN}$$

$$P=P_1+P_2=(94.53+32.73)=127.261\mathrm{kN}$$

吊杆承受的弯矩为

$$M_{顶}=[K_{动}(Q+q)+S]e=[1.1\times(98+9.8)\times10^3+32.73\times10^3]\times0.25$$

$$=37.83\times10^3\mathrm{N}\cdot\mathrm{m}=37.83\mathrm{kN}\cdot\mathrm{m}$$

$$M_1=\frac{G_1L_{计}\cos\alpha_1}{8}=\frac{5.112\times10^3\times9}{8}$$

$$=5.751\times10^3\text{N}\cdot\text{m}=5.751\text{kN}\cdot\text{m}$$

$$M_{中}=2M_{顶}/3+M_1=2\times37.83/3+5.751\text{kN}\cdot\text{m}=30.97\text{kN}\cdot\text{m}$$

吊杆危险截面的强度校核：

$$W=\frac{3.14\times(24.5^4-22.5^4)}{32\times24.5}=417\text{cm}^3=417\times10^{-6}\text{m}^3$$

$$\sigma=\frac{P_{顶}}{F_{顶}}+\frac{M_{顶}}{W_{顶}}=\frac{127.26\times10^3}{73.83\times10^4}+\frac{37.83\times10^3}{417\times10^{-6}}=10.796\times10^7\text{N/m}^2$$

$$=107.96\text{MN/m}^2$$

在压力和弯矩作用下吊杆的稳定性校核：

$$r=0.35d_p=0.35\times0.5\times(24.5+22.5)$$

$$=8.225\text{cm}=8.225\times10^{-2}\text{m}$$

$$\lambda=\frac{L_0}{r}=\frac{9}{8.225\times10^{-2}}=1.09$$

$$\varepsilon=\frac{MF}{PW}=\frac{30.97\times10^3}{127.26\times10^3}\times\frac{73.83\times10^{-4}}{417\times10^{-6}}=4.31<30$$

$\lambda=109$，$\varepsilon=4.31$，查表 2-10，$\varphi_p=0.158$，则

$$\sigma=\frac{P}{\varphi_pF}=\frac{127.26\times10^3}{0.158\times73.83\times10^{-4}}=10.91\times10^7\text{N/m}^2=109.1\text{MN/m}^2<[\sigma]$$

2. 变幅滑轮组

$$f_1=\frac{[K_{动}(Q+q)+0.5G_1]\cos\alpha_1}{\sin(\alpha_1+\beta)}$$

$$=\frac{118.58\times10^3+0.5\times5.122\times10^3}{0.8}=151.43\times10^3\text{N}=151.43\text{kN}$$

$$f_2=q_1=9.8\text{kN}$$

$$f_T=f_1+f_2=151.43+9.8=161.23\text{kN}$$

3. 缆风绳

$$T_1=\frac{Hf_T\cos\beta}{a\sin\alpha}=\frac{12\times161.23\times10^3\times0.6}{(12\times\sqrt{3})\times0.5}=111.71\times10^3\text{N}=111.71\text{kN}$$

$$T_0=9.8\text{kN}$$

$$T=T_1+T_0=111.71+9.8=121.51\text{kN}$$

4. 桅杆

$$P_1=\frac{f_Ta\sin\beta+f_TH\cos\beta}{\alpha}=\frac{161.23\times10^3\times(12\times\sqrt{3}\times0.8+12\times0.6)}{12\times\sqrt{3}}$$

$$=184.84\times10^3\text{N}=184.84\text{kN}$$

$$P_2=af_T=0.276\times161.23=44.50\text{kN}$$

$$P_3=nT_0\sin\alpha=6\times9.8\times\sin30°=29.4\text{kN}$$

$$P_4=G_2/3=6.821/3=2.274\text{kN}$$

$$P_{顶}=P_1+P_2+P_3=184.84+44.50+29.4=258.7\text{kN}$$

$$P_{中}=P_{顶}+P_4=258.7+2.274$$

$$=261.01\text{kN}$$

桅杆承受的弯矩为

$$M_{顶}=(f_T+S)e=(161.23+44.50)\times0.25=51.43\text{kN}\cdot\text{m}$$

$$M_{中}=\frac{2}{3}M_{顶}=\frac{2}{3}\times51.43=34.29\text{kN}\cdot\text{m}$$

桅杆危险截面的强度校核

$$\sigma=\frac{P_{顶}}{F_{顶}}+\frac{M_{顶}}{W_{顶}}=\frac{258.74\times10^3}{73.83\times10^4}+\frac{51.43\times10^3}{4.17\times10^{-4}}$$

$$=15.937\times10^7\text{N/m}^2=159.37\text{MN/m}^2<[\sigma]$$

在压力和弯矩作用下桅杆的稳定性校核

$$\lambda=\frac{L_0}{r}=\frac{12}{8.225\times10^{-2}}=146$$

$$\varepsilon=\frac{MF}{PW}=\frac{34.29\times10^3}{261.01\times10^3}\times\frac{73.83\times10^{-4}}{4.17\times10^{-4}}=2.32<30$$

$\lambda=146$，$\varepsilon=2.32$，查表 2-10，$\varphi_p=0.189$，则

$$\sigma=\frac{P}{\varphi_pF}=\frac{261.01\times10^3}{0.189\times73.83\times10^{-4}}=18.705\times10^7\text{N/m}^2=187.05\text{MN/m}^2<[\sigma]$$

可知桅杆的稳定性不能满足要求，但因 σ 值仅略大于$[\sigma]$值，故对桅杆进行适当的加固，如焊上加强角钢，适当增大桅杆截面面积，即能满足稳定性要求。

第六节　把杆的移位

在工作过程中，有时需在水平方向移动把杆，移动把杆用松紧缆风绳和绞车配合移动或由另外一台辅助绞车进行。其方法如下。

先把吊杆固定，放松后缆风绳 3、4，使把杆顶端向移动方向倾斜，相应地收紧前缆风绳 1、2，但倾斜度应控制在 15°~20°，如图 2-33a 所示。然后用绞车拖拉把杆底脚，倾斜至 15°~20°，同时应密切注意检查前后 4 根缆风绳，使其稳定。此时前缆风绳 1、2 应相应地收紧（图 2-33b）。这样，利用放松后缆风绳 3、4，同时收紧前缆风绳 1、2 的方法，向前移动把杆底脚，最后把把杆移到新的位置上（图 2-33c）。为了便于移动把杆，可将把杆底座顶高，放托板管子，也可直接在每根道木上铺一块涂油扁铁，使移动时底座与涂油扁铁之间滑动。如

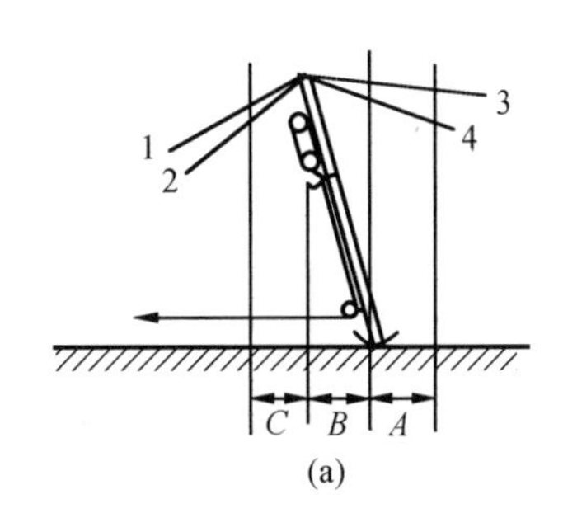

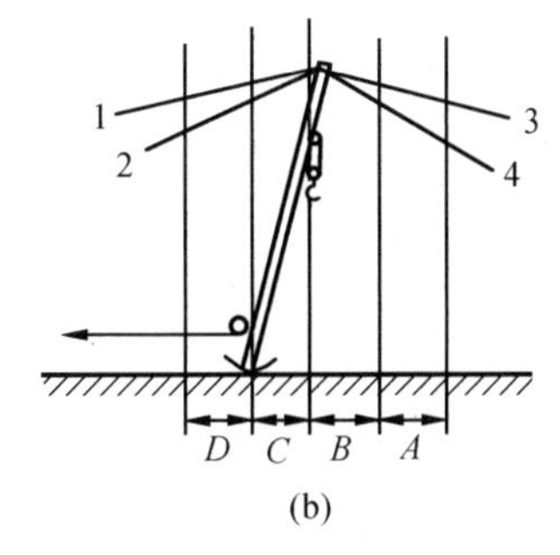

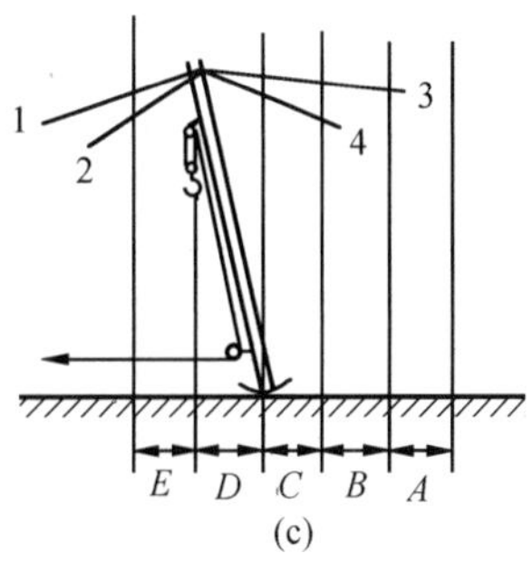

图 2-33　把杆移动方法示意图

抬令把杆移动时，应先将变幅滑轮组收拢，尽量使吊杆靠近桅杆，然后把变幅钢丝绳在桅杆下部固定住。

第七节　不规则物体的质量、重心的计算和吊点的选择

在起重作业中，只有正确掌握物体的质量和重心位置，才能正确地确定施工方案和选择适当的工具设备，保证安全生产。

一、不规则物体质量的计算

在起重作业中，对于不规则的物体，我们通常采用下述三种方法来求质量：

（一）比较法：把需要估算的物体与已知其质量的类似物体进行比较，估计出物体的质量。

（二）估算法：先估算物体的外形尺寸，了解物体的内部结构，然后估算该物体的体积，根据其密度估算出物体的质量。

（三）计算法：我们知道，物体质量的计算式为

$$M=\gamma V \tag{2-60}$$

式中　M——物体的质量；

V——物体的体积；

γ——材料的密度，见表 2-19。

表 2-19　各种常用材料的密度

材　　料	密度 t/m^3	材　　料	密度 t/m^3	材　　料	密度 t/m^3
铸　钢	7.8	锡	7.4	玻　璃	2.6
低碳钢	7.85	铬	7.14	大理石	2.8
中碳钢	7.82	铜	8.9	砖	1.5
高碳钢	8.3	铝	11.37	沥　青	0.9~1.5
不锈钢	7.75	干杉木	0.376	纯橡胶	0.93
铁	7.8	干松木	0.48	泡沫塑料	0.2
生　铁	7~7.7	松　木	0.6	水　泥	1.2
锰	7.4	胶合板	0.56	柴　油	0.831
锌	7.2	刨花板	6.4	汽油(15°)	0.7

由(2-60)式可知，计算物体的质量，关键是要求出物体的体积。不规则物体的形状看上去虽然很复杂，但都是由一些形状规则的小物体组合而成。因此，我们计算不规则物体的质量时，可采取分割法，把所需计算的物体先分割成若干个几何形状比较规则的物体，分别求出它们的体积，再相加或相减，求出总体积，然后乘以所用材料的密度，即可算出该物体的

质量。几种常见图形的体识计算公式见表 2-20。

表 2-20　常见图形的体积 V 的计算公式

图形名称	图　　例	计算公式
立 方 体	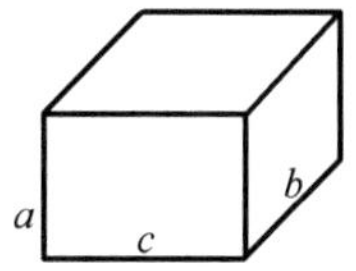	$V=abc$
圆 柱 体	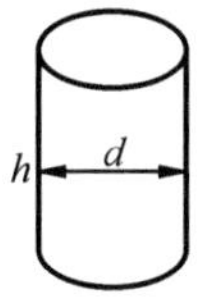	$V=0.7854d^2h$
球　　体	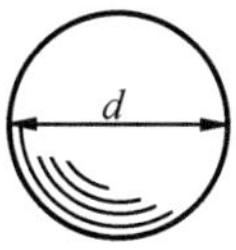	$V=\frac{1}{6}\pi d^3=0.524d^3$
圆　环　体	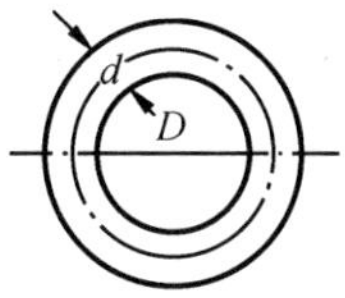	$V=\frac{\pi^2}{4}Dd^2=2.465Dd^2$
中空圆柱体	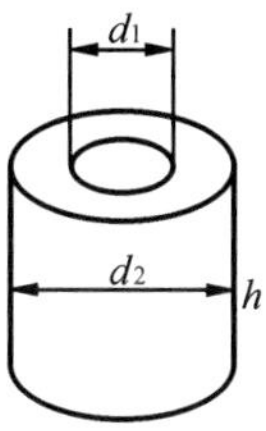	$V=\frac{1}{4}\pi h(d_2^2-d_1^2)=0.785h(d_2^2-d_1^2)$
正圆锥体	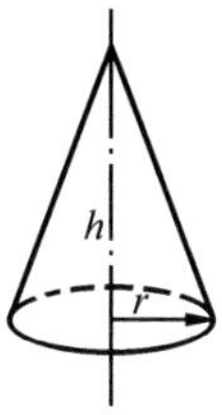	$V=\frac{1}{3}\pi r^2h=1.047r^2h$
斜截正圆柱体	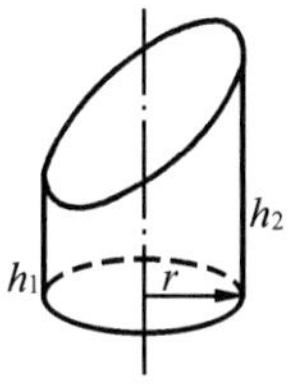	$V=\pi r\frac{h_1+h_2}{2}$
截头方锥体	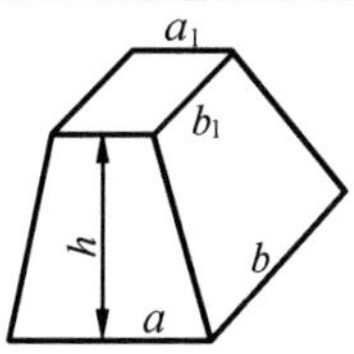	$V=\frac{h}{6}[(2a+a_1)b+(2a_1+a)b_1]$

任意三角形体		$V=0.5bhl$
正六角形柱体		$V=2.598b^2h$

如图 2-34 所示的压铁,可看成由四个基本的长方体组成(图中Ⅰ、Ⅱ、Ⅲ、Ⅳ),我们可分别求出这四个长方体的体积,把四块小体积相加就是整块压铁的体积,然后乘以铁的密度,即是整块压铁的质量。

由各种板材和型钢等主要构件组成的船体分段、构件等,可先求出每一板材、角钢、槽钢、工字钢等的质量,然后求其总质量。

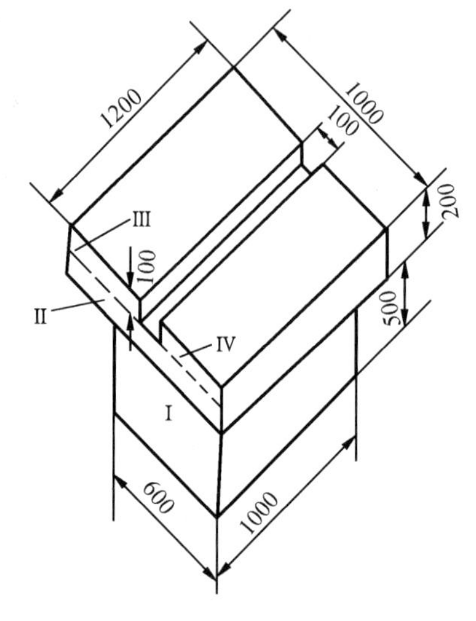

图 2-34 压铁的外形图

例 1 一压铁,尺寸如图 2-34 所示,试求其质量。

解 先求四块小长方体的体积为

$$\Delta V_1=1\times6\times5\times10^2=30\times10^{-2}\text{m}^3$$

$$\Delta V_2=1.2\times1\times1\times10^{-1}=1.2\times10^{-1}\text{m}^3$$

$$\Delta V_3=\Delta V_4=1.2\times4.5\times1\times10^{-2}=5.4\times10^{-2}\text{m}^3$$

$$V=(30+12+2\times5.4)\times10^{-2}=52.8\times10^{-2}\text{m}^3$$

铁的密度:$\gamma=7.644\text{t/m}^3$ 则

$$M=7.644\times52.8\times10^{-2}=4.036\text{t}$$

二、不规则物体重心的计算

物体的重心,就是物体各部分重力的中心。如图 2-35 所示,如有一个物体,它的重心在 A 点,AB 为重力 Q 的作用线。如果我们在 C 点将物体吊起,就必然旋转成图 b 的样子。由力的平衡条件我们知道,这个物体被吊离地面之后,有二个力作用在它上面,一个是重力 Q,一个是拉力 S。只有当 Q 和 S 大小相等,方向相反并且共同作用在一条直线上时,物体才能平衡。图 a 中的 Q 和 S 的作用线不在同一条直线上,它们是一个力偶。物体在力偶作用下就要发生旋转。因此,在 C 点吊这个物体时,即发生旋转,形成 b 图所示的状态。此时,S 和 Q 的作用线重合,物体就平衡了。但是,物体却是倾斜着的。如果我们让物体离地之后,仍与起吊前一样,就应在以 B 点起吊。而 B 点的位置是由重心 A 确定的。所以要先求出重心 A 点的位置。

对于像图 2-36 所示的轴,一般要求轴离地之后,保持水平,以便安装就位。这就需要先求出重心位置，然后据此确定绑点位置和吊索的长短。

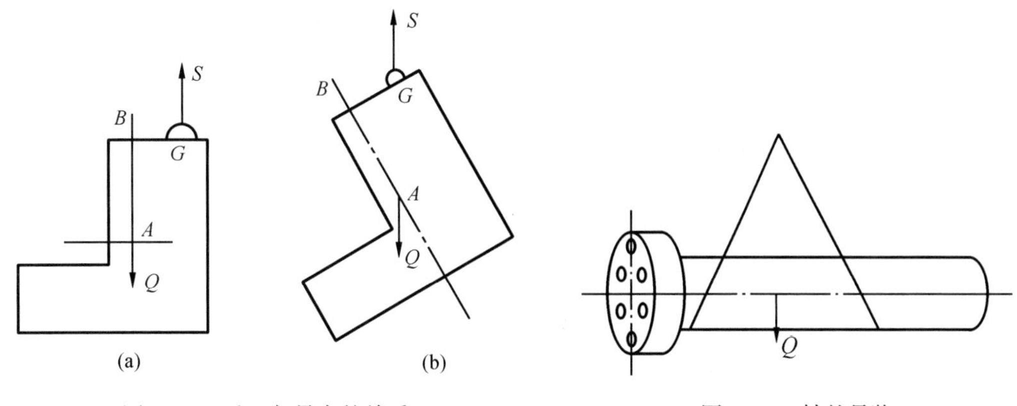

图 2-35　重心与吊点的关系　　　　图 2-36　轴的吊装

由此可知，只有准确地掌握物体的重心的位置，才能正确地选择吊点和施工方法。

规则物体的重心比较容易求得。如长方形的重心在其对角线的交点上，圆的重心即圆心，圆柱体的重心则在圆柱中心线的中点上。计算重心实际上就是计算物体的体积中心，它决定于物体的几何形状和尺寸。所以也称为形状中心，或简称形心。一般简单几何形状的重心见表 2-21。不规则物体的重心也可采用分割法，将其分为若干个比较规则的几何形状求得，现举例说明如下。

表 2-21　重　心　表

图形名称	图　　例	重心计算式
三角形	Y, c, y, y_c, O, X	在中线交点上 $Y_c=\frac{1}{3}h$
梯　形	Y, b, a, c, y, y_c, O, X, b, a	在 AB 直线和平行边中点连线的交点上 $Y_c=\frac{1}{3}\ \frac{a+2b}{a+b}$
扇　形	Y, R, α, c, α, O, X, x_c	$X_c=\frac{2}{3}\frac{R\sin a}{\alpha}$ $Y_c=0$

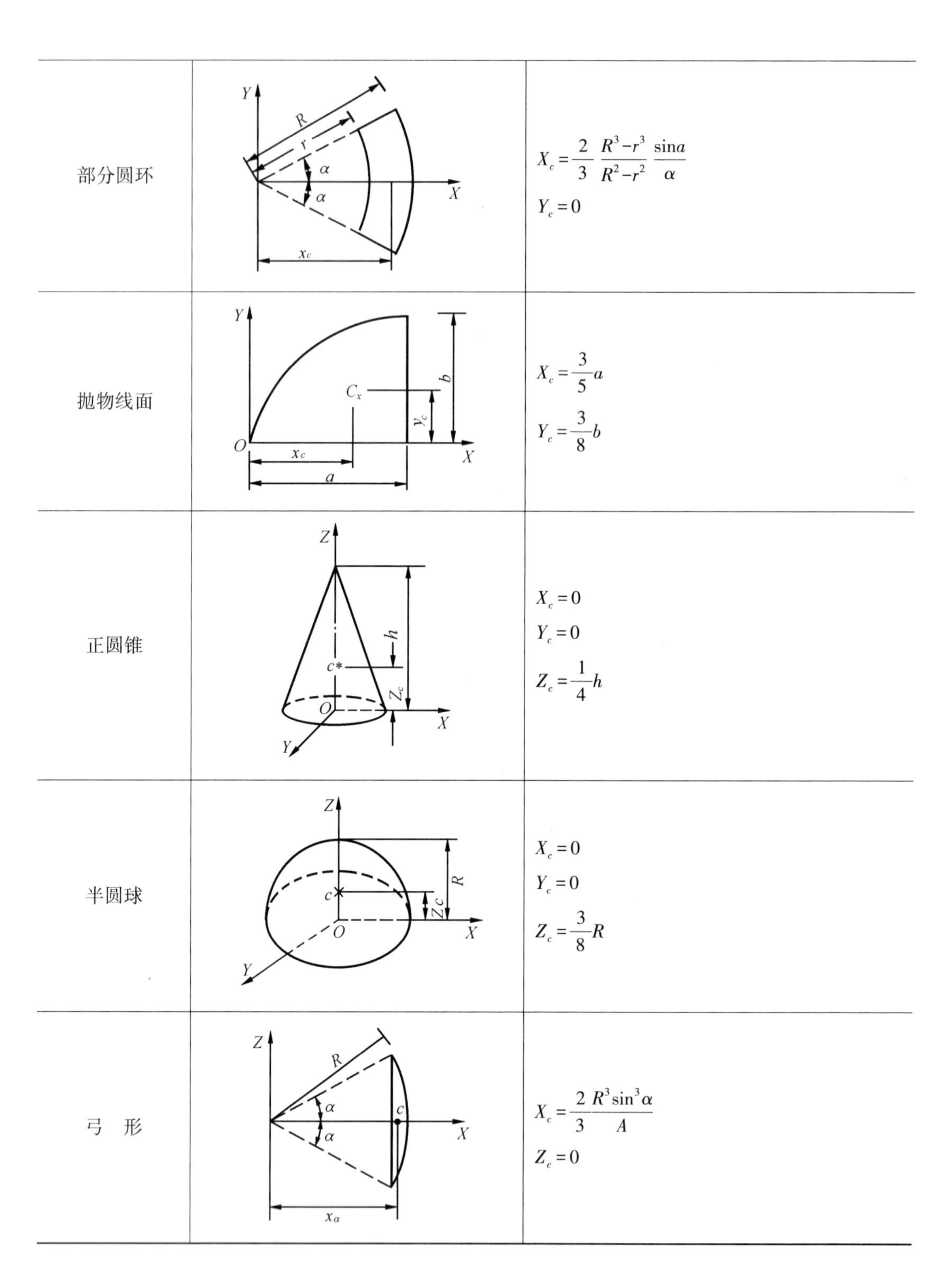

部分圆环		$X_c=\dfrac{2}{3}\dfrac{R^3-r^3}{R^2-r^2}\dfrac{\sin\alpha}{\alpha}$ $Y_c=0$
抛物线面		$X_c=\dfrac{3}{5}a$ $Y_c=\dfrac{3}{8}b$
正圆锥		$X_c=0$ $Y_c=0$ $Z_c=\dfrac{1}{4}h$
半圆球		$X_c=0$ $Y_c=0$ $Z_c=\dfrac{3}{8}R$
弓　形		$X_c=\dfrac{2}{3}\dfrac{R^3\sin^3\alpha}{A}$ $Z_c=0$

例 2　L 形截面尺寸如图 2-37 所示,试求其形心。

解　取坐标轴如图所示。将图形分成Ⅰ、Ⅱ两个矩形。各部分图形的面积和形心的坐标分别为

$\Delta S_1=1\times6.5=6.5\text{m}^2$,

$\Delta S_2=1\times5=5\text{m}^2$,

$X_1=0.5\text{m}, X_2=2.5\text{m}$,

$Y_1=4.25\text{m}, Y_2=0.5\text{m}$

L 形截面形心按下式计算

$$X_c=\frac{\Delta S_1X_1+\Delta S_2X_2}{\Delta S_1+\Delta S_2}=\frac{6.5\times0.5+5\times2.5}{6.5+5}$$

$=1.37\text{m}$,

$$Y_c=\frac{\Delta S_1Y_1+\Delta S_2Y_2}{\Delta S_1+\Delta S_2}=\frac{6.5\times4.25+5\times0.5}{6.5+5}$$

$=2.62\text{m}$

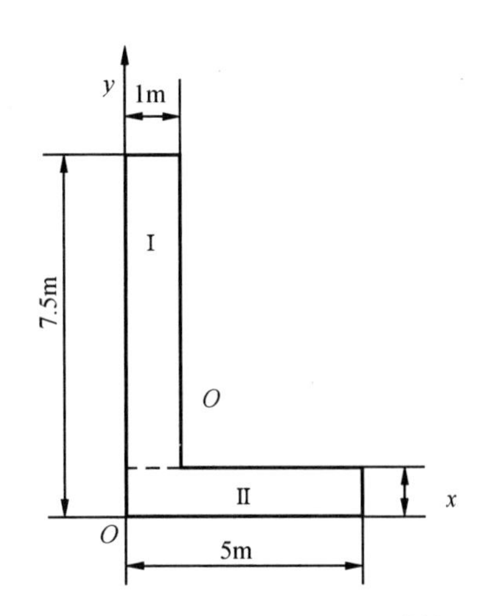

图 2-37　L 形截面形心的计算

从上述例子中我们可以推论到，任意形状的物体求形心的一般公式为

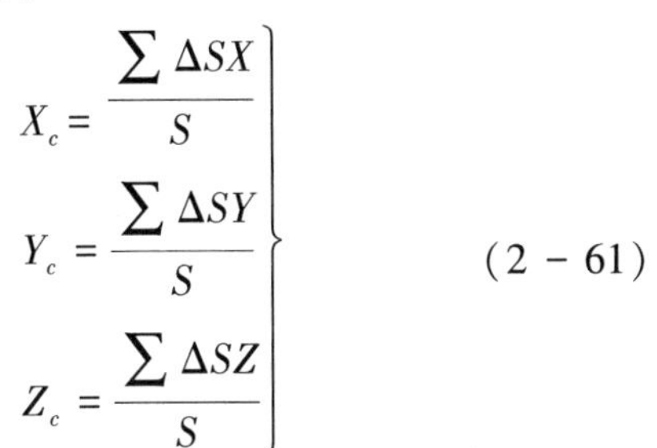

$$\left.\begin{aligned}X_c&=\frac{\sum\Delta SX}{S}\\Y_c&=\frac{\sum\Delta SY}{S}\\Z_c&=\frac{\sum\Delta SZ}{S}\end{aligned}\right\}\qquad(2-61)$$

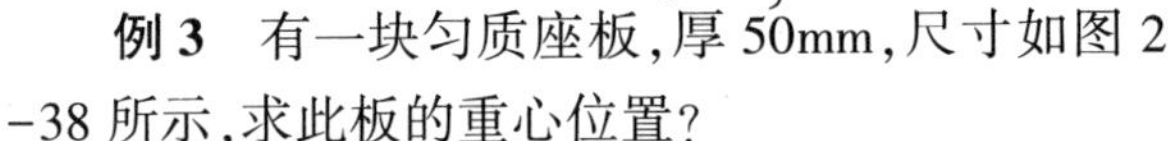

例 3　有一块匀质座板，厚 50mm，尺寸如图 2-38 所示，求此板的重心位置？

解　从图中可以看出，此板对称于 X 轴，即 $Y_c=0$，所以只要求出 X_c 的位置即可。

右面一块的重心在 B 点，$X_2=1+0.15=1.15\text{m}$，

$$\Delta S_2=1\times0.3=0.3\text{m}^2$$

左面一块的重心在 A 点，$X_1=0.5\text{m}$，

$$\Delta S_1=1\times0.4=0.4\text{m}^2,$$

$$X_c=\frac{\sum\Delta SX}{S}=\frac{0.3\times0.15+0.4\times0.5}{0.3+0.4}$$

$=0.779\text{m}$

所以座板的重心 C 距最左端的距离为 799m。

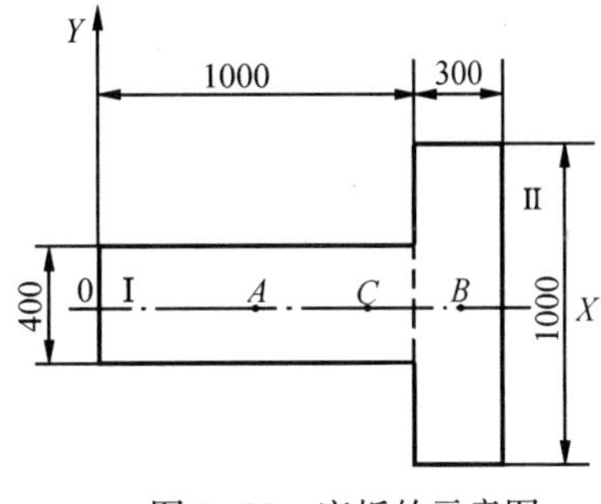

图 2-38　座板的示意图

三、吊点位置的选择

在起重吊装工作中，要使起吊的物体稳定，不倾斜，不翻倒，不转动，就必须根据物体重心位置正确地选择起吊点。一般吊点位置的选择原则为：

1. 吊运有起吊耳环的物件时，吊点应用原设计耳环。
2. 吊圆钢、圆木和轴等长形的物体时，两吊点应选在与重心对称的两点上。
3. 吊方形物件时，四个起吊点应在与重心对称的四边的点上。
4. 多根吊索吊装时，吊点一般应在以重心为中心的周围的对称位置上。

第八节　起重、吊装和运输中的载荷计算

一、动载荷

在把杆的计算中，我们把重物和起重滑轮组产生的重力乘以动载荷系数 $K_{动}$，作为计算载荷。这就是在起重作业中，我们常遇到的静载荷和动载荷问题。

所谓静载荷，就是恒定地作用在设备和物体上，大小和位置不随时间而变化的各种载荷。物体在静载荷作用下是处于平衡状态的，即静止或做匀速直线运动。如果物体在外力的作用下速度有了改变，即产生了加速度，这时，我们就遇到了动载荷问题。

静载荷和动载荷对物体的作用是不同的。例如，用起重机吊重物，静止不动或以等速升降时，线索承受的拉力等于物体产生的重力，即为静载荷作用。但是当物体以加速度上升时，就得用较大的力拉绳索，这是因为既要克服重物的重力又要产生加速度。因此，在选择或校核起重索具的强度以及设备本体的强度时，应将设备的自重以及根据吊装工艺设计中由静力平衡原理算出的各吊索具的受力，分别乘以动载荷系数 $K_{动}$，作为吊装工艺计算中该吊索具所承受的计算动载荷。

此外，物体在运输过程中，由于道路不平引起物体的振动，因此在运输工具的计算中，应将物体的自重乘以动载荷系数 $K_{动}$，作为计算重力。起重吊装运输工作中的动载荷系数见表2-22。

表 2-22　动载荷系数

工作性质	$K_{动}$	工作性质	$K_{动}$
手　　动	1.00	机动中级	1.30
机动轻级(起吊速度慢)	1.10	机动重级(起吊速度快)	1.50

二、不均匀载荷

在起重吊运工作中，往往采用多根吊索，以不同的方式吊运。由于吊索的长短尺寸不可能完全相同，每根吊索与吊物垂线间的夹角也不会完全相同，吊物的重心有时也会发生偏移，由此而产生各分支吊索受力的不均匀。

当利用人字把杆、双把杆、龙门把杆起吊重物时，由于把杆制作和组合不可能完全相同和对称，受力后引起分支把杆受力的不均匀，同时由于地基的不均匀下沉，也会引起分支把杆的受力不均匀。当利用两台起重机或多台绞车起吊重物时，由于起重设备的速度不一样，司机的起动、停车不一致，动作不协调，均可能引起各台起重设备的受力不均匀。

因此，在选择和校核各种起重吊索具时，在吊装工艺设计计算中，以静力平衡原理计算出的各吊索具的受力，应乘以不均匀系数 $K_{不}$，一般 $K_{不}=1.2$。

三、惯性力

任何物体都具有保持原有状态的性质，即静者恒静，动者恒动。这种物理性质叫做惯

性。如果要改变物体原有状态,就需要施加外力,这个外力的大小,等于物体惯性力的大小。惯性力是起重、运输工作中应考虑的因素。惯性力的计算式为

$$P_{惯}=\frac{QV}{gt} \tag{2-62}$$

式中 $P_{惯}$——物体的惯性力(N);

Q——物体产生的重力(N);

V——直线运动速度(m/s);

g——重力加速度($9.8m/s^2$);

t——制动或加速度的时间(s)。

例1 有一台起重机以0.5m每秒的速度,匀速将147kN的重物吊到一定高度后,以1秒的时间制动,此时作用于起重机的惯性力为多大?

解 $P_{惯}=\frac{QV}{gt}=\frac{147\times0.5}{9.8\times1}=7.5kN$

在实际起重作业中,通常用动载荷系数$k_{动}$代替,可不必进行惯性力的计算。

四、综合计算载荷

物体在吊运过程中,可能同时承受冲击、振动与不均匀受力影响的各吊索具,在选择和校核其强度时,应将由静力平衡原理算出的各吊索具的受力,连乘以动载荷系数$K_{动}$与不均衡系数$K_{不}$,作为该吊索具或设备的综合计算载荷。

第九节 拖头牵引力的计算

在设备运输工作中,往往需要根据运输方法、路面情况、坡度等条件计算出所需要的牵引力。如用车式拖拉机或拖车式汽车牵引,其牵引力可按下式计算:

$$F=\frac{P}{V}\eta \tag{2-63}$$

式中 P——拖头的功率(W);

V——牵引速度(m/s);

η——传动效率,拖拉机为0.8;拖车或汽车为0.85。

计算出的牵引力应小于轮胎或履带与地面的附着力,否则拖头要打滑。附着力大小与路面情况和车重有关,其值为

$$H=\varphi Q \tag{2-64}$$

式中 H——附着力(N);

Q——拖头对地面的总压力(N),Q的取值;拖拉机为其本身产生的重力;汽车取车本身产生的重力的0.6~0.7倍;

φ——轮胎或履带对地面的附着系数,查表2-23、表2-24。

计算结果应满足$F\leqslant H$。

运输时的阻力为

$$W=w_1g+w_2(q+G)+w_3(q+G+g) \tag{2-65}$$

式中 W——运输时的阻力(N);

g——拖头的自重(kN);

w_1——拖头的运动阻力系数(N/kN),查表 2-25;

w_2——拖车或排子的运动阻力系数(N/kN),查表 2-26 和表 2-27;

w_3——坡度阻力系数(N/kN),计算式为 $w_3=100i$;

i——路面坡度(%),上坡时 w_3 为正值,下坡时 w_3 为负值;

q——拖车或排子的自重(kN);

G——设备产生的重力(kN)。

计算结果应满足 $W \leq F$。

表 2-23 轮胎对各种路面的附着系数 φ 值

	路面种类	附着系数 φ			
		高压轮胎		低压轮胎	
		干燥路面	潮湿路面	干燥路面	潮湿路面
汽车或拖车	混凝土	0.85	0.6	0.82	0.6
	沙青路面	0.75	0.6	0.70	0.55
	碎石及砾石路面	0.65	0.4	0.6	0.4
	石块路面	0.4	0.3	0.45	0.24
	木 排	0.6	0.4	0.6	0.4
	密实土壤	0.55	0.35	0.55	0.35
	压实砂土	0.75	0.65	0.75	0.65
	粘 土	0.55	0.35	0.55	0.35
	压实雪地	0.3	0.1	0.35	0.1
	冰雪地	0.15	0.07	0.2	0.15

表 2-24 履带对各种路面的附着系数 φ 值

	路面情况	φ		路面情况	φ
拖拉机	干燥的粘土	0.85	拖拉机	夏季沥青路	0.35
	干燥的沙土	0.9		下雪时的沥青路	0.45
	干燥的密实黑土	0.87		压实雪地	0.65
	潮湿的密实草地	1.05		雪厚 50~100mm 的冰雪地	0.46
	疏松的草地	0.6		泥 塘	0.7
	耕过地	0.7		潮湿砂地	0.5
	干燥砂地	0.4			

第十节 滑行运输的计算

在起重作业中,往往要利用地形地物或人工制成的滑道(一般均有一定的坡度)。将物体放在上面,达到起重作业的目的。下面介绍设备滑运时载荷的计算方法。

表 2-25　汽车或拖拉机的运动阻力系数 w_1 值

路面情况	汽车		拖拉机	
	N/kN	kgf/tf	N/kN	kgf/tf
混凝土和沥青路	10~20	10~20	40~50	40~50
雪厚 50mm 的冰雪路	20~30	20~30	40~50	40~50
碎石路	30~50	30~50	50~70	50~70
干燥平坦土路	40~50	40~50	50~100	50~100
不平坦的污泥路	70~100	70~100	100~150	100~150
粘土、流砂、雪原	150~200	150~200	150~200	150~200
泥沼地	—	—	250~300	250~300

表 2-26　轮胎式汽车的运动阻力系数 w_2 值

路面情况	实心铁轮或胶轮		高压气胎		低压气胎	
	N/kN	kgf/tf	N/kN	kgf/tf	N/kN	kgf/tf
土路:硬面	40~60	40~60	25~35	25~35	20~30	20~30
中等质量	65~80	65~80	35~47	35~47	30~40	30~40
质 量 差	70~110	70~110	50~60	30~60	40~50	40~50
质量差的砂　面	90~120	90~120	80~100	80~100	60~65	60~65
冰雪路	65~80	65~80	25~35	25~35	20~30	20~30
杂草地	200~300	200~300	150~240	150~240	50~60	50~60
软土、融雪土	100~150	100~150	80~100	80~100	50~60	50~60
泥泞路	250~350	250~350	150~250	150~250	100~120	100~120
砂　地	200~300	200~300	110~180	110~180	90~100	90~100
草丛、田地	250~350	250~350	150~200	150~200	90~100	90~100

表 2-27　钢排子的运动阻力系数 w_2 值

路面情况	N/kN	kgf/tf	路面情况	N/kN	kgf/tf
冰雪路面	15~30	15~30	砂或碎石路	400~600	400~600
有软雪路面	40~60	40~60	枕木排上用∅100mm 的钢滚杠	20~30	20~30

一、滑动摩擦力

一个物体在另一个物体表面上滑动时，物体接触面上产生阻止物体运动的力，叫滑动摩擦力，其值可按下式进行计算

$$F=fP \tag{2-66}$$

式中　F——滑动时的摩擦力(N)；

P——物体与接触面的正压力(N)；

f——滑动时的滑动摩擦系数，查表 2-28。

表 2-28　滑动摩擦系数

摩擦材料及情况		f	摩擦材料及情况		f
硬木与硬木顺纹	加　油	0.08	硬木与钢	加　油	0.10
	干　燥	0.48		湿　水	0.20
硬木与硬木横纹	湿　水	0.25		干　燥	0.40
	干　燥	0.34			
钢排在钢轨上	加　油	0.04	钢与生铁或青铜	加　油	0.08~0.07
	不加油	0.1		干　燥	0.18~0.17

二、滑运设备的牵引力的计算

(一)在平地上滑运设备时，牵引力的计算

在平地上滑运设备时，设备对地面的正压力即为设备本身的自重，滑运时的牵引力可按下式计算

$$S=F=K_{动}fQ \tag{2-67}$$

式中　S——设备滑行时所需的牵引力(N)；

$K_{动}$——动载荷系数，一般取 $K_{动}=1.1$；

f——滑动时的摩擦系数，见表 2-28；

Q——滑动设备产生的重力(N)。

(二)设备在斜坡上滑动时，牵引力的计算

在斜坡上滑运时，牵引力除了考虑斜面间的摩擦力外，还应考虑设备产生的重力在斜面上的分力，牵引力可按下式计算

$$S=F=K_{动}fQ \pm K_{动}Q/n \tag{2-68}$$

式中　$1/n$——滑道的坡度。

(2-68)式中正、负号的规定：上坡时取+；下坡时取-。

这里值得提出的是，在物体由静止开始滑动时，此时的摩擦力为静摩擦力，大于滑行中的动摩擦力。它与物体在运动前停留时间的长短和摩擦面的情况等因素有关。因此，在实际拖运时，计算拉动设备的起动牵引力要大于滑运时的摩擦力，其值为

$$T=K_{起}S \tag{2-69}$$

式中　T——起动时的牵引力(N)。

例 1 一拖轮,在平台上建造后,由于起重机的起重能力不够,需要从平台上平移到岸边用浮吊整体吊下。若采用润滑脂滑板,拖轮产生的重力为 980kN,问起动时的牵引力为多大?

解 因润滑脂滑板是指在本滑道和木滑板间涂黄油,查表 2-28,$f=0.08$,取 $K_{动}=1.1$,$K_{起}=2$ 则

$$S=K_{动}fQ=1.1\times0.08\times980=86.24\text{kN},$$
$$T=K_{起}S=2\times86.24=172.48\text{kN}$$

例 2 一台重 196kN 的设备,用钢排在钢轨上把它拖运到车间安装。途中通过 1/10 的坡度,上坡和起动时的牵引力需要多少?

解 查表 2-28,钢排在钢轨上拖运,如不涂油,$f=0.1$,取 $K_{动}=1.1$,$K_{起}=2$ 则

上坡牵引力 $S=K_{动}fQ+\dfrac{K_{动}Q}{n}=1.1\times0.1\times196+\dfrac{1.1\times196}{10}=43.12\text{kN}$

起动牵引力 $T=K_{动}S=2\times43.12=86.24\text{kN}$,

如在钢轨上涂黄油进行拖运,这时,$f=0.04$,

上坡牵引力 $S=1.1\times0.04\times196+\dfrac{1.1\times196}{10}=30.184\text{kN}$

起动牵引力 $T=2\times30.184=60.368\text{kN}$

第十一节 滚行运输的计算

利用滚杠托板、钢球滚珠、圆滚轮等拖运设备,是起重工经常做的工作之一,应该很好地掌握其载荷的计算方法。

一、滚动摩擦力的计算

我们知道,滚动摩擦和滑动摩擦存在着很大的差别,滑动摩擦是平面与平面的接触,而滚动摩擦是圆面和平面的接触,摩擦力的大小为

$$F=\frac{fP}{r} \tag{2-70}$$

式中 F——滚动时的摩擦力(N);

P——物体的正压力(N);

r——滚轮的半径(cm);

f——滚动时的摩擦系数,查表 2-29。

表 2-29 常用的几种滚动摩擦系数 f

摩擦材料	f	摩擦材料	f
滚杠在水泥上滚运	0.08	滚杠在木头上滚运	0.10
滚杠在土地上滚运	0.15	滚杠在钢轨上滚运	0.05

二、平地滚运时设备载荷的计算

我们从图 2-39 可知，当滚杠的最高点作用于一水平力 S 时，滚杠企图沿平面滑动，但由于受到地面的摩擦阻力 F 的作用，阻止它滑动，于是这二个力就形成一个力偶，沿着顺时针方向转动，方程式为

$$Sd=Qf,S=Qf/d$$

当如图 2-40 所示，产生重力为 Q 的重物放在托板上借管子滚动时，则牵引力为

$$S=\frac{K_{动}\ Q(f_1+f_2)}{d} \tag{2-71}$$

式中 S——滚动时的牵引力(N)；

$K_{动}$——动载荷系数，一般取 $K_{动}=1.1$；

Q——重物产生的重力(N)；

f_1——滚杠与滚动平面间的摩擦系数；

f_2——滚杠与放物体的托板间的摩擦系数；

d——滚杠的直径(cm)。

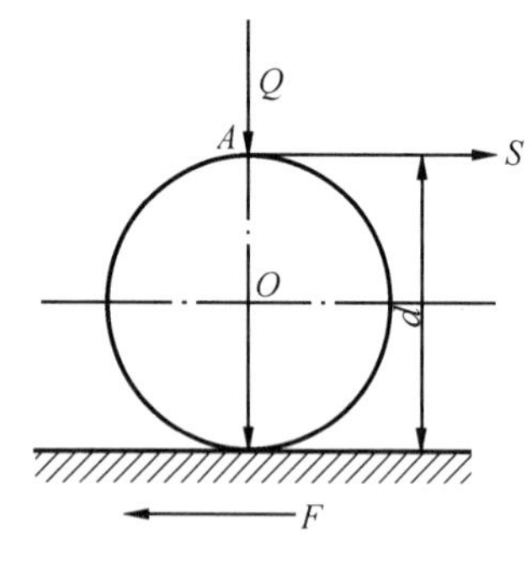

图 2-39 滚杠的受力分析

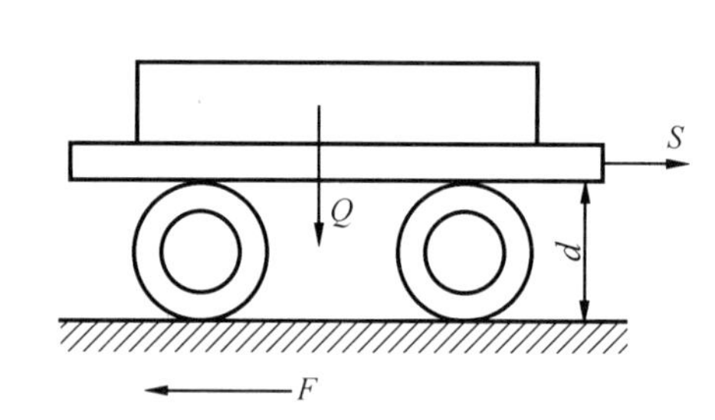

图 2-40 滚运设备的受力分析

三、斜坡滚运时设备载荷的计算

当在有坡度的斜面上滚运设备时，仍应考虑物体对斜面的正压力和下滑力，因此牵引力为

$$S=\frac{K_{动}\ Q(f_1+f_2)}{d}\pm\frac{K_{动}\ Q}{n} \tag{2-72}$$

式中正负号的取法与(2-68)式相同。

必须注意的是，实际滚动时，起动的牵引力要大于重物滚动时的牵引力，其值为

$$T=K_{起}\ S$$

式中 $K_{起}$——起动牵引力修正系数，见表 2-30。

表 2-30 起动牵引力的修正系数

滚运材料	$K_{起}$
钢滚杠对钢轨	1.5
钢滚杠对道木	2.5
钢滚杠对土地	3~5

四、滚杠根数的确定

滚杠受压后应保持其圆形截面，而不应被压变形，同时考虑到滚杠在运动过程中的受力不均匀。因此，滚运时所需的滚杠根数可按下式计算

$$n=\frac{K_{不}\ K_{动}\ Q}{wl} \tag{2-73}$$

式中 n——滚杠的根数；

$K_{不}$——不均匀系数，一般取 $K_{不}=1.2$；

$K_{动}$——运载荷系数，一般取 $K_{动}=1.1$；

Q——物体产生的重力(N)；

w——滚杠的许用载荷(N/cm)，查表 2-31；

l——每根滚杠上有效承压长度 cm。

例 1 有一台设备产生的重力为 392kN，用钢轨、道木和直径为 89mm，无缝钢管滚运，其起动时的牵引力多大？所需钢管多少根？

解 查表 2-29，$f_1=0.1\text{cm}$，$f_2=0.05\text{cm}$，查表 2-29，$K_{起}=2.5$，取 $K_{动}=1.1$，则

$$S=\frac{K_{动}\ Q(f_1+f_2)}{d}=\frac{1.1\times392\times10^3\times(0.1+0.05)}{8.9}=7.28\text{kN}$$

起动时牵引力 $T=K_{起}\ S=2.5\times7.28=18.2\text{kN}$

查表 2-31，$w=343\text{d}$。钢排是用四根 18 号钢轨，其宽度 $B=8\text{cm}$，所以 $l=4\times8=32\text{cm}$，取 $K_{不}=1.2$。

需要的钢管根数 $n=\frac{K_{不}\ K_{动}\ Q}{wl}=\frac{1.2\times1.1\times392\times10^3}{343\times8.9\times32}=5.3\approx6$ 根

考虑到前后倒运，选用 9～11 根钢管。

表 2-31 滚杠的许用载荷

滚杠材料	w		滚杠材料	w	
	N/cm	kgf/cm		N/cm	kgf/cm
松木	$39.2d$～$44.1d$	$4d$～$4.5d$	锻钢	$519.4d$	$53d$
硬木	$58.8d$	$6d$	厚壁无缝钢管充填混凝土	$392d$	$40d$
厚壁无缝钢管	$343d$	$35d$			

注：表中 d——滚杠的直径(cm)。

五、水平运输钢排子的设计与计算

钢排一般常用废旧钢轨制成，为了安全起见，需要对钢排进行初步的设计与计算，其内容主要是确定钢排的几何尺寸、滚杠根数、钢排的强度校核等三个方面的计算。

钢排几何尺寸，可根据初步确定的钢排几何尺寸的承压面积 F 算出的计算载荷及土质的承载能力 R，按下式确定

$$\frac{Q_{计}}{F} \leqslant [R] \tag{2-74}$$

式中　$Q_{计}$——计算载荷(N)；

F——钢排承压面积(m^2)；

$[R]$——土质的承载能力(kN/m^2)一般土壤的$[R]=196(kN/m^2)$。

滚杠的根数可按(2-73)式计算。

钢排的力学简化图形为弹性支承连续梁，要精确计算其强度比较复杂。但用钢轨和工字钢制成的结构简单的钢排，进行强度计算时可简化为简支梁进行。

例 2　有一减压塔，塔长 30m，直径为 4m，塔身产生的重力为 1960kN，如图 2-41 所示，用二个钢排进行横向运输，如果土壤的承载能力$[R]=196kN/m^2$，试设计钢排的尺寸。

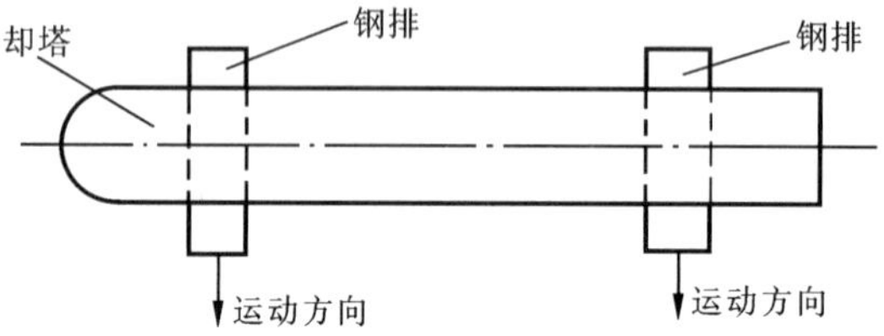

图 2-41　钢排的布置图

解　钢排尺寸的确定：

初取钢排长度　$l_0=5m$，

宽度　$B_0=4.5m$

取动载荷系数 $K_{动}=1.1$，弹性支承不均匀系数 $K_{不_1}=1.15$，滚杠受力不均匀系数 $K_{不_2}=1.3$，则

$$Q_{计}=K_{动}K_{不_1}K_{不_2}Q=1.1\times1.15\times1.3\times1960\times10^3$$

$$=3223.22\times10^3N=3223.22kN$$

钢排的承压面积　　$F=l_0B_0=5\times4.5=22.5m^2$

土质承压能力校核　$\frac{Q_{计}}{F}=\frac{3223.22\times10^3}{22.5}=143.25\times10^3N=143.25kN<[R]=196kN$

满足要求，所以钢排的尺寸取：

长度 $l=5m$，宽度 $B=4.5m$。

滚杠根数确定：

钢排如用四根 5m 长的 38 号旧钢轨焊接而成(图 2-42)钢轨底宽 $B=114mm$，截面面积

$$F=49.5cm^2,$$

滚杠选用 $d=114mm$ 的无缝钢管，有效承载长度 $l_1=4\times114=456mm$，由表 2-31 知，滚杠的许用载荷为 $w=343d=343\times11.4=3910.2N/cm^2$，代入(2-73)式，得

$$n=\frac{Q_{计}}{wl_1}=\frac{3223.22\times10^3}{3910.2\times45.6}=181 根$$

考虑到前后倒运的需要，选用 24 根滚杠。

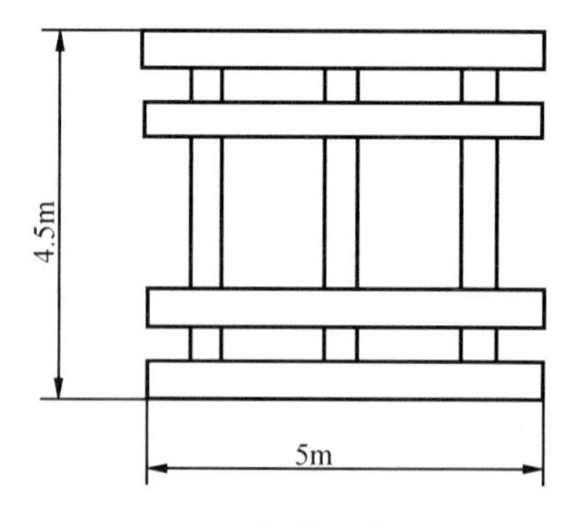

图 2-42　钢排的装配图

钢排的强度校核：

当塔离排时，钢排受集中载荷作用，受力最不利，故按此情况进行强度校核(图 2-43)。AB 跨内共有八个支承点，每个支点受力为 $N_c/8$。

设　$S_D=N_c=G/2=980kN$，$AB=400mm$，则

$$q_A=q_B=\frac{N_c}{8}=\frac{980\times10^3}{8}=122.5\times10^3\text{N}$$

弯矩

$$M\ \frac{1}{4}g_A AB=\frac{1}{4}\times122.5\times10^3\times400\times10^{-3}$$

$$=12250\text{N}\cdot\text{m}$$

38 号钢轨

$$W=178.9\text{cm}^3,[\sigma]=156.8\text{MN/m}^2$$

强度校核

$$\sigma=\frac{M}{W}=\frac{12250}{178.9\times10^{-6}}$$

$$=68.474\times10^6=68.474\text{MN/m}^2<[\sigma]$$

强度满足要求,此钢排使用安全。

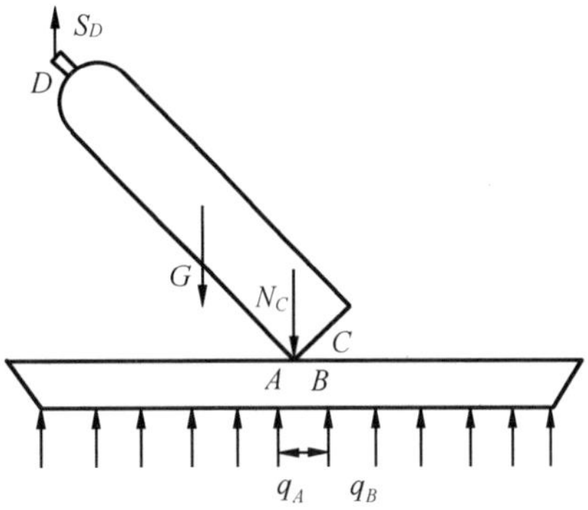

图 2-43　塔起吊离排时的受力简图

六、锚碇的计算

在拖移和起吊设备时,需要用绞车来拖曳钢丝绳。为了防止起吊和运移时绞车产生倾覆与滑动,确保安全,必须对绞车固定点所受的力进行计算。

(一)桩式锚碇加平衡重

如图 2-44 所示,将绞车固定在木垫上,前面设置木桩以防滑动,后面加设平衡重以防倾覆,钢丝绳受到水平方向的拉力,可按下式计算所需的平衡重产生的重力

$$Q=1.5\frac{Sa}{b} \tag{2-75}$$

式中　Q——平衡重产生的重力(N);

S——钢丝绳上的牵引力(N);

a——钢丝绳离地面的高度(m);

b——平衡重心至绞车前沿的距离(m);

1.5——安全系数。

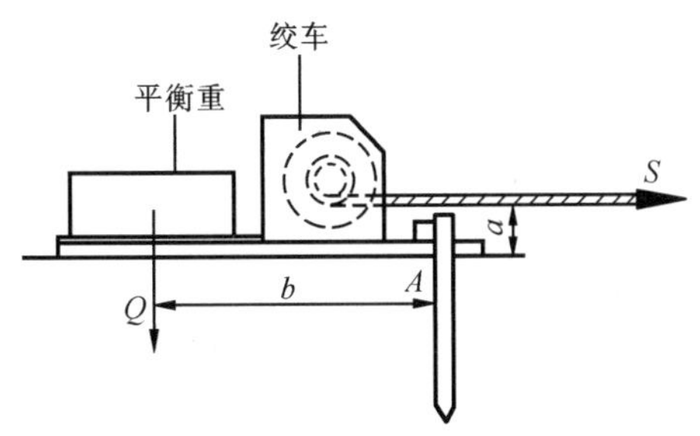

图 2-44　桩式锚碇加平衡重

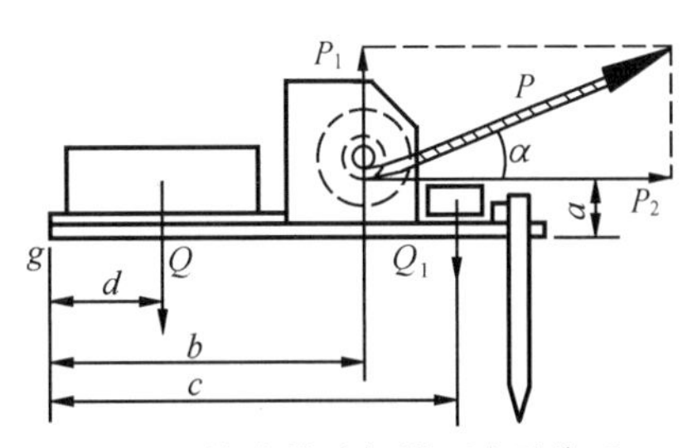

图 2-45　桩式锚碇加设两个平衡重

当钢丝绳受拉力后与地面有夹角时(图 2-45),除后面的平衡重外,有时在前面还要加平衡重,列出 B 点的力矩平衡方程,即可求出需要的平衡重。

$$P_1b=P_2a+Q_1c+Qd,$$

因为

$$P_1=P\sin\alpha,P_2=P\cos\alpha,$$

所以 $$Q_1=\frac{bP\sin\alpha-aP\text{con}\alpha-Qd}{c} \tag{2-76}$$

计算的结果，Q 为正值，则需要在绞车前面加设平衡重。

(二)水平式锚碇

如图 2-46 所示，将水平式锚碇的横梁即圆木横置于土中，承载能力较大。水平式锚碇可分为有档板和无档板两种。为了使锚碇在土壤中保持稳定状态，必须对水平式锚碇的抗拔力和抗拉力进行计算。

1. 无档板的水平式锚碇的计算

如图 2-47 所示，抗拔力就是锚碇在受外力垂直向上的分力作用下，锚碇抵抗向上滑移的能力。抗拔力 Q 由锚碇上部埋土产生的重力 G 和作用在锚碇上的土壤摩擦力下两部分组成。因此，在垂直分力的作用下应符合锚碇的稳定性。

$$Q=G+F,$$

其中 $G=\frac{b+b_1}{2}HL\gamma$，$F=fS_1=fS\cos\alpha$

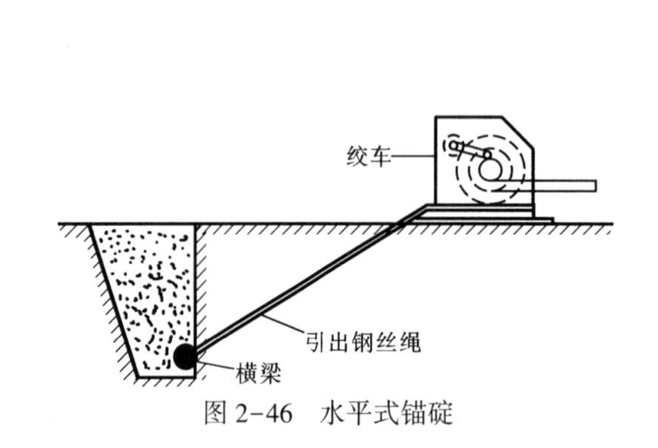

图 2-46 水平式锚碇

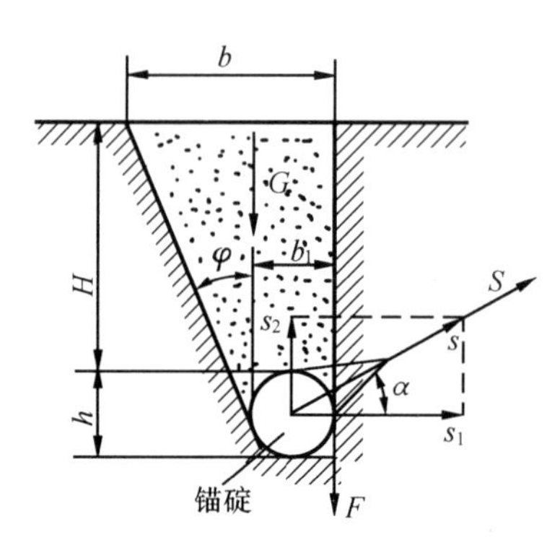

图2-47 无档板的水平式锚碇的计算简图

为了保证锚碇有足够的稳定性，抗拔力必须成倍于外力向上的垂直分力 S_2，即

$$G+F\geqslant KS_2=KS\sin\alpha$$

所以 $$\frac{b+b_1}{2}HL\gamma+fS\cos\alpha\geqslant KS\sin\alpha \tag{2-77}$$

式中 G——锚碇上部的土壤产生的重力(N)；

b——锚坑在地面上的宽度(m)；

$b=b_1+H\tan\varphi$；

b_1——锚坑底部的宽度(m)；

H——锚碇埋设的深度(m)；

L——锚碇的长度(m)；

γ——土壤单位体积产生的重力(N/m^3)，查表 2-32；

f——锚碇与土壤的滑动摩擦系数，硬木与土壤 $f=0.5$，钢与土壤 $f=0.4\sim0.45$；

S——外力(N)；

α——外力与水平面的夹角；

K——抗拔安全系数，$K=1.8\sim2.1$。

表 2-32　土的单位体积产生的重力和抗拔角 φ

土的名称		粘性土								砂性土		
		坚硬粘土	硬粘土	可塑粘土	坚硬亚粘土	硬亚粘土	可塑亚粘土	坚硬亚粘土	可塑亚粘土	粗砂土	中砂土	细砂土
γ	kN/m^3	17.64	16.66	15.68	17.64	16.66	15.68	17.64	16.66	17.64	16.66	15.68
	tf/m^3	1.8	1.7	1.6	1.8	1.7	1.6	1.8	1.7	1.8	1.7	1.6
φ		30°	25°	20°	27°	23°	19°	27°	23°	30°	28°	26°

抗拉力就是水平式锚碇在受外力水平向前分力的作用下,锚碇抵抗向前移动的能力。在水平分力的作用下,土壤所受的压力应符合

$$[\sigma]\eta \geqslant \frac{S_1}{hL}$$

即　$hL[\sigma]\eta \geqslant S_1$,因为 $S_1 = S\cos\alpha$,

所以保证锚碇不向前移动的抗拉力大小应为

$$hL[\sigma]\eta \geqslant S\cos\alpha \tag{2-78}$$

式中　h——锚碇的高度(m);

L——锚碇的长度(m);

$[\sigma]$——深度 H 处土壤的许用压应力(N/m^2),查表 2-33;

η——由于土壤压力不均所采用的许用压应力折减系数,查表 2-34。

表 2-33　深度 2 米处土壤的许用压应力$[\sigma]$

土层种类	$[\sigma]$		土层种类	$[\sigma]$	
	kN/m^2	tf/m^2		kN/m^2	tf/m^2
干燥、密实的中砂土	343	35	硬块砂质粘土	245~392	25~40
潮湿、密实的细砂土	294	30	片状砂质粘土	98~245	10~25
硬质粘土	245~588	25~60	碎石	392~588	40~60
片状粘土	98~245	10~25			

表 2-34　土壤的许用压应力的折减系数 η

锚碇材料		木材			钢材		
锚碇应力	MN/m^2	$\sigma \leqslant 2.94$	$2.94 \leqslant \sigma \leqslant 6.86$	$6.86 \leqslant \sigma \leqslant 9.8$	$\sigma \leqslant 49$	$49 \leqslant \sigma \leqslant 98$	$98 \leqslant \sigma \leqslant 147$
	kgf/m^2	$\sigma \leqslant 30\times10^4$	$30\times10^4 \leqslant \sigma \leqslant 70\times10^4$	$70\times10^4 \leqslant \sigma \leqslant 100\times10^4$	$\sigma \leqslant 500\times10^4$	$500\times10^4 \leqslant \sigma \leqslant 1000\times10^4$	$1000\times10^4 \leqslant \sigma \leqslant 1500\times10^4$
η	无档板水平式锚碇	0.38	0.33	0.28	0.30	0.26	0.23
	有档板水平式锚碇	0.48	0.43	0.38	0.43	0.38	0.33

单点固定锚碇的计算

如图 2-48 所示，对单点固定锚碇，可以认为外力 S 均匀分布在横梁的全长。其最大弯矩为

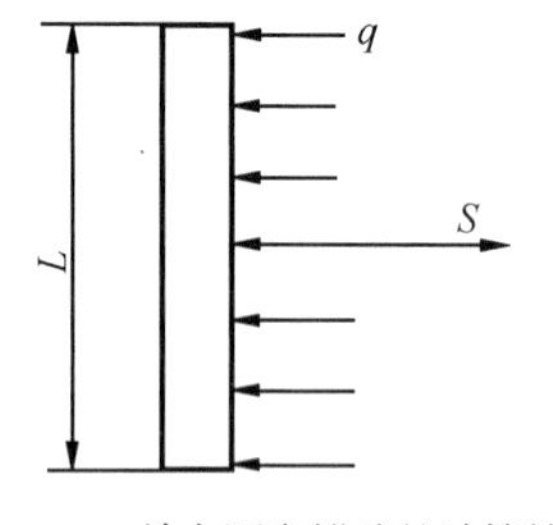

图 2-48 单点固定锚碇的计算简图

$$M_{max}=\frac{qL^2}{8} \tag{2-79}$$

横梁的强度验算 $\sigma=\frac{M_{max}}{W}\leqslant[\sigma]$ （2-80）

式中 q——横梁单位长度上的平均载荷，$q=S/L$（N/m）；

S——锚碇的许用拉力（N）；

W——横梁的断面系数（m^3）；

$[\sigma]$——横梁的许用应力（N/m^2）。

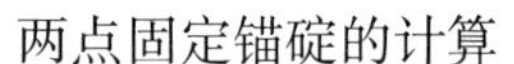

两点固定锚碇的计算

如图 2-49 所示，$a=0.207L$ 的情况为最好。横梁的强度校核按弯曲和压缩的条件校核，其最大弯矩为

$$M_{max}=\frac{qa^2}{2} \tag{2-81}$$

$$P=\frac{S}{2}\tan\beta \tag{2-82}$$

$$\sigma=\left(\frac{M_{max}}{W}+\frac{P}{F}\right)\leqslant[\sigma] \tag{2-83}$$

式中 p——横梁所受的轴向力（N）；

F——横梁的断面面积（m^2）

β——系结绳交点的中心线与系结绳之间的夹角。

2. 有档板加固的水平式锚碇的计算

图 2-50 为上面有压板，前方有档板加固的水平式锚碇的计算简图。

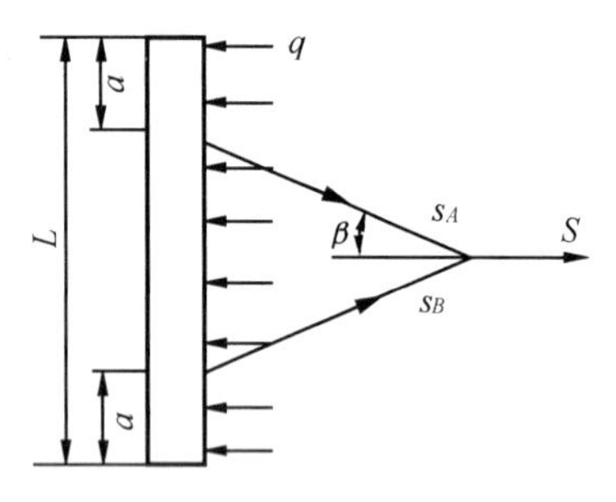

图 2-49 两点固定锚碇的计算简图

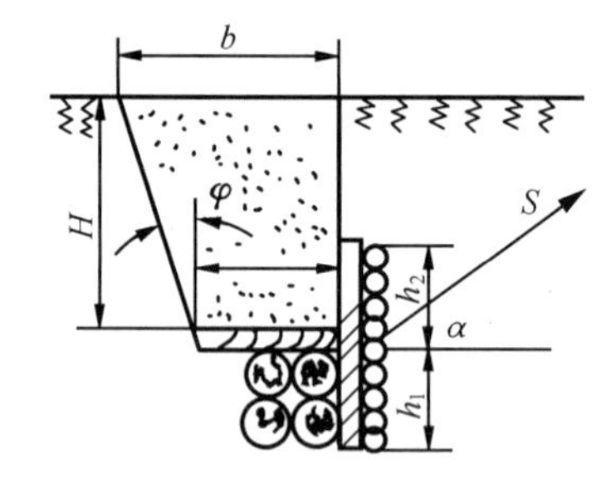

图 2-50 有档板加固的水平式锚碇的计算简图

抗拔力的计算与无档板的水平式锚碇的计算方法相同，即

$$\frac{b+b_1}{2}HL\gamma+fS\cos\alpha\geqslant KS\sin\alpha \tag{2-84}$$

抗拉力计算需要考虑因档板高度大于横梁高度，档土面积增加，即

$$(h_1+h_2)L[\sigma]\eta>S\cos\alpha \tag{2-85}$$

式中的符号同无档板水平式锚碇的相同。

横梁的强度校核与无挡板水平式锚碇的计算方法相同。

水平式锚碇的一般规格和承载能力可从表 2-35 中选取。

表 2-35　一般水平式锚碇的规格和许用拉力

作用在锚碇上的拉力（与地面夹角 30°）		横梁埋没深度（m）	横梁与挡板规格（cm）			
			横梁为两根圆木		挡　板	
kN	tf		直径 *d*	长度 *L*	直径 *D*×根数	长度 *L*
29. 4	3	1. 5	24×2	120		
49	5	1. 5	26×2	120	14×8	90
98	10	1. 5	26×2	200	16×10	110
147	15	2. 0	28×2	200	18×11	150

例 3　一桁架式把杆的缆风绳最大受力为 58. 8kN，与地平夹角为 30°，用无挡板水平式锚碇，横梁用直径 325mm，厚 8mm，长 2m 的无缝钢管锚碇使钢丝绳在横梁中间一点系结，选用两根抗拉强度为 $\sigma=151.9\text{MN/m}^2$、规格为 6×19+1、直径为 15. 5mm 钢丝绳，横梁埋设在密实的中砂土壤中，横梁埋没深度为 1. 8m，此水平式锚碇是否安全。

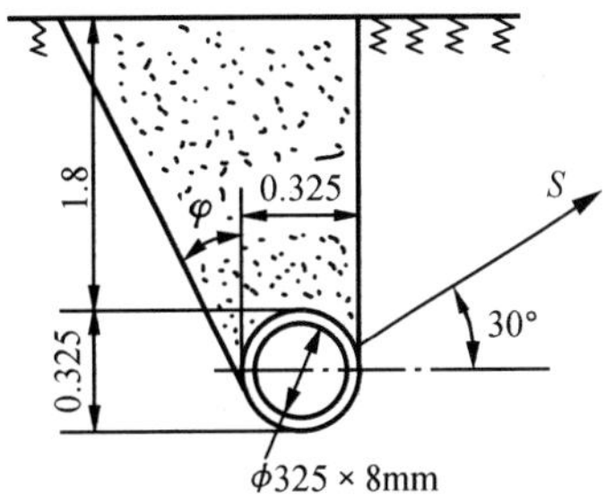

图 2-51　钢管无挡板水平式锚碇的示意图

解　如图 2-51 所示。

1. 校核引出钢丝绳的强度

查表 1-22，6×19+1，直径 15. 5mm 的钢丝绳，$\sigma=151.9\text{MN/m}^3$，其破断拉力总和为 135. 73kN，换算系数 $\varphi=0.85$，查表 1-21，安全系数 $K=3.5$。

引出钢丝绳的许用拉力

$$P_1=\frac{\varphi P_{总}}{K}=\frac{0.85\times135.73\times10^3}{3.5}=32.963\times10^3\text{N}$$

因而引出钢丝绳是两根，所以总许用拉力 P 为

$$P=2\times P_1=2\times32.963\times10^3=65.926\times10^3\text{N}=65.926\text{kN}>58.8\text{kN}$$

能够安全使用。

2. 校核横梁的强度

$$p=\frac{S}{L},M_{\max}=\frac{pL^2}{8}$$

$$M_{\max}=\frac{SL}{8}=\frac{58.8\times10^3\times2}{8}=14.7\times10^3\text{Nm}$$

所用∅325×8mm 的无缝钢管，$W=613\text{cm}^3$，$[\sigma]=151.9\text{MN/m}^2$

则
$$\sigma=\frac{M_{\max}}{W}=\frac{14.7\times10^3}{613\times10^{-6}}=23.98\text{MN/m}^2<[\sigma]$$

横梁的强度够。

3. 校核锚碇的抗拔力

因为　$b_1=0.325\text{m}, H=1.8\text{m}, L=1\text{m}, S=58.8\text{kN}, \alpha=30°$.

查表 2-32　$\gamma=16.66\text{kN/m}^3, \varphi=28°$，取 $f=0.45$，

所以　$b=b_1+H\tan\varphi=0.325+1.8\times\tan28°=1.283\text{m}$，

$$Q=\frac{b+b_1}{2}HL\gamma+fS\cos\alpha$$

$$=\frac{1.283+0.325}{2}\times1.8\times2\times16.66\times10^3+0.45\times58.8\times10^3\times\cos30°$$

$$=71.13\times10^3\text{N}=71.13\text{kN}$$

按稳定性要求：$Q\geqslant KS\sin\alpha$，

取 $K=2$ 则

$$KS\sin\alpha=2\times58.8\times\sin30°=58.8\text{kN},$$

$$Q=71.13\text{kN}>KS\sin\alpha=58.8\text{kN}$$

抗拔力符合稳定性要求。

4. 校核锚碇的抗拉力。

因为　$h=0.325\text{m}, L=2\text{m}, S=58.8\text{kN}, \alpha=30°$，

查表 2-33　$[\sigma]=343\text{kN/m}^2$，查表 2-34　$\eta=0.23$，

$$hL[\sigma]\eta>S\cos\alpha$$

所以

$$0.325\times2\times343\times0.23>58.8\times\cos30°$$

$$51.279\text{kN}>50.921\text{kN}$$

抗拉力满足要求。所以锚碇能安全使用。

（三）桩式锚碇的计算

桩式锚碇一般是用直径 18～30mm 的圆木木桩打入土中。其入土的深入不小于 1.5m，桩木向后倾斜 10°～15°，如图 2-52 所示。为了增加桩锚的抗拉能力，木桩前部靠近地面处需埋置木档板。

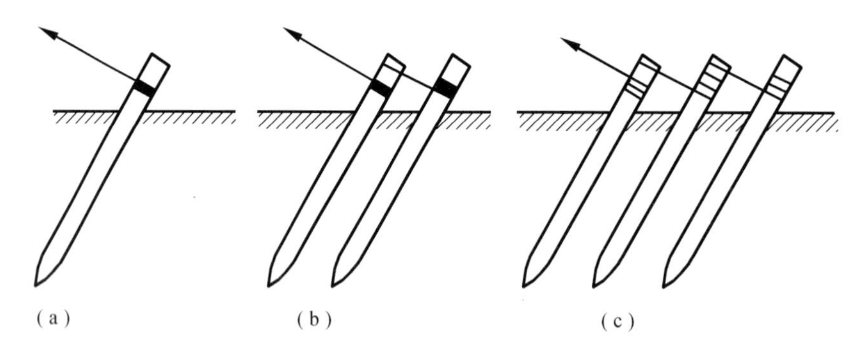

图 2-52　桩式锚碇的示意图

(a)单桩式；(b)双桩式；(c)三桩式

如图 2-53 所示，设打入土中的锚桩直径为 d，桩的入土深度为 H，在靠近地面处埋置木档板面积为 $2Ba$，则土壤所受的应力为

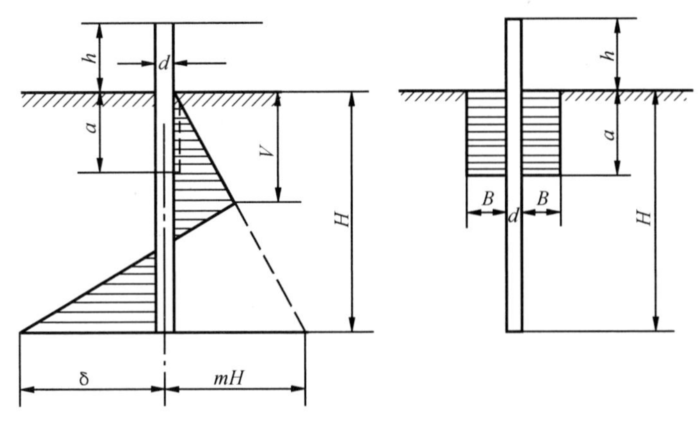

图 2-53　桩式锚碇的计算图

$$\sigma=\frac{\left(mH^2-2\frac{S}{d}+2ma^2b\right)^2}{mH^3-\sigma\frac{S}{d}(H+h)+\sigma ma^2\left(h-\frac{2}{3}a\right)}-mH \tag{2-86}$$

式中　σ——土壤中的应力(N/m^2);

H——锚桩理入土中的深度(m);

h——到内力作用点的距离(m);

S——水平内力(N);

d——锚桩的直径(m);

a——档板的高度(m);

b——半个档板的宽度(桩木不计算在内)(m)。

该应力应小于许可应力,许可应力为

$$\sigma=mH,$$

式中系数

$$m=r\left[\tan^2\left(45°+\frac{\varphi}{2}\right)-\tan^2\left(45°-\frac{\varphi}{2}\right)\right]$$

如 σ 值为负值,即表示需要增大 H;

其中　γ——土壤的单位体积产生的重力(N/m^3),查表 2-31;

φ——土壤的自然坡度角,查表 2-36。

(四)混凝土锚碇的计算

图 2-54 所示的混凝土锚碇,它是依靠自重来平衡作用力的,必须校核其对颠覆的稳定性。按下式校核

$$Qb \geqslant KSL \tag{2-87}$$

式中　Q——锚碇产生的重力(kN);

S——作用于锚碇上的拉力(kN);

b——锚碇质心至边缘的距离(m);

L——锚碇受力处至锚底端的距离(m);

K——安全系数,一般 $K \geqslant 1.4$。

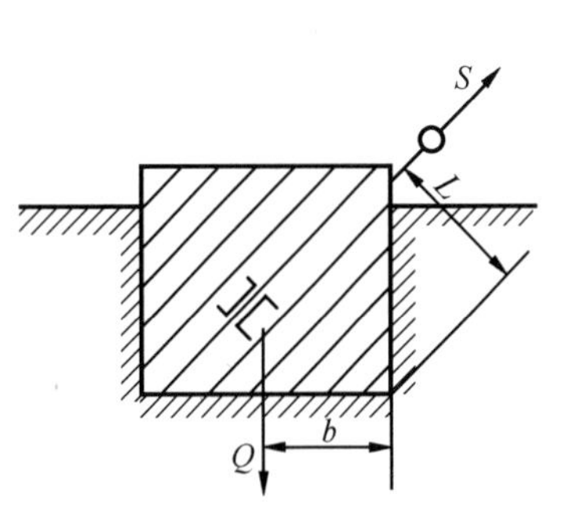

图 2-54　混凝土锚碇

（五）活地锚的计算

如图 2-55 所示，活地锚在地面上固定，靠自重来平衡作用力，须校核其对颠覆的稳定性。

表 2-36　土壤摩擦角的系数

类别	土壤名称及状态		φ（度）	$\tan\varphi$	$\tan^2(45°-\frac{\varphi}{2})$	$\tan^2(45°+\frac{\varphi}{2})$	类别	土壤名称及状态		φ（度）	$\tan\varphi$	$\tan^2(45°-\frac{\varphi}{2})$	$\tan^2(45°+\frac{\varphi}{2})$
砂类土壤	亚砂土	稍湿	25	0.47	0.41	2.46	粘结土壤	粘　土	流运	12	0.21	0.66	1.51
		潮湿	22	0.40	0.45	2.19			可塑	25	0.47	0.41	2.46
		饱和	17	0.31	0.55	1.82			半硬	37	0.75	0.25	4.00
	粉砂土	稍湿	30	0.58	0.34	2.99		重粘土	流动	15	0.27	0.59	1.69
		潮湿	25	0.47	0.41	2.46			可塑	28	0.53	0.36	2.76
		饱和	20	0.36	0.49	2.04			半硬	40	0.84	0.22	4.58
	细　砂	稍湿	30	0.58	0.34	2.99		亚粘土	流动	20	0.36	0.49	2.04
		潮湿	27	0.51	0.37	2.66			可塑	32	0.62	0.31	3.24
		饱和	25	0.47	0.41	2.46			半硬	40	0.84	0.22	4.58
	中　砂	稍湿	33	0.65	0.29	3.99		粉质亚粘　土	流动	10	0.18	0.71	1.42
		潮湿	30	0.58	0.34	2.99			可塑	20	0.36	0.49	2.04
		饱和	28	0.53	0.36	2.76			半硬	33	0.65	0.29	3.39
	粗砂及砂　砾	稍湿	35	0.70	0.27	3.69	结构土壤	淤泥质土　壤	稍湿	30	0.58	0.34	2.99
		潮湿	33	0.65	0.29	3.39			潮湿	20	0.36	0.49	2.04
		饱和	33	0.65	0.29	3.39			饱和	12	0.21	0.66	1.51
	卵石及砾　石	稍湿	40	0.84	0.22	4.58		种植土	稍湿	40	0.84	0.22	4.58
		潮湿	40	0.84	0.22	4.58			潮湿	33	0.65	0.29	3.39
		饱和	40	0.84	0.22	4.58			饱和				

注：表中所列的数值均以中等密实土壤为准。

垂直方向的稳定条件为

$$Q \geqslant \frac{KSL\sin\alpha}{b} \quad (2-88)$$

水平方向的稳定条件为

$$Q \geqslant \frac{KS\cos\alpha + f\sin\alpha}{f} \quad (2-89)$$

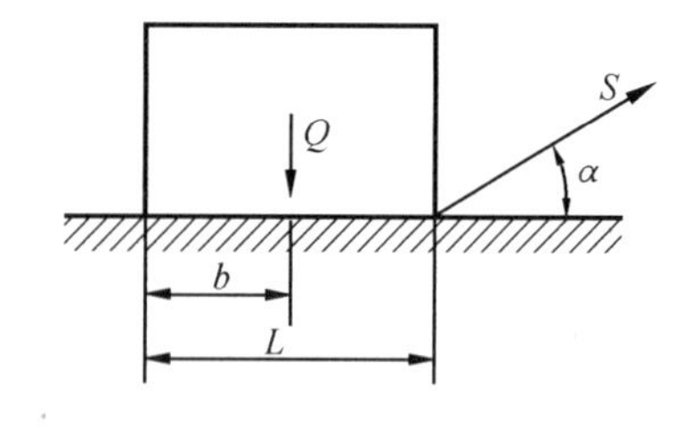

图 2-55　活地锚的计算示意图

式中　Q——活地锚产生的重力（kN）；

S——作用于活动锚上的拉力（kN）；

b——活地锚质心至边缘的距离（m）；

L——活地锚的长度（m）；

α——拉力与水平面间的夹角；

K——安全系数，一般取 $K=2$；

f——滑动摩擦系数，在土质地面上一般取 $f=0.4\sim0.5$。

例 4　一台重力为 49kN 绞车在水泥路面上，不允许打桩、开孔，应采用何种方法固定？

解　不允许打桩和开孔,就不能采用桩式锚碇、水平式锚碇和混凝土锚碇,又没有可利用的建筑物作地锚,则只能采用活动锚。

已知活动锚受的拉力 $S=49\text{kN}$。如果拉力方向 $\alpha=0$,活地锚材料采用压铁,滑动摩擦系数 $f=0.4$,所需压铁产生的重力为

$$Q=\frac{KS(\cos\alpha+f\sin\alpha)}{f}=\frac{KS}{f}=\frac{2\times49}{0.4}=245\text{kN}$$

第十二节　水路运输的计算

船厂中经常要利用驳船,方驳等运输设备,水路运输工作是船厂起重工的日常工作之一。为便于工作,下面简单介绍一些水路运输的计算。

一、排水量及浮力的计算

当船舶浮在水中时,船体与水接触的表面上各点都受到水的压力,如图 2-56。由于船体是左右对称的,因此水压力的水平分力左右相抵消。水压力的竖向分力的总和(即合力)方向向上称为浮力。

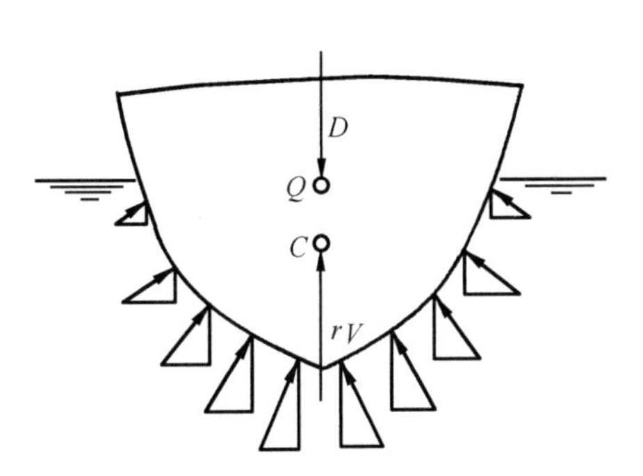

图 2-56　船体浮力的示意图

船体所排开水的体积称为排水体积,用 V 表示。排水体积的质心就是浮力合力的作用点称为浮心,用 C 表示。

除了水压力外,船体上还作用有重力。船舶所受的重力就是船舶本身和它装载荷产生的重力的总和。船舶各部分重力合力的作用点一般以 Q 表示。

根据物体平衡的条件,船舶在水中漂浮的平衡条件是:重力与浮力大小相等,方向相反,并且作用在同一条直线上,其计算式为

$$Q=D=\gamma Vg \tag{2-90}$$

此式称为浮性方程式,

式中　Q——船产生的重力(kN);

D——排水量(kN);

γ——水的密度,淡水:$\gamma=1\text{kg/m}^3$,海水:$\gamma=1.025\text{kg/m}^3$;

V——船体排开水的体积(m^3)。

船体在设计水线以下的体积 V 与其处框长方形体积之比,叫方型系数,以 δ 表示:

$$\delta=\frac{V}{BLT} \tag{2-91}$$

式中　B——船体型宽(m);

L——船体的长度(m);

T——船体中部的吃水(m)。

例 1　一内河船,已知船长为 40m,型宽为 6m,吃水为 1.5m,方型系数为 0.6,求该船的排水量。

解 由(2-91)式知 $V=\delta BLT=0.6\times40\times6\times1.45=216\text{m}^3$

因为 内河水 $\gamma=9.8\text{kN/m}^3$

所以 排水量 $D=\gamma V=9.8\times10^3\times216=2116.8\times10^3\text{N}=2116.8\text{kN}$

船舶的总载重量即为满载时的排水量减去空船时的排水量。

二、拖缆的计算

船舶拖缆,由于工作环境不同,使用条件比较复杂,要精确计算比较困难。下面介绍的计算方法主要考虑的是具有普遍性的因素,不能完全适应具体船舶工作环境的特点,因此在使用时应注意修正,下面介绍拖缆直径的计算。

当匀速拖带时,拖缆所受的张力等于被拖船舶的阻力,而被拖船舶的阻力取决于船的吨位、受风面积和拖带速度。被拖船的总阻力 F 可按下式估算:

$$F=\frac{\sqrt[3]{9.8\times D^2V^2\lambda}}{K} \tag{2-92}$$

式中 F——被拖船的总阻力(kN);

D——被拖船的排水量(kN);

V——拖速(kn);

λ——修正系数,海面小波(风力1~3级)时取1.5~2.0;开花浪(风力4~6级)时取3~5;

K——系数,一般为3000~4000。

拖缆直径 d 由下式确定

$$d=\sqrt{\frac{FK}{\eta}} \tag{2-93}$$

式中 K——安全系数,由气象及拖带时间决定,一般取4,长距离有风浪时取6~8,情况特殊时取10。

η——拖缆的强度系数,硬钢丝绳为0.49;半硬钢丝绳为0.47;软钢丝绳为0.392。

例2 某拖轮离港口拖带一艘排水量为735kN的船舶,海上风力3级,顶风拖8节,安全系数取10,需配备拖缆钢丝绳的直径应为多少?

解 因 风力3级,故 取 $\lambda=2$,系数 K 取中间值,为 $K=3600$,则

$$F=\frac{\sqrt[3]{9.8\times D^2}V^2\lambda}{K}=\frac{\sqrt[3]{9.8\times735^2}\times8^2\times2}{3600}=6.194\text{kN}$$

若拖缆钢丝绳为半硬钢丝绳,$\eta=0.4704$,K 取10,则

$$d=\sqrt{\frac{FK}{\eta}}=\sqrt{\frac{6.194\times10}{0.4704}}=11.47\approx11.5\text{mm}$$

思 考 题

1. 把杆的缆风绳最少几根?缆风绳与地面的夹角一般应控制在多少度,为什么?
2. 如何确定把杆的高度?

3. 人字把杆的两杆底脚宽度一般应控制在多大为宜，为什么？
4. 图解法求把杆内力的原理是什么，如何运用？
5. 树立高跨比龙门把杆为什么要进行封架，有几种封架办法？
6. 抬令把杆吊杆的起重幅度与起重量有什么关系？
7. 估算物体的质量一般有几种方法？
8. 在起吊重物时，为什么要知道物体的重心？其位置如何确定？
9. 选择物体吊点的一般原则是什么？
10. 在进行起重吊索具计算时，为什么要考虑动载荷系数不均匀载荷？
11. 滑动摩擦和滚动摩擦有什么区别？如何计算滑行运输和滚行运输的牵引力？
12. 起重工作常用的地锚有哪几种形式？

习　题

1. 如图 2-8 所示，有一木质独脚把杆，稍径为 200mm，把杆长度 L 为 8m，倾斜 15°，用四根缆风绳固定，缆风绳与地面夹角为 45°，吊重为 29.4kN，用走四滑轮组，滑轮组产生的重力为 29.4kN，偏心距为 100mm，把杆木材的许用应力为 11.76kN/m^2，问此把杆使用时是否安全？

2. 如图 2-9 所示一钢管独脚把杆，A3 钢管制成，钢管外径为 245mm，壁厚 10mm，把杆长 14m，把杆顶部顶环 $e=25$cm，把杆顶部与把杆支座水平轴所在平面的距离为 12.65m，用四根缆风绳固定，缆风绳与地平面夹角为 45°，吊重 98kN，采用“四四走八”穿绕过一个导向滑轮，最后引向绞车，滑轮组重 9.6kN，校核此把杆的强度和稳定性。

3. 有一副 A3 钢管制成的人字把杆，把杆长 13m，钢管外径为 245mm，壁厚 8mm，每根钢管自重 5.88kN，把杆所在平面与地面夹角为 85°，两把杆之间的夹角为 20°，吊重 196kN，采用“四四走八”穿绕过一个导向滑轮最后引向绞车，滑轮组重 14.7kN，前后各 3 根缆风绳，缆风绳与地面夹角为 45°，此把杆能否安全使用？（参见图 2-14）。

4. 有一副龙门把杆，起重量 $Q=588$kN，一根把杆重力为 $G_1=78.4$kN，横梁重力为 9.8kN，每侧用两组滑轮组，每组滑轮组重力为 $q=7.84$kN，滑轮组中心线与垂线间夹角 $\gamma=5°$，一侧两滑轮组中心线间夹角 $2\gamma_0=30°$，用六根稳索，每根与地面夹角 $\alpha=30°$，求各部分受力多少？

5. 有一副抬令把杆，起重量 $Q=147$kN，桅杆自重 $G_2=98$kN，吊杆自重 $G_1=58.8$kN，变幅滑轮组重 $q_1=9.8$kN，起重滑轮组重 $q=7.84$kN，把杆高 $H=33$m，吊杆计算长度 $L=30$m，把杆底座至地锚距离 $a=60$m，吊杆与地面夹角 $\alpha_1=60°$，变幅滑车组与水平面夹角 $\beta=25°$，缆风绳 $n=6$，缆风绳与地面夹角 $\alpha=30°$，起重滑轮组跑绳拉力 $S=29.4$kN，变幅滑轮组跑绳拉力 $S_1=27.44$kN，求各部分的受力为多少？

6. 某厂有一桥式起重机，其主副梁重力为 1960kN，需从车间外运到车间内进行拼装。用钢轨拖排、道木和 $D=11.4$cm 的无缝钢管为滚杠进行滚运，试求牵引拉力 S 和所需滚杠根数？其中最大坡度为 1/10。选用多大功率的绞车和多粗的钢丝绳？

7. 一台重力为 98kN 的电动绞车在水泥路面上，不允许打桩、开孔，应采用何种方法固定？并配备什么规格的地锚？

8. 一把杆的缆风绳最大受力为 78.4kN，与地面夹角 30°，用无档木坑锚，锚碇用直径

377mm，厚为 8mm 的 3 号钢无缝钢管，长 3m，坑锚引出的钢丝绳在锚碇中间一点系结，选用两根坑拉强度为 1666MN/m^2，规格为 6×19+1，直径 18.5mm 钢丝绳，坑锚埋设在密实的中砂土壤中，锚碇埋设深度为 1.7mm，此无档木坑锚是否安全可靠？

第三章　运输工艺

在修、造船过程中,从一张张钢板,一件件设备到建成一艘巨轮,物料的搬运次数是很频繁的。船厂内物料的搬运可分为:铁路运输、水上运输、机动车辆(载重汽车、大平板车等)运输、排子运输、气垫运输等。

第一节　铁路运输

铁路运输的主要优点是安全、快速、运输能力大、运输成本低,受气候条件的影响比较小等。

一、将设备装卸火车

设备的装卸火车,一般可利用车站的龙门起重机、装卸桥和流动起重机等起重设备。在车站缺少起重设备的情况下,重大设备可采取滑行装卸法装卸火车。即在搭好的斜道木垛上放置两根或两根以上的钢轨,并在钢轨上涂上一层润滑脂,以减少钢排和钢轨之间的摩擦力。由绞车滚筒引出来的钢丝绳通过一定数量的滑轮,以增大速比,用小功率的绞车就可装卸大的设备。

采用滑行装卸法,必须先根据设备的外形尺寸、质量、重心位置和场地情况,配备好的工具设备。然后如图 3-1 所示,在货车的平台与设备所在的底座平面之间搭成一个斜道木垛,在货车另一侧安装一台绞车,用钢丝绳把设备连接捆绑好后,与穿好滑轮组的动滑轮组相连。然后统一指挥,用千斤顶把设备顶起(多台千斤顶联合作业时,顶升速度必须保持同步),将钢轨和钢排安放在设备下面,松下千斤顶使设备落在钢排上,开动绞车将设备平稳地牵引上车,而后再用千斤顶将设备顶起,抽出钢轨和钢排,将设备放妥在火车上。

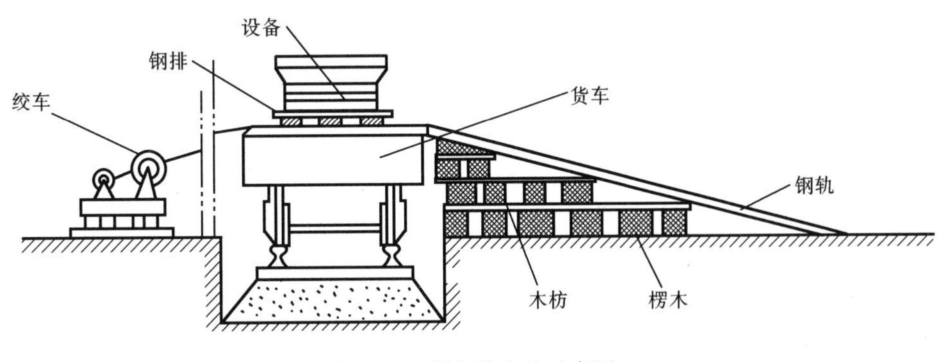

图 3-1　滑行装车法示意图

重型、大型的设备在货车上安放时必须注意：

（一）设备产生的重力应均匀布于货车的中梁和两个侧梁上。

（二）使用普通平板车装载，必须铺垫横木时，两横木间的最小距离和最大允许装载量，应符合表3-1的规定。

（三）设备支承面的宽度，未搭在平车两侧梁上时，其允许装载量为按上表中查得的允许装载量的八分之五。

表3-1 普通平板车装载集中货物时最大允许载重表

平车底板载重长度（mm）	最大允许装载量		
	294kN	392kN	490kN
	kN	kN	kN
1000	88.2	88.2	98.0
2000	98.0	98.0	117.6
3000	117.6	117.6	117.6
4000	137.2	137.2	176.4
5000	166.0	176.4	225.4
6000	196.0	225.4	274.4
7000	245.0	284.2	343.0
8000	294.0	333.2	421.4
9000	—	392.0	490.0

为了保证设备能够经受正常的行车震动、调车作业和通过曲线而产生的纵向力和横向力的作用，在运输全过程中不致发生移动、倒塌和坠落，必须对设备进行捆绑加固。捆绑加固的部位应在与货物的重心高度相等处，捆绑成八字形，绳索与车底板纵、横斜度尽量接近45°（图3-2）。

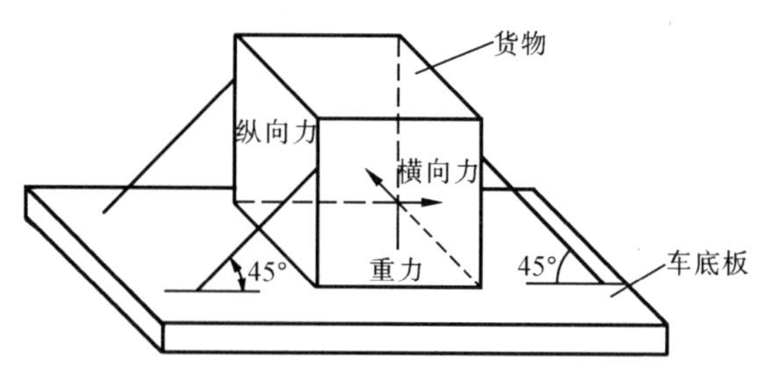

图3-2 设备捆绑加固示意图

货物的卸车比装车容易得多，但采用滑行装卸法卸车时，必须在下车的一侧增设一台绞车供设备从车平面牵引到木垛斜坡处用。当设备借助自重力向下滑动时，另一侧的绞车则慢慢跟着松绳。当设备滑到地面后，同样用千斤顶将设备顶起再把设备下面的钢排、钢轨抽出。

二、设备装载限界

为了确保列车在运行中防止所装载的设备与铁路建筑物（如桥梁、山洞、天桥、站台、雨棚、房屋建筑等）碰撞，确保列车运行的安全通过而必须严格遵守的限界，称为设备装载限界。所有装载于货车上的设备的高度和宽度，以及其他的任何部位的情况，均应在图3-3

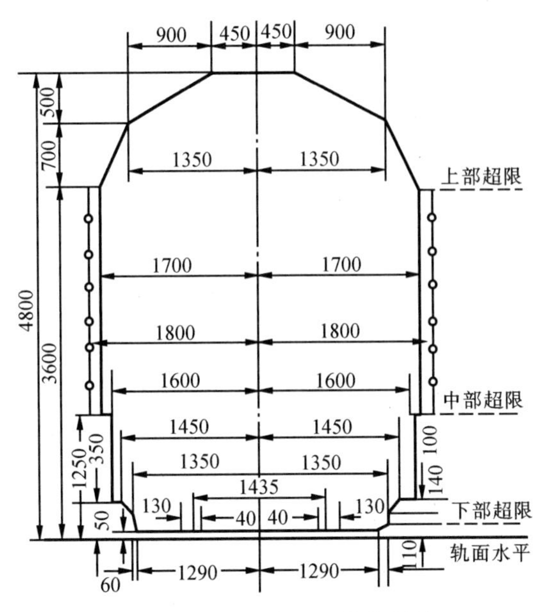

图 3-3　火车货车厢的装载限界

和表 3-2 中所规定的设备装载限界范围之内，不得超出。

表 3-2　火车货车车厢的装载尺寸表(mm)

从轨面算起的高度	车厢纵中心算起的侧宽度	全部宽度	从轨面算起的高度	车厢纵中心算起的侧宽度	全部宽度
4800	450	900	4100	1450	2900
4700	630	1260	4000	1500	3000
4600	810	1620	3900	1550	3100
4500	990	1980	3800	1600	3200
4400	1170	2340	3700	1650	3300
4300	1350	2700	1250~3600	1700	3400
4200	1400	2800	1250 以下	1600	3200

注：装载设备的高度和宽度包括篷布、绳索、支柱等。

第二节　水路运输

水路运输是设备运输的起、终点，都要靠近码头。运输距离较大时可采用标准船舶和专用船舶。也可以将设备全部封闭直接放在水中飘浮，用拖轮直接拖运。船厂中较多运用驳船和方驳进行运输。

一、船舶的稳性和提高稳性的措施

当船舶受到外力作用时会离开平衡位置而倾斜，一旦外力消失后，能够自行回到原来平衡位置的能力，叫做船舶的稳性。按船舶倾斜状态的不同，可分为横稳性和纵稳性两种。当船舶的外形比较瘦长时，其横倾比纵倾要大得多。如图 3-4 所示，船舶在外力矩作用下，横倾一小角度 θ 后，其重心 G 的位置不变，浮心的 C 移到 C_1，浮力作用线与中线面的交点 M 称为稳心，间距 GM 则称为稳性高度。一艘配载情况正常的船，通常稳心在高处，重心居中，浮心在低处。但船舶在配载中，通常会出现下述三种情况：

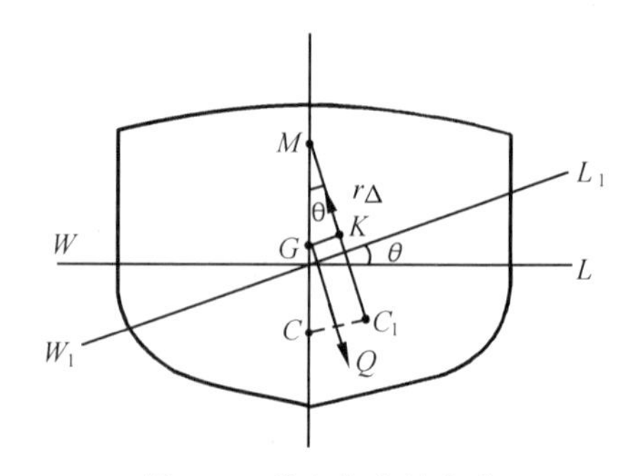

图 3-4　稳心与稳性高度

（一）如果配载满足了稳心在上，重心居中，浮心在下的条件，船舶将处于如图 3-5a 所示的稳定平衡状态。因为船舶倾斜后，重心 G 的位置保持不变，而浮心 C 移向船所倾斜的一侧（至 C_1），由于重心 G 在稳心 M 之下，此时显然重力 P 与浮力 F 相等，但由于重心和浮心不在一条直线上，则船的重力和浮力将成一个使船回复到平衡位置的力矩——恢复力矩。所以，船舶处于稳定平衡的状态。

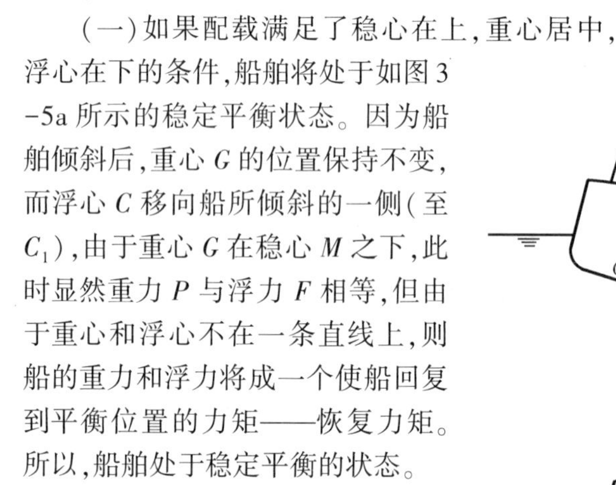

（二）重心在稳心之上，船舶处于不稳定平衡状态。如图 3-5b 所示。因为船舶倾斜之后所产生的力矩将使船舶继续向倾斜的方向倾斜，直至倾覆。所以在此种状况下船舶是不平衡状态。

（三）重心与稳心两心重合，如图 3-5c 所示，船舶处于中性平衡状态。因为船受外力矩作用倾斜后，重心与浮力作用在同一直线上，它们所构成的回复力矩等于零。当外力消除后，船舶将保持原来的倾斜状态。这种中性平衡状态也称为“随遇平衡状态”。

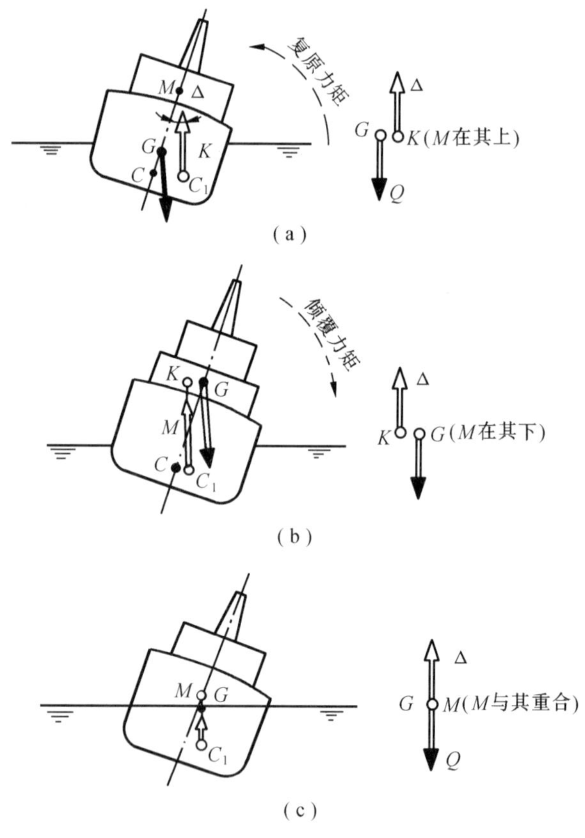

图 3-5　船舶的平衡状态

因此我们在船上装载货物时，应使船舶处于稳定平衡状态。从图 3-6 中我们可以看到，船内货物移动时对船舶的稳性和浮态有三种情况：

1. 重物作垂向移动（图 3-6a），造成了重心位置的变化，所以船舶的初稳心也发生了变化，变化的数值就等于重心移动的距离 h。但是船舶产生的总重力未发生变化，重心和浮力仍处于一垂线上，正浮条件没有发生变化，因此，货物作垂向移动时，不改变船舶的浮态，只改变初稳心高度及纵稳心高度。

2. 货物横向移动后(图 3-6b)，重力作用线与原浮力作用线不在同一垂线上，这便造成了使船舶倾斜的力偶，船舶在此力偶矩作用下产生倾斜。因此，货物横向移动时，船舶的浮态将发生横向倾斜，而初稳心高度基本不变。

3. 货物纵向移动后(图 3-6c)，重心位置发生变化，后果是使船舶产生纵倾，使吃水也发生了相应的变化。因此货物作水平纵向移动后会使船的浮态发生变化，重物前移使船产生首倾，重物后移会使船产生尾倾。稳心高度几乎没有什么影响。

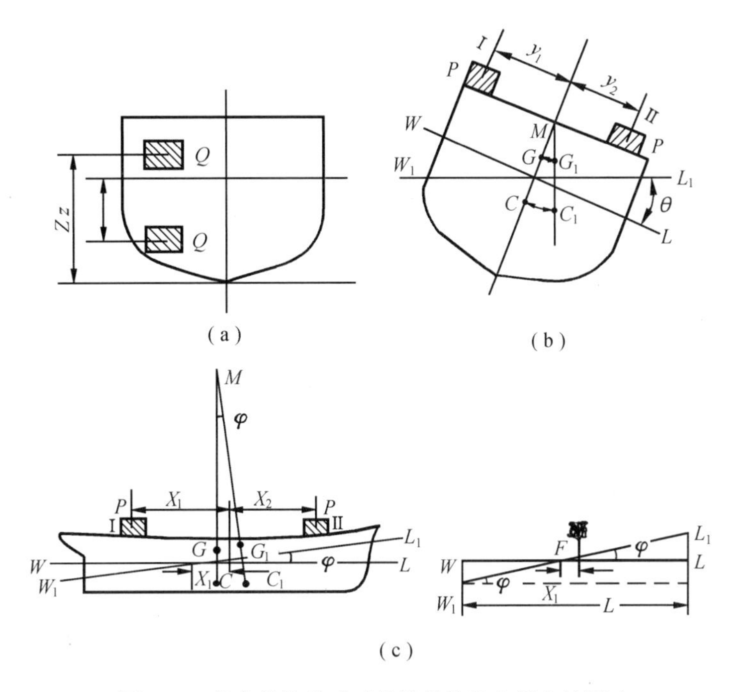

图 3-6 船内货物移动对船舶的稳性和浮态的影响

为使船舶具有一定的稳性，确保航行安全，一般都从降低重心 G 和提高稳心 M 这两方面着手。从船舶装载货物来讲，应把重的货物放在船舱底部以降低重心。为了降低船舶的重心高度以保证船舶的稳性，舱底往往要配备密度比较大的物件。对于方驳有时还需放置平衡重压载，降低重心，提高方驳的稳性。装在两舷的货物，应保持产生的重力基本相等，避免船舶发生横向倾斜。对于重、大件货物还必须捆绑加固，以防船舶航行时，由于船纵横摇摆，上下颠簸，货物位移，使船产生倾斜，危及船舶的安全。

二、货物的捆绑加固

当船向左右、前后摇摆时，站在甲板上的人就觉得一个力量在推他，使他的身体不能自主。对于装在甲板上的货物也有这种力作用着，为了要抵抗这种力，使甲板上的物体固定在船上不动，就必须利用绳索等来绑住它。由于船舶航行时受力情况十分复杂，对于捆绑加固的材料只能根据和货物的受力情况进行估算。

如图 3-7 所示，船倾斜后在静态下，货物会产生平行于斜面的下滑力 F 和对斜面的正

压力 P,其值为

$$F=Q\sin\theta, P=Q\cos\theta$$

实际上,由于船舶在航行时是摇摆的,所以货物也处在摇摆状态中,并有一定的加速度。在摇摆过程中,货物受有切向力、离心力、下滑力、上浪冲击力和风力等。其中离心力很小,可忽略不计。

由于船摇摆,货物受到的横向力往往要比纵向力大 1~2 倍,因此在计算货物的受力时通常只计算横向力即可。船在摇摆过程中,当货物的重心正好在船舶纵剖面上时,则货物产生的下滑力和切向力重叠,这时横向力最大。当横向力最大时,而上浪冲击力和风力的方向又与横向力的合力方向一致,货物的受力情况最不利(图 3-8)。

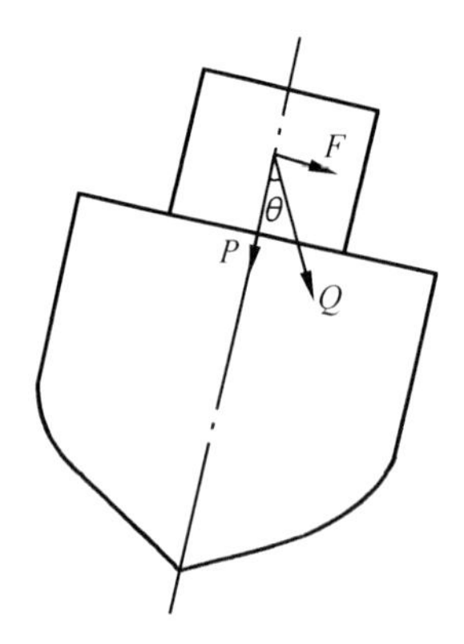

图 3-7 船倾斜后货物的受力简图

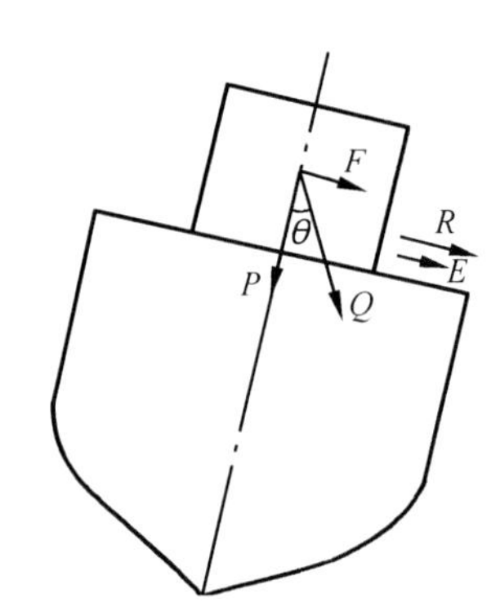

图 3-8 货物所受到的最大横向力简图

货物所受的切向力 R 为

$$R=\frac{4\pi^2 QL\theta}{5.73gT^2} \tag{3-1}$$

式中 R——货物所受的切向力(N);

Q——货物产生的重力(N);

L——货物重心到摇摆中心的距离(m);

θ——摇摆角度(rad);

g——重力加速度,$g=9.8\text{m/s}^2$;

T——摇摆周期(s)。

上浪冲击力 N,由于浪的大小与方向、航线、季节的不同变化很复杂,所以只能根据实际经验确定。也可在计算横向力时,把计算值取得大一些,从而考虑到上浪冲击力的影响。

货物所受的风力 E 的大小

$$E=qB \tag{3-2}$$

式中 E——货物所受的风力(N);

q——风压(N/m^2),查表 3-3;

B——货物迎风面面积(m^2)。

货物所受到的最大横向力为

$$S_{横}=R+F+N+E \tag{3-3}$$

在 $S_{横}$ 作用下,捆绑加固材料所受的力为

$$S_{绳}=S_{横}-F_{摩}$$

表 3-3 风力等级表

等级	名称	象征		相当风速(离地面 10m)			风压	
		陆地	海面	m/s	km/h	海里/小时	N/m^2	kgf/m^2
0	无风	静烟直上	静	0~0.2	<1	<1	0~0.0392	0~0.004
1	轻风	烟能表示风向,但风向标不能转动	普通渔船略微摇动	0.3~1.5	1~5	1~3	0.0882~2.205	0.009~0.225
2	轻风	人面感觉有风,树叶微响,风向标转动	渔船张帆的可顺风移动,每小时移 2~3 公里	1.6~3.3	6~11	4~6	2.5088~10.6722	0.256~1.089
3	微风	树叶及细枝摇动不止,旌旗展开	渔船略有簸动,顺风每小时行 5~6 公里	3.4~5.4	12~19	7~10	11.3288~28.5768	1.156~2.916
4	和风	地面灰尘和纸张吹起,小树枝摇动	渔船满帆时倾侧于一方	5.5~7.9	20~28	11~16	29.645~61.1618	3.025~6.241
5	清风	有叶的小树摇动,内河水面起小浪	渔船收去张帆的一部分	8.0~10.7	29~38	17~21	62.72~112.2002	6.4~11.449
6	强风	大树枝摇动,电线呼呼有声,举伞困难	渔船加倍收帆,捕鱼有风险	10.8~13.8	39~49	22~27	114.3072~186.6312	11.664~19.044
7	疾风	全树摇动,迎风步行感觉不便	渔船停泊港中或下锚于海面	13.9~17.1	50~61	28~33	110.9458~286.5618	11.321~29.241
8	大风	树枝折毁,人向前行感觉阻力甚大	近港渔船,停留不出	17.2~20.7	62~74	34~40	289.884~419.93	29.58~42.85
9	烈风	烟囱顶部及压瓦被吹掉,小房有损坏	汽船航行困难	20.8~24.4	75~88	41~47	423.948~583.494	43.26~59.54
10	狂风	树木拔起,建筑物吹毁,陆上少见	汽船航行很危险	24.5~28.4	89~102	48~55	618.184~790.468	63.03~80.66
11	暴风	陆上很少,若有则造成重大损毁	汽船遇之极危险	28.5~32.6	103~117	56~63	786.254~1041.544	80.23~106.28
12	飓风	陆上极少,摧毁力极大	海浪滔天	732.6	>117	>63	1041.544	>106.28

注:表内 5 级清风,亦称轻动风。当风力达到 6 级时(风力大于 117.6N/m^2),起重吊装工作应予停止,门座起重机、龙门行车应夹紧夹轨钳,并在车轮底下塞好木楔。

式中　$S_{绳}$——捆绑绳索所受的力(N);

$F_{摩}$——货物的重力所产生的摩擦力(N);

$$F_{摩}=fp=fQ\cos\theta$$

f——滑动摩擦系数,查表 2-27。

根据捆绑加固匝数和角度,加固的绳索所承受的拉力为

$$S_{绳拉}=\frac{KS_{绳}}{n\cos\alpha\cos\beta} \tag{3-4}$$

式中　K——安全系数,取 4~6;

n——加固匝数;

α——加固绳索与甲板间的夹角;

β——加固绳索在甲板上的投影与甲板横向间的夹角。

捆绑加固是防止货物横向位移最理想的加固法,可以使作用于物体上的力互相抵消,因为作用于货物上的力是与甲板平行的,所以使钢丝绳为水平方向成八字形的捆绑最理想。但由于甲板、舱底、货物外形等条件的限制,而钢丝绳往往不能实现水平方向或八字形的捆绑,所以不得不将绳索经过货物的上面或货物的某部位再向下与甲板成一角度,这一角度称为绑扎角,如图 3-9 所示,它随被捆绑物的大小和甲板条件而定,但要注意,绳至少呈水平方向或向下的,超过水平方向而向上是起不到捆绑加固作用的。因此,应根据具体情况和要求来决定捆绑加固的方法。捆绑加固时,既要做到不松动,又要做到容易解开,以防万一发生危险时,能立即松开或割断。在航行时要不断检查有否松动,对有松动的绳索,要及时纠正。

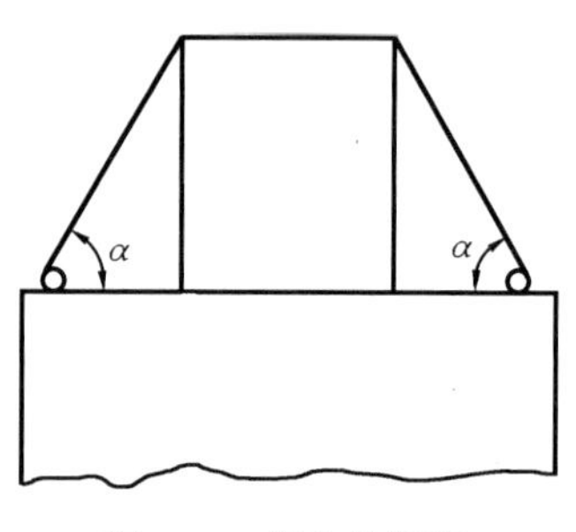

图 3-9　货物的捆绑

货物在方驳上的捆绑绳索的固定处,一般要用甲板上的环圈,如甲板上没有环圈,可利用中间的带缆桩,但不能影响带缆。方驳一般不允许超载、超长和超宽。如因特殊情况需要超长和超宽装载时应采取措施,但应注意只能单边超宽(一般只允许少量的超宽),不能影响拖轮泊拖。

三、大型设备装卸船工艺的制定

(一)制定的主要依据

1. 船舶和船舶载重量。

2. 设备的质量、重心位置、外形、尺寸、吊装位置和吊装要求。

3. 起重设备,如船吊、浮吊、门座起重机等技术性能的情况。

4. 吊索具情况:是否有专用吊架、吊装用的钢丝绳及卸扣的规格及负荷。

5. 操作过程主要有三种:

(1)车⇆船;(2)场⇆船;(3)船⇆船(驳船)。

(二)一般操作程序

1. 准备工作:根据装卸的设备、操作过程和操作方法等情况,准备好起重机、辅助机械、吊架以及根据计算选用的钢丝绳和卸扣,并根据需要准备好的垫木、木楔等。

2. 根据船舶的装载位置或放置场地,放好垫木。

3. 拆除设备上的捆绑加固材料,如钢丝绳、拉紧器(花篮螺丝)等。

4. 根据吊点位置,捆绑好钢丝绳(一般大型设备都有吊装标记,如果没有,请看有关资料或仔细察看装船或装车时钢丝绳的捆绑痕迹)。

5. 捆绑好钢丝绳后,挂好钩,指挥起吊至钢丝绳拉紧,停车检查,无异常情况,再继续起吊。

6. 设备吊至位置后,根据需要加放好垫木、木楔等防止设备发生移动,然后拆下吊索具。

7. 装船后,根据需要捆绑加固好。

第三节 载重汽车和平板车运输

船厂大量的运输工作是由载重汽车和平板车来完成的。载重汽车通常用于小型设备和比较轻的货物的运输,平板车则用于中大型设备和沉重的货物的运输。如在厂区内,把车间安装好的中型柴油机运到船台或码头吊船安装;把船体车间内的船体分段运到船台合拢,都是利用平板车。

运输的货物按装卸方法可分类如下。

成件货物——每一件货物都有一定的质量、形状和体积,其又有包皮与不包皮之分,包皮的有箱装、袋装和桶装。

堆积货物——是用堆积方法装载的货物。

灌注的货物——是指无包皮的液体货物。

按运输和保管的条件分,有普通货物和特种货物。特种货物是根据运输中所采取的特别措施,以保证行驶安全和货物完整无损为依据而确定的,如特大的、长形的、沉重的、危险的和易爆、易燃的等。

一、货物的装载限度

载重汽车和平板车装载货物时要严格执行交通规则的有关规定,不得超重、超高、超宽、超长。若遇特殊情况时,运输的物资超过了规定的限度,则必须经过当地交通、公安部门的同意才能出车,按照指定的路线和时间行驶,并在货物上端必须挂好明显的标记(白天挂红布条,夜间挂红灯),在运输途中要有两人以上负责瞭望看管。

交通安全方面的规定:载重汽车装载的高度,从地面起,不得超过 4m;装载后的宽度每边不得超过前叶子板或后轮胎外缘 20cm(图 3-10);装载后的长度,车上货物伸出车箱前后的总长度不得超过 2m(图 3-11)。

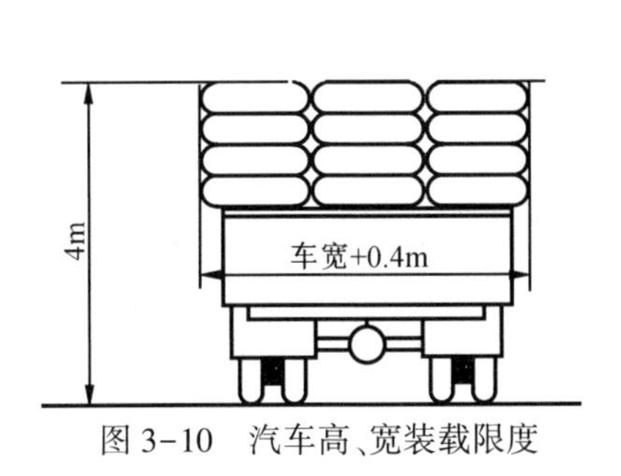

图 3-10　汽车高、宽装载限度

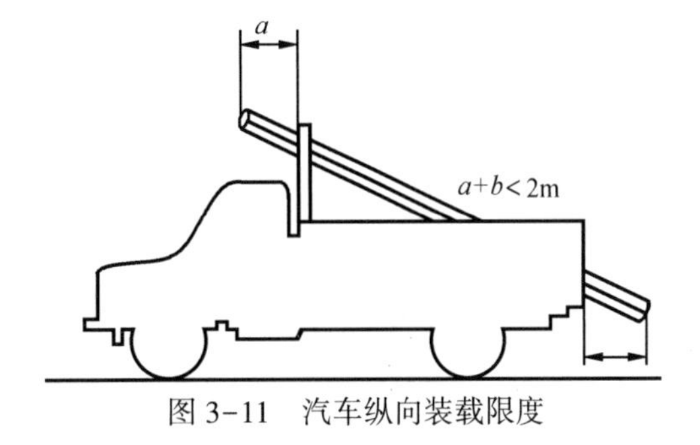

图 3-11　汽车纵向装载限度

二、货物的装载和捆绑加固

用载重汽车和平板车运输的货物，在船厂内目前通常采用起重机械进行装卸，在缺乏起重设备的地方，可采用滑行装卸法或滚行装卸法来装卸货物。吊运货物时必须遵守起重操作规程，货物必须捆绑平稳牢固，棱角快口部位及精密部件必须采取衬垫措施。吊点要选择正确，一般重大型设备都有吊装标记，如没有标记，应看有关资料或仔细察看以前装卸时钢丝绳的捆绑痕迹，如二者都没有，应找有关人员问明设备的结构，共同确定吊装位置。

装载货物的质量分布要均匀，前后左右要一致，不能偏重一边，重心要越低越好。不需要捆绑的较重货物，可均匀地放在车板上。容易滚动的货物和形状不规则的货物要绑牢和用木楔垫牢。比较沉重的货物，不能单面放置，因为车辆转向行驶时所受的横向力，主要是圆周行驶时的离心力，其数值为 mV^2/r，它和物体的质量、车速的平方成正比，转弯半径成反比。也就是说，货物的质量越大，离心力越大。当车速增加两倍时，离心力增加四倍，车速增加三倍时，离心力增加九倍，转弯半径越小，离心力也越大。因此装载货物过高或不均衡时，容易发生横向翻车。例如，比较沉重的货物单边偏置左侧，汽车向右转弯时，就有向左侧发生横向翻车的危险；同时，装载偏置于后轴，就可能由于载荷分布的变化而使转向失去控制，甚至造成向后翻车；装载偏置前方，会因前轴负荷过大，如果在松软道路上行驶，前轮陷入土内较多，过多的增加了汽车前轮的滚动阻力，影响车辆的通过性。

装运危险物品，必须按危险物品的特点和性质分类装运，夏天要采取防晒措施，严格做到轻装轻卸，严禁吸烟和携带火种。车上应按规定挂上“危险品”标志旗。装运各种受压气瓶，应事先检查气瓶的安全情况，瓶口安全帽要齐全，气瓶装运后瓶口要朝一个方向，必须垫平放稳不能滚动。搬运时，要轻装轻卸，严禁抛、滚、滑等不安全的装卸操作，并禁止接触油类。船体分段体积大，重心高，放置平板车上应使其支撑面最大，处于稳定的平稳状态，并在分段与车板之间用木楞头垫好。木楞头的垫放位置一定要在车的梁处和分段的肋骨处，以防分段变形。

货物装载后的捆绑加固，应根据货物的性质、质量、形状和重心位置进行。捆绑加固的部位（即着力点）应在与货物重心高度相等处，捆绑形状拉成八字形，拉索要与车底板成一角度。如受条件限制时，绑绳也可经过货物的上面再由两边向下。加绑角度的大小随货物的大小、车板的条件而定，绑绳的张力与加绑角度的大小有很大关系，加绑角度大，绑绳的张力也大，所以，在条件许可的情况下，应尽量使加绑的角度减小。

三、运输工艺的制定

重大设备的运输工艺，要依据运输的设备、车辆、场地、起重设备、吊索具、运输路线及操作过程的要求而制定。

（一）制定的主要依据

1. 运输设备的质量、重心、外形尺寸、吊装位置和吊装要求。

2. 运输路线的道路路面情况、路面宽度、转弯半径、限定标志高度、路途桥梁的承载能力等。

3. 车辆的技术性能。

4. 起重设备的技术性能。

5. 吊索具情况：是否有专用的吊架、吊装用的钢丝绳等的规格及负荷量。

6. 操作过程,主要有两种情况:

(1)制造(安放)地→车→安装(安放)场地;

(2)船(火车)⇆车⇆安装(安放)场地。

(二)一般操作程序

1. 准备工作:根据运输的设备、操作过程和操作方法等情况,配备好运输的车辆、起重机械和吊索具,并根据计算选用好钢丝绳和卸扣,根据需要准备好垫木、木楔和衬垫等。

2. 车上放好垫木或木楞头,放置位置要在车梁上。

3. 根据吊点位置捆绑好钢丝绳。

4. 捆绑好钢丝绳后,生好吊索挂好钩,由专人指挥起重机缓缓起吊至钢丝绳拉紧时停车,检查有否异常情况,确认安全可靠后,再继续起吊。

5. 运输的设备放置车上后,根据需要加放垫木、木楔,防止设备移动,然后拆下吊索具。

6. 根据需要捆绑加固。

7. 将设备加固后进行全面检查,确认安全可靠后,开动车辆。在运输途中应有专人瞭望看管,随时注意设备的加固情况,如有松绑等现象要及时排除。

8. 到达目的地后,拆除加固材料,参考第3、4条,再把设备吊起至位。

第四节　排子运输

对于大中型设备,例如船体分段、车间内的主机、大型车床等在不具备起重设备的条件下,常采用排子运输的方法。因此,排子运输是起重工的日常工作。排子运输工作的范围广,工作对象也复杂,因此采用的运输工具也不同。根据设备和周围环境情况,通常可采用托板滚杠、润滑脂滑板和钢排子运输。

一、托板滚扛运输

托板滚杠运输就是采用托板、滚杠拖移设备进行运输,是起重作业中常用的一种方法。

(一)托板滚杠的布置

图3-12是托板滚杠的工艺布置图,由下托板、上托板、格栅栏板、走板和滚杠组成。一般情况下设备底下是上托板,上托板下面是格栅栏板,格栅栏板下面是走板,走板下面是滚杠,滚杠下面为下托板,下托板是直接铺在地面上的,起道木的作用。

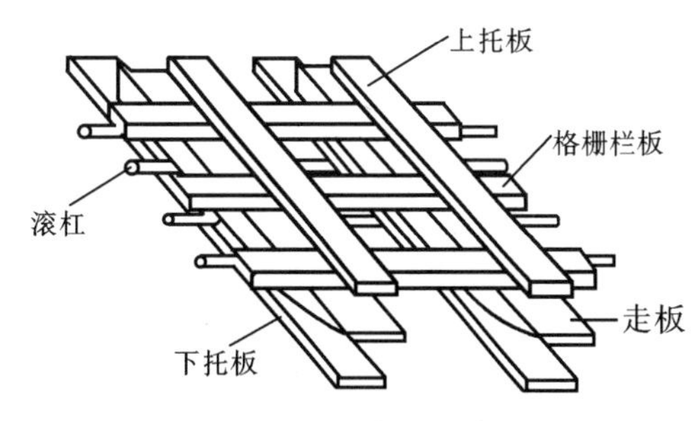

图3-12　托板、滚杠工艺布置图

走板一般用红松、水曲柳、落叶松、榆木、柞木、楠木、柏木等木材制成较厚的木板或木方而成。走板的两头必须要有适当的坡口,使其容易走上滚杠。走板的长短应根据设备的长度而定,但两块走板的长短、厚度必须一致,以免设备在滚杠上前进时发生偏斜,产生受力不均等现象。所用的上托板、格栅栏板和走板的长度、宽度和厚度都应根据设备的质量和外形尺寸而定,主要掌握以下两点:

1. 这些工具板的长度必须使设备平稳。不能太短，短了会使设备搁不稳。但也不能太长，长了会在前进时影响道路两旁的物体和妨碍操作。

2. 这些工具板的厚度必须能够承受设备产生的重力。

(二)一般操作顺序

1. 准备工作：根据设备的质量、外形尺寸、场地环境及现场的起重设备情况，进行计算，再根据计算的结果，配备好工具板、滚杠、绞车、钢丝绳、滑轮、卸扣、千斤顶等，并根据需要准备好木楞头、垫板、木楔、大榔头、衬垫等。

2. 固定好绞车、导向滑轮、定滑轮，把钢丝绳从滑轮中穿好，并按移动路线铺好道木(下托板)。

3. 捆绑好设备：体高的设备捆绑点位置必须在重心的下端，不能在重心的上端，否则拖移时设备容易摇动，造成倾覆。长形设备，如顺长的方向拖拉，捆绑点位置应在重心的稍前端；如果横向拖拉，两绑点位置应在距重心等距离的两端。

4. 捆绑好设备后，把钢丝绳与穿好钢丝绳的滑轮组中的动滑轮连接好。

5. 把设备顶高：把着地放置的设备设法顶高，一般均采用若干只千斤顶把设备同步顶高。但有些外形特殊的设备不能采用同步顶高法顶高，可采用单边顶高法。但单边顶高之前，必须先在顶高位置的对面处用木楞头和木楔等填塞着实，防止顶高时，设备移动。进行单边顶高时应注意，不能一下子就把单面顶得太高，必须两面逐步顶高，逐步填实，直至到需要的高度为止。

设备顶到所需高度后，四周用木楞头垫好，木楞头必须都垫得平稳着实，同样高低，有圆势的地方用木楔塞紧，不能有丝毫摇动不稳的现象。四周楞头放置的位置还需注意，应留有一定的开档，作为填放走板与格栅栏板的位置。四周木楞头填实后作保险楞头用，千斤顶不应松下，应使保险楞头和千斤顶同时受力。

6. 填放走板、滚杠、格栅栏板和上下托板，其填放步骤如下：

(1)填放下托板两块，相互平行，设备的重心应在两块托板的中间；

(2)在下托板上填放滚杠若干根，滚杠与下托板成正十字形；

(3)滚杠上放走板两块，与下托板一致，相互平行，并且两头应该相齐，不能歪斜不正；

(4)走板上面横放格栅栏板两块或三、四块，具体应根据设备产生的重力而定，但在放格栅栏板之前，应先在走板的两头下面横放木板各一块，防止走板在滚杠上滚动，影响到格栅栏板和上托板位置的正确性；

(5)在格栅栏板上面再填放上托板两板，相互平行，和格栅栏板成正十字形；

(6)各种工具板填放好之后，应用搭马把走板和格栅栏板钉牢，防止设备移动时受力而扯移走动；

7. 走板、托板和滚杠等填放妥当后，用千斤顶把设备顶起，抽去木楞头，然后把设备平稳地落到托板上去。设备坐落在托板上之后，就可开动绞车开始拖移。

(三)注意事项

1. 使用的滚杠直径应一致，长短要基本一样。

2. 当设备一直向前移动时，滚杠应该都和下托板垂直成正十字形(图 3-13b)，不能有歪斜。如果发现其中有一根歪斜，就应用大榔头敲正。

3. 设备要向左或向右拐弯前进时，前面的滚杠应向左或向右偏斜，后面滚杠的偏斜方向与前面滚杠的方向正好相反，正中间的滚杠仍与走板垂直，不能歪斜(图 3-13a、c)。

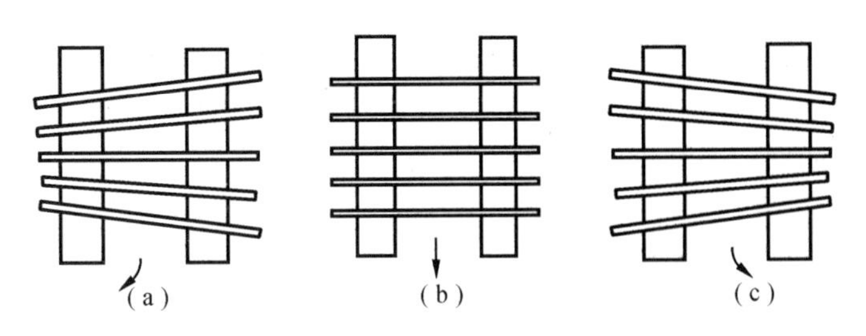

图 3-13　滚杠走向的示意图

4. 添加滚杠时,应将两个手指或四个手指放在滚杠筒内,以防手指被压伤。

5. 绞车司机的注意力应高度集中,听从统一指挥。

二、润滑脂(黄油)滑板运输

对于大型设备,拖移途径多是泥地时,一般可采用润滑脂滑板运输。

(一)润滑脂滑板的布置

图 3-14 是润滑脂滑板的工艺布置图,主要有木滑道、木滑板和横撑木(龙门撑)组成。

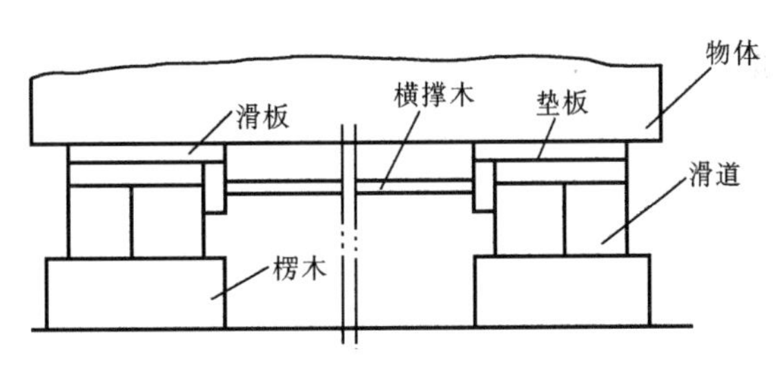

图 3-14　润滑脂滑板的布置图

木滑道一般常用 300mm×300mm、250mm×250mm、200mm×200mm 的木方在地面上铺设而成。设备移动时,滑道起导向作用。因此在排滑道时,两根滑道必须互相平行,两根滑道间的横向水平误差应取正值。如取负值,在设备移动时,由于滑板两端横撑木的长度是确定的,就会造成滑道的开档过小而影响通过。为了防止设备移动时滑道移动,滑道与地面一般要采取固定措施。有时泥地无法采取固定措施时,则滑道与滑板间的摩擦系数应远远低于滑道与地面间的摩擦系数。

滑道上面涂有润滑脂(通常涂黄油),以降低摩擦系数,从而减少摩擦力,然后再放上滑板,滑板可利用船舶上下排时用的滑板。为了防止设备移动时,滑板向内横向移动,应在并排的两块滑板的两端架设横撑木。横撑木的放置位置不能过高或过低,应如图 3-15 所示在护木伸出端和滑板交界处,应使这两部分在设备移动时,均能受到力。

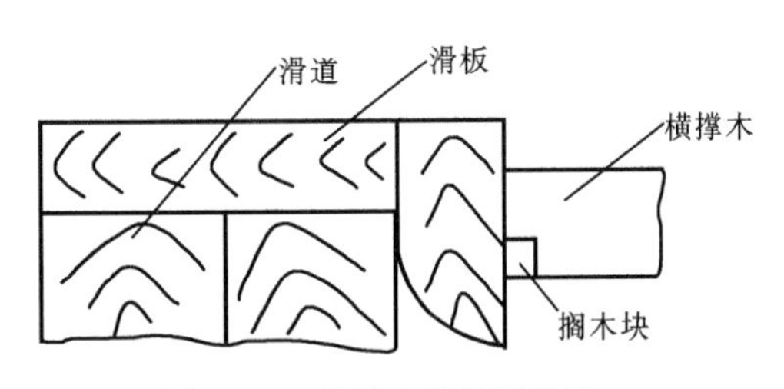

图 3-15　横撑木的放置位置

(二)一般操作顺序

1. 准备工作:根据设备的质量、外形尺寸、重心位置、行走路线及周围场地环境,配备好木滑道、木滑板、木楞头、垫板、横撑木等。根据计算配备好绞车、钢丝绳、滑轮、卸扣、千斤顶等。同时根据需要,配备好垫板、衬垫、木榔头、黄油等材料。

2. 固定好绞车、定滑轮、导向滑轮,并把钢丝绳从滑轮中穿好。

3. 铺排滑道:排滑道时地面要夯实,遇有电缆沟、水道沟等处,要采取措施扩大承载面积,降低单位面积上地面的承载压力。需要爬坡时,可根据需要排出一定的坡度。两根滑道必须互相平行。

4. 清洁滑道:如使用旧滑道,应把滑道上的脏物等铲清。

5. 参照托板滚杠操作顺序中3、4、5步骤,把设备捆绑好,顶高设备,填好保险楔头。

6. 安放滑道、滑板和横撑木:先安放滑道,滑道放妥当后,在滑道上涂上黄油,然后再安放滑板,最后放置横撑木。

7. 顶起千斤顶,抽去四周楔头,松下千斤顶,把设备坐落在滑板上后,开动绞车开始拖移。必须注意,设备坐落到滑板上后,应立即开动绞车进行拖移,停留时间不能长,否则起动时的牵引力将会大大增加以致不能起动。

(三)钢排子运输

排子运输除采用托板滚杠和润滑脂滑板运输外,还可采用钢排子进行运输。钢排子通常由钢管、槽钢、角钢等构成,也可利用旧钢轨等制成。运输时将设备放在排子上,两侧用木楔或挤木塞牢,进行拖移。图3-16为滑运钢排子的结构形式。钢排子的一般操作程序与托板滚杠、润滑脂滑板运输程序基本相同,可根据具体的运输设行情况参照进行。

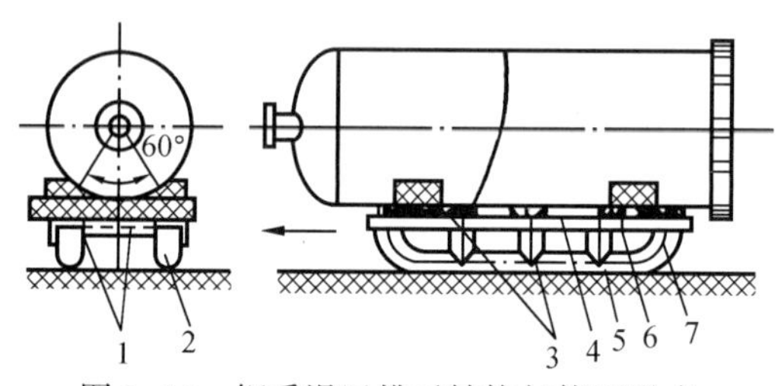

图3-16 钢质滑运排子结构与使用形式

1—角钢;2—排管;3—托木架;4—槽钢;5—支管;6—托木;7—挤木

第五节 气垫运输

气垫运输就是把具有一定压力的空气围封在某一物体下面,形成一层气垫,利有这层气垫产生的静压力,支承该物体,使它可以较为自由地在地面上移动。工厂内部进行气垫运输时采用的气垫支承装置是利用压力较高,流量较小的气源,借助于挠性的隔膜,形成一层很薄的气垫,支承负载。图3-17是船厂中用于移动重型柴油机的气垫支承装置结构简图。主要由四种元件组成:上面是一块30mm厚的托板,下面是气膜,气膜用法兰压板固定在托板上,托板中央有一支承座,在气垫未充气之前,支承座承受全部载荷。当压缩空气通入时,气膜就鼓起,与地面形成一个空气空腔;另一方面空气从气膜中间的八只直径10mm的小孔进入空气空腔,产生浮力。当浮力大到能举起物体时,气垫托板和其上的重物就能浮起,而气膜与地面形成一层很薄的气垫,使支承装置与地面之间的摩擦力大为减少,便于拖移。

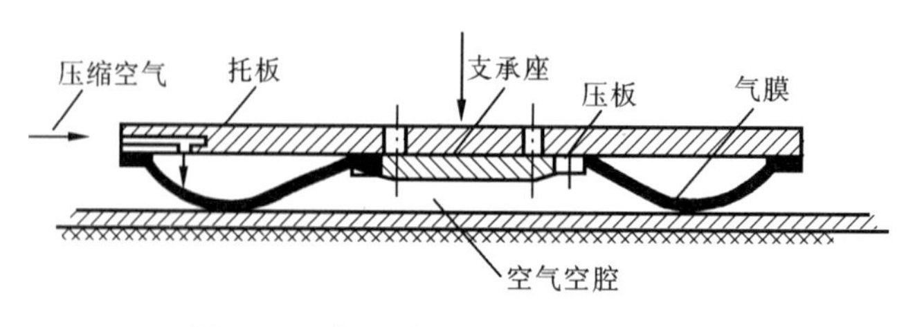

图3-17 气垫支承装置的单元结构图

一、气垫运输有许多引人注目的优点

(一)由于摩擦力小,移动时所需要的牵引力很小。

气垫装置与地面之间相隔气膜,运动时的阻力是气膜内空气分子之间的摩擦力,与负荷大小无直接关系。如移动44.1kN重物的气垫装置,只需107.8~117.6N的牵引力即可。对于车辆运输、排子运输来讲,摩擦力的大小直接取决于重物产生的重力。

(二)机动性好、定位精确

在水平位置上,气垫装置可沿任意方向运动,又能绕铅垂轴旋转,这对运输时,通过狭窄地区或需要作横移、回转运转时更具有优越性。

(三)(运输能力)/(自/重)的比值大

移动29.4kN重物的气垫装置,自重只有441N,而移动同样重量的铲车重达39.2kN。

(四)对地面压力小

运送29.4kN重物的气垫装置对地面压力一般为1.96N/cm^2,而轮式车辆对地面的压力为98N/cm^2,因此,气垫装置可降低对路面强度的要求。

(五)维修简单、安全性好

气垫装置结构简单,没有运动部件,不易出故障,维护简单方便。在移动过程中发现情况,可直接中断供气,紧急停止。

(六)气垫装置可根据被运输物体产生的重力和体积进行组合,适应大、小物体的运输。组合的气垫装置可以移动一般运输设备难以移动的重型负载,如重达数千斤重的物件均可移动。

气垫运输最严重的缺点是不能在粗糙的地面上工作,使它的应用范围有局限性。

图3-18为移动重型柴油机的气垫支承装置平面布置和管路系统示意图。气垫单元的数量和分布,根据柴油机产生的重力的分布情况决定。纵、横移自重4508kN的柴油机,可采用44个气垫单元,其中,单元体28只,4个气垫单元体组成的单元组4只。

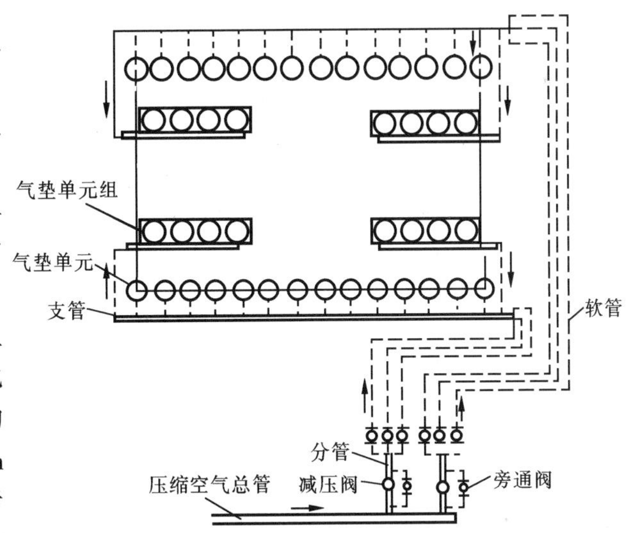

图3-18 气垫支承装置平面布置和管路系统的示意图

移动时,为保证气膜与路面组成空气空腔,避免空气大量流失,地面必须保证平整。目前各厂采取的措施是在纵横移地面上铺设20mm厚的钢板,钢板间用电焊焊接,然后用砂轮把焊缝磨平。为了防止柴油机拖移时左右移动,可在钢板两边用螺栓固定角钢作导向用,柴油机座四角各装一只导向滚轮。

气垫装置的安放,可采用千斤顶把柴油机连同机座一同顶起,然后把保险垫木填着实,把气垫支承装置按位置放妥后,与压缩空气管连接好,再进行充气,待气垫支承装置气充足后,抽出保险垫木,松下千斤顶,即完成了移动的准备工作,然后可开动绞车进行拖移。在拖移时为了减少牵引力,可在钢板上浇一些机油。

二、国外造船工业应用气垫技术、较为广泛地用水作为工作介质,主要应用于下列几个方面

(一)利用水膜支承移动船体分段等负载;

(二)船厂水膜移船系统,船厂利用水膜移船系统建造船舶,可以使不同大小和类型的船舶在同一区域内建造,发挥船厂的生产潜力;

(三)船厂钢板拼焊流水线中的传送道;

(四)船厂中的气膜平台运输车,如在船体车间可用于运送原材料或船体分段,在造机车间可运送整台柴油机等大型负载,简化整机吊装过程中的运输工作。

第六节　集装箱运输

集装箱运输主要是将单件杂货集中成组,装入集装箱的。这样,可以减少重复操作,从而大大提高车船的装卸效率。例如,一艘 147000kN 的杂货船改用集装箱船后,在港内装卸货的时间可缩短 90%。由于装卸效率高,集装箱运输除能提高船舶的营运率,降低装卸费外,还可使装卸机械化,大大减轻工人的劳动强度。

采用集装箱运输可显著提高货物的完整率,如日本在使用集装箱运输后,货损率由原来的 4. 9%下降到 0. 7%;美国 1969 年共运了 33. 1 万个集装箱,只有 65 个受损,货损率不到万分之二。

采用集装箱运输给港口及车站实现装卸机械化创造了有利条件,因而能大大缩短装卸时间,加速车船周转,加快货物的运送。

采用集装箱运输可节省包装费用,简化理货手续。杂件货物、散装运输需要有坚固的包装,卸货时还需按货物外的包装标志加以分类,逐步检查,某至于过秤。而集装箱运输可简化包装或甚至于免除包装,也可不必在货物的包装上作复杂的标志。

国外集装箱运输的最终目标,是把海、陆、空三种不同的运输方式协调,组成一个统一的运输体系。我国开展集装箱运输起步虽然晚了点,但在吸收国外开展集装箱运输的经验的基础上,结合我国的实际,经过一段时间的实践后,必将形成一种适合我国的具体条件的集装箱运输体系。

第七节　电　瓶　车

电瓶车是以蓄电池为动力能源,用直流电动机驱动的小型运输车辆。适用于车站、仓库、码头、工厂等地区的短距离搬运工作,本身可以载重或牵引。

一、电瓶车的构造

电瓶车的车体、前轿、后轿、转向机构、减震器、制动系统、电气设备等主要部件组成。

车体系用型钢、钢板焊接而成,用以承受载荷及牵引之用;前轿系转向轿,轿体通过板簧与车体连接,轿体由各转向节与转向机构组成转向系统;后轿系驱动轿,轿体亦通过板簧与车体连接，电动机直接驱动后轿减速箱，经过两对斜圆柱齿轮传到差速器，通过半轴转动车轮而行车；制造系统一般采用机械杠杆机构，有脚踏、手拉两种，有的电瓶车上装有两套制动机构，脚制动供一般正常使用，手制动供在坡道上停车用；电瓶车的电气控制系统包括：电锁、脚踏主令控制器、接触器、倒顺开关、照明、喇叭、尾灯。

二、电瓶车的使用

在驾驶前，驾驶员应先检查蓄电池内电压是否充足，以及各接线头是否结实牢靠，轮胎气压是否足够，再接通总熔丝，旋开电锁，拨上前进或后退的倒顺开关，松开手制动拉手，然后缓慢地踏下起动踏板，车辆则开始行走。当脚离开控制器的踏板时，由于回位弹簧作用，主令控制器返回原位。而脚踏上刹车制动器时，车辆则停止行驶。

一般电瓶车都有三档速度，但第一档只供起动，不可长时间行车，第二、第三档速度供正常行车。在操作时必须注意，决不可踏下主令控制器来进行车辆换向，否则换向器触头将切换负荷电流而发生严重烧损，故倒或顺之开关必须在主令控制器完全松开后进行。

电瓶车装运货物，不得超载运输。装物的高度不得超过地面算起的 2.2m，物体的宽度不得超过底盘两侧各 40cm，并不得将物件拖在地面上运行。运送的货物必须放稳缚牢，以防物件倾斜滑落。停车时间较长或司机要走开时，应将倒顺开关置于停止位置，然后关掉电锁，拉脱总熔丝，切断全车电源，拉紧手制动。

三、电瓶车的维护保养

（一）电瓶车各活动部件必须经常保持适当的润滑，润滑部位、周期及注油方式见表 3-4。

表 3-4　电瓶车润滑周期表

序号	机构名称	加油处数量	润滑油的种类	润滑限期	加油方法
1	减速箱	1	10~15 号齿轮油	半年 1 次	拧下螺塞注入
2	后轮轴承	2	钙钠机润滑脂	半年 1 次	将螺壳取下加油
3	前轮轴承	2	钙钠机润滑脂	半年 1 次	将螺壳取下加油
4	转向节销轴承	2	钙钠机润滑脂	每周 1 次	油枪注入
5	转向机螺杆箱	1	10~15 号齿轮油	半年 1 次	拧下螺塞注入
6	转向机方向盘轴承	1	机械油	每周 1 次	油枪注入
7	转向拉杆销轴	4	钙钠机润滑脂	每周 1 次	油枪注入
8	制动各活动关节		机械油	每周 1 次	油壶注入
9	减震板簧销轴	12	钙钠机润滑脂	每周 1 次	油枪注入
10	脚踏控制器各活动节	2	机械油	每周 1 次	油壶注入
11	制动踏板销轴	2	机械油	每周 1 次	油壶注入
12	电动机轴承	2	钙钠机润滑脂	半年 1 次	拆卸加注

（二）所有油封必须严密，特别注意电机端盖的油封，防止漏油进入电机。

（三）经常检查和维持所有连接件的紧固力保持不变，经常检查齿轮箱中齿轮、轴承及各摩擦零件运转声音、发热情况，如发现不良噪音及温升过高等现象，应及时找出原因，予以克服。

（四）经常保持制动的灵敏性，制动松离后，制动鼓与制动带间的间隙约离 2mm，并且应均匀接触。制动带磨损过多应立即更换，并保持不使油污浸入制动带的工作表面。

（五）转向操纵如欠灵活，应调整转向机构及各连接处之间隙，转向盘的空转不应超过 30°，在停车时避免拨弄方向盘，以免松动。

（六）负载不可超重，并经常检查板簧有无断损现象。

（七）电器系统要维护正常状态，所有接头须保持牢固可靠。接触器触头闭合必须保持灵活，触头应有良好的接触，如发现触头表面有凝结的金属物质时，必须用细锉将其锉光，但不得改变触头原来的形状，如触头烧损时，应及时更换。电线规格不得任意更改，在潮湿场地使用时，应特别注意绝缘检查，车上所有电器设备的绝缘要求不低于 2MΩ。

（八）应注意脚踏联锁开关的灵活，开关头部可涂黄油，使其润滑，以便不至于当电源不通时而不能起动。

（九）严禁使用制动、转向、喇叭失灵的电瓶车。驾驶员除应做好日常维护保养外，还应按表 3-5、表 3-6 中一、二级保养范围做好一、二级保养。

表 3-5　电瓶车一级保养内容及要求

序号	保养部位	保养内容及要求
1	电瓶及电瓶部分	1. 清洗电瓶，保持清洁无杂物，电瓶内硫酸的浓度正常； 2. 电瓶接头清洁牢固，无锈蚀现象，接线整齐； 3. 电瓶架清洁，无严重锈蚀现象，涂补防锈漆。
2	方向机构和制动装置	1. 清洗各部分，保持清洁、无油污； 2. 各加油孔畅通，添加润滑油； 3. 方向机构灵活，接头中加油润滑； 4. 刹车安全可靠。
3	直流电机的电刷部分	1. 清扫电刷架，保持清洁，电刷压力正常； 2. 更换磨损的电刷； 3. 运转时电刷架基本不冒火花。
4	电器触头及电路接头	1. 电器触头接触良好； 2. 电路接头无松动，无异常发热现象。
5	充电设备	1. 清洁，无积灰杂物； 2. 发电机电刷接触良好，基本不冒火花； 3. 磨损电刷更换； 4. 充电夹子安放整齐安全，弹性正常。

四、电瓶组的充电及维护

（一）充电时将蓄电池的正极“+”接直流电源的正极；蓄电池的负极“-”接直流电源之负极。

（二）经过一段时间的使用后，电液将有所减少，可加蒸馏水至液面高度高出保护极板的10~15mm左右。

（三）蓄电池在使用时间电液密度应在1.180~1.250g/cm^3之间，密度在1.250g/cm^3电量充足，如小于1.180g/cm^3即进行充电。

（四）蓄电池不可过量充电（电液密度已达1.250~1.260g/cm^3时继续大电流充电）或过量放电（放电至电池容量已基本放完继续放电）。

（五）充电时必须旋去加水帽，使所产生的气体外逸畅通，免致内部气体聚积过多而爆破电槽，平时应旋上加水帽，防止有害物质掉入电池内部。充电时火不可接近，蓄电池各连接处必须保持接触良好，防止松动引出火花而爆炸。

表3-6　电瓶车二级保养的内容及要求

序号	保养部位	保养内容及要求
1	前轿、后轿、减速箱、方向机构	1. 清洁、无油污、无积灰、无锈蚀现象； 2. 根据磨损程度更换零件； 3. 变速箱齿轮、轴、轴承清洗、换油； 4. 方向机间隙调整适当。
2	直流电机及电器、喇叭	1. 修整换向电器； 2. 清洗直流电机更换碳刷等易损件； 3. 线路重新整理，接触器检修； 4. 喇叭接触良好。

注：电瓶车运行2500小时进行二级保养，以维修工人为主，驾驶员参加，除执行一级保养外，还应做表列工作，停歇时间为二、三天。

（六）蓄电池充电时的电流和时间可参照表3-7进行。

表3-7　蓄电池充电电流及时间表

电池型号	定额容量（A·h）	初次充电				经常充电			
		第一阶段		第二阶段		第一阶段		第二阶段	
		电流（A）	时间（h）	电流（A）	时间（h）	电流（A）	时间（h）	电流（A）	时间（h）
DG250	250	28	25~30	14	30~40	28~38	7~10	16	3~5
DG308	308	32	25~30	16	30~40	32~42	7~10	18	3~5

注：本表所列充电电流及时间仅供参考，如果蓄电池存放过长或充电设备所供电流小于表列时，可适当延长充电时间。

思　考　题

1. 什么叫船舶的稳性？船舶处于稳定平衡状态的条件是什么？
2. 船舶由于配载不当，会出现什么情况？
3. 船内货物移动，对船舶的稳性和浮态有哪些影响？

4. 船舶装配货物时应注意什么?
5. 载重汽车运输货物时,有哪些安全注意事项?
6. 使用托板、滚杠拖移重物时,托板、滚杠应如何布置?
7. 使用托板、滚杠拖移重物时,应注意哪些问题?
8. 润滑脂润滑拖移重物有哪些操作顺序?
9. 电瓶车一、二级保养的内容和要求是什么?

第四章　设备的装卸和吊装工艺

起重工作是整个产品生产过程中的一道工序。现代化的大企业生产中，随着起重能力的不断提高，起重工人繁重的体力劳动日益降低，很多设备的安装和拆卸工作，甚至只靠挂钩指挥吊车，就可以完成。然而，在实际工作中，情况总是千变万化的，尤其在造船工业中，有的工作环境无法使用机械设备，而需用人力操作，这就需要起重操作工人熟悉造船工业的特点和掌握各种主要设备的吊装工艺。

第一节　船厂起重吊装工艺的特点

起重工是一个特殊工种，起重工作在修造船过程中是一道重要的工序，起重吊运质量的好坏直接关系到舰船产品能否按时出厂交付使用。这就要求起重操作工人结合造船工业的特点，结合生产实际，灵活应用各种起重操作方法。

一、造船工业中起重吊装的特点

（一）舰船产品是复杂的海上建筑物，配套的设备极多，例如一艘 16000 吨的多用途船机舱配备的设备就有 6RND68M 柴油主机一台、柴油发电机组三套、各种泵近 70 台、分油机 7 台、空气压缩机 4 只、油柜、水箱约 20 只、加热器 12 只、冷却器、压缩空气瓶、二氧化碳瓶、通风机、操纵台、配电板、变压器、车床、刨床、钻床、起重机等各种配套设备近 240 台左右，加之驾驶室导航仪器及甲板机械和生活设施等。在造船工业中集中了各部门的科学技术成果，广泛采用各种新技术、新工艺、新材料、新装置。

（二）造船厂是综合性企业，工种繁多，分工很细。各工种又是立体交叉作业，特别是在舾装阶段，各工种都有自己的任务，都要在一定的限期完成，加之船上的工作环境又很恶劣，又有多工种同时作业，这就给起重吊装带来了许多困难。

（三）船厂起重作业的范围极广，包括从水下到地面；从地面至几十米的高空；从船头到船尾；从舱面至舱底；从内场到外场；从船台到船坞的物体搬运、机件设备吊装、脚手架搭拆、物料装卸运输、船舶的上排、下水等工作。

（四）水上起重作业比陆地起重作业难度大，这是因为船舶浮在水中，受到风浪的冲击，会产生左右摇动，上下颠簸。如用门座起重机吊运安装设备，虽然门座起重机在岸上是固定的，而船在水中是动的；如用起重船吊运安装设备，则船和起重船均是处于动态，这就给起重作业带来了一定的困难。

船厂起重工作的性质是很复杂、多形态和灵活性的。所谓多形态，即是由于起重工的工作范围极广，工作的对象时时在变，配备的工具设备也要随之而变。起重工作的灵活性，是指同样设备的起重操作方法有多种多样，不是千篇一律的，要随工作的环境、起重设备的情况而定。在目前情况下，大多数船厂的起重作业还没有做到按工艺要求施工，所以只有根据具体的情况，共同商量研究制定操作方案，用土办法、土洋结合或者机械化都可以，但有一个前提，要在确保安全生产的基础上选择操作方法。这就要求在操作前，全面地了解要进行工作的要求，进行分析、比较和计算，确定最佳的工作方案。要制定正确的操作方案，首先要掌握好起重工作的四要素。

二、起重工作应知的四个要素

(一)了解操作环境，做到心中有数，尽量设法使之符合起重作业要求，保证安全操作。一般情况下要了解：

1. 工作物的进路和出路是否畅通。例如船舶进坞修理，拆卸尾轴，地轴笼是比较小的，工作地点环境极差，使用工具也受到限制，一般只能用手拉葫芦逐步拉出地轴笼，还可能从机舱也不能吊出来，只能从船旁开孔。修理船舶的机舱环境也是非常复杂的，大的船舶从上到下有20m左右，机舱内装满各种设备，所以对修理的各种机件的吊装出路更要全面了解，要上下配合不得碰撞。

2. 使用车辆装运物件时是否有畅通无阻的道路，道路土质是否坚固。

3. 吊装环境是否有充分的条件。如车间内安装一部桥式起重机，首先要了解地面到屋顶的高度、地面到轨道的高度；独脚把杆缆风绳是否有利用之处；电动绞车和电源线路是否符合要求；地面土质是否坚固；车间门的高、宽等一些问题都要了解清楚。

(二)了解工作物的质量、形状、结构、重心和捆绑点的位置。

掌握物体的质量，是起重操作最起码的基本要求。如果不明确物体的质量，如何配备工具呢？就是配了，也是盲目的，不符合实际要求的。在实际操作中通常可采用比较法、估算法和计算法估计物体的质量。对于船体分段等大型构件通常可以从设计图纸中查阅其质量重力。

在了解物体的质量力后，还必须要了解物体的形状、结构、重心和捆绑点的位置。如万吨轮的救生艇，从外表面看是正规的一只小艇，而且首尾中心各有固定吊钩，吊起来比较简单，使用一副对子吊索就可以了。其实不是这样，救生艇是有动力的，发动机的位置在尾部，就会尾部重，首部轻。由此可见，它的重心不是在船的中心，因此在起吊时，会产生头高尾低的倾斜状态，这样吊装就可能发生事故。

所以不但要了解物体的长、宽、高，同时还要了解内部的结构情况、外形的奇特情况，这样便于起重操作时能比较正确地估计重心位置，进而确定吊点位置。

(三)制订完整的起重操作方法或方案。

在了解了以上两个要素之后，才能制定操作方法或方案。操作方法或方案的制定，在条件许可的情况下，应尽量利用地形地物进行起重作业，其有三大好处：第一可以减少起重准备工作时间；第二可以减少配备的起重工具、设备；第三可以加快起重作业的进度。

(四)工具设备的配备

配备工具和起重设备，是起重工作中的一个重要环节。起重作业和其他工种的作业不同，常常需要根据不同的操作环境和客观条件，因地制宜地工作。在确保安全的基础上能快和省力地完成任务，这就要求工具和设备要配备得适当，符合安全要求。如物体大，配备的工具也要大；物体小，就不能配备过大的工具。配备工具和设备是一项技术性很强的工作，必须一丝不苟，通常可以经过计算确定。

三、吊装方法

对不同形状的机件设备，采取不同的吊装方法，才能保证吊运质量。特别是在修船过程中，各种不同的机件设备的吊装方法都有不同的要求，因此，要因地制宜地选择吊装方法，才能完成各项施工任务。在起重吊装中的吊装方法很多，经常使用的有：

（一）用吊索调节平衡的吊装法

1. 用三根吊索调节物体平衡的吊装法

这种吊装方法，是用三根吊索串在一起将物体吊起（图 4-1）。具体吊装步骤如下：

（1）先将第一根吊索 A 的一端的琵琶头 A_1 绕过物体后挂于吊钩上；

（2）将第二根吊索 B 的一端的琵琶头 B_1 绕过物体后也挂于吊钩上；

（3）再将第三根吊索 C 的一端的琵琶头 C_1 串入卸扣 D_1 的弯环内，把卸扣横销串入琵琶头 A_2 后旋紧，把 C_1 挂于吊钩，同样的方法把吊索另一端的琵琶头 C_2 串入卸扣 D_2，把卸扣与琵琶头 B_2 连接好后，挂于吊钩上。因为吊索 A、B 被吊索 C 串联在一起，只要调节吊索 C，即可调节平衡。

2. 用吊索找好受力位置的吊装方法

在通风管、排气管等管道的弯曲物件的安装中，有时要求物体作垂直或水平吊装，图 4-2 为一弯管作垂直吊装的示意图，图 4-3 为一弯管作水平吊装的示意图。不管是哪一种吊装，只要把吊索在弯管的两个捆绑点捆绑好后，将吊索在吊钩上绕一圈（俗称绕一道空道），然后将吊索调节到受力适当即可。若起吊后达不到要求时，可把物件落地后，重新调节吊索的受力位置。

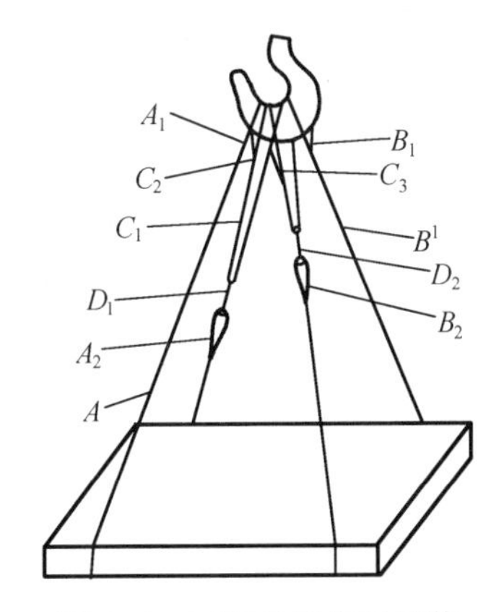

图 4-1　三根吊索串联吊装

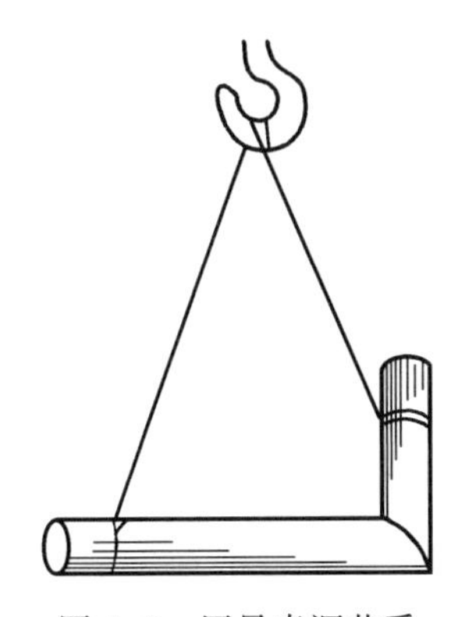
图 4-2　用吊索调节受力点作垂直吊装

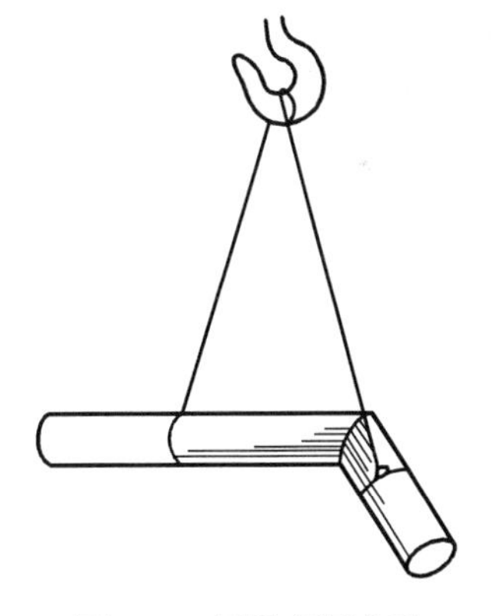
图 4-3　用吊索调节受力点作水平吊装

3. 用等长或不等长吊索的水平吊装法

在修造船和机械设备的安装、拆卸过程中，经常采用等长或不等长的吊索作水平吊装。图 4-4 是用两根等长的吊索吊装轴。吊装时，在吊物的重心两侧分别把吊索的一只琵琶头从吊物底下绕过，然后把吊索的两只琵琶头共同挂上吊钩。

另一种情况是图 4-5 中用两根长度不相等的吊索起吊物体。方法是将短吊索套在物体的一端，用卸扣把两只琵琶头卸在一起，再将长吊索的一只琵琶头挂于吊钩上，长吊索的另一只琵琶头绕过物体的另一端后,在吊钩上绕一圈,再从短吊索连接的卸扣弯环中串过,然后挂于吊钩上。只要调节长吊索的长度,就可调节吊物的水平位置。

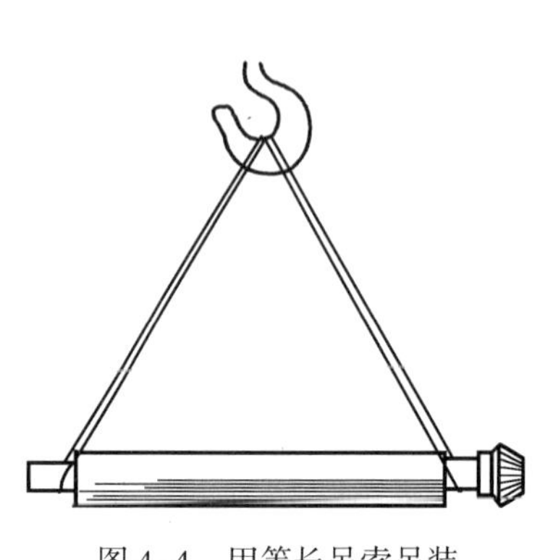

图 4-4　用等长吊索吊装

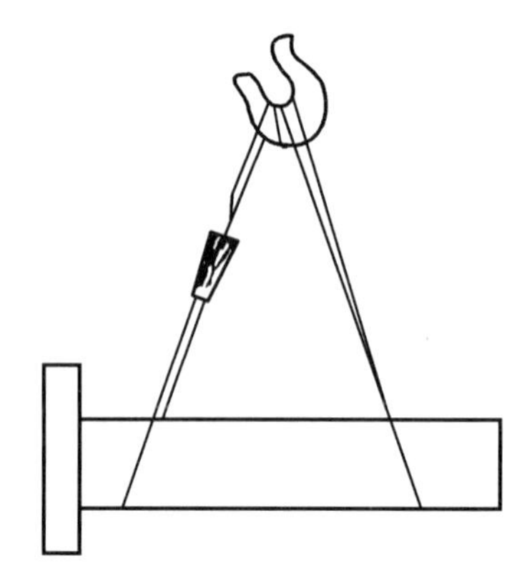

图 4-5　用不等长吊索吊装

(二)用机具调节平衡的吊装法

1. 用手拉葫芦调节平衡的吊装法

在机件安装要求非常严格的情况下,可采用手拉葫芦进行调节平衡的方法进行吊装。如机械检修时进行拆卸或安装轴承,研刮轴瓦等多采用这种方法,用来调节轴的水平位置。如图 4-6 所示,在吊装时,先在吊钩上挂一短吊索,然后把手位葫芦挂于短吊索的两只琵琶头内。机件的一端用吊索捆绑后,把吊索直接挂于吊钩上,机件的另一端用吊索捆绑后,挂于手拉葫芦的钩子内(此时手拉葫芦的起重链应放足)。吊装时,通过手拉葫芦的松或拉来调节水平位置。

2. 用滑轮调整位置的吊装法

大型构件在高空需要调节位置,对准安装时可采用图 4-7 所示的方法。主滑轮 1 用于吊装构件的整体,滑轮 2 用以调整 B、C 两点的上下移动用,A 点的上下移动可由主滑轮承担。因绳索 1 是悬挂在主滑轮上的,当 A 点不动需调整 B、C 两点时,可由滑轮 2 承担;当 C 点不动需调整 B 点时,可由滑轮 3 承担。滑轮 3 的引出绳(跑绳)是靠手拉葫芦来驱动的,而手拉葫芦是固定于 C 点处的(绳 2 是悬挂在滑轮 2 点的)。

3. 用平衡梁的吊装法

对大型电动机转子、汽轮机转子、发电机轴等精密机件的吊装要求非常严格,即要保持机件平衡,又应保持机件不致被吊索损坏,一般多采用特制的平衡梁进行吊装,如图 4-8 所示。

(三)用平衡重调节平衡的吊装法

在吊装工作中,有时会遇到细长构件的水平吊装进档就位安装,但由于安装位置的上方有其他构件,若在构件的两端捆绑吊装,吊索要碰到上面的构件,构件另一边的起重机又接不到时,可采用图 4-9 所示的偏心两点捆绑,用平衡重调节平衡的吊装法(在起重机的起重量许可的条件下)。先由起重机吊起偏心捆绑的构件,构件的平衡由平衡重调节,进档后,构件另一边的起重机接住构件的一端,平衡重的一端设法搁住,把原吊索移到构件的平衡重一端(此时可把平衡重吊走),用原起重机再吊起构件的一端,这样就可用两台起重机抬吊到位安装。

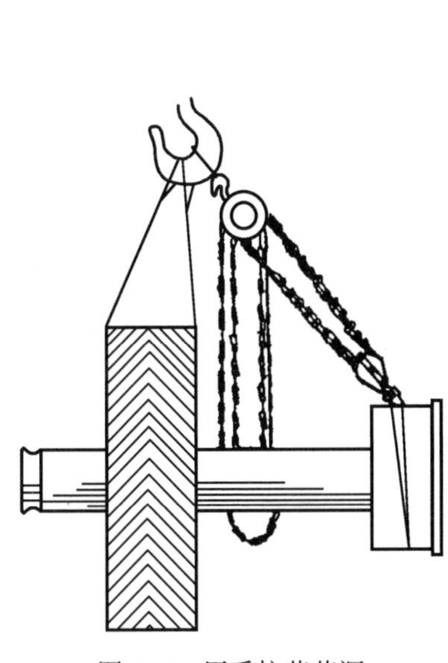

图 4-6　用手拉葫芦调节平衡的吊装法

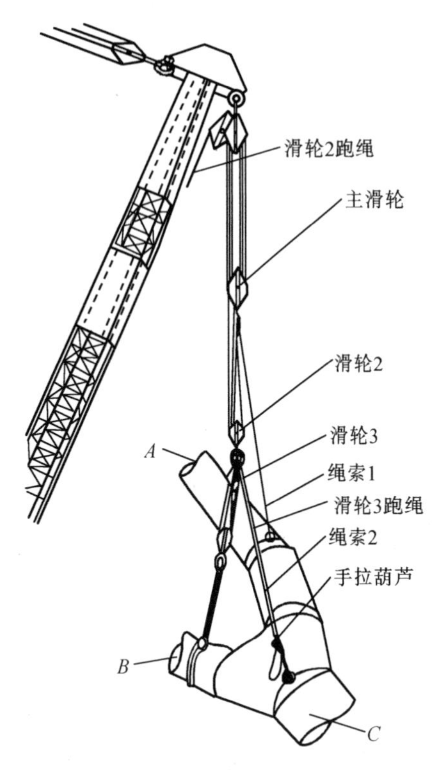

图 4-7　用滑轮调整位置的吊装法

在垂直吊装细长构件的安装工作中，例如在船舶桅杆的吊装中，起重机的起升高度不够，往往会成为吊装中的主要矛盾，由于构件重心高，捆绑点在重心之上，则起吊安装高度不够，捆绑点只能在重心以下。只要起重机的起重量许可，往往利用降低重心的方法，即在桅杆的根部加平衡重，迫使桅杆的重心下移，达到吊装目的（图 4-10）。

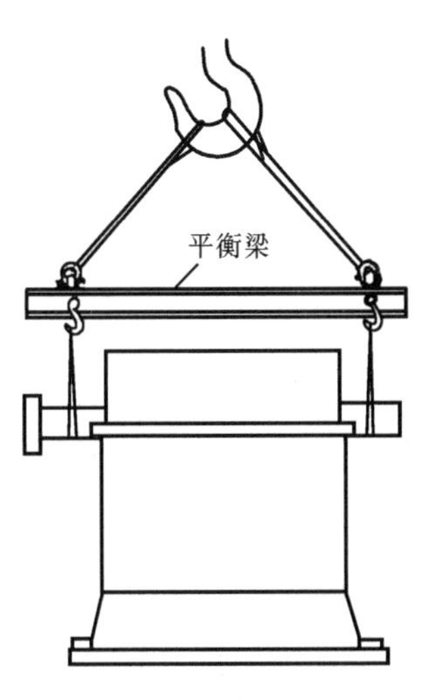

图 4-8　用平衡梁的吊装法

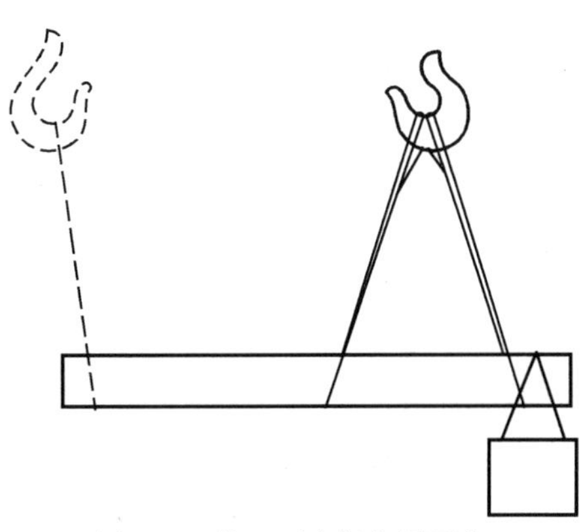

图 4-9　偏心两点捆绑用平衡重调节平衡的吊装法

(四)用“杠杆”的吊装法

在起重吊装工作中,有时起重机幅度不够会成为吊装的主要矛盾,此时可采用“杠杆”吊装法。如图 4-11 所示,用一根刚度较大的横杆,一端吊以平衡重,另一端挂上吊物,然后起重机吊钩吊起杠杆,实现吊装工作。

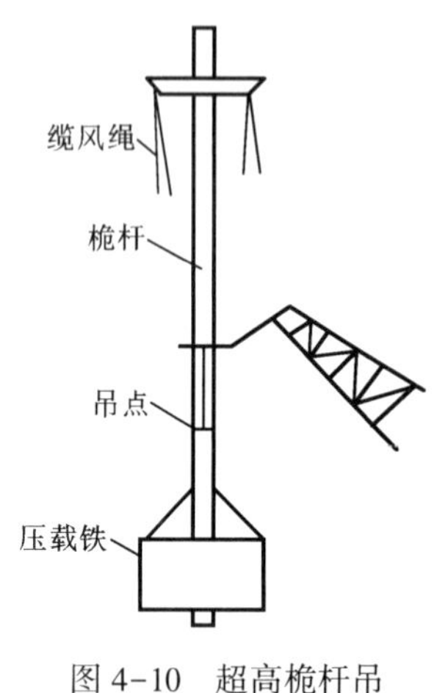

图 4-10 超高桅杆吊装的示意图

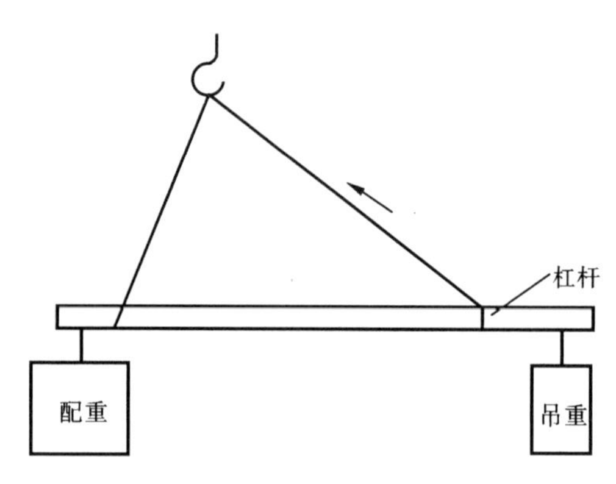

图 4-11 用“杠杆”的吊装法

船舶修造时,螺旋桨、舵轴和舵的拆装,一般采取手拉葫芦、绞车滑轮组组合进行。采用这种方法,劳动强度高,准备周期长,难以保证吊装的质量和安全。如采用图 4-12 所示的吊装螺旋桨、舵轴和舵的简便吊装杠杆,可减轻劳动强度,保证吊装质量。

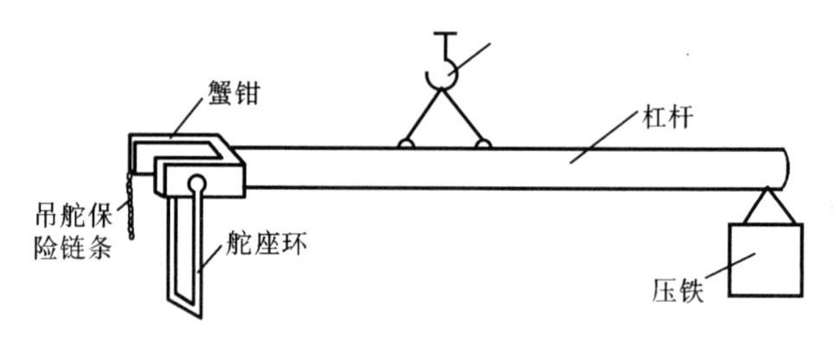

图 4-12 螺旋桨、舵轴和舵的简便吊装杠杆示意图

使用时,船舶尾部需留有一定的空间,保证吊装杠杆和吊物通过。同时,根据所吊螺旋桨、舵轴、舵产生的重力,配用基本相同的平衡重。

吊装螺旋桨。预先将螺旋桨捆绑好,吊点应在螺旋桨竖直的中心部位,再选择一根钢丝绳,通过吊点挂在吊杠蟹钳上,指挥起重机使螺旋桨直接套进尾轴头上,然后用螺母旋紧。

吊装舵杆。将舵杆垂直捆绑于杠杆蟹钳内,吊至尾轴孔下方,再通过其他起重机或手拉葫芦,从舵轴孔上方穿进,将舵轴吊进舵轴孔内以后,保险。

舵叶安装。将舵领直,用杠杆上的蟹钳、舵座环钳在舵的中心位置,用吊舵时的保险链条保险好,然后吊进并与舵轴直接连接。

(五)临时加固吊装法

在吊装大直径薄壁管道、型钢组成的大构件等构件时,为避免刚度不够以及因吊装时的应力集中而产生变形或损坏。在吊装前,必须对构件采取临时加固措施,以便在吊装过程中,使构件有足够的刚度,不会使构件产生变形。

图 4-13 为吊装薄壁管道时,因其管径容易产生变形,所以在吊装前应在管内的吊点位置处用型钢加固,防止管径变形。

图 4-14 为吊装厂房屋架时,因屋架横向刚度不够,为避免吊装时屋架的变形,在屋架上、下弦采取用木杆临时加固的方法进行吊装。因为屋架的跨度不同,吊装方法就不一样,加固的部位也不同。图 4-14(a)为屋架跨度小于 20m 时,用单钩两根吊索捆绑在节点处;图 4-14(b)为屋架跨度大于 20m 时,用平衡梁进行吊装的加固。

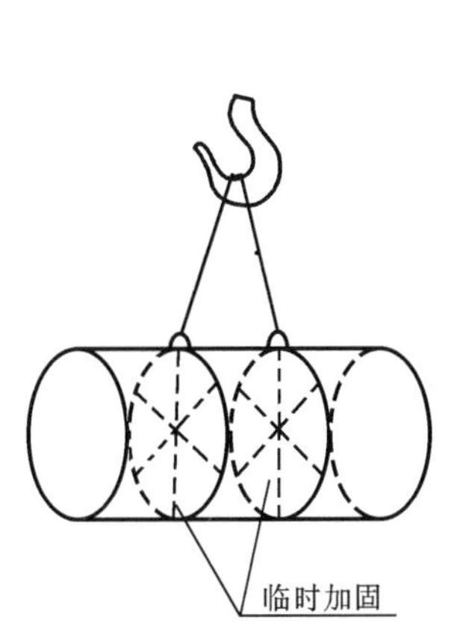

图 4-13　薄壁管道的临时加固吊装法

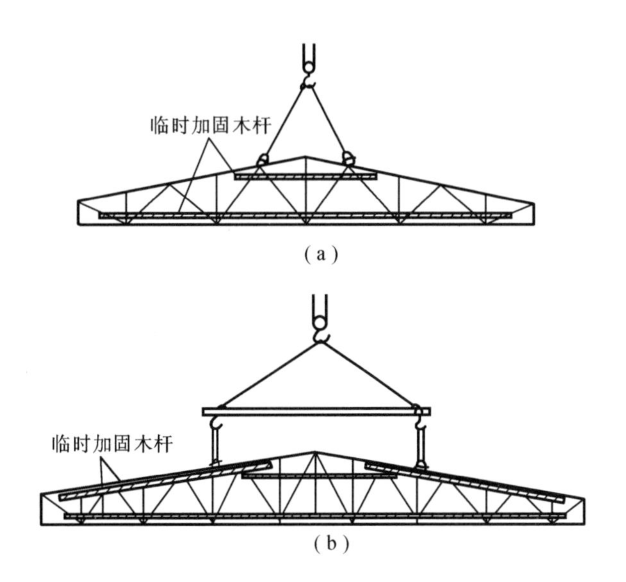

图 4-14　屋架临时加固吊装法

四、起重高度和作用半径的计算

起重机的起吊高度是根据起吊构体的高度(或者是构件安装的标高)来决定的。从图 4-15 中可以看出构件吊装时所需的高度为

$$H=h_1+h_2+h_3+h_4 \qquad (4-1)$$

式中　H——构件吊装时所需的高度(m);

h_1——构件高度(或构件底至捆绑点的高度)(m);

h_2——索具高度(包括吊索、平衡梁、卸扣等高度),即捆绑点至吊钩的高度(m);

h_3——起吊后安装时,最少应留的工作余裕高度,可根据具体情况决定,但一般不应小于 10cm(m);

h_4——基础面(或底脚螺丝的顶端,或下层结构物的顶部)的高度加上起重机停置点的地面与基础处的地面高度的差值(m)。

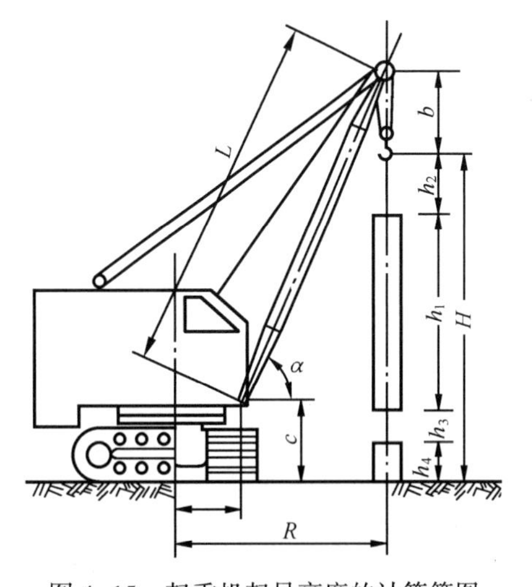

图 4-15　起重机起吊高度的计算简图

求得构件吊装时所需的高度后,起重机的有效高度,可以从有关的特性曲线图表内查得,也可按下式计算

$$H' = L\sin\alpha + c - b \tag{4-2}$$

式中　H'——起重机的有效高度(m)；

L——起重机的起重臂的长度(m)；

α——起重臂的仰角；

c——起重臂的下轴距地面的高度(m)；

b——吊钩中心至起重臂顶的最小高度，一般可取0.5~1m，或根据具体的限制高度而定(m)。

船厂中的门座起重机的变幅机构大多数是水平变幅，即变幅的载荷沿近似的水平线移动，起重机的有效高度可近似看作不变，或根据实际测量而得。

构件安装时，所需高度与起重机有效高度的关系是

$$H' \geqslant H \tag{4-3}$$

自行臂式起重机靠近物体的距离，是由起重机吊送构件的位置和物体的高度来确定的，它可以根据下面的公式求得(图4-16)：

$$R = r + E + F \tag{4-4}$$

式中　R——起重机的作用半径(m)；

r——起重机的旋转轴至起重臂下轴中心的距离(m)；

F——构件起吊中心线至构件边缘的距离(m)；

E——起重臂下轴中心至起吊构件边缘的距离，$E = g + (h - c)\cot\alpha$(m)；

g——构件边缘与起重臂之间应留的水平空隙，根据具体情况而定，一般最少取0.4~0.5m(m)；

h——吊装时地面至构件顶端的高度，$h = H - h_2$(m)；

c——起重臂下轴心至地平面的高度(m)；

α——起重臂的仰角。

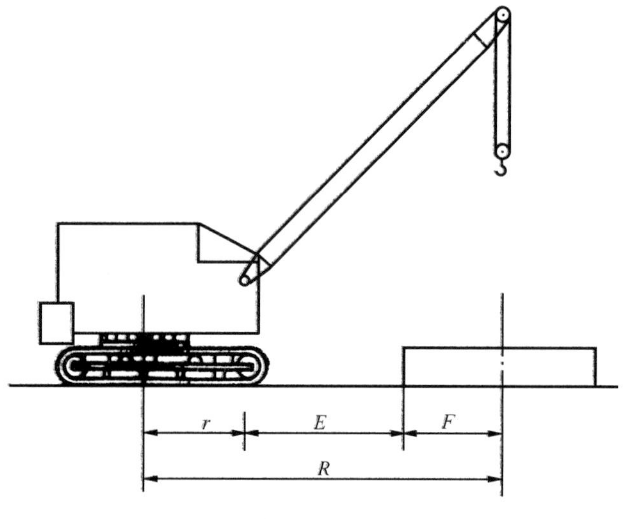

图4-16　作用半径的计算简图

起重机的回转半径，应根据起重臂的长度，最大及最小仰角而决定。当选择其作用半径时，必须结合所吊构件的重力及其允许的幅度相互适应，不能超出起重机许可的性能范围。

五、起重吊装工艺的发展

随着造船工业的发展，船舶的建造周期越来越短，船舶的吨位越来越大，这就要求起重吊装工艺取得相应的发展，才能适应造船工业发展的需要。船厂起重吊装工艺的发展方向应是尽量采用新技术、新工艺和先进的吊装方法，减轻工人的劳动强度，增加一次吊装量，缩短安装周期，保证安装质量，确保吊装时的安全可靠。

例如，船舶上层建筑采用整体吊装工艺后，可以扩大平行作业的时间，缩短船台周期，同

时由于增大了平台的装配工作量，能提高船体的建造质量。又如重型柴油机，采用整体吊装到船舶机舱的安装工艺后，就可大大缩短柴油机在船上的安装时间，减轻劳动，改善工作环境，保证柴油机的安装质量，从而缩短船舶码头的舾装时间。

应该看到，任何一个新工艺一开始不可能是十分完美的，而是通过实践不断地完善。如7000吨远洋货轮的上层建筑，其外形尺寸为21.4m×18m×7.5m，加上预制舾装件加强材料产生的总重力达1881.6kN，而大部分钢板厚度仅有5mm，整体吊装工艺要求就相当高。然而，上层建筑整体吊装工艺，从吊点有加强到吊点无加强工艺曾经历了三个阶段。因此，我们只有在生产实践中不断地总结、提高和完善起重吊装工艺，以适应修造船事业的发展。

第二节　吊装方案的拟定

起重吊装工作是船厂安全生产的一个重要环节。在吊装工作中稍有疏忽，小者机件损坏，工程进度受到阻碍，大者发生设备损坏，人身伤亡，甚至造成不堪设想的后果。因此吊装工作必须进行仔细、周密的准备，对选用的机具必须经过验算和有较大的安全储备，要建立在绝对安全、可靠的基础上。

吊装方案的正确选择应从各厂各地区的具体情况出发。在选择和拟定吊装方案前，必须全面了解和熟悉吊装物体的外形尺寸、质量、内部结构、重心位置和安装基础的高度、操作环境、起重机械的性能、安装工种的配合及操作工人的技术力量等各方面的具体情况，研究吊装过程中的主要障碍，确定起重机的作用范围和动作程序。在拟定吊装方案时，应做到严、细、准。严：就是严格要求、严肃态度、严密措施；细：就是考虑问题要细、准备工作要细、方案措施要细；准：就是数据准确、计算准确、指挥准确，保证吊装时的绝对安全、可靠。

一、编制的依据

1. 工程施工图纸及有关工程竣工图纸；
2. 物体的外形尺寸、质量、重心和内部结构；
3. 施工工期的计划安排；
4. 有关起重工作会议的决议；
5. 施工场地的环境情况和有关的地质资料；
6. 有关起重机械的性能；
7. 上级机关及本单位颁布的有关规程。

二、方案的确定

根据工程的内容、工期要求、工艺配合以及现场和起重机索具的条件，初步选出几种可以实行的方案。将几种方案加以系统整理和比较，经过有关人员的研究讨论，选择施行的方案，报请领导并召集各单位有关人员讨论后确定，同时应作好会议记录。一般应确定下列各个方面的内容：

（一）确定起重吊装方法和安排施工程序

吊装方法应力求采用先进的吊装方法，增加一次吊装量，减轻劳动强度，减少起重机械移动的次数，缩短安装周期，确保吊装的安全、可靠。同时应考虑各个机件设备的相互关系以及施工场地情况,合理地布置起重机具并安排好吊装程序。

(二)起重机具的选择

确定了起重吊装方法以后,关键问题是选择哪一种起重机械。从目前造船工业安装的技术条件和起重机具的特点来看,可采用起重机的种类、型号很多,有起重船、门座起重机、龙门起重机、桥式起重机、汽车起重机等。对某一个具体的工程来讲,到底选用什么样合适的起重机械是比较重要的。因为起重机选择得是否恰当,对是否能按期、安全地完成任务,降低成本和提高劳动生产率有决定性的意义。在选择起重机时,一般应从安装环境的情况;需吊物件的外形尺寸、质量和安装的基础高度;现场的机械配备情况;起重机的技术性能;吊装的工程量及规定的进度等方面综合考虑。如采用把杆吊装,还应考虑把杆类型、滑轮组和绞车的选择。

(三)起重机具的受力分析及索具的选择

研究起重机具有起升过程中的工作情况,进行起重机具的受力分析,以进一步确定各种吊索具及起重机构件的具体尺寸和型号。

(四)如用把杆吊装,应进行缆风绳的选择及计算。

(五)吊点的选择

吊点的选择应保证:

1. 物体在起升过程中处于稳定状态,同时不致损坏机件设备。

2. 机械索具在起重过程中所受的力为最小,同时要考虑到起重机械的最大起升高度。

3. 吊装构件,吊点尽可能安排在强构件上,即充分利用构件本身的强度,以减少补强构件。

第三节 滚杠装卸法

在一般运输工作中,物体的装卸可利用汽车起重机、桥式起重机、龙门行车、门座起重机等起重机械进行装卸。采用这些设备效率高,操作简便。但是搬运较大而笨重的物件,如重型机器、大型锅炉、桥梁等时,在一般的装卸场内或施工场地往往没有这么大起重能力的起重机械。为了完成这样的装卸任务,一般可采用滚杠装卸法或滑行装卸法等半机械化的装卸方法。

采用滚杠法装车之前,必须做好滚运工具和索具以及绞车(或手拉葫芦)的配备等项准备工作。在具体操作时,人员要配备齐全并有专人统一指挥。图 4-17 为一重型炼钢炉,用滚杠法装车时的情形,其一般工作步骤如下:

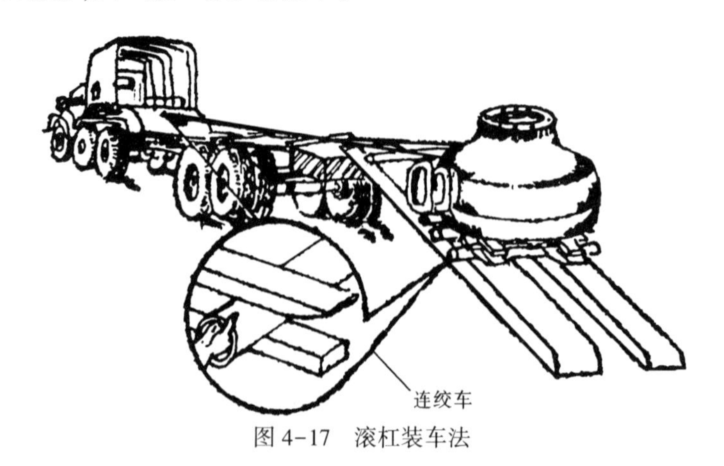

图 4-17 滚杠装车法

1. 使平板车的纵向中心线与炼钢炉的纵向中心线成一直线，平板车的后跑垫与炼钢炉的距离约 4~6m，平板车的前后轮均用木楔填实。

2. 用千斤顶将着地放置的炼钢炉垫高，以便于置放工具板和滚杠等。为了防止重物走动倾倒和偏侧，在炼钢炉单边顶升之前，应如图 3-18 所示，在千斤顶的对面，炼钢炉的圆角处用木楞头和木楔塞牢，并采用两边交替顶升，逐渐垫高的办法。顶到所需高度后，应如图 4-18 所示，四角用木楞头填着实，不能有丝毫晃动，四角楞头必须同样高低，中间留有适当大小的开档，以便安放走板、滚杠等。

3. 用两规格相同的厚木板（厚度必须根据设备的重量决定），与炼钢炉平底直径近似的开档斜置于平板车的后跑垫处，若物体极重时应用木楞头或木方将斜面填实，为了防止走动，还必须用骑马钉把各层木楞头和木方钉牢。

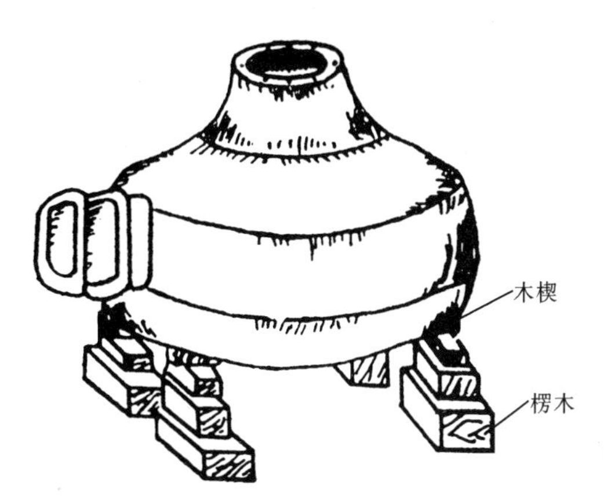

图 4-18　炼钢炉的垫高

4. 用一对滑轮组（规格应根据负荷定）、一只滑轮生根于平板车前中部，另一只滑轮生根于炼钢炉前部下方，然后用钢丝绳穿绕好。

5. 固定绞车，绞车底座必须要用地锚固定牢靠，以防工作时绞车移动或翻倒。如设备不是很重时，可用手拉葫芦生根于汽车跑垫的前中部，代替绞车。

6. 填放工具板和滚杠，工具板包括上下托板、走板和格栅栏板。其长度、宽度和厚度应使重物搁得平稳着实和足够牢靠为原则，不能太长、过短或太薄。一切工具板和滚杠准备妥善后，就可按顺序逐一填放到重物底下。如有可能，第一根滚杠最好能够放于斜置的木板上。

7. 工具板和滚杠放妥后，可使用千斤顶单边交替逐步抽除木楞头，使炼钢炉平稳均匀地落实到上托板中央部位。到此就完成了炼钢炉拖移上车的准备工作。

8. 正式装车，应由专人指挥，由熟练的工人在斜面上摆滚杠，缓缓开动绞车逐渐将炼钢炉拉上平板车。

9. 上车后，依照前面的顶高办法，使用千斤顶顶高，拆除工具板（此时仍要用木楞头四角保险），让炼钢炉平稳牢靠地落实在平板车上，根据需要加固绑扎，装车即告完毕。

卸车法是装车法的相反过程。卸车前用厚木板搭好斜坡路，并用千斤顶将设备顶过高，填好保险楞头，然后依次放好下托板、滚杠、走板、格栅栏板、上托板，抽除保险楞头，松下千斤顶，使设备坐落在上托板中央部位。垫好车子的前后轮胎。在设备下车位置的前方放置一台绞车或手拉葫芦，利用地形地物或地锚固定，作牵引动力，并生好一对滑轮组作牵引滑轮组。牵引设备上车的滑轮组作留滑轮组（图 4-19）。当设备进入斜坡时，牵引滑轮组不受力，后面留滑轮组逐渐受力，此时设备靠自重逐渐滑下。为了保证设备平稳滑下，后面留绳滑轮组跟着松绳，应均匀使设备滑下，为使滚杠不致滑下，可在斜坡路上撒放

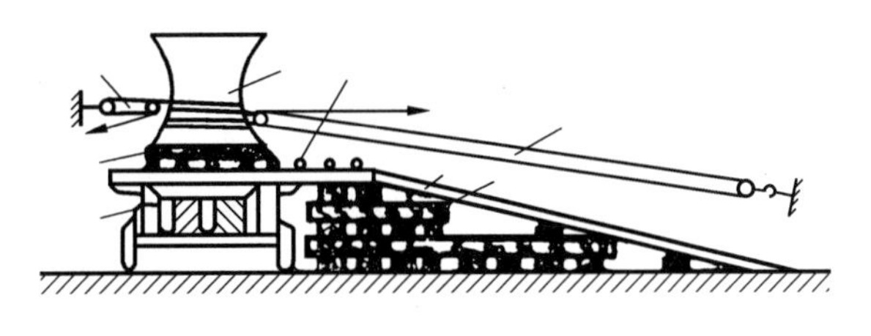
图 4-19　利用滚杠卸车

沙子,两侧要由专人负责摆正滚杠,防止产生其他事故。直至设备滑下车,再用千斤顶将设备顶高拆去托板滚杠等。

第四节　滑行装卸法

滑行装卸法的方法和基本要点与滚杠装卸法基本相同。所不同的是一个利用滚动摩擦,一个是利用滑动摩擦。滑行是在斜道木垛上放的钢轨(或用厚木板两边用角钢倒放)上移动,为了减少摩擦力,必须在轨道上涂一层黄油。由绞车引出的钢丝绳应根据物体产生的重力,采用多门滑轮以减少绞车的牵引力。用千斤顶把设备顶高,将轨道和排子安放到设备下面,再把设备坐落在排子上,即可进行装卸。

卸车时,首先使用千斤顶将设备垫高,将轨道和排子安放到设备下面,并在设备的左右各放一台绞车如图4-20。绞车2与1是从相反的方向开动的,即1慢慢收绳,2慢慢松绳。当设备滑到斜面上以后,设备依靠自重向下滑动,这时绞车1已不受力,而绞车2必须严格控制设备逐步、稳妥地向下滑动。滑到地面以后,同样使用千斤顶抽出轨道、排子或继续托填以托板、滚杠搬运至所需的地点。

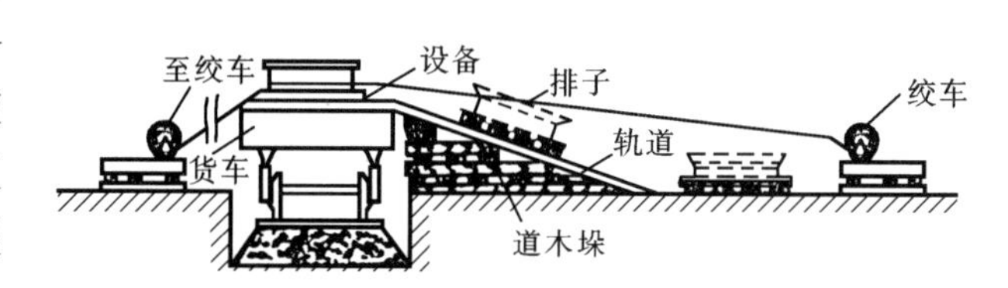

图4-20　滑行卸车法示意图

应该指出的是,当设备坐落到排子上后,应立即开动绞车进行拖移,决不能停留时间过长,否则起动时所需的牵引力将成倍地增加。

第五节　重大物体的顶高与落低

利用千斤顶的起重高度,逐渐地将物体顶升到所需的高度,这种方法能以较简单的设备解决缺乏起重机械时重大物体的吊装问题,是起重工作中常见的。

一、重大物体的顶高与落低

在缺乏起重机械的情况下,重大物体的运输不管是采用托板滚杠、润滑脂滑板还是钢排子运输;不管是采用滚杠装卸法还是滑行装卸法进行装卸车,或者在设备的安装过程中把设备顶高一小段距离等,均需要用多台千斤顶联合作业,把物体顶高或落低。

多台千斤顶联合作业时千斤顶的配备,除了考虑物体产生的重力外,还应从物体的外形尺寸、内部结构和地基的土质情况等方面全面考虑。如体积大的物体,应适当地多布置几个顶点,保证顶升过程中物体的平稳和不变形。如遇土质松软时,应考虑地质的承载能力,多布置几个顶点,使每个顶点的实际负荷减小;同时应在千斤顶的机座下面放置适当大小的木板或钢板,增加受力面积,防止当千斤顶工作受力时下沉、倾倒(图4-21)。物体上顶点的位置应是物体的加强处,决不能选择在结构的薄弱处,而造成物体的损坏。

多台千斤顶联合操作时,由于各千斤顶的顶升速度不可能完全一致,使各台千斤顶的受力不均匀。因此计算单台千斤顶的载荷时，应考虑不均衡系数，一般取1.25～1.5。为了避免各台千斤顶的受力不均衡，可采用互相连通的液压千斤顶，即用几台、几十台液压千斤顶组成千斤顶组，用一个泵向一组或数组千斤顶供给工作液，严格控制千斤顶的同步。

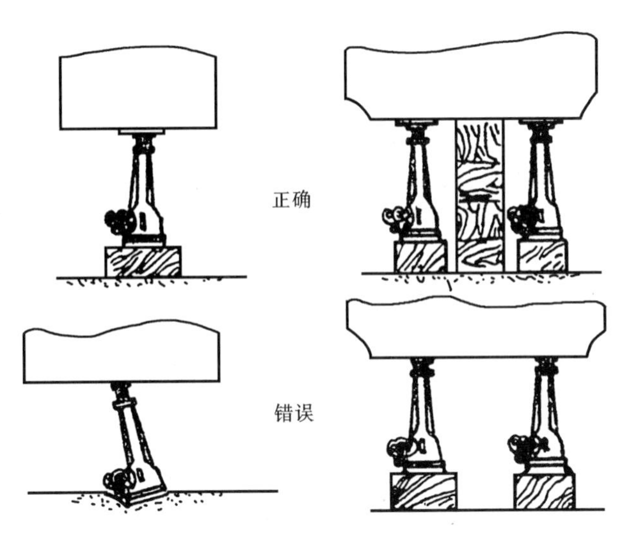

图 4-21　千斤顶的放置

千斤顶放置必须平稳可靠，应与顶升物体和基础都保持垂直。对于有圆势的物体，通常在千斤顶顶部垫片和物体底面之间垫以木楔。实质上顶升时，千斤顶一旦受力后，就要歪斜，与顶升物体和机座不保持垂直，造成千斤顶弹出，伤害人。所以应同时在机座下面塞以木楔，保证千斤顶与物体和基础上木楔斜面同在一垂直线上(图 4-22)。

千斤顶在使用前，应检查升降部分和各部件的活动是否灵活，有无损坏等，油压千斤顶的油路是否畅通，油箱是否有足够的油和油质是否合乎要求。在-5℃以下的气温操作时，工作油采用 10 号机械油、2 号机油或 2 号锭子油；要-5℃～30℃的气温下操作时，采用 2 号锭子油或变压器油。多台千斤顶联合操作时，要有专人统一指挥，先将物体稍微顶起一点，然后检查各台千斤顶机座下面的基础是否平整牢固，千斤顶与物体和基础是否保持垂直。如基础的楞木、垫板受压后不平整，不牢固，千斤顶有偏斜时，必须将千斤顶松下，经处理好后，才可指挥向上顶升。顶升时应随物体的上升，在物体下面垫好保险楞木，以防千斤顶倾斜和回油而引起活塞突然下降的危险。

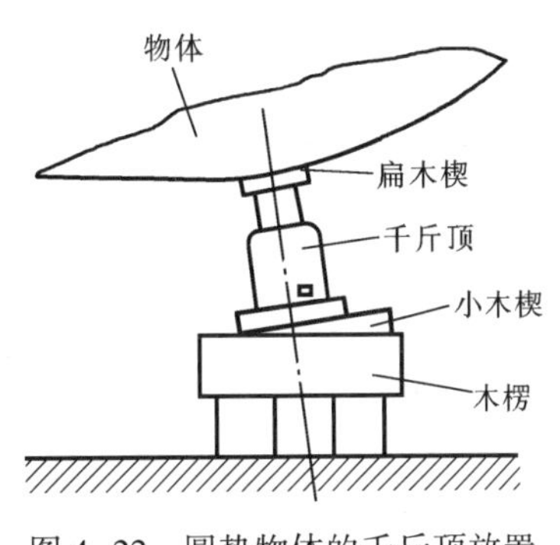

图 4-22　圆势物体的千斤顶放置

千斤顶在顶升过程中，顶升高度不能超过套筒或活塞上的标志线。如无标志线，其顶升高度不得超过螺杆丝扣或活塞总高度的四分之三，以免损坏千斤顶而造成事故。如果一次行程不能达到所需高度，可在千斤顶达到其允许的最大行程后，把保险楞木垫着实，松下千斤顶，填高千斤顶的基础，然后再继续统一指挥顶升物体，直到所需的高度为止。

千斤顶在落低时，比顶升时更难保持同步，必须更加注意。落低时也要做到随松随抽垫板和楞木。落低的距离比较大，不能一次落到位时，可采取逐台退出调整的方法。即多台千斤顶同时落到约有 2～3cm 行程的距离时，停止落低，先把一台千斤顶松下，减少千斤顶基础的垫木，使千斤顶到物体能有最大允许行程的距离，然后把千斤顶放妥后，再顶着实受力。依照此法按顺序把千斤顶逐台退出，降低位置再顶着实受力，待千斤顶全部退出调整后，再同步落低。这样多次调整直到要求的位置止。这个方法虽然比一次退出调整的操作速度要慢，但操作时安全可靠，尤其是在土质松软的环境下更有其独特的优点。千斤顶落低退出时，必须注意行程距离不能全部放光，否则会由于地基的土质及基础的楞木等回原，而使千斤顶退不出。

千斤顶在顶或落的时候，在平面位置上的摆移是不可避免的，有时正好能利用这些微小的摆移，校正顶升物体的位置。如在落低钢梁时，如果使钢梁左端的千斤顶稍微落低些，则钢梁就地向左稍稍移动。在快要就位时（如尚差 4～5cm 时）若还有偏差，如果需要向左移动时应将右边的千斤顶较快地一下落到底，然后再落左边的千斤顶，几毫米的偏差很容易纠正。

利用千斤顶的单边顶高或落低，可以使一些水平建造成的长形物体形成所需要的倾斜状态。如某农村船厂由于设备、技术力量和经验的不足，在江边的平地上水平建筑了一艘长 76m，宽 11m，重约 3920kN 的方驳。建成后无法使其下水，后来在上海某船厂派出的起重工人的技术指导下，使其顺利下水。下水的第一个难题是如何把原来呈水平状态的方驳改变成 1/19 坡度的倾斜状态。如图 4-23 所示，在距方驳一端的 18m 处第二道隔舱的船底下，并排安放两根长 11m 和 30cm 见方的木方，两根木方的上面再放一根同样规格的木方作旋转轴用。在方驳另一端的 18m 处第二道隔舱的第五道纵龙骨和两边的船旁舶底下，并排安放七台 490kN 的液压千斤顶作为顶点，在旋转轴处的方船顶端的龙骨下放二台 490kN 的液压千斤顶和在顶点处的方船顶端的龙骨和船旁下放二台 490kN 的液压千斤顶和三道楞木作保险用。经过计算，单边顶起船体强度足够，可不必采取其他措施。由一人负责指挥，先把七台千斤顶顶着实，拆除楞木后，然后同步落低。在落低过程中，三道保险楞木要做到随松随抽，落到千斤顶的行程约有 2cm 时停止落低，两端的四台千斤顶顶着实，然后采用逐台退出法，一台一台退出，调低千斤顶基础后再顶着实，待七台千斤顶全部调整顶着实后，顶端的四台千斤顶松下，再采用前述的方法进行落低，直至达到所需的倾斜度为止。

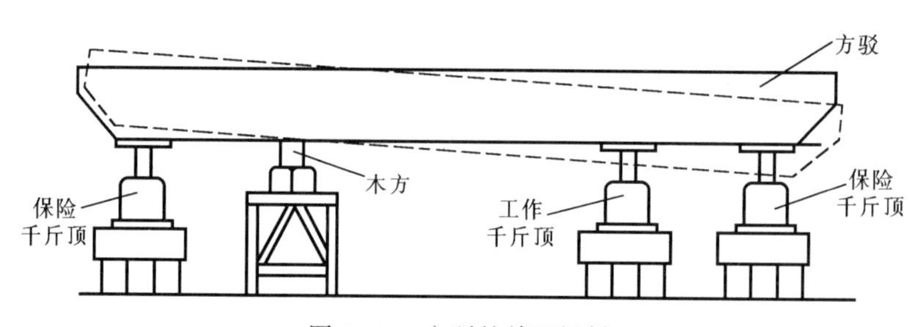

图 4-23　方驳的单面松低

二、柱上顶升法

建筑工业随着装配式结构的发展，对于一些重大构件，普遍采用把构件在地面设计位置预制或装配，然后用顶升法或提升法把构件安装到设计标高的位置。

根据千斤顶放置位置的不同，顶升法可分为柱上顶升法和柱下顶升法。

柱上顶升法是将千斤顶分别倒放在构件四角支承柱的柱帽下面，借助千斤顶活塞向下行动和垫入支承柱块，逐渐将构件顶升到设计标高。这种方法的特点是：千斤顶固定在柱帽下面，随着构件的上升而升高；在顶升过程中，千斤顶所受的荷重始终只承受构件产生的重力，柱子作为支点，当构件顶升到设计标高后，柱子就成为构件的支承柱。柱上顶升法的一般工作步骤（如图 4-24 所示）。

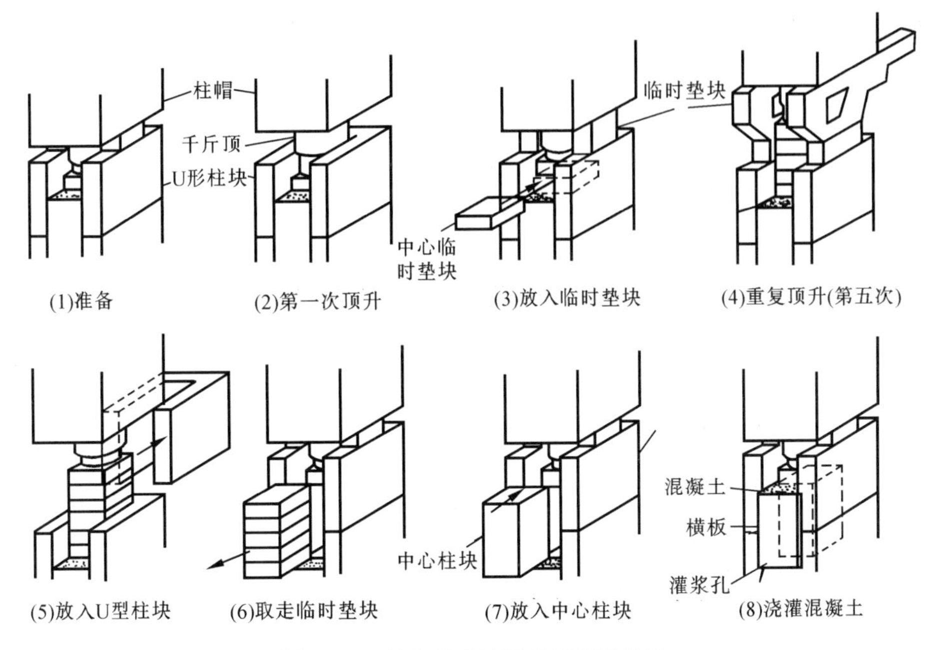

图 4-24　柱上顶升法顶升过程示意图

1. 先装好千斤顶,作好顶升准备。

2. 开动油泵,往千斤顶内进油,千斤顶的活塞则向下行走一个有效行程,构件就被顶起一个高度。

3. 在柱帽下,千斤顶的两侧加入高度与活塞行程一样的临时垫块。

4. 使千斤顶的活塞缩回,然后在千斤顶下垫入高度与千斤顶活塞行程一样的中心临时垫块。

5. 再开动油泵,使千斤顶活塞再向下行走一个有效行程,这时,构件又被顶起一个与活塞行程相当的高度,然后在两侧垫入垫块,松下千斤顶,并在千斤顶下再垫入中心临时垫块。如此重复上述的过程,直到顶升高度达到与⊔形柱块的高度相等时,取走临时垫块,放入⊔形柱块。

6. 松下千斤顶,使构件支承在⊔形柱块上,将千斤顶下的中心临时垫块取走,放入中心柱块,然后浇灌接缝混凝土。如此重复,直到构件顶升到设计标高为止。

三、柱下顶升法

柱下顶升法(图 4-25)与柱上顶升法的区别在于,千斤顶是分别放在构件四角的支承柱的基础上的。其特点是,千斤顶在基础上不动,而支承柱是随着构件的上升而逐渐地加高,施工操作始终是在地面上进行。在顶升过

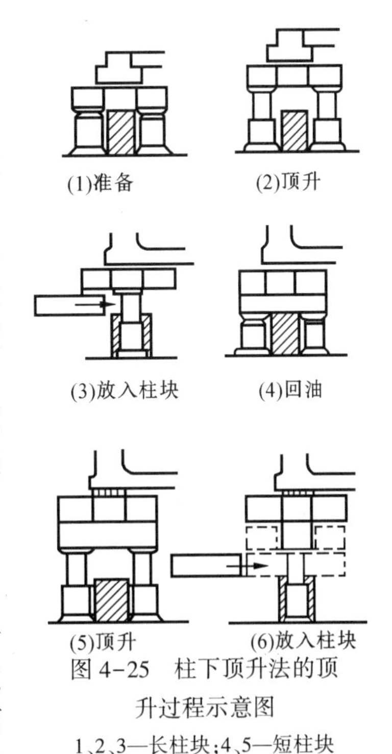

图 4-25　柱下顶升法的顶升过程示意图

1、2、3—长柱块;4、5—短柱块

程中，随着支承柱的逐渐增高，千斤顶所受的负荷逐渐增加，因此选择千斤顶时必须考虑这一因素。这种方法，在顶升过程中稳定性比较差，一般宜用顶升高度不超过 10m 的构件。图 4-25 为柱下顶升法的顶升过程示意图。

综上所述，采用多台千斤顶联合操作时，一个关键的问题是如何保证物体能平稳上升，因此在顶升过程中应特别注意工作中的同步。除了尽可能地采用同种型号的千斤顶，并尽可能使各台千斤顶的液压系统互相连通，在顶升过程中还应及时观察或测定各点在顶升过程中的高差，以便及时调整千斤顶的顶升速度。

第六节　单机吊装体长柱式物体

船舶的桅杆、空气瓶、厂房的柱子等都是细长的物体，单机吊装的方法很多，主要应根据物体的尺寸、质量安装要求、起重机的性能和操作现场的环境所决定。

一、物体的捆绑

体长物体进行单机吊装时，有吊环的物体一般应取其原设计的吊环作为吊点，设有吊环的物体通常用棕绳或钢丝绳进行单点捆绑，具体采用何种绳索应根据物体的质量而定，必须在绳索的许用拉力范围之内。捆绑时，绳索必须在物体上绕一圈(绕一空道)，以防物体滑出(图 4-26)。捆绑的位置与起吊的方法、物体的形状、受力情况、起重机的起吊高度以及操作现场的条件等有关。

(一)不翻转一次捆绑法：在物体重心上部进行单点捆绑后就可直接进行起吊安装，如图 4-27 中所示的宽面抵抗弯矩能力足够的矩形截面的长形物体或圆柱形截面的体长物体，采用这种方法后就可直接起吊。

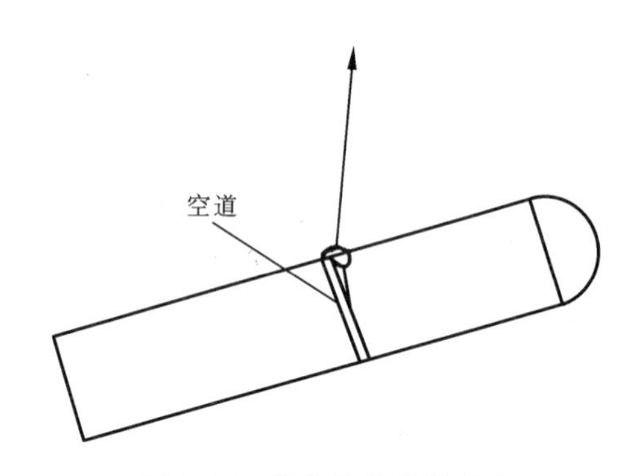

图 4-26　体长物体的捆绑法

(二)翻转一次捆绑法：当宽面抵抗弯矩能力不够时的矩形截面体长物体，如厂房的支柱，起吊时应设法把物体翻转 90°，使物体的惯性矩增大，即增加物体的抗弯截面系数，提高物体增加抵抗弯矩的能力，防止起吊时物体发生变形或损坏。

捆绑时，如图 4-28(1)所示，钢丝绳的绳扣一个在物体的上面，另一个在物体的下面(或两个均在物体的下面)。捆绑后利用起重机吊钩的上升，就将物体翻转 90°(图 4-28(2))，待物体稳定后，再继续起吊。翻转的动作应在起吊时慢慢进行，不要突然翻转起吊，以免发生安全和质量事故。

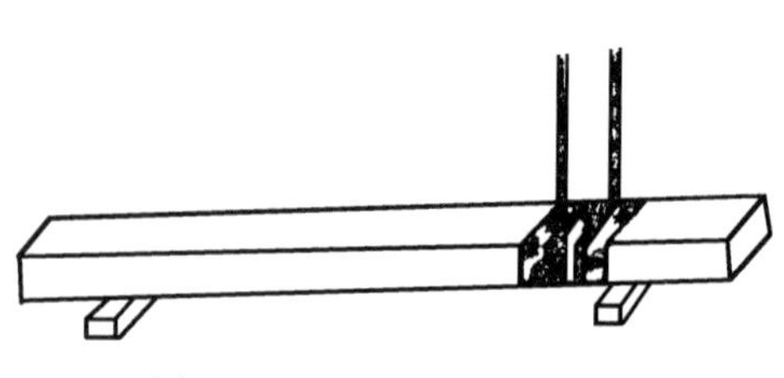
图 4-27　不翻转一次捆绑法

(三)两次捆绑法：对于起吊宽面抵抗弯矩能力不够的较宽较重的物体，为安全起见，可把起吊和翻身的捆绑分两次进行。即物体经过第一次捆绑翻转 90°后，再进行第二次捆绑起吊(图 4-29)。这种方法比翻转一次捆绑法多了一道捆绑工序,虽然比较麻烦和费时,但提高了安全性。翻转后的物体,应根据具体情况使其稳定,如用临时的木支撑撑住等。在物体翻身时,为了不致物体碰坏,应用楞木或木方等把物体垫高。

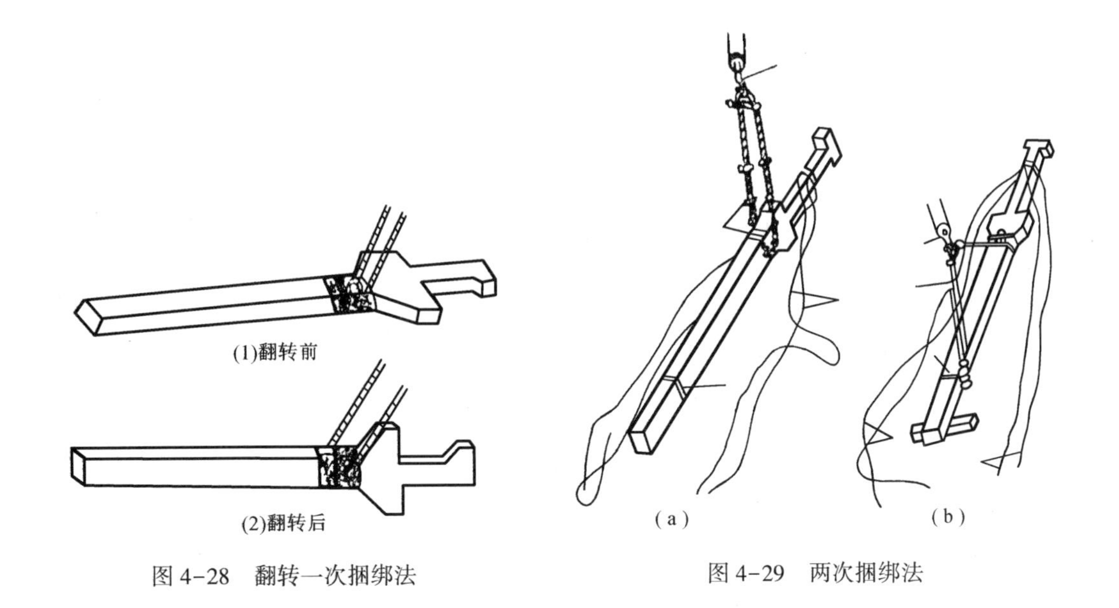

图 4-28　翻转一次捆绑法

图 4-29　两次捆绑法

物体捆绑时应注意的事项:

1. 物体捆绑点的位置,起吊时是否需要翻身,都应根据物体的强度决定;

2. 物体的捆绑点一般都应设置在物体重心的上部,否则会产生倾覆现象;

3. 捆绑点在四个棱角时,为了防止钢丝绳在棱角处被磨损和磨断,应在钢丝绳下面垫以麻袋、橡皮和木材之类的软物;

4. 吊装厂房柱子,钢丝绳的捆绑点位置应选择在托架(牛腿)的下面,而起吊钢丝绳的位置应根据托架(牛腿)的位置决定,一面或者双面有托架(牛腿)的柱子,钢丝绳的位置在托架(牛腿)的一面(图 4-30a),如果是三面或四面带有托架(牛腿)的柱子,钢丝绳的位置应在柱子的角上(图 4-30b),这样可以防止捆绑绳向上滑移和损坏托架(牛腿);

5. 吊装无凸肩的长形物体,捆绑时绳索必须在物体上绕一圈(绕一空道),并且绳索不能互相压死,否则绳索会收不紧,而造成物体滑出。

二、起吊方法

长形物体的起吊方法,应根据具体情况而定,单机吊装时有旋转吊装法、滑行吊装法、双钩吊装法和斜吊法等。

(一)旋转吊装法:这种方法是将物体下端的位置保持不动,单点捆绑在物体重心的上部,上端以下端为旋转轴,随着起重机钩子的上升和起重臂的旋转而逐渐升起,直到上端与下端处于同一垂直线上为止(图 4-31)。在整个操作过程中,吊钩和吊索必须保持垂直。如用汽车吊等自行式起重机,采用这种吊装方法时,物体的捆绑点、物体的下端及物体安装基础的中心,必须在起重机的同一工作半径上。

(二)滑行吊装法:在物体的下面安放托板滚杠或排子等运输工具,起重机的起重臂在物体的捆绑点上空(捆绑点应安放在物体基础的附近或基础上)。起吊时,通过起重机的提升,物体的上端逐渐上升,而下端慢慢滑向基础,直至将其竖直吊起,然后进行落位安装。由于采用这种方法起吊,起重机可以不动起重臂,只是起升吊钩,为使用把杆吊装创造了有利条件,可以起吊较重、较长的物体。

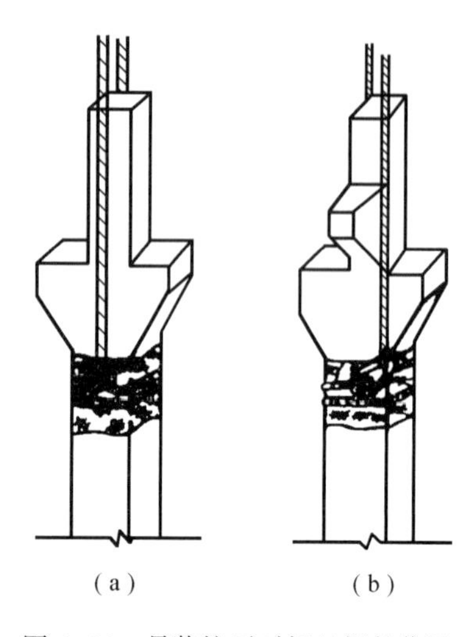

图 4-30 吊装柱子时钢丝绳的位置

(a)双支架(牛腿)柱的绑扎

(b)三面有支架(牛腿)的柱子的绑扎

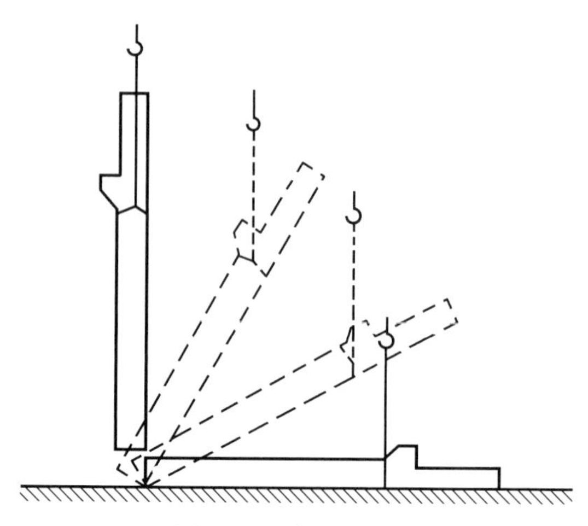

图 4-31 旋转吊装法

(三)双钩吊装法:一般是用起重量大、吊钩的有效高度高,并备有两个以上的吊钩的起重机。吊装较大、较重的物体时,主钩的捆绑点在重心的上部,副钩的捆绑点在物体的下部,而后主、副钩同时起升至一定的高度,副钩停止起升,起升主钩,至物体倾斜到与水平成 30°角,松下副钩,继续吊起主钩,使物体渐成垂直竖起的状态(图 4-32)。

(四)斜吊法:这种吊法主要解决物体较高,起重机的高度不够,不是垂直而是略呈倾斜地起吊。采用这种方法起吊时,捆绑点的位置也应选择在重心以上,然后用滑行吊装法或旋转吊装法将物体吊起,送到安装位置,用人工或用手拉葫芦等在物体底部加一个牵引力 S,使其就位,牵引力的大小为(图 4-33)

$$S=\frac{Qb}{h} \tag{4-5}$$

式中 S——物体就位需加的牵引力(N);

Q——物体产生的重力(N);

b——捆绑吊点到物体轴线的距离(m);

h——捆绑吊点到物体底部的距离(m)。

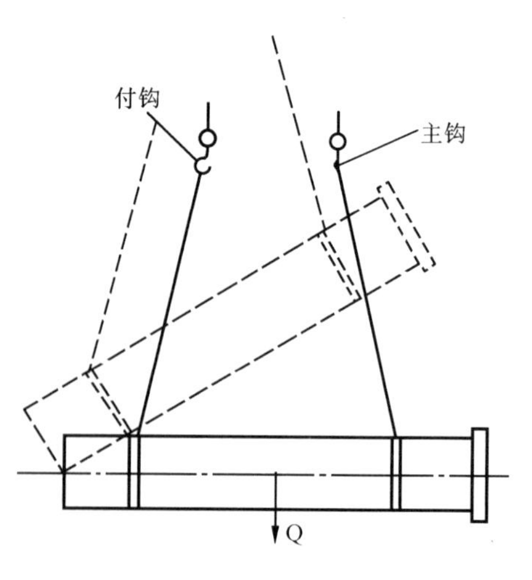

图 4-32 双钩吊装法

牵引力 S 使物体吊装就位时成直立状态,这时起重机吊起重滑轮组便成倾斜状,倾角的大小为

$$\tan\beta = \frac{S}{Q} = \frac{Qb/h}{Q} = \frac{b}{h} \tag{4-6}$$

自行式起重机起重滑轮组的倾角一般不能超过3°，即

$$\frac{b}{h} \leqslant \tan 3° = 0.05241 \tag{4-7}$$

所以上述条件只适宜于安装物体的高度 H 与直径 D 的比值大于40的情况，即长而细的设备。

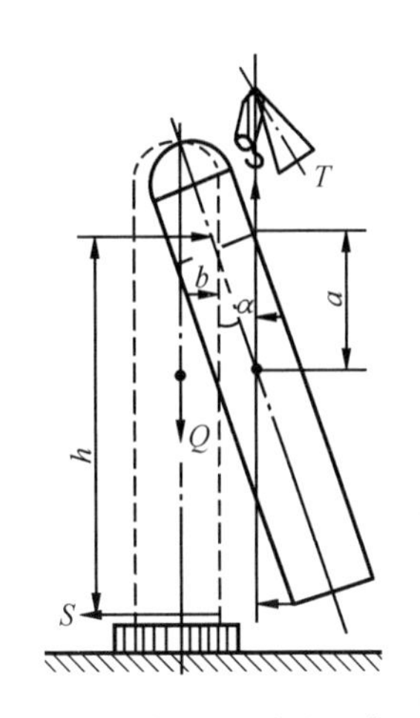

图4-33　斜吊法受力示意图

物体吊起以后成倾斜状态，从图4-33中可以看出倾斜的角度 α 与捆绑点到物体轴线的距离 b 和捆绑点到设备重心的距离 a 有关：

$$\alpha = \arcsin\frac{b}{a} \tag{4-8}$$

如果能够控制 α 使绳索捆绑吊点和物体重心的垂线处于物体安装底座的范围以内时（图4-34a），当物体的 O 点与底座相接触时产生一个使物体翻向直立状态的力矩，力矩 M_n 与 T 的方向是一致的，则不需加任何牵引力即可安全就位到底座上。但考虑到物体底部在底座上的摩擦力使起重滑轮组偏离垂线，因此应指挥不断地调整起重机（改变幅度、转动起重臂或移动吊车），以保持起重滑轮组与设备垂线的倾角在3°的范围以内。

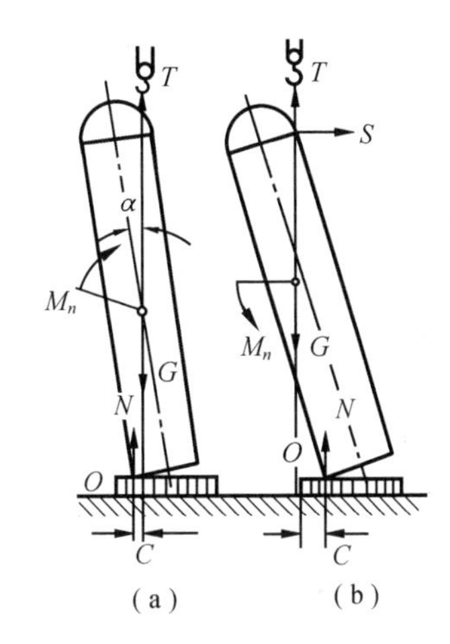

图4-34　物体在底座上就位时的受力图

如果上述的重线跑到底座范围以外（图4-34b），点 O 与底座接触后，将产生一个使物体的倾角 α 增大的力矩，力矩 M_n 的方向与 T 的方向相反。此时，物体要在底座上就位就必须加牵引力 S。

采用单机吊装时，为了防止物体下部摆动，应在物体下部捆一根麻绳留住。当物体离地约1m时，应停车检查捆绑情况，确认安全可靠后，才可继续起吊。

例1　一艘船舶的桅杆重147kN，高25m，重心在桅杆的中心位置，起重机最高吊点在桅杆重心以下的1/3处，如何用起重机进行吊装？

解　吊装中遇到的主要矛盾是起重机的起重高度不够，可以通过在桅杆的底部加平衡重，迫使桅杆重心下移的办法达到吊装的目的。

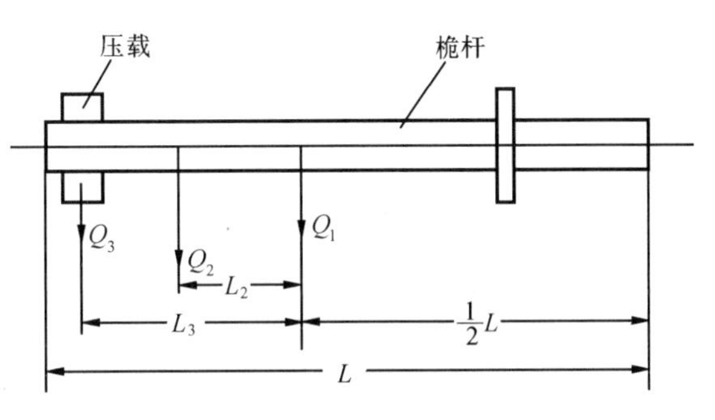

图4-35　加平衡重后桅杆的重心计算图

假设加平衡重后，合成重心 Q_2 移至吊点 O 以下的1m处，平衡重 Q_3 捆绑在桅杆下部0.5m处，平衡重的高度 $h=0.6$m。从图4-35可知，所需加的平衡重为

$$Q_2\left(\frac{1}{3}\frac{1}{2}L+1\right) = Q_3\left(\frac{1}{2}L-0.8\right)$$

$$(147+Q_2)\times 5.17=11.7Q_3$$

$$Q_3=116.4\text{kN}$$

即约加 116.4kN 的平衡重，才能迫使重心移至吊点以下 1m 处。加重的方法是，将桅杆搁平，选择一块或多块总重为 116.4kN 的压铁，吊放在桅杆的根部，用吊环、钢丝绳直接捆绑牢。吊装方法是，在桅杆重心下部的 1/3 处焊接一只负重 294kN 的吊环，用一只负重 294kN 的卸扣连接起重机吊钩和桅杆吊环。在桅杆顶部放置四根直径 19.5mm、长 20～30m 的缆风绳。而后指挥起重机用旋转吊装法将桅杆吊起至桅杆安装地点，根部对准安装孔，初步将桅杆四周的缆风绳拉好（每根缆风绳可接手拉葫芦配合定位）。当桅杆根部末端楔入安装孔后，拆除压铁和割除吊牢压铁的吊环。当桅杆楔入安装孔至吊点吊环时，用临时加强材料在桅杆四周临近安装孔处焊牢，收紧四周的缆风绳，即可解除起重机吊钩，另用钢丝绳捆绑在桅杆的上部并挂好吊钩，指挥起重机使吊索收紧，停止起升，再割除原吊点吊环和临时加强材料，直至桅杆安装就位（图 4-36）。

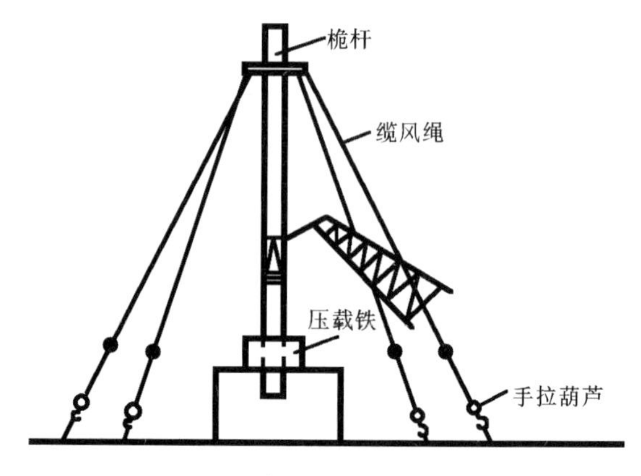

图 4-36　超高桅杆吊装的示意图

第七节　双机或多机吊装

在船厂起重吊装工作中，经常要用两台或两台以上的起重机联合作业。在起吊过程中由于物体重心位置的偏差，各台起重机的升降速度快慢不一致，幅度、臂杆回转和起重机所处位置的不同等，均可造成起重机的载荷分配不平均而造成事故。

一、两台起重机联合作业的受力分析

两台起重机联合作业，通常使用四根吊索进行抬吊（图 4-37）。图中吊钩 A、B 和物体的重心 Q 应在同一垂直平面内。吊点与重心的位置通常有图 4-38 中的三种情况：

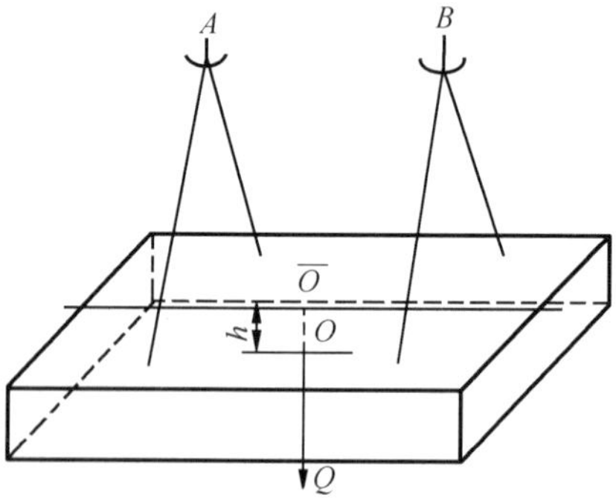

图 4-37　两台起重机联合作业的简图

1. 吊点与重心在同一水平面内（图 4-38a）；
2. 吊点在重心平面的上部（图 4-38b）；
3. 吊点在重心平面的下部（图 4-38c）。

（一）等速起吊时各台起重机负荷的计算

由图 4-39 可知，在两台起重机起升速度相等的情况下，即 A、B 两点在同一水平面内，对重心 Q 取力矩平衡方程可得：

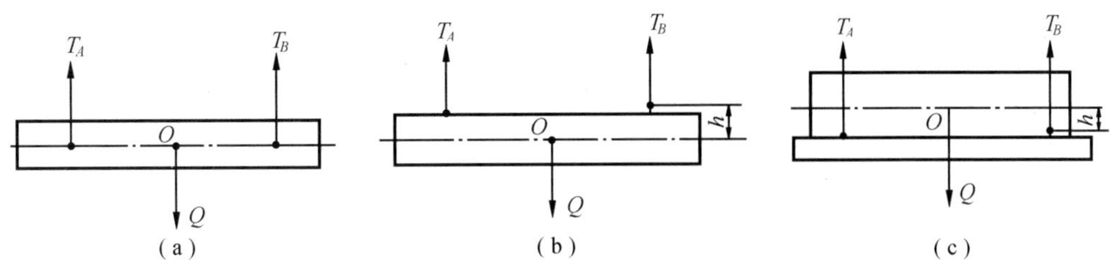

图 4-38　吊点与重心的位置

$$T_A=\frac{L-X}{L}Q \tag{4-9}$$

$$T_B=\frac{X}{L}Q \tag{4-10}$$

式中　T_A、T_B——起重机 A、B 所承受的负荷(N)；

L——两吊点间的距离(m)；

X——吊点 B 至重心的距离(m)；

Q——物体产生的重力(N)。

从 4-9 式、4-10 式可知，当两吊点与重心的距离相等时，两台起重机承受的负荷相等，$T_A=T_B$；如果吊点 A、B 与重心 Q 的距离不相等时，两台起重机所承受的负荷则不相等。吊点离重心距离近的起重机承受的负荷就大，离重心较远的起重机承受的负荷就较小。

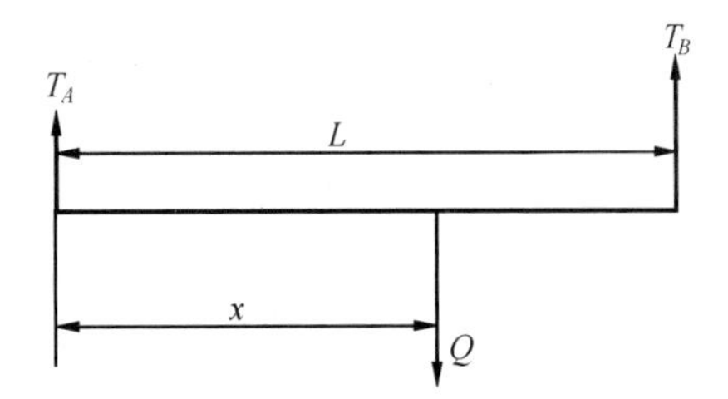

图 4-39　等速起吊时起重机负荷的计算

(二)不等速起吊中，起重机负荷的计算

在两台起重机的联合作业中，由于起重机的性能、驾驶员的操作与指挥人员的指挥等因素的影响，被吊物体不可能理想地平移上升，而要产生一些小角度的旋转，即 A、B 两点产生高度差 e。

如两吊点与重心在同一平面时，物体旋转与否与各台起重机的负荷无关；而两吊点与重心不在同一平面时，即图 4-38(b)、(c)所示的情况，物体旋转一角度后，将使各台起重机的负荷产生明显的变化。

1. 吊点与重心距离相等时，起重机负荷的变化

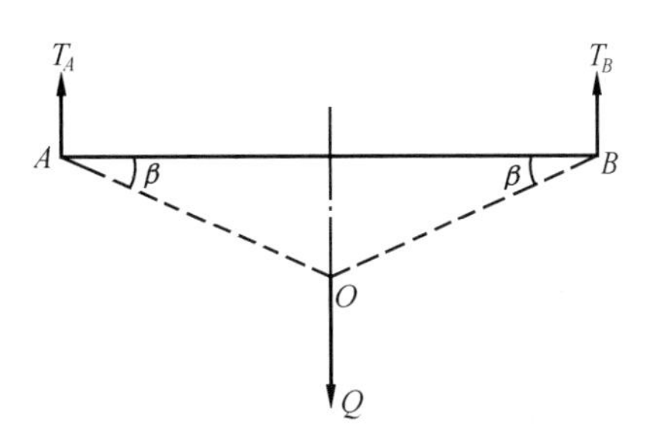

图 4-40　起吊前两吊点的位置示意图

在起吊前，吊点 A、B 在同一高度，与重心 Q 的距离相等，都等于 $L/2$，$\angle BAO=\angle ABO=\beta$(图 4-40)。当物体在上升过程中产生旋转时(图 4-41)，A、B 两吊点就产生高度差 e。

为求 A 点的负荷，可对吊点 B 取力矩方程，即 $\sum M_B=0$，

$$T_A L\cos\alpha = Q\,\frac{L/2}{\cos\beta}\cos(\beta-\alpha)$$

$$T_A=\frac{\cos(\beta-\alpha)}{2\cos\alpha\cos\beta}Q=\frac{Q}{2}(1+\tan\alpha\tan\beta) \tag{4-11}$$

因为 $T_B = T_A = Q$

所以

$$T_B = Q - T_A = Q/2(1 - \tan\alpha\tan\beta) \quad (4-12)$$

式中 T_A、T_B——起重机 A、B 点承受的负荷(N)；

Q——所吊物体的产生的重力(N)；

β——吊点与物体重心间连线和水平线间的夹角；

α——吊点 A、B 连线与水平线间的夹角。

由此可以看出，如果起重机的 A 点吊钩起升的快，物体将发生倾斜，此时物体的重心向 A 点移近，起重机 A 点承受的负荷就增加，起重机 B 点承受的负荷就减少，其数值为 $Q/2\tan\alpha\tan\beta$。

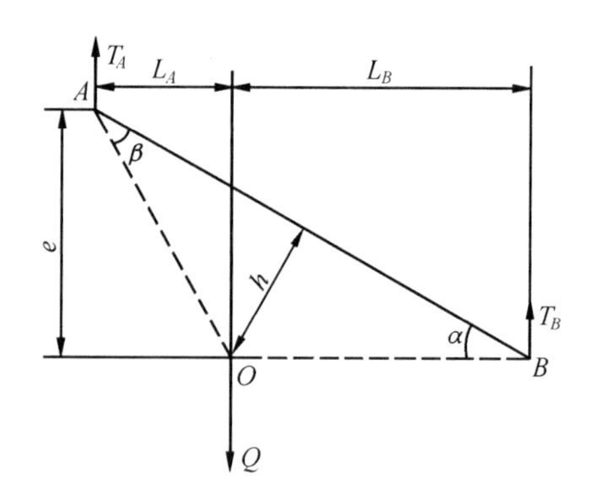

图 4-41　物体旋转后两吊点的位置示意图

因为

$$\tan\alpha = \frac{e}{\sqrt{L^2 - e^2}}, \quad \tan\beta = \frac{h}{L/2} = \frac{2h}{L}$$

所以

$$T_A = \frac{Q}{2}\left(1 + \frac{2he}{\sqrt{L^2 - e^2}}\right) = \frac{Q}{2}\left(1 + \frac{2h}{L}\frac{e/L}{\sqrt{1-(e/L)^2}}\right) \quad (4-13)$$

式中 h——重心与吊点平面间的距离(m)；

e——两吊点之间的高度差(m)。

当吊点 A、B 在物体的重心之下时，需将 h 以 $-h$ 代入，于是

$$T_A = \frac{Q}{2}\left(1 - \frac{2h}{L}\frac{e/L}{\sqrt{1-(e/L)^2}}\right)$$

令

$$\omega = \frac{1}{2}\left(1 + \frac{2|h|}{L}\frac{e/L}{\sqrt{1-(e/L)^2}}\right)$$

则

$$T_A = \omega Q \quad (4-14)$$

$$T_B = (1-\omega)Q \quad (4-15)$$

式中 ω 是以($|h|/L$)($|e|/L$)为参数的变量，当吊点在重心下部时，由于 h 为负值，所以 $T_A = (1-\omega)Q$。

2. 吊点与重心不等距时，起重机负荷的变化

在起吊前，吊点 A、B 在同一水平面内，由于吊点 A、B 与重心 Q 的距离不相等，因此吊点 A、B 与重心 Q 的连线和吊点所在平面的夹角不相等(图 4-42)。

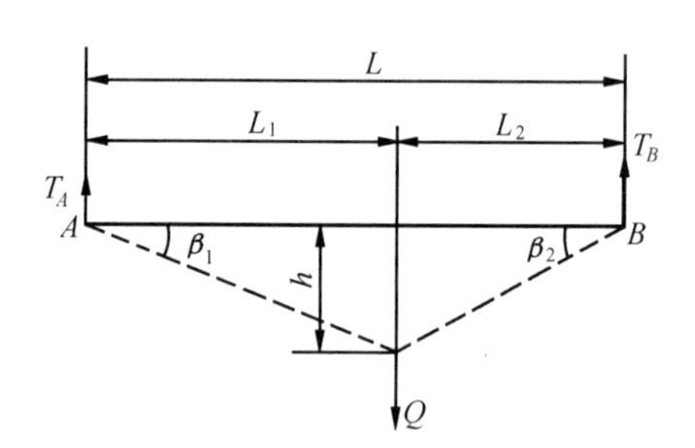

图 4-42　起吊前吊点与重心不等距时的示意图

在起吊过程中，由于起升速度不相等，物体将产生旋转，如图 4-43 所示。同样对 B 点取力矩平衡方程，$\sum M_B = 0$，

$$T_A L\cos\alpha = Q\sqrt{L_2^2+h^2}\cos\alpha(\beta_2-\alpha)$$

$$T_A = \frac{Q\sqrt{L_2^2+h^2}\cos\alpha(\beta_2-\alpha)}{L\cos\alpha} = \frac{L_2}{L}Q(1+\tan\alpha\tan\beta_2) \quad (4-16)$$

因为

$$\tan\alpha = \frac{e}{\sqrt{L^2-e^2}}, \tan\beta_2 = \frac{h}{L_2}$$

所以

$$T_A = \frac{L_2}{L}\left(1+\frac{h}{L_2}\frac{e}{\sqrt{L^2-e^2}}\right)Q \quad (4-17)$$

式中 T_A——A 点起重机承受的负荷(N);

L_2——吊点 B 与重心 Q 的水平距离(m)。

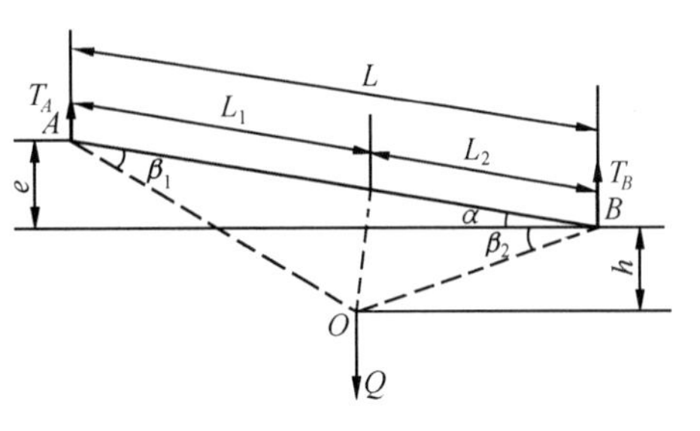

图 4-43　物体旋转后吊点位置的示意图

可以看出 4-13 式仅为 4-17 式的特例,如令

$$\overline{\omega} = \frac{1}{2}\left(1+\frac{h}{L_2}\frac{e/L}{\sqrt{1-(e/L)^2}}\right)$$

则

$$T_A = \frac{2L_2}{L}\overline{\omega}Q \quad (4-18)$$

$$T_B = \left(1-\frac{2L_2}{L}\overline{\omega}\right)Q \quad (4-19)$$

式中,$\overline{\omega}$ 为起重机的负荷系数,查表 4-1。

表 4-1　起重机的负荷系数

$\frac{\|h\|}{L_2}$	$\|e\|/L$					
	0. 00	0. 05	0. 10	0. 15	0. 20	0. 25
0. 00	0. 50	0. 50	0. 50	0. 50	0. 50	0. 50
0. 05	0. 50	0. 50	0. 50	0. 50	0. 51	0. 51
0. 10	0. 50	0. 50	0. 51	0. 51	0. 51	0. 51
0. 15	0. 50	0. 50	0. 51	0. 51	0. 52	0. 52
0. 20	0. 50	0. 51	0. 51	0. 52	0. 52	0. 53
0. 25	0. 50	0. 51	0. 51	0. 52	0. 53	0. 53
0. 30	0. 50	0. 51	0. 52	0. 52	0. 53	0. 54
0. 35	0. 50	0. 51	0. 52	0. 53	0. 54	0. 55
0. 40	0. 50	0. 51	0. 52	0. 53	0. 54	0. 55
0. 45	0. 50	0. 51	0. 52	0. 53	0. 55	0. 56
0. 50	0. 50	0. 51	0. 53	0. 54	0. 55	0. 56
0. 55	0. 50	0. 51	0. 53	0. 54	0. 56	0. 57

0. 60	0. 50	0. 52	0. 53	0. 55	0. 56	0. 58
0. 65	0. 50	0. 52	0. 53	0. 55	0. 57	0. 58
0. 70	0. 50	0. 52	0. 54	0. 55	0. 57	0. 59
0. 75	0. 50	0. 52	0. 54	0. 56	0. 58	0. 60
0. 80	0. 50	0. 52	0. 54	0. 56	0. 58	0. 60
0. 85	0. 50	0. 52	0. 54	0. 56	0. 59	0. 61
0. 90	0. 50	0. 52	0. 55	0. 57	0. 59	0. 62
0. 95	0. 50	0. 52	0. 55	0. 57	0. 60	0. 63
1. 00	0. 50	0. 53	0. 55	0. 58	0. 60	0. 63
1. 10	0. 50	0. 53	0. 56	0. 58	0. 61	0. 64
1. 20	0. 50	0. 53	0. 56	0. 59	0. 62	0. 65
1. 30	0. 50	0. 53	0. 57	0. 60	0. 63	0. 67
1. 40	0. 50	0. 54	0. 57	0. 61	0. 64	0. 68
1. 50	0. 50	0. 54	0. 58	0. 62	0. 65	0. 69
1. 60	0. 50	0. 54	0. 58	0. 62	0. 66	0. 71
1. 70	0. 50	0. 54	0. 59	0. 63	0. 67	0. 72
1. 80	0. 50	0. 55	0. 59	0. 64	0. 68	0. 73
1. 90	0. 50	0. 55	0. 60	0. 65	0. 69	0. 75
2. 00	0. 50	0. 55	0. 60	0. 65	0. 70	0. 76
2. 10	0. 50	0. 55	0. 61	0. 66	0. 71	0. 77
2. 20	0. 50	0. 56	0. 61	0. 67	0. 72	0. 78
2. 30	0. 50	0. 56	0. 62	0. 67	0. 73	0. 80
2. 40	0. 50	0. 56	0. 62	0. 68	0. 74	0. 81
2. 50	0. 50	0. 56	0. 63	0. 69	0. 76	0. 82

例 1　如图 4-42 中的 $L=9\text{m}$，$L_1=6\text{m}$，$L_2=3\text{m}$，$h=-2.5\text{m}$，$Q=980\text{kN}$，$e=1.5\text{m}$，求 T_A、T_B。

解　因为$\dfrac{|h|}{L_2}=\dfrac{2.5}{3}=0.83$，$\dfrac{|e|}{L}=\dfrac{1.5}{9}=0.17$，

查表 4-1，$\overline{\omega}=0.57$，

所以

$$T_A=\frac{2L_2}{L}\overline{\omega}Q=\frac{2\times3}{9}\times0.57\times980=372.6\text{kN},$$

$$T_B=980-372.6=607.4\text{kN}$$

而当吊点 A、B 在同一水平线上时，$T_A=980\times3/9=326.7\text{kN}$，$T_B=980\times6/9=653.3\text{kN}$。由于起吊速度不相等，吊点 A、B 之间高度相差 1.5m 时，A 点起重机增加了 45.9kN 的负荷，B 点起重机减少了 45.9kN 的负荷，此改变量相当于吊重的 4.7%，而 A 点起重机的负荷增加约 14%。

二、三台起重机联合作业的受力分析

在起重作业中，有时需要三台起重机联合作业，此时各台起重机起升速度的差异对每台起重机负荷的影响，比两台起重机联合作业量更加复杂。三台起重机联合作业时通常有两种方法：一种是其中的两台起重机使用吊杠抬吊；另一种是三台起重机直接吊抬物体。

（一）使用吊杠的三台起重机联合作业

图 4-44 是使用吊杠的三台起重机联合作业的受力分析简图，如将 B、C 吊点的作用力以合力 T_D 表示，则可简化为图 4-45 所示的情况，可按平面力系的问题进行处理。如果起重机上升速度不一致，则与图 4-43 所示的情况相同，所以

$$T_A = \frac{2L_2}{L}\overline{\omega} Q \tag{4-20}$$

$$T_D = (1 - \frac{2L_2}{L}\overline{\omega})Q \tag{4-21}$$

式中的符号同 4-18 式、4-19 式相同。

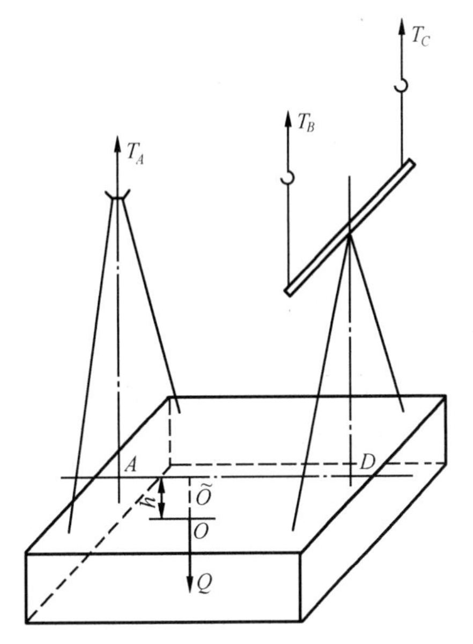

图 4-44　使用吊杠的三台起重机联合作业的受图简图

T_D 为在 B、C 两吊点由两台起重机通过吊杠而产生的合力作用于被吊物体的力。根据力的分解原理可将 T_D 进一步分解，如图 4-46 所示。如两台起重机的起升速度相等，则各台起重机的负荷可按 4-9 式、4-10 式进行计算求得。

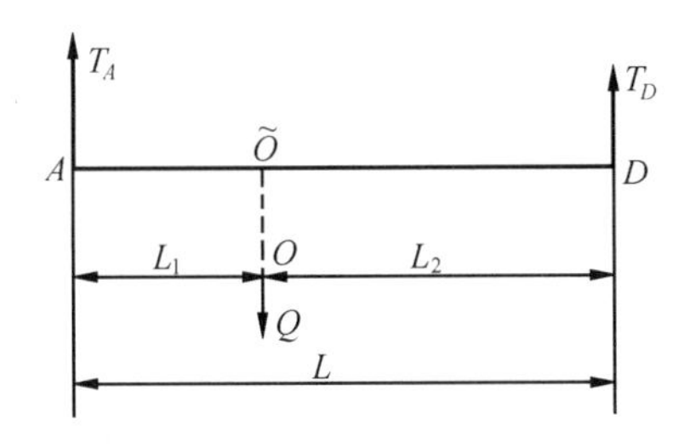

图 4-45　使用吊杠的三台起重机联合作业的受力简图

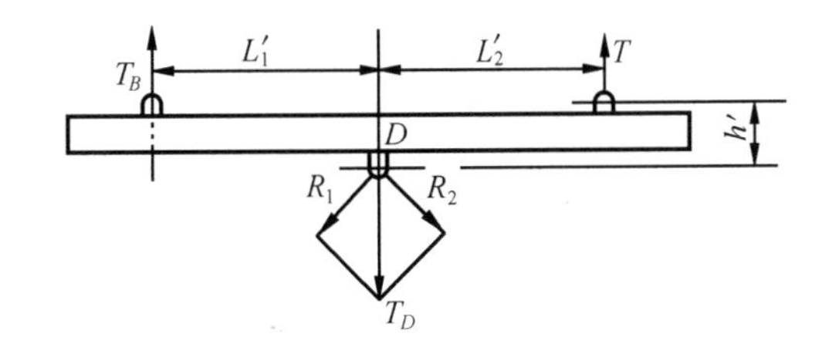

图 4-46　吊杠的受力分析

如果 B、C 两吊点的起重机起升速度不相等，两吊点之间就产生高度差 e'（图 4-47）。则

$$T_B = \frac{2L_2'}{L'}\overline{\omega}' T_D = \frac{2L_2'}{L'}\overline{\omega}'(1 - \frac{2L_2}{L}\overline{\omega})Q \tag{4-22}$$

$$T_C = (1 - \frac{2L_2'}{L'}\overline{\omega}')(1 - \frac{2L_2}{L}\overline{\omega})Q \tag{4-23}$$

式中　L_2'——吊点 C 与吊点 D 之间的距离（m）；

L'——B、C 吊点间的距离（m）；

$\overline{\omega}'$——使用吊杠起重机的负荷系数,查表 4-1,需以 $|e'|/L'$、$|h'|/L_2'$ 代替 $|e|/L$、$|h|/L_2$;

h'——吊点 B、C 与吊点 D 的距离(m);

e'——吊点 B、C 间的高度差(m)。

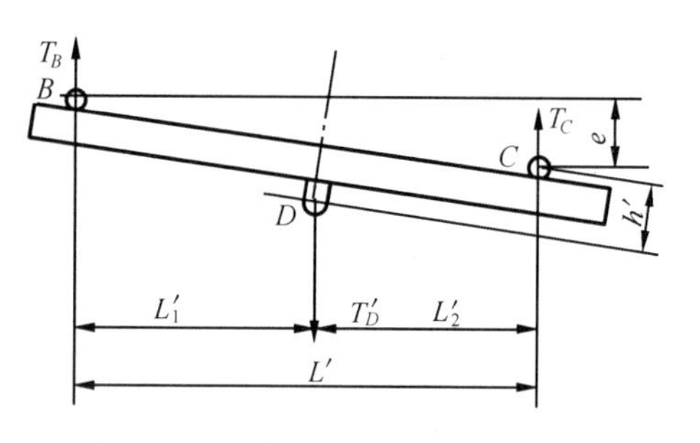

图 4-47　两台起重机不等速抬吊吊杆

例 2　如图 4-44 所示,三台起重机使用吊杠合吊产生的重力为 980kN 的物体,吊点 A、D 间的距离 $L=9\text{m}$,物体重心与吊点 A 的距离 $L_1=6\text{m}$,与吊点 D 的距离 $L_2=3\text{m}$,吊杠上两吊点 B、C 间的距离 $L'=9\text{m}$,吊点 D 与吊点 B、C 的距离分别为 $L'_1=6\text{m}$,$L'_2=3\text{m}$,吊点位于重心 Q 的上部,距离 $h=2.5\text{m}$。吊杆上吊点 B、C 与 D 间的距离 $h'=0.8\text{m}$。由于起重机起升速度的差异,在起升过程中物体产生旋转,$e=e'=1.5\text{m}$,求 A、B、C 点起重机的负荷。

解　因为 $\dfrac{|h|}{L_2}=\dfrac{2.5}{3}=0.83$,$\dfrac{e}{L}=\dfrac{1.5}{9}=0.17$,

查表 4-1,$\overline{\omega}=0.57$,于是

$$T_A=\frac{2L_2}{L}\overline{\omega}Q=\frac{2\times3}{9}\times0.57\times980=372.4\text{kN},$$

$$T_D=Q-T_A=980-372.4=607.6\text{kN}$$

因为 $\dfrac{|e'|}{L'}=\dfrac{1.5}{9}=0.17$,$\dfrac{|h'|}{L_2'}=\dfrac{0.8}{3}=0.27$,

查表 4-1,$\overline{\omega}=0.525$,

所以

$$T_B=\frac{2L_2'}{L'}\overline{\omega}'T_D=\frac{2\times3}{9}\times0.525\times607.6=212.7\text{kN},$$

$$T_C=T_D-T_B=607.6-212.7=394.9\text{kN}$$

(二)三台起重机直接起吊物体的受力分析

在起重作业中,有时采用一台起重机直接吊物体的一端,物体的另一端用两台起重机直接抬吊。如果起重机的起升速度均相等,吊点 B、C 与物体的重心等距时,起吊时的受力如图 4-48 所示。根据力矩平衡原理,可得

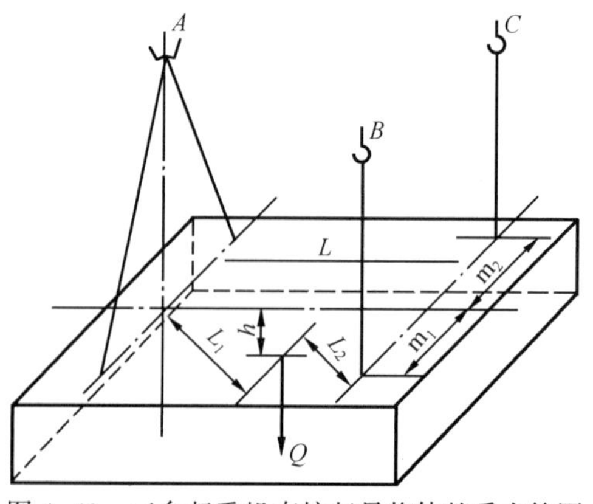

图 4-48　三台起重机直接起吊物体的受力简图

$$T_B=T_C=\frac{1}{2}\frac{L_1}{L}Q \qquad (4\text{-}24)$$

$$T_A=\frac{L-L_1}{L}Q \qquad (4\text{-}25)$$

式中　T_B、T_C、T_A——B、C、A 吊点的起重机负荷(N);

L_1——吊点 A 与物体重心的距离(m);

L——吊点 A 与吊点 B、C 间的距离(m);

Q——物体产生的重力(N)。

如果起重机的起升速度不相等,每台起重机承受的负荷计算就比较复杂,为了便于在施工中使用,将有关的系数列为表格,通过查表,经过简单的运算即可求得每台起重机承受的负荷。

按照三台起重机使用吊杠联合作业处理问题的思想,先以 T_D 代替 B、C 的吊点起重机的合力,把空间力系化为平面力系问题处理,按两台起重机联合作业的计算法,求出 T_A、T_D。再把 D 点看作是 B、C 两吊点的重心,仍使用两台起重机联合作业的计算法求 B、C 吊点起重机的负荷。此时需把 H 代替 h,B、C 吊点间的距离 m 代替 L,从表 4-1 中查得 $\overline{\omega}$。H 可按下式求得

$$H=\eta L \tag{4-26}$$

式中,η 为修正系数,当 $eh>0$ 时,查表 4-2;当 $eh<0$ 时,查表 4-3。

表 4-2 修正系数 $\eta(eh>0)$

$\frac{\lvert h\rvert}{L_1}$	$\lvert e\rvert/L$					
	0. 00	0. 05	0. 10	0. 15	0. 20	0. 25
0. 00	0. 000	0. 000	0. 000	0. 000	0. 000	0. 000
0. 05	0. 050	0. 050	0. 051	0. 052	0. 054	0. 054
0. 10	0. 100	0. 101	0. 102	0. 103	0. 104	0. 106
0. 15	0. 150	0. 151	0. 153	0. 155	0. 158	0. 161
0. 20	0. 200	0. 202	0. 205	0. 209	0. 213	0. 218
0. 25	0. 250	0. 253	0. 258	0. 263	0. 269	0. 276
0. 30	0. 300	0. 305	0. 311	0. 318	0. 326	0. 336
0. 35	0. 350	0. 357	0. 365	0. 374	0. 385	0. 397
0. 40	0. 400	0. 409	0. 419	0. 431	0. 445	0. 461
0. 45	0. 450	0. 461	0. 474	0. 489	0. 506	0. 526
0. 50	0. 500	0. 513	0. 529	0. 547	0. 568	0. 593
0. 55	0. 550	0. 566	0. 585	0. 607	0. 632	0. 662
0. 60	0. 600	0. 619	0. 642	0. 668	0. 698	0. 733
0. 65	0. 650	0. 673	0. 699	0. 729	0. 765	0. 807
0. 70	0. 700	0. 726	0. 757	0. 792	0. 834	0. 882
0. 75	0. 750	0. 780	0. 815	0. 856	0. 904	0. 961
0. 80	0. 800	0. 834	0. 874	0. 921	0. 976	1. 041
0. 85	0. 850	0. 889	0. 934	0. 987	1. 050	1. 125
0. 90	0. 900	0. 944	0. 994	1. 054	1. 125	1. 211
0. 95	0. 950	0. 999	1. 056	1. 123	1. 203	1. 300
1. 00	1. 000	1. 054	1. 117	1. 192	1. 282	1. 392

表 4-3　修正系数 $\eta(eh<0)$

$\frac{\lvert h\rvert}{L_1}$	$\lvert e\rvert/L$					
	0. 00	0. 05	0. 10	0. 15	0. 20	0. 25
0. 00	0. 000	0. 000	0. 000	0. 000	0. 000	0. 000
0. 05	0. 050	0. 050	0. 050	0. 050	0. 051	0. 051
0. 10	0. 100	0. 100	0. 100	0. 100	0. 100	0. 101
0. 15	0. 150	0. 144	0. 149	0. 148	0. 149	0. 149
0. 20	0. 200	0. 198	0. 197	0. 196	0. 196	0. 196
0. 25	0. 250	0. 247	0. 245	0. 244	0. 243	0. 243
0. 30	0. 300	0. 296	0. 293	0. 290	0. 289	0. 288
0. 35	0. 350	0. 344	0. 340	0. 336	0. 333	0. 332
0. 40	0. 400	0. 393	0. 386	0. 381	0. 377	0. 374
0. 45	0. 450	0. 441	0. 433	0. 426	0. 421	0. 416
0. 50	0. 500	0. 488	0. 478	0. 470	0. 463	0. 457
0. 55	0. 550	0. 536	0. 524	0. 513	0. 505	0. 497
0. 60	0. 600	0. 583	0. 569	0. 556	0. 546	0. 537
0. 65	0. 650	0. 630	0. 613	0. 598	0. 586	0. 575
0. 70	0. 700	0. 677	0. 657	0. 640	0. 625	0. 612
0. 75	0. 750	0. 724	0. 701	0. 681	0. 664	0. 649
0. 80	0. 800	0. 770	0. 744	0. 722	0. 702	0. 685
0. 85	0. 850	0. 816	0. 787	0. 762	0. 739	0. 720
0. 90	0. 900	0. 862	0. 830	0. 801	0. 776	0. 754
0. 95	0. 950	0. 908	0. 872	0. 840	0. 812	0. 788
1. 00	1. 000	0. 954	0. 913	0. 878	0. 848	0. 821

例 3　三台起重机直接吊一重 980kN 的物体(图 4-49)，$L=m=10\text{m}$，$L_1=L_2=m_1=m_2=5\text{m}$，$h=2\text{m}$，在起升过程中，由于起重机速度的不相等，物体产生旋转，$e_B=3\text{m}$，$e_C=1\text{m}$，求每台起重机承受的负荷。

解　因为 $e_D=e_B-e_C=2\text{m}$，
所以

$$\frac{e}{L}=\frac{2}{10}=0.2,$$

$$\frac{|h|}{L/2}=\frac{2}{5}=0.4,$$

查表 4-1，$\bar{\omega}=0.54$，

$$T_B=\frac{2L_1}{L}\bar{\omega}Q=0.54\times980=529.2\text{kN},$$

$$T_A=Q-T_B=980-529.2=450.8\text{kN},$$

$$|h|/L_1 = 0.40,$$

$e/L = 0.20$，$eh > 0$，查表 4-2，$\eta = 0.445$，

$$H = \eta L = 0.445 \times 10 = 4.45\text{m},$$

以 H 代 h，m 代 L 得 $e/m = 0.20$，

所以
$$\frac{H}{m/2} = 0.89,$$

查表 4-1，$\bar{\omega} = 0.59$，因为 $2L_2/L = 1$，

$$T_B = \bar{\omega} T_D = 0.59 \times 529.2 = 312.2\text{kN}$$

$$T_C = T_D - T_B = 529.2 - 312.2 = 217\text{kN}$$

从以上的分析可以看到，在多台起重机联合作业中，每台起重机实际承受负荷的大小与 h/L_2、e/L 的比值大小有关。因此，在条件允许的情况下，一方面可以使吊点在垂直方向上接近重心的平面，同时使两吊点的距离加大。而在吊点位置确定以后，在操作中只能改变 e 值。这是属于指挥操作中控制的参数。因此，多台起重机联合作业时，关键在于吊装同步的问题。

物体在起升过程中，由于每台起重机存在着机械性能的差异；起重机驾驶人员接受指挥者的指挥信号反应的快慢不同；产生起重机的行走、旋转、起升速度的不一致，使起重机吊钩的相对位置和吊钩钢丝绳的垂直度发生变化。吊钩钢丝绳在垂直度上发生偏斜，主要是由于物体的悠晃或收、伸幅度等所致。如果偏斜角度不超过起重机允许的偏斜角 α（自行式起重机 α 一般不能超过 3°），起重机的最大许用负荷一般不受影响。

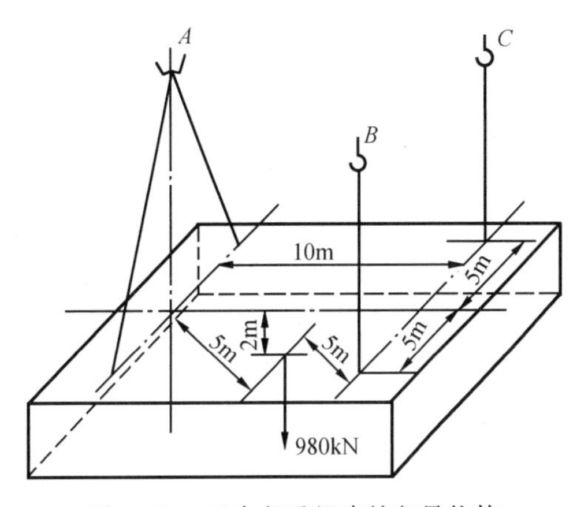

图 4-49　三台起重机直接起吊物体

船厂的各类门座起重机，由于车体高，所吊物体相对车体而言，一般说来较矮，因此吊钩钢丝绳的垂直度一般不会超过规定的范围。但有些高空部件的安装，因为吊钩较高，指挥人员不易观察控制，同时由于安装高度高，起重滑轮组的绳索短，在相同的水平位移情况下，偏斜角度增大。因此，在这种情况下操作时，指挥人员和驾驶人员应特别注意吊钩钢丝绳与垂直方向的夹角，采取严格的控制措施，不使其超过规定的角度范围，或根据具体情况对起重机的最大许用负荷预以折减。具体折减多少与驾驶人员的技术程度、起重机机械性能的优劣等有关。

多台起重机联合作业时，由于各台起重机起升速度不相等，使每台起重机承受的负荷发生变化，并且所吊具体物体的有关参数不同，因此起重机负荷变化的情况也各不相同。一般地讲，当吊点在物体重心上面时，起升速度快的起重机上的负荷将增大；如吊点在物体重心下面时，起升速度快的起重机上的负荷将减少，而起升速度慢的起重机上的负荷将增加。船厂中船体分段的吊运和上船台合拢，经常采用多台起重机联合作业，表 4-4 是根据估算和实际经验，列出了各类船体分段的 h/L_2、e/L 值及由于起升速度的影响起重机负荷的变化值。

表 4-4　船体分段的有关参数及起升速度影响系数 K_3

分段名称	h/L_2	e/L	起升速度影响系数 K_3	起重机负荷的变化
甲板分段	0.05~0.1	0.1	1.01~1.02	1%~2%
底部分段	0.1~0.2	0.1	1.02~1.04	2%~4%
舷侧分段	0.3~0.5	0.1	1.06~1.10	6%~10%
立体分段	0.3~0.6	0.1	1.06~1.12	6%~12%

三、多台起重机联合作业时起重机的最大许用负荷

当使用一台起重机吊装时，这台起重机的负荷量是明确的，即起吊重 98kN 的物体，起重机的负荷就是 98kN。可是多台起重机联合抬吊一个物体时，情况就很复杂。为了保证安全作业，在多台起重机联合作业时，通常将在该情况下的起重机的最大负荷除以各种影响系数的乘积，作为该台起重机的最大许用负荷，即

$$T_{(\max)}=\frac{T\max}{K_0K_1K_2K_3} \tag{4-27}$$

式中　$T_{(\max)}$——起重机的最大许用负荷（kN）；

$T_{\max}$——起重机在工作状态下（包括幅度）的最大起重量（kN）；

K_0——重力影响系数，一般取 $K_0 \leqslant 1.03$；

K_1——重心影响系数，查表 4-5；

K_2——吊点位置的误差系数，一般取 $K_2 \leqslant 1.01$；

K_3——起升速度的影响系数，查表 4-4。

表 4-5　重心影响系数 K_1 值

物体形状	计算方法	重心误差比值	重心影响系数 K_1
物体对称	估　算	0	0
	计　算	0	0
物体规则	估　算	5%	1.05
	计　算	3%	1.03
物体复杂	估　算	5%	1.05
	计　算	3%	1.03

注：表中重心误差比值为重心位置水平方向的误差与重心到其中一吊点的水平距离的比值。

应该指出，船厂中门座起重机一般都装有超负荷限制器，在实际操作时，起重机万一超载就能自动切断电源，停止工作，因此在计算时，可取影响系数较大的两项。对于没有超负荷限制器的起重机，计算时所有的影响系数都应计入，包括所有的不利因素。

为了便于工作，根据船厂的实际情况，列出了吊运船体分段的起重机负荷常用百分比，见表 4-6。

表 4-6　层运常用船体分段起重机负荷的百分比

分　段　名　称	起重机的许用负荷	说　　明
甲板分段	90%~95%	结构基本对称
船底分段	85%~90%	结构基本对称
舷侧分段	80%~85%	
立体分段	80%	

四、多台起重机联合作业的工作步骤

多台起重机联合作业时的一般工作步骤：

1. 掌握好吊运物体的重量、重心、形状、尺寸、结构强度、捆绑位置、吊码强度及其焊接质量等。

2. 确定起重方法，根据起重机的起重能力进行负荷分配，并按规定配备好吊索、卸扣等起重索具。

3. 清理好操作现场，做到吊物移动的现场无障碍物。

4. 按确定的工艺要求，对物体进行捆绑。

5. 专人统一指挥，在吊物离地约 0.5m 左右停止起升，进行检查，确认安全可靠后，再继续起升。在工作过程中必须保持吊物的水平度和吊钩钢丝绳的垂直度。

6. 按需要将吊物牢靠地安装置放好。

7. 吊装结束，临时固定，将所用的工具及时拆除收好。

第八节　船舶建造期间的船台(排)起重工作

船舶在建造期间，起重工作的范围除了船舶设备的吊运安装，做好船台(排)的维护和清洁工作，并随着建造船舶产生的重力的增加经常检查船底墩木的受力状况，视情况进行及时的调整外，大量的工作是把建造好的船体分段翻身、吊运上船台(排)合拢。

分段的翻身、吊运一般应考虑是什么分段、采取的加强措施、分段产生的重力、起重机的许用负荷、翻身吊运的方式、吊环的数量、强度和安装位置、吊索的许用负荷和吊运时的夹角等。

一、船体分段的特征

船舶在建造期间船体主要分段特征和吊运特点如下。

1. 底部分段：形状规则、结构坚固、刚度较好，翻身吊运一般不需加强，可以临时重叠堆放。

2. 舷部分段：面积较大，吊运和翻身应选择和骨架平行的方向，但下胎架应采取加强措施，重叠堆放需用楞木垫好，防止变形。

3. 甲板分段：面积大，结构刚度差，除了采取平衡梁吊运外，还可根据分段结构和舱口的大小采取加强，可以腾空和着地翻身，重叠堆放时应采取措施，防止变形。

4. 半立体分段:呈开门箱形,内部结构复杂,横向强度较差需采取加强,应腾空翻身。

5. 上层建筑分段:体积大,板薄、刚度差,下胎架前需加强,否则吊运时易变形。

6. 首尾分段:形状复杂,重心不易估计,翻身难度较大,不能重叠堆放。

由于船舶种类多,各厂船体加工及起重设备的能力、船体建造工艺的不同,各船厂建造船舶对船体分段的尺寸、体积、划分的范围也就不同。因此,在翻身吊运时采取的加强措施,应根据具体分段的形状、结构特点及翻身的方法等各个方面决定。一般地讲,近似正方形的分段,应选择分段的主向构件方向进行翻身。纵构架的分段,由于纵向长,宜采取横向翻身,如果横向刚度较差,则需考虑横向加强。横构架的分段,因大多数构架宽度较大,宜采用纵向翻身,但必须考虑纵向加强。两端宽度相差较大的分段,如首、尾分段,横向翻身时由于宽度相差较大,会造成两端吊环和吊索受力不均匀,宽端的吊环和吊索承受的负荷大,窄端的吊环和吊索承受的负荷小或甚至于不受力,故这类分段宜采用纵向翻身。

二、船体分段的翻身

根据船体分段的结构特征,分段的翻身方法一般有腾空翻身和着地翻身两种方式。

船体分段进行腾空翻身,应符合以下的条件:

1. 分段产生的重力不得超过一台起重机的额定负荷量;

2. 分段的最大尺度大于两台起重机吊钩的最小距离。

分段腾空翻身的一般操作步骤如图 4-50 所示。第一步,两台起重机均匀速上升至一定的高度后停止(图 4-50a);第二步,挂着长吊索的起重机吊钩下降,使分段腾空悬挂在另一台起重机的吊钩上(图 4-50b);第三步,拆除下降后松弛的吊索与分段吊环的连接卸扣,让分段绕轴旋转 180°,随后再把吊索与吊环连接好,单独上升此台起重机使分段成倾斜状态(图 4-50c);第四步,挂有短吊索的起重机吊钩下降,挂有长吊索的起重机上升使分段水平后停止(图 4-50d)。到此,分段腾空翻身整个过程结束。

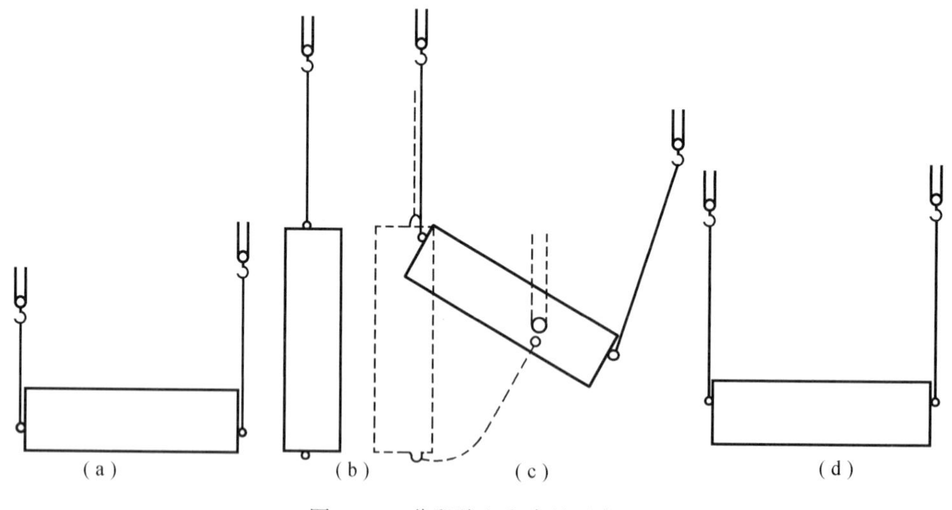

图 4-50 分段腾空翻身的示意图

如分段产生的重力过大,结构比较坚固,不易在翻身过程中损坏,又在两台起重机联合作业的许可范围内,可采取着地翻身的方式(图 4-51)。着地翻身可借助于滚翻装置进行。

三、分段翻身和吊运的吊环布置

分段的翻身、吊运,吊环是事关重要的,总的要求是安全可靠、经济合理。吊环的数量和布置位置应根据分段的形状、刚度、产生的重力、尺寸以及吊运、翻身和安装要求而定。一般地讲,吊环的布置应当与分段的重心对称,以保证吊环负荷均衡和分段吊运的平稳。吊环还应布置在纵横构架交叉处,或至少应布置在分段的一根刚性构件上。各个吊环的安装位置应与其受力方向一致,以免吊环产生扭矩。吊环焊接后必须经严格检查后方可吊运。

分段采用着地翻,最关键的是吊环与分段重心平面的位置关系。如吊环布置在重心平面位置的上方,在翻身过程中,将会引起起重机向前移动,从而产生水平分力来平衡重力对 A 点的力矩。由于起重机移动,往往会使整个分段跟着一起移动(图 4-52)。因此这种布置会使分段翻身困难。如吊环布置在重心平面位置的下方,在翻身过程中,会促使分段旋转,从而使分段发生冲击现象,严重的会使吊索由于冲击而拉断。

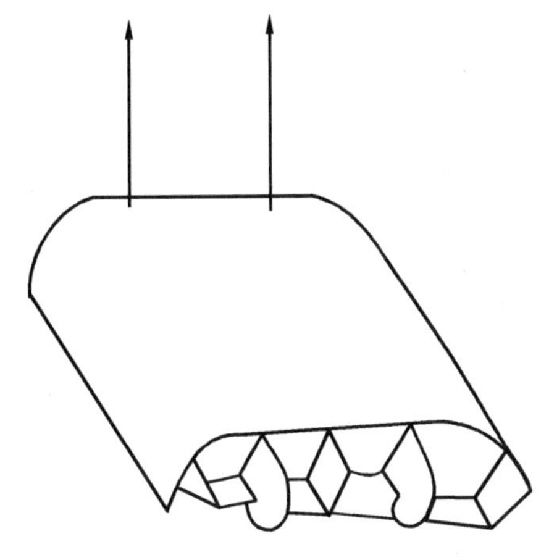

图 4-51　分段着地翻身示意图

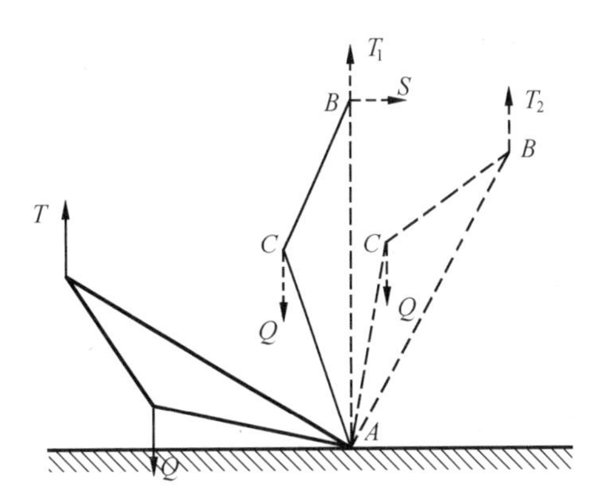

图 4-52　吊点在重心位置上方着地翻身的示意图

理想的吊环布置是在分段重心的平面上,这在翻身过程中,除了 AB 与地面垂直时吊索拉力 T 是零与 Q 之间以外,其余的情况下,$T=Q/2$(图 4-53)。如因条件限制不能采用吊环与重心在同一水平布置时,应采用吊环布置在重心平面位置的上方,但需在翻身分段的支承点处设置止滑装置。

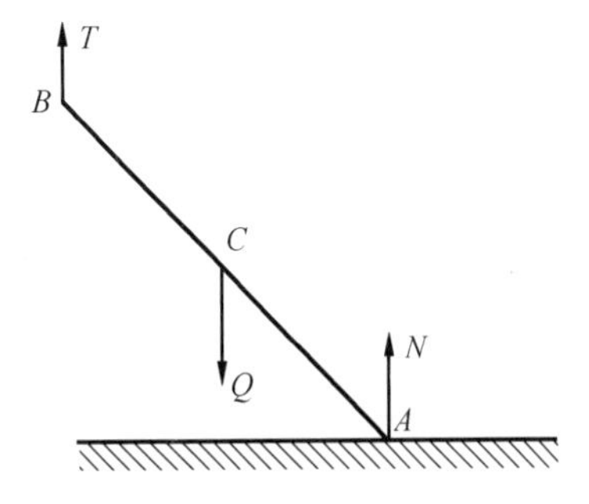

图 4-53　吊点与重心水平位置布置着地翻身的示意图

根据船体主要分段的结构特征,吊环的通常布置是:

底部分段:四只吊环可布置在分段内侧以重心为对称的位置或在分段的一侧和另一边外板上,也可布置在与外板对称的位置上,在一侧增焊两只辅助翻身吊环。

舷部分段:吊环可利用分段的内侧结构开孔代替或在分段内侧对称的位置上布置四只吊环。

半立体分段：四只吊环通常布置在其正面对称处，为便于翻身，可在其重头下部增焊两只辅助吊环。

甲板分段：四只吊环通常布置在分段正面对称的纵向或横向大肋骨的位置。如果翻身也要利用此吊环，则吊环应尽量布置在两边。为使分段翻身不至损坏甲板边沿钢板和吊索，可在甲板正反两面对称的位置各焊四只吊环，但必须加强，以保证其强度。

首尾分段：形状复杂，重心位置较难确定，选择吊环位置须慎重。四只吊环通常布置在分段两侧对称的位置上，大型分段为便于翻身，可在其底部增焊两只辅助吊环。

上层建筑分段：骨架弱，板薄，刚度差，必要时吊环位置处内侧需加强。通常在分段内侧布置翻身用的吊环，甲板上布置吊运的吊环。

四、分段翻身、吊运前的准备工作

1. 掌握吊运分段产生的重力(包括加强材和预装件)、结构特点和起重机的性能。
2. 根据分段产生的重力、结构特点和起重机的性能，确定分段翻身、吊运的方法。
3. 根据分段产生的重力和确定的翻身、吊运方法，选用吊环的类型、规格，确定吊环的数量和其安装位置。
4. 根据分段的结构特点和确定的翻身、吊运方法，作好必要的临时性加强措施。
5. 根据分段产生的重力、翻身和吊运的方法，确定吊索和卸扣的数量、规格。
6. 根据分段的翻身方法，确定是否需要辅助装置，如落地翻身中的滚翻装置等。
7. 大型和形状复杂的分段，翻身、吊运应制订必要的操作规程。

五、分段翻身、吊运时的注意事项

1. 分段起吊前，必须检查吊环的焊接质量是否符合要求，分段的外板与胎架、平台间的连接、焊接等是否已全部割除，吊环处的船体结构或加强强度是否足够。
2. 为防止钢板边缘的快口磨损或割断吊索，分段起吊前，必须在吊索与钢板边缘快口接触部位垫好木块、橡皮等衬垫或采取其他保护措施，为防止与吊索接触的钢板自由边缘变形，应视情况加强。
3. 单机吊运分段，为便于操作人员在吊运中控制分段的空中位置，起吊前应在分段上系上一、二根绳索。
4. 分段起吊前应作试吊，即先起吊 100mm 左右，停止上升，检查吊索具，确认安全可靠后方可正式起吊。
5. 采用着地翻身时，起重机应向翻身的一面酌情移动，以免分段与地面接触处产生滑移现象。
6. 分段腾空翻身时，起重机吊钩的收、放速度必须平稳均匀，以免在翻身时产生冲击现象。
7. 翻身后的分段应平稳地搁置在楞木上。对于形状复杂、刚度较差的平面分段，搁置的位置应使其受力均匀，以防变形。

例1　有一长 13m，宽 8m，高 2m，重 145kN 的分段，现使用起重量 147kN，起重高度为 20m 的门座起重机两台，将分段腾空翻身后，吊上船台合拢。

解　翻身前的准备工作：

1. 检查分段的加强是否完整、恰当和牢靠。

2. 检查吊环位置是否正确，焊接是否牢靠。此分段的吊环位置可选择在位于沿宽 8m 的方向上，距中心线两侧 2.5m 处的分段下部的强力构件上。吊环的尺寸和强度，以每只吊环承受整个分段产生的重力为准。

3. 清除分段内部的所有杂物、移动物，防止翻身过程中坠落伤人。

4. 经过计算，选择 6×37，抗拉强度 151.9MN/m^2，直径为 28mm 左右的吊索四根（两根长 4~5m、两根长 6~7m），配置承受 98kN 力的卸扣四只。

翻身前的试吊：

将四根吊索用卸扣连接在吊环里，分别挂上起重机吊钩，两根短的在一侧，准备悬吊分段用。然后指挥起重机吊钩垂直对准受力点位置。由专人指挥，先指挥一台起重机缓慢起吊 300mm 左右，仔细检查确信一切无误时放下，再指挥另一台起重机依上述方法试吊一遍。然后才能同时指挥两台起重机缓慢匀速升高至一定高度，将其吊到选定的地点（主要是回旋余地较大的地方）准备腾空翻身。

翻身时的指挥方法：

1. 分段运至翻身地点后，除指挥员外，其余人员分布在翻身区域的四周，观察翻身过程中的情况，并禁止无关人员进入工作场地。

2. 指挥员所处的位置，必须使两台起重机的驾驶员均能清楚地看清其手势，且给自己留有退路并能看清分段翻身的情况。一切准备就绪后，指挥员发出信号，指挥两台起重机匀速上升至一定高度后停止。接着指挥挂有长吊索的起重机吊钩缓缓下降，使分段腾空悬挂在另一台起重机吊钩上，拆除吊索与吊环的连接卸扣，让分段绕吊钩旋转 180°，随后再连接好吊索，单独指挥此台起重机上升至分段略有倾斜为止。然后指挥挂有短吊索起重机的吊钩缓缓下降，挂有长吊索起重机的吊钩上升，至分段吊到水平位置后停止。至此，分段腾空翻身整个过程结束。此时，可继续指挥两台起重机共同将分段运至所需的地点，也可由一台起重机，使用四根同样长短的吊索将分段运至所需的地点。

例 2 在胎架上有一只万吨轮的尾部分段，重 1666kN。要使用两台 980kN 的门座式起重机，将尾部分段吊下胎架，进行着地翻身后吊至船台合拢。

解 着地翻身前的准备工作：

1. 检查尾柱加强撑位置是否恰当，焊接是否牢靠，在翻身过程中有否妨碍。

2. 在分段两侧舷边与重心对称的四点上，各焊一只特制的吊环销子。在尾柱底焊接两只翻身用的普遍吊环。

3. 选择四根同样长的直径为 76mm 的吊索，其长度应使两绳间的夹角不大于 60°为宜，分别挂在起重机主钩上。

4. 按第七节例 3 的方法进行试吊。

翻身时的指挥方法：

1. 将尾部分段安全平稳地吊离胎架以后，吊运至已经选择好的回旋余地较大的，用来着地翻身的地方平稳放置（图 4-54）。

2. 拆除任意一侧特制吊环销子里的吊索，与尾柱底部的两只普遍吊环连接好，以防分段翻身过程中突然倾倒。

3. 指挥两台起重机，密切配合，将分段缓慢平稳地侧倒。在侧倒过程中，整个分段产生的重力完全由两只特制吊环销子承受。特制吊环销子的作用是，作为分段吊运时的吊环和着地翻身时保护两侧的舷边钢板免于翻身时受力而变形。吊环销子的尺寸和强度，应依据每个吊环销子能承受整个分段产生的重力为准。分段侧倒后，分别拆下各吊索，重新调整，跨越分段连接在特制的吊环销子里（图 4-55），并分别用钢丝将吊钩口封住，以防吊钩受力不均匀，使吊索滑脱。一切准备就绪后，指挥两台起重机匀速平稳上升，分段被吊平后即可吊至船台合拢。

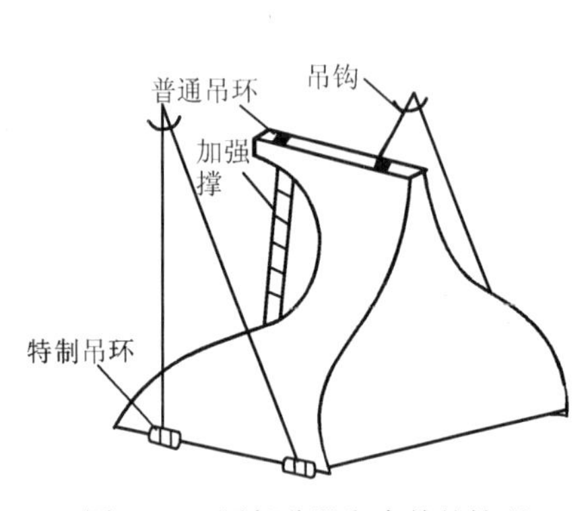

图 4-54　尾部分段翻身前的情况

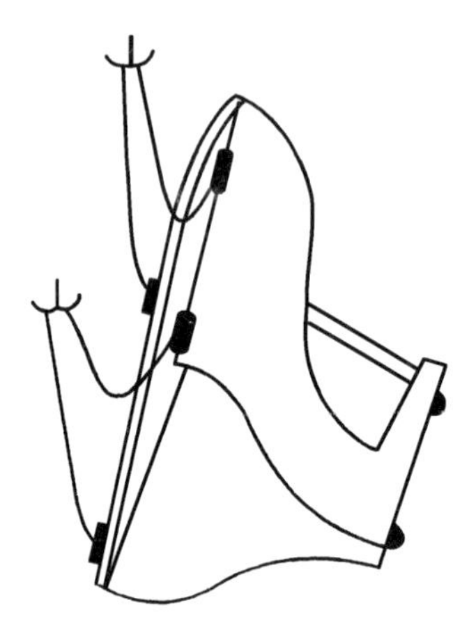

图 4-55　尾部分段翻身后吊索调整的示意图

第九节　门座起重机的安装和修理

船厂中的门座起重机是船厂中重大、关键的生产设备。在其安装、修理工作中，具有大量的起重工作，尤其是把杆、拉杆、象鼻梁三大件的安装和拆卸，都是高空作业，要求高，难度大，必须要有熟练的技术工人参加。

一、门座起重机的安装

门座起重机的安装，是一件很重大的起重工程，稍有疏忽，将会招致不幸的事故。因此，要求安装人员非常了解整个安装程序，对各个步骤的安装作好计划及技术安全措施，以保证施工的安全进行。

目前由于各船厂拥有的门座起重机种类多，结构不同，加之各厂的起重设备的能力不同，安装的方法和工艺也就有所差异。下面以各厂都有的 572 型门座起重机，采用龙门把杆进行安装的工作为例，介绍门座起重机的主要安装步骤，其中门架、人字架由于起重条件的限制，分段制造，而在安装时合拢，其他部件则是制好分组装配后，进行安装。

（一）安装工具的配备和场地的布置

起重工具的选择和配备是保证安全施工的基础，必须认真对待，同时应根据具体的吊装工艺进行计算和选择。表 4-7 为本例中安装时所需配备的主要工具，供工作时参考。

表 4-7 主要工具的配备表

序号	名称	规　　格	数量	用　　途	备　注
1	龙门把杆	起重量 255kN	1	吊装机件	
2	起重绞车	起重能力 49kN	2	配合龙门把杆吊装机件	
3	拉曳绞车	起重能力 29. 4kN	2	拉移门架	
4	小　　车	载重 196kN	1	承载支持把杆的支柱	
5	支　　柱	长 13~17m,承载力 98kN	2	支持把杆	
6	钢　　轨	与小车配合	74m	小车轨道	
7	枕　　木	与小车轨距配合	90 根	铺设临时轨道	
8	钢 丝 绳	直径 17mm,长 210m	2 根	拉移门架	穿绕 2 匝
9	钢 丝 绳	直径 26mm,长 180m	1 根	竖立把杆	穿绕 4 匝
10	钢 丝 绳	直径 24mm,长 80m	1 根	固定象鼻梁	穿绕 6 匝

在工具配妥之后,即要按图 4-56 进行布置,在起重机的两轨道之间,铺设一临时性的小车轨道(轨距由小车决定),供承载能力 196kN 的小车移动用。小车上安装支持把杆用的支柱,供支持把杆用,并与门架一起移动,以便搁住龙门把杆所起吊的机部件。29. 4kN 的拉曳绞车两部,供拉移小车及门架用。49kN 的起重绞车两部,配合龙门把杆吊装机件用。

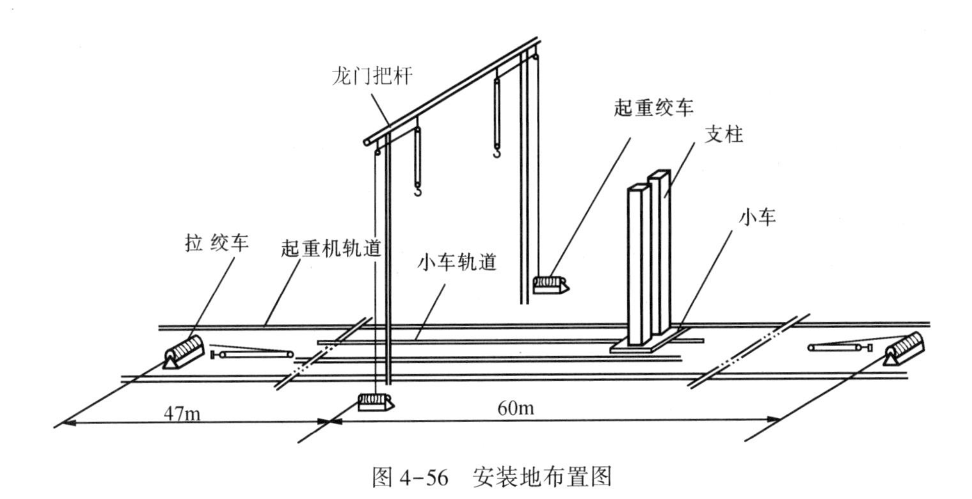

图 4-56 安装地布置图

(二)安装步骤

第一步 安装行走小车(图 4-57)。在门座起重机轨道上将各小车用平衡梁连接好,四脚小车之间,临时用型钢连接固定,以便绞车拉动。

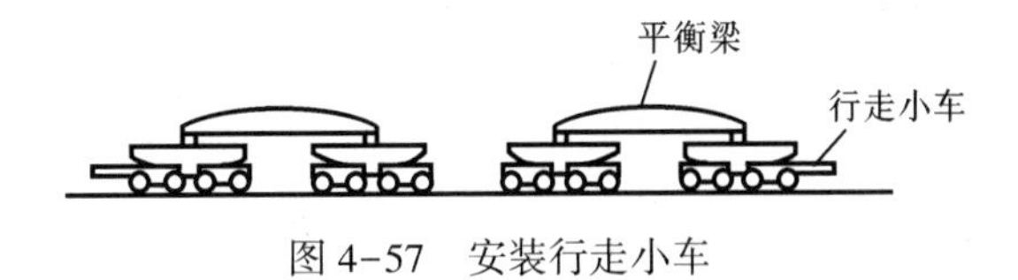

图 4-57 安装行走小车

第二步 树立门拱(图 4-58)。门拱四脚与行走小车相联,并用临时杆件维持其位置,接着装配斜撑横梁。

第三步 装门架台面(图 4-59)。在门架的斜撑横梁装好之后,测量四角与平台联接处的标高是否在同一水平面上。然后吊上平台,平台放好后,需复验平台是否水平后,再焊牢,接着装四周平台及栏杆，以便安装上部时工作方便。

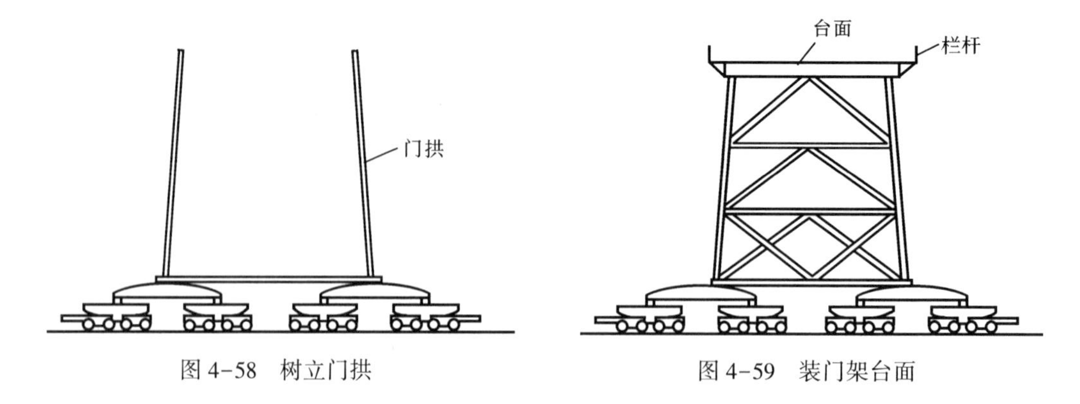

图 4-58　树立门拱　　　　图 4-59　装门架台面

第四步　装大针轮，随后安装旋转滚轮圈(图 4-60)。

第五步　安装转盘及中心轴，然后在转盘上安装起重绞车、旋转机构(图 4-61)。

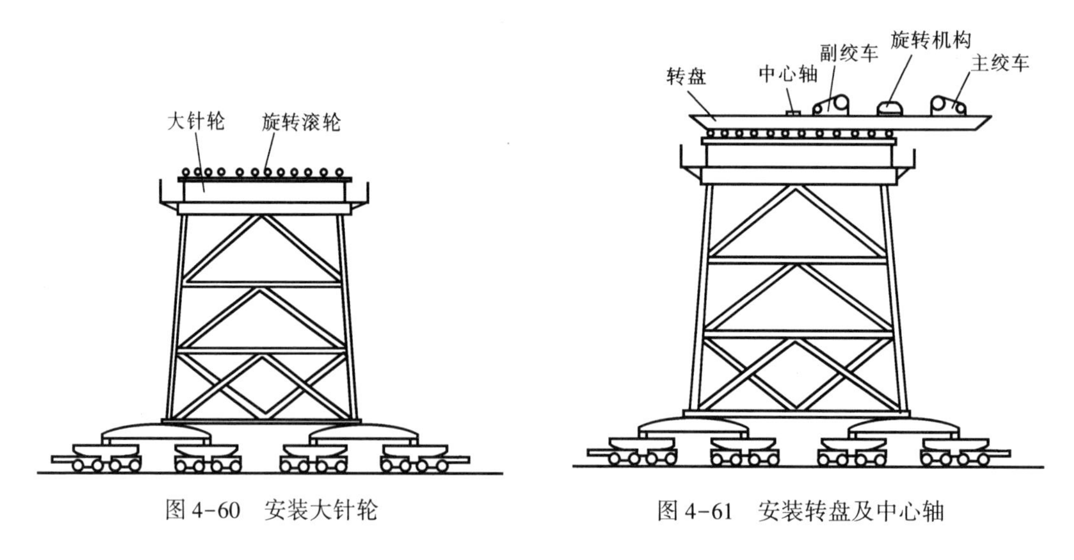

图 4-60　安装大针轮　　　　图 4-61　安装转盘及中心轴

第六步　安装人字架、变幅机构、活配重的平衡梁、人字架顶滑轮(图 4-62)。此时，人字架扶梯平台亦需装好，以供随后安装工作用，同时，平衡梁用装在人字架顶上的连锁器吊住固定。

第七步　准备吊装把杆(图 4-63)。在地面上，先将把杆放在龙门把杆下，装好联杆与针齿条，按图示的位置用三根绳索分别系牢(以便能单独调整联杆或针齿条的位置而对准配件)。应注意绳扎在齿条上的位置不要超出离铰接点 4m 的距离。

第八步　吊装把杆(图 4-64)。将装好联杆及针齿条的起重臂吊起，略高于转台面，用绞车把门架拉来，将把杆下的铰点装入座内。此时把杆横置于前端，用装在小车上的支柱支持(两柱间需留间隙，以便通过钢丝绳)，上端用绳固定，以便拉动门架时柱一同走动，同时定配重也应装入。

第九步　树立把杆(图 4-64)。用吊起把杆的同样方法吊装象鼻梁及拉杆。拉杆一端与象鼻梁铰接，另一端支持在横梁上，此横梁固定在两根联杆的末端。

直径 26mm 的钢丝绳两根，一端扎于把杆顶端，另一端分别跨过人字架顶滑轮共两匝而卷入主钩绞车。直径 24mm 的钢丝绳穿过三并滑轮，以及临时系在人字架上的滑轮共六匝而卷入副钩绞车。此绳在龙门把杆开始吊象鼻梁时即需渐渐收紧固定不动。靠近把杆下铰点的滑轮的系绳长度不应超过 3m。

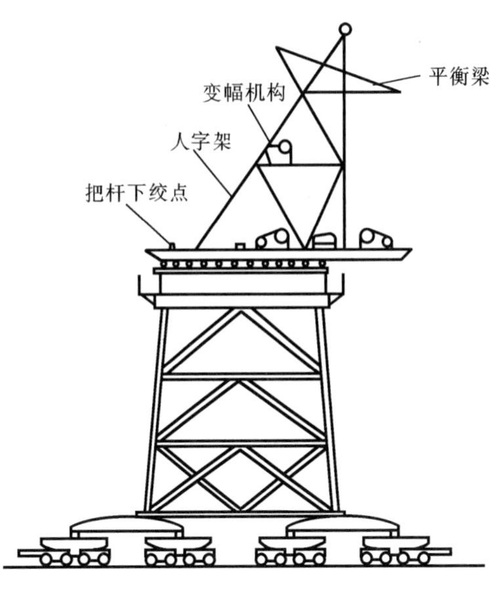

图 4-62　安装人字架的工作步骤图

象鼻梁端由龙门把杆的两个吊钩吊着，当此吊钩开始承受把杆产生的重力时，再将支柱拆除，由龙门把杆将把杆慢慢抬起。此时需用移动门架的两部绞车，将起重机前后稍稍移动，以消除象鼻梁末端歪出起重架平面的弧线上升时而对龙门把杆造成的不良影响。

当象鼻梁末端抬高至设计高度时，即开动主钩绞车，慢速将钢丝绳收紧，抬起拉杆且使拉杆在钢丝绳上滑动，使拉杆滑入人字架顶的轴承座内。在进行上述安装的同时，需将固定象鼻梁的钢丝绳适当放松或收紧，配合安装。

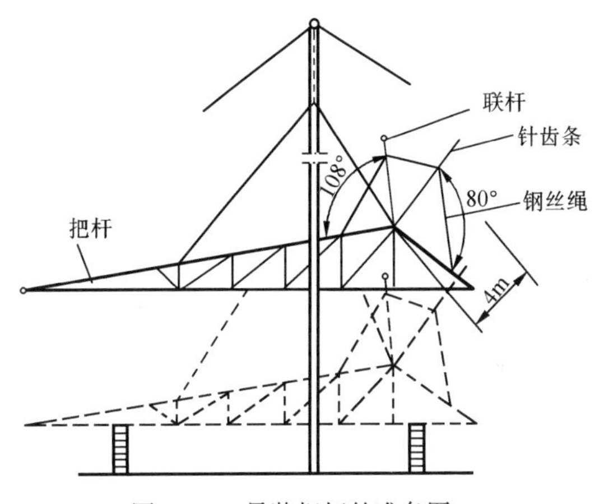

图 4-63　吊装把杆的准备图

当拉杆装好后，可调整系住联杆的钢丝绳及吊住平衡梁的连锁器，使联杆与平衡梁对准而装入轴心。然后把针齿条落于变幅绞车的驱动小齿轮上。此时把变幅机构的制动器校紧，将平衡梁与人字架顶之间用木楔打紧，即可解除吊钩与其他钢丝绳。

第十步　吊装活配重。将旋转部分转动 180°，使尾端对着龙门把杆并用拉曳绞车移动起重机，使平衡梁尾端对入由龙门把杆吊起的活配重并装上。在装上活配重之前，将吊住平衡梁的连锁器松开。

第十一步　安装机房、驾驶室、变幅机房及室内电器设备。

第十二步　安装超负荷限制器及穿绕钢丝绳。

必须注意，在每次吊装机件之前，应详细检查各处绳索捆扎的情况是否正确无误、安全可靠。特别是在树立把杆时，更需事前详细检查。

二、门座起重机的拆卸

检修门座起重机时，一般都要免下把杆，拆除把杆、象鼻梁和拉杆，而此项工作是整个门座起重机修理过程中的关键工作。下面仍以 572 型门座起重机为例，介绍拆卸三大件的主要工作步骤。

在拆卸前，首先要把转盘与平台固定好，一般采用工字钢或槽钢把转盘与平台焊接牢。

同时把象鼻梁与把杆固定好,也可采用工字钢或槽钢焊接固定。在起重机的前方放置好一台与驾驶室同样高的托架,供搁把杆用。在起重机尾处的地面上放置重力为 196kN 的压铁,压铁与转盘之间用滑轮组穿钢丝绳连接拉紧,以平衡免把杆过程中起重机产生的倾覆力(图 4-65)。

把杆的两边各穿一副 294kN 的滑轮组,供免把杆用。滑轮组一头生根于人字架处,另一头生根于把杆前端。为了减少穿滑轮组的劳动量和绞车滚筒上绕缠钢丝绳的匝数,生根于把杆前端的滑轮,可放置在离把杆前端约 10m 左右,滑轮与生

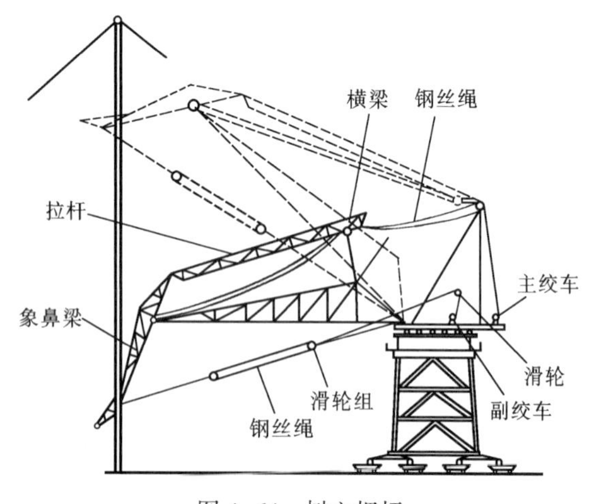

图 4-64　树立把杆

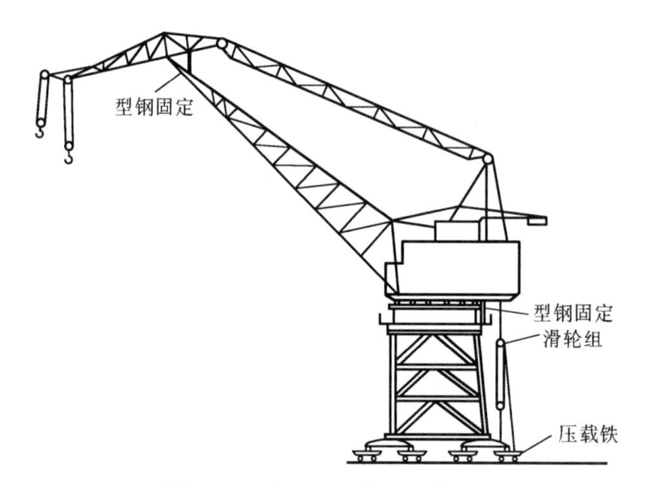

图 4-65　起重机固定的示意图

根点用钢丝绳连接。为了保证免把杆过程中两组滑轮组速度同步,两组滑轮组的钢丝绳必须通过中间平衡滑轮串联绕入,两头跑绳引入机房主绞车滚筒上(图 4-66)。

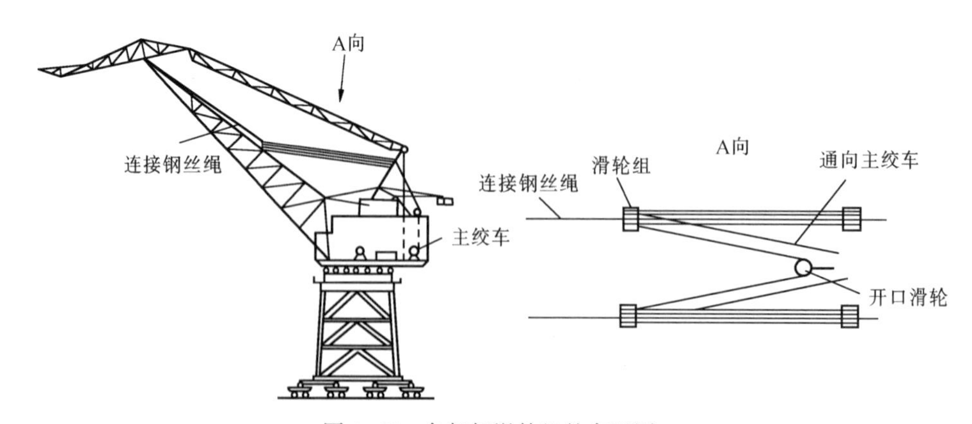

图 4-66　免把杆滑轮组的布置图

滑轮组跑绳引入主铰车时,必须注意不能影响拉杆的松下,一般有两种方法:一种是利用人字架处原来的导向滑轮直接引入主铰车,这样做由于跑绳会妨碍拉杆的松下,必须用开口滑轮把跑绳位置压低,开口滑轮可生根在平衡梁处的位置(图 4-67);另一种方法是在人字架处重新生两只开口滑轮,跑绳通过开口滑轮直接连入主绞车。

把杆上放置滑轮的位置处应铺好木板,滑轮可直接放在木板上,以便穿钢丝绳。为了防止钢丝绳拉紧后,滑轮悬空而产生旋转,可用钢管或木方穿过两只滑轮的环,把滑轮连接在一起。为了使拆卸铰点轴销把杆有活动余地,便于拆卸,起重机的幅度应扑到 29.5m 的位置(最大幅度 30m),但不能扑足。

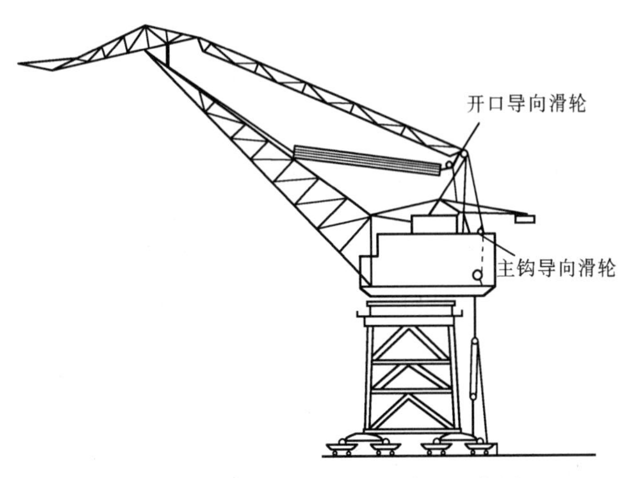

图 4-67　利用原来导向滑轮的布置示意图

同时在两边的人字架上各焊接一根高 3.2~3.6m 左右的冲把杆,在冲把杆与把杆下端之间各穿一副 49kN 的滑轮组,滑轮组跑绳与地面绞车相连(图 4-68)。如不用滑轮组,可在两边冲把杆上各挂一只 49kN 的手拉葫芦,但必须在把杆变幅绞点处焊接一只托架,供支持拉杆用(图 4-69)。托架的高度应根据葫芦可松低的尺寸而定。

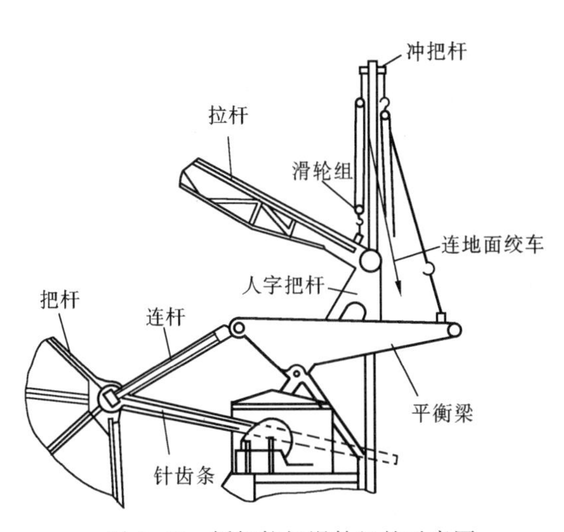

图 4-68　拆卸拉杆滑轮组的示意图

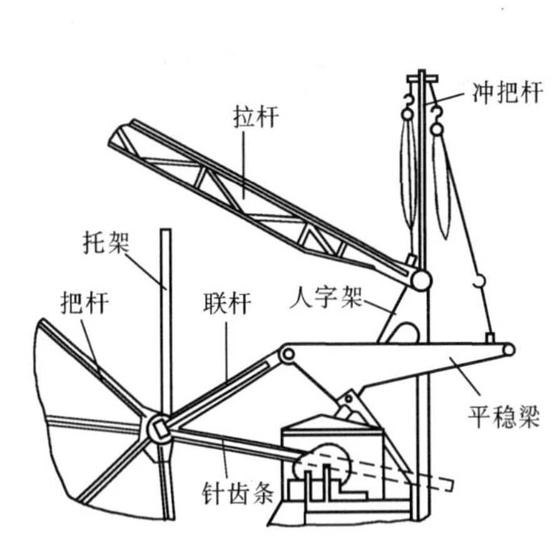

图 4-69　手拉葫芦拆卸拉杆的示意图

一切准备工作就绪后,就可开始拆卸工作。首先要把滑轮组的钢丝绳绞紧,然后按下列步骤拆卸:第一步拆除活配重;第二步拆除针齿条与把杆铰接处套梁的连接销,用手拉葫芦把针齿条退进变幅机房,手拉葫芦可生根在平衡梁上;第三步拆除连杆与把杆铰接点的连接销,把连杆落下。如连杆落不下,可在冲把杆上挂一只手拉葫芦,吊起平衡梁活配重处;第四步拆除拉杆与人字架的连接销,把拉杆直接搁在把杆上或托架上;第五步开动主绞车,缓慢地使把杆倒下。在免把杆过程中,如拉杆不搁在把杆上,则吊住拉杆,滑轮组的钢丝绳应跟着把杆随倒随松。把杆快到水平位置时,受力最大,此时,如有条件可用起重机在把杆顶端协助把杆搁在托架上。托架和把杆之间应垫上垫木,把杆放平后,即可依次拆除拉杆、象鼻梁、把杆等。

第十节　门座起重机的整体拖移和吊运

在船厂,有时由于生产的需要,要求将建造的门座起重机从原来的轨道移到另外的轨道。如果将组装好的门座起重机拆散解体,到新的位置再进行安装,不但劳动量大,施工周期长,而且高空作业多,对安全不利,同时质量也受影响。为了适应生产发展的需要,一些船厂对门座起重机的移位,采用整体拖移或整体吊装。

一、门座起重机的整体拖移

门座起重机的整体移位,一般采用滚行运输和滑行运输的方法。对于起重量小,自重轻的门座起重机可采用滚行运输的方法,而起重量大,自重重的门座起重机则多采用滑行运输,达到移位的目的。

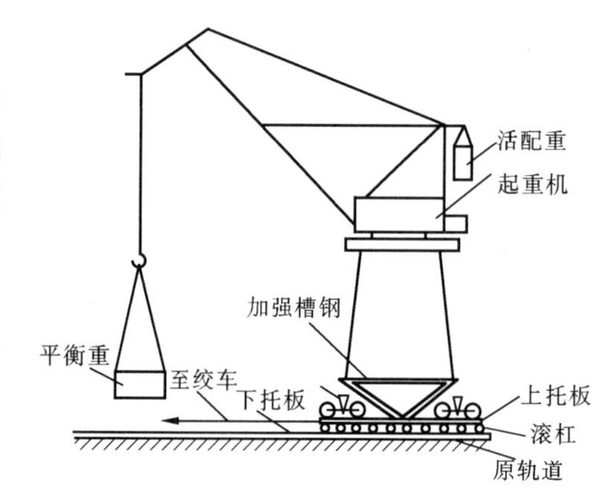

图 4-70　滚动运输整体移位门座起重机

图 4-70 为采用滚行运输的方法,整体移位 147kN 的门座起重机的示意图。采用此法移位时,门架的四根柱脚必须用槽钢加强,同时起重机把杆应扑到最大幅度的位置,并转至拖移的方向,把旋转制动器校紧。为使拖移时门座起重机保持稳定,起重机吊钩上吊住 98kN 的负荷,以保持平衡。行走走轮可采用托架或拆除,使门座起重机坐落在上托板上。

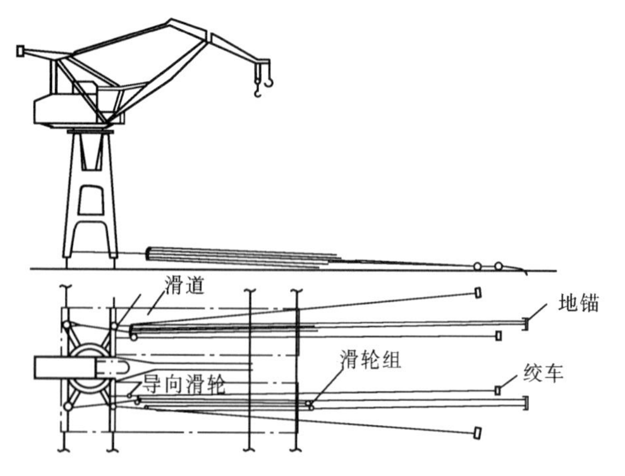

图 4-71　滑行运输整体移位门座起重机

图 4-71 为采用滑行运输的方法,整体移位 980kN 的门座起重机的示意图。根据具体情况,可采用润滑脂滑道或钢板与钢板滑行移位。下面我们通过 980kN 的门座起重机的整体移位,来加深理解整体拖移的一般操作过程。

该门座起重机自重约 7840kN,外形的最大高度为 68. 5m,轨距 10m,行走机构长 27. 5m,横移过船台,拖移距离为 45m。

(一)铺设滑道

起重机的拖移,对路面要求非常严格,为了保证拖移工作能够顺利进行,在铺设滑道前,要对移位区域的路面进行整顿和加固。凡空隙和不平之处，均要以小石子填满，并用打夯机或压路机使路面结实，然后进行试压。特别要对于不够结实和容易下沉的部位多加试压。在试压过程中应不断观察其下沉情况，等下沉稳定后，对不平地段再加小石子进行试压。试压时间一般至少应一昼夜，直至地面能承压移位时，即地面所承受的实际负荷为245~294kN/m^2，允许沉陷小于10~20mm。在试压时，应同时对路面进行水平度的测量，填垫处允许高出轨面10~20mm；路面的横向水平误差应在±15mm内；纵向，要求在起点至终点间和顺。

为了扩大移位时的承压面积，试压完毕后即在路面上铺设厚24mm的钢板，在钢板上再铺设8~12mm的钢板作滑道，滑道间用电焊固定。同时在滑道两侧焊接直径20mm的圆钢作导向轨，以保证直线拖移，导向轨数量应不少于四根。在铺设滑道时，应注意留出千斤顶的位置。

（二）主要工具的配备和布置

1. 顶高时选择24组走轮的12个下平衡梁的中间部位作为顶点，操作时单边顶高。考虑到顶高时千斤顶的受力不均衡，因此每个顶点放置980kN的液压千斤顶1台，共需12台液压千斤顶，分别布置在起重机24组走轮的12个下平衡梁的中间部位。

2. 起重机共有24组走轮，每组走轮的下面放一只托架。托架用钢板焊制而成图4-72所示形状，长1.3m、宽1.5m，并配备好相应规格的厚30mm的木垫板和钢板滑板各24块，分别放置于24组走轮附近。

3. 拖移电动绞车每组两台，98kN、78.4kN的各一台，分别安装在承受拉力980kN的地锚前端两侧。并选用490kN滑轮组两对，分别通过直径52mm的钢丝绳生根在起重机横移一侧门架下端和地锚上。滑轮组则通过直径26mm的钢丝绳穿绕，经导向滑轮引上绞车。同时应注意，滑轮组在门架端生根时，应使前后两条腿都受力，亦即生根钢丝绳要串联。

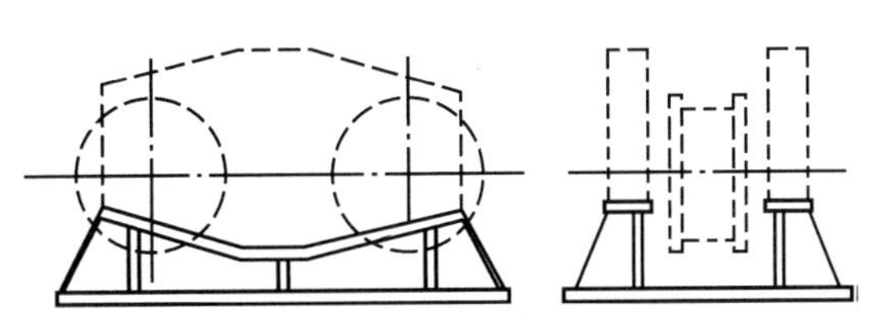

图4-72　走轮托架示意图

（三）操作程序

在上述工作完毕以后，即可开始操作。首先把起重机把杆转至顶高一侧，与行走机构成90°的位置，然后用该侧6个980kN液压千斤顶，将此侧同步顶高到走轮离轨面180~200mm处，分别将12块滑板、木垫板和托架放进12组走轮下，滑板与滑道之间同时涂上润滑剂。全部完工后，再将液压千斤顶同步下降，用木楔垫实固定。然后再对另一侧进行同样程序的操作。在顶高时，应做到边顶边垫紧。

起重机在拖移前还需进行下列工作：

1. 起重机的把杆调整到平衡位置，并与拖移方向一致。

2. 主、副吊钩升到最高点，并且旋转机构、变幅机构制动器，使之绞紧，固定起重机上的活动件。

3. 起重机上、中、下平衡梁之间的空隙均应以铁垫垫实、固定。另用槽钢将左右上平衡梁之间连接，加强固定。

以上工作完毕后，进行一次认真的检查。确认一切正常，就在滑道上涂润滑剂，统一指挥，同步开动绞车，以每分钟1~1.5m的速度整体拖移起重机。在拖移过程中，必须掌握好起重机平行前进的方向，一旦发生偏斜，要立即进行纠正。一切工作人员应听从指挥员的统一指挥，并随时通过观察定向轨的间距，使起重机沿着正确的方向移动。

当起重机拖移到目的地之前，必须事先计算出准确的位置，并在终点位置上相应地焊接两个止动板，以避免起重机拖移过头。起重机到达目的地后，应首先检查走轮中心与轨道中心是否一致，通常会有一定误差，可在起重机下落时进行纠正，即先将误差少的一边落轨，然后再落另一侧，落轨方法与顶起时基本相同。

二、门座起重机的整体吊运

如果在有起重设备的条件下，门座起重机的整体移位采用整体吊运能比整体拖移大大缩短施工周期，减少更多的劳动量。门座起重机的整体移位采用拖移的方法一般需经历整顿路面、铺设滑道、顶高、拖移、落低等过程，而门座起重机的整体吊运则大大简化了操作过程。图 4-73 为上海地区船厂采用 4900kN 的起重船整体吊运 392kN 的门座起重机的示意图。操作时，只要定好船位，落下吊钩，把四根吊索与门座起重机平台上的吊环和起重船的吊钩连接好，专人指挥，升起吊钩，使门座起重机悬空在一定的高度，然后移动船位，到新的轨道重新定好船位，落下吊钩，使门座起重机走轮全部坐落在新的轨道上，拆去吊索即可。

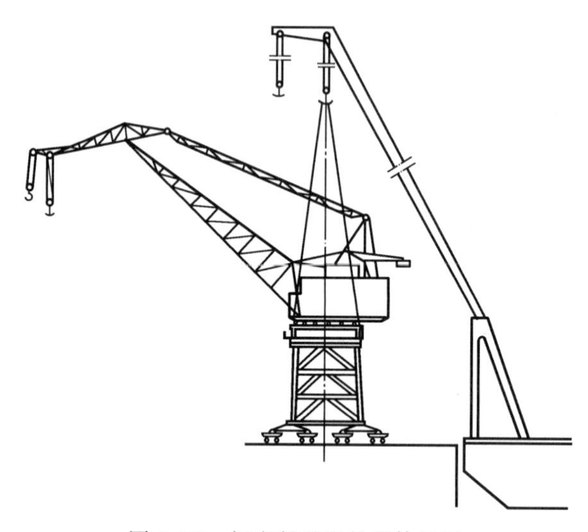

图 4-73　门座起重机的整体吊运

门座起重机整体吊运时，吊环一般布置在平台四角的立柱处，由于平台上有转盘、机房、把杆等部件。吊索挂钩后必须注意是否与这些部件相碰，如果相碰，应采取措施(如把吊索撑开等)，使吊索不碰这些部件。起重机的把杆应转至与起重船把杆相同的方向，并调整到平衡位置，转盘与平台用槽钢焊接固定，变幅制动器紧固，主、副吊钩升到最高位置。起重机门架的四根立柱用槽钢连接，固定加强。为了控制起重机起吊、落位时的空中位置，四根立柱的下部要系以麻绳作留绳用。

第十一节　桥式起重机的安装

桥式起重机是船厂车间内场的主要起重设备，其安装和修理是起重工常遇到的工程。一般桥式起重机的自重大，轻者有 98kN，重者可达近千 kN 以上。如把这种体大、量重的设备，安装到厂房桥式起重机轨道上，是一种复杂而细致的工作。桥式起重机的安装，根据具体施工条件，可采用散装法和整体吊装。

一、散装法

散装法即把桥式起重机的各大部件吊上轨道合拢安装。散装法安装桥式起重机，一般可利用自行式起重机、屋架和独脚把杆进行吊装。

(一)用自行式起重机吊装桥式起重机

在厂房没有上屋顶之前,利用汽车起重机、履带起重机、轮胎起重机等进行吊装,是桥式起重机最理想的安装方案。这是一种既经济又合理的有效起吊方法。即使厂房屋顶已盖好,如果空间条件许可,同样可用汽车起重机、履带起重机和轮胎起重机进行吊装。

由于自行式起重机的种类、型号多,合理地选择吊装用的自行式起重机是很重要的。因为它直接影响到安装周期、安装成本和劳动生产率的提高。选择自行式起重机一般应根据下述因素进行考虑:

1. 被吊的桥式起重机的长度、宽度、高度、质量和安装标高;

2. 车间内的跨度、屋架上下弦的标高、柱顶标高等建筑物的外形尺寸;

3. 工作面与施工进度要求等安装工作量;

4. 安装现场的条件、起重设备和技术力量的配备情况;

5. 所选用的起重机械的起重量、起升高度、起升速度和工作半径等技术性能。

起重机的起重量,除根据设备的最大重力来选用外,还应根据起重机的幅度和吊装时调车路线等最后核定。起重机的工作半径应根据设备的外形尺寸,不同重力的设备在平面中的位置,起重机能够接近被吊设备群的距离等来考虑。起吊高度是根据起吊设备的高度来决定的。

(二)利用屋架吊装桥式起重机

在实际吊装工作中,经过结构强度的校核并取得设计单位或主管部门同意后,根据设备产生的重力可以分别采用一组、二组或四组滑轮组,利用屋架来完成吊装工作。具体做法有两种。

1. 两榀屋架吊装法:如图 4-74 所示,在两榀屋架中心线对称的两个平行节点处,每侧横置两根工字钢,捆绑固定在屋架的节点上,然后在工字钢的中心部位,生好钢丝绳,固定吊装定滑轮,再通过钢丝绳穿绕滑轮组,使用两台绞车就可将车架成倾斜状态吊上轨道就位。车架吊装完毕后,将其移开,再吊装小车等部件。

2. 单榀屋架吊装法:如图 4-75 所示,在单榀屋架两端的屋架节点和屋架柱头节点各挂置一根钢丝绳吊索,然后每端的两根吊索各用一只卸扣与一只定滑轮连接,用钢丝绳穿绕好滑轮组,使用两台绞车采用上述的提升法,完成桥式起重机的安装工作。

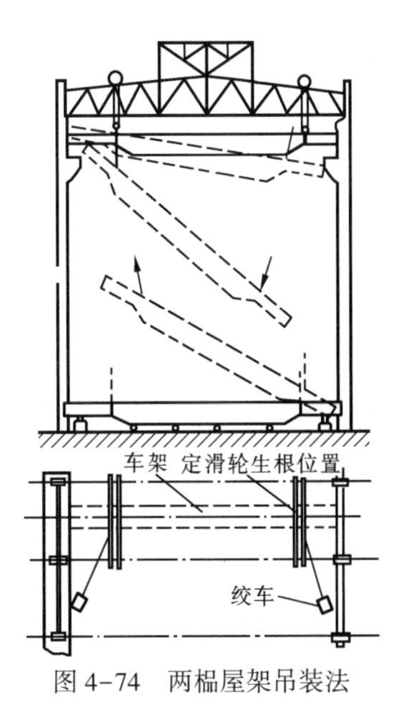

图 4-74　两榀屋架吊装法

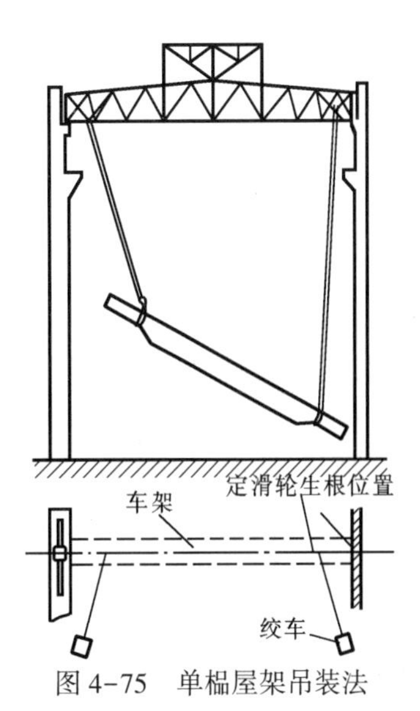

图 4-75　单榀屋架吊装法

(三)独脚把杆吊装法

利用有倾斜度的独脚把杆吊装桥式起重机,关键问题是选择把杆的长度。决定把杆长度一般应从下述的三个方面考虑:

1. 厂房从地面到屋顶的高度;

2. 地面到桥式起重机轨道的高度;

3. 桥式起重机各部件的外形尺寸。

把杆长度一般可按下式来决定

$$H=h_1+h_2+h_3+h_4+h_5 \tag{4-28}$$

$$L=\frac{H}{\sin\alpha} \tag{4-29}$$

式中 H——把杆顶至地面的垂直距离(m);

h_1——起重机轨道至地面的距离(m);

h_2——起重机的高度(m);

h_3——吊索的高度(m);

h_4——滑轮组(包括上、下卸扣)的高度(m);

h_5——考虑把杆受力后产生俯垂(冲头)的距离,一般取0.5m;

α——把杆与地面的夹角(图4-76)。

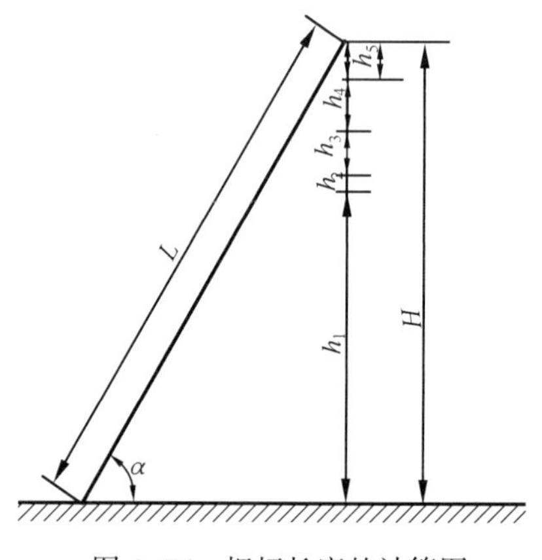

图4-76 把杆长度的计算图

例1 有一间厂房从地面到屋顶是18m,地面到桥式起重机轨道的高度是12m,桥式起重机本身的宽度是5m,高度是1m,安装时应选择的把杆为多长?

解 如果吊装时所选择的吊索高度为1.5m,滑轮组加上下卸扣的高度为2m,因此把杆顶至地面的垂直距离为

$$H=h_1+h_2+h_3+h_4+h_5=12+1+1.5+2+0.5=17\text{m}$$

如果把杆与地面的夹角为60°,则所选择的把杆长度应为

$$L=\frac{H}{\sin\alpha}=\frac{17}{\sin60°}\approx20\text{m}$$

因为桥式起重机宽度为5m,其一半宽度为2.5m。考虑到吊装小车时,把杆顶的垂线必定在起重机宽度的中心线上,即把杆顶的垂线在轨道的水平面处到把杆的距离至少为2.5m。为了不使把杆碰坏车架上的栏杆,应再加上0.5m余量。在轨道的水平面处,把杆顶垂线至把杆的距离应为3m。

配备好工具,树立好把杆以后,即可开始正式安装。首先把一片车架拉运到吊装地点,捆扎好吊索,在车架两端各挂绳走三滑轮一副,防止不平衡和拉正松下轨道用。然后把此片车架吊至轨道面以上,拉正车架,使轮子坐落轨道。在起重端梁的接头下面用木块垫得和轨道一样平,然后在轨道上放滚杠,把车架滚到吊第二片车架所要求的距离。再把第二片车架运到吊装地点。在第二片车架吊到一定高度,用楞头垫实,安装驾驶室,随后与驾驶室一起吊装。驾驶室装好后,车架必然会不平衡,必须在另一头放上平衡铁,使车架保持平衡,然后再吊到轨道上垫平。把第一片车架拉过来合拢、连接。随后把整部车架移开到能吊小车的距离即可。在吊小车时,钢丝绳只能在小车起重钢丝滚筒上捆绑,放置朝天卸扣。把滑轮组

动滑轮连接在朝天卸扣内，即可将小车吊至车架的轨道上。

二、整体吊装桥式起重机

桥式起重机整体吊装与散装法不同之处在于：起重机在地面安装后，利用垂直的独脚把杆吊上轨道。

整体吊装桥式起重机，首先要正确掌握起重机产生的重力、起重机的外形尺寸、起重机中心线距小车方向的 0. 5m 外屋顶至地面的实际高度，屋架与柱头允许承受的拉力，屋架柱头的间距，起重机大梁对角线的尺寸等。依据这些数据选择好吊装方法和配备好工具。

整体吊装前，先要把起重机在地面安装好，首先树立好独脚把杆，将车架运到吊装地点，将车架与端梁连接处的钢板端部连接螺栓孔对正后，紧固好螺栓，测量整体车架的对角线、大小车相对的两轮中心距及车架上小车的轨距。合乎要求后，就可将小车吊到车架上，并使小车处在把杆距柱子较近的那一个区间。在小车两端的行车方向上分别挂上两个手拉葫芦，并分别挂到车架两端，供吊装时调整整个车体的平衡用。将车架捆扎好后，并在端部上分别拴上一根麻绳，供吊到高空时在地面牵引车架，使它转动调整方向。当起吊到轨道附近时，让车体转一个角度，就可旋转就位。图 4-77 为整体吊装桥式起重机的示意图。

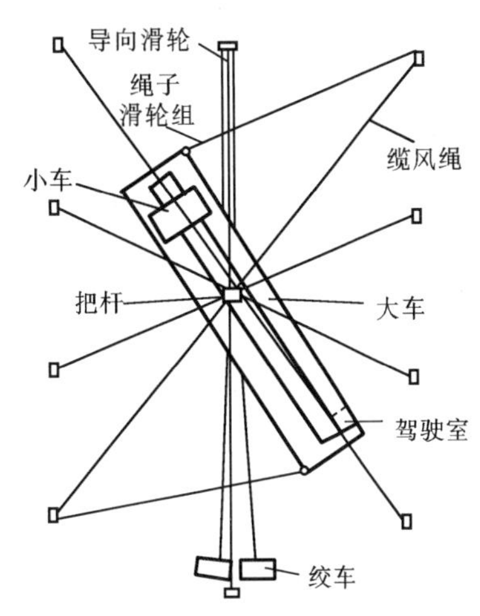

图 4-77　整体吊装桥式起重机的示意图

为了便于工作，表 4-8 列出了吊装桥式起重机时，选择把杆的规格和有关参数，供使用时参考。

表 4-8　吊装桥式起重机时把杆的规格和有关参数

Q		把杆规格		L (m)	工作绳数	S		a (m)	h (m)	P_a		P_b		T	
kN	tf	kN	tf			kN	tf			kN	tf	kN	tf	kN	tf
98	10	98kN 管式	10tf 管式	15	8	20. 6	2. 1	2. 5	3	83. 3	8. 5	175. 4	17. 9	5. 4	0. 55
				20								177. 4	18. 1		
196	20	196kN 管式	20tf 管式	15	8	41. 2	4. 2	2. 5	3	167. 6	17. 1	349. 9	35. 7	10. 8	1. 1
				20								353. 8	36. 1		
294	30	294kN 桁架式	30tf 桁架式	15	16	33. 3	3. 4	3. 5	4	227. 4	23. 2	477. 3	48. 7	16. 7	1. 7
				20								483. 1	49. 3		
				25								489. 0	49. 9		
392	40	392kN 桁架式	40tf 桁架式	15	16	44. 1	4. 5	3. 5	4	301. 8	30. 8	632. 1	64. 5	21. 5	2. 2
				20								641. 9	65. 5		
				25								647. 8	66. 1		

490	50	490kN 桁架式	50tf 桁架式	15	20	46.1	4.7	3.5	5	371.4	37.9	778.1	79.4	27.4	2.8
				20								787.9	80.4		
				25								797.7	81.4		
735	75	735kN 桁架式	100tf 桁架式	20	32	42.1	4.3	4.5	5	568.4	58	1115.2	113.8	40.2	4.1
				25								1129.9	115.3		
				32								1150.5	117.4		
980	100	980kN 桁架式	100tf 桁架式	20	40	46.1	4.7	4.5	5	742.8	75.8	1615.0	164.8	54.9	5.6
				25								1634.6	166.8		
				32								1662.1	169.6		

注：表中，Q——桥式起重机产生的总重力(kN)；L——把杆的有效长度(m)；S——绞车所需的牵引力(kN)；a——两捆绑点的距离(m)；h——吊点至小车轨道面的距离(m)；T——缆风绳所受的拉力(kN)；一般吊重为490kN以下时$n=6$，吊重为490kN以上时$n=8$；P_a——把杆一侧吊点所受的力(kN)；P_b——把杆所承受的轴向压力(kN)。

第十二节　重型厂房构件的吊装

工业的厂房主要有柱、吊车梁(要求有桥式起重机的车间内有)、屋架、屋面板等主要构件组成，这些构件是厂房结构吊装的主要对象。在各种结构吊装工作中，通常是根据工程量的大小、构件质量、外形尺寸和起重吊装设备的具体条件，来考虑配合必要的简单安装用把杆、起重架和其他类型的安装机具，以适应施工的需要。由于吊装起重工作上的复杂性和灵活性，随着安装工程的具体对象不同，合理制定施工方案是十分必要的，必须从具体情况出发，综合分析比较，通盘安排抉择，最确切地选择吊装机械和吊装方法。

一、厂房柱子的吊装

厂房柱子有钢柱和钢筋混凝土柱子两种，一般采用自行式起重机和塔式起重机进行吊装，但最广泛采用的是履带式起重机。它的优点是对地面、道路要求的标准低、机动，并能充分利用起重量和起重高度。柱子的吊装方法通常有：

(一)旋转法吊装柱子

起吊时，边旋转柱子，边提升吊钩，使柱子绕柱脚旋转直至吊起柱子，使柱子在基础上方落下就位。用此法吊装时，柱子的摆放要做到：柱子的捆扎点、柱脚和基础中心必须在起重机的同一工作半径上，即“三点一圆弧”(图4-78)。

(二)滑行法吊装柱子

起吊时，起重机只提升吊钩，不动把杆，使柱脚滑行，随着柱子上端的升起，柱脚向基础滑移。为减少滑移摩擦阻力，可在柱脚下垫托板、滚杠(图4-79)。此方法一般用于吊装的柱子较长、较重时，而旋转类型的起重机在安全负荷下的幅度不够时的吊装，为把杆吊装柱子创造了条件。

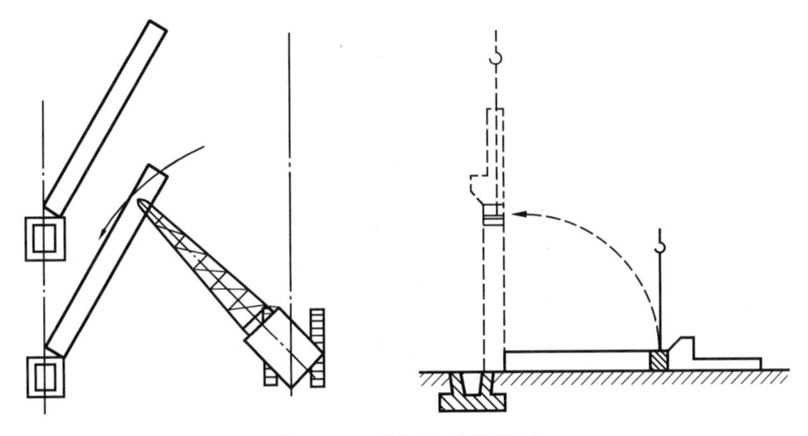

图 4-78　旋转法吊装柱子

(三)斜吊法吊装柱子

如果吊装较长的柱子,所用起重机的起升高度不够时,可根据具体的施工条件,用斜吊法配合留绳用人力或撬杠拨正就位(图 4-80)。安装时,当柱子落入基础杯口约 20~30cm 时,停止松吊钩,转动把杆将柱子拨正。拨正时应用木楔垫好,防止柱边与杯口直接接触,然后再继续下落,并对准轴线打紧木楔,拨正竖直。

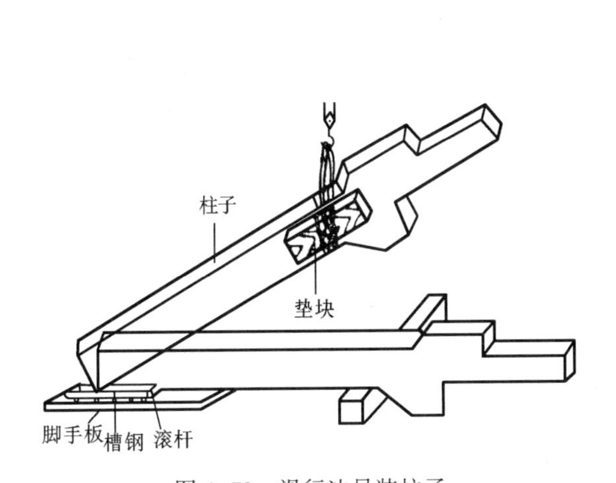

图 4-79　滑行法吊装柱子

图 4-80　斜吊法吊装柱子

(四)双机抬吊法吊装柱子

重力大的大型厂房的柱子,往往由于起重机的性能满足不了要求,一台起重机不能进行吊装时,可采用双机抬吊的办法。双机抬吊重柱一般有双机起吊点在同一捆扎点和不在同一捆扎点的两种吊装法,因而捆扎法也不同(图 4-81)。

双机抬吊重柱一点时的操作程序:

第一步　起重机在重柱捆扎点的相对方向停好位置,在柱子下置放托板滚板,统一指挥,双机同步提升吊钩,使柱子下端滑向基础(图 4-82a)。

第二步　当柱子下端滑向基础时,两台起重机相对同步旋转,将柱子竖直(图 4-82b)。

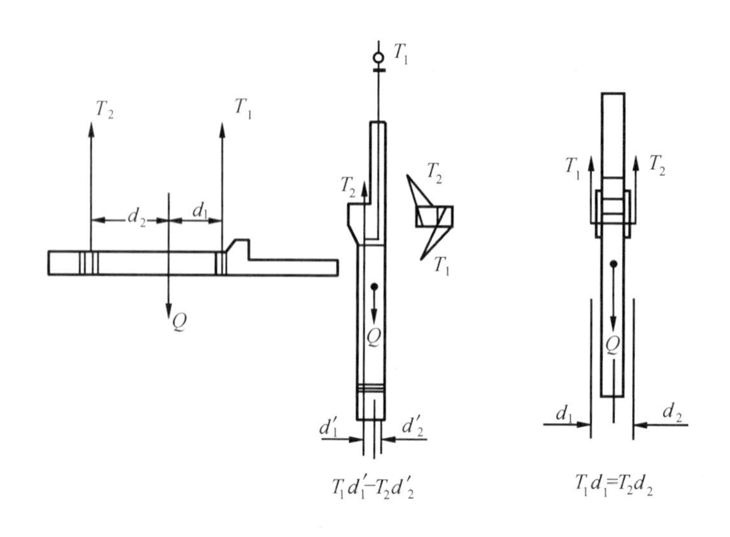

图 4-81　双机抬吊的两种捆扎法

第三步　柱子完全竖直后,将柱子转动 90°,再吊入基础(4-82c)。

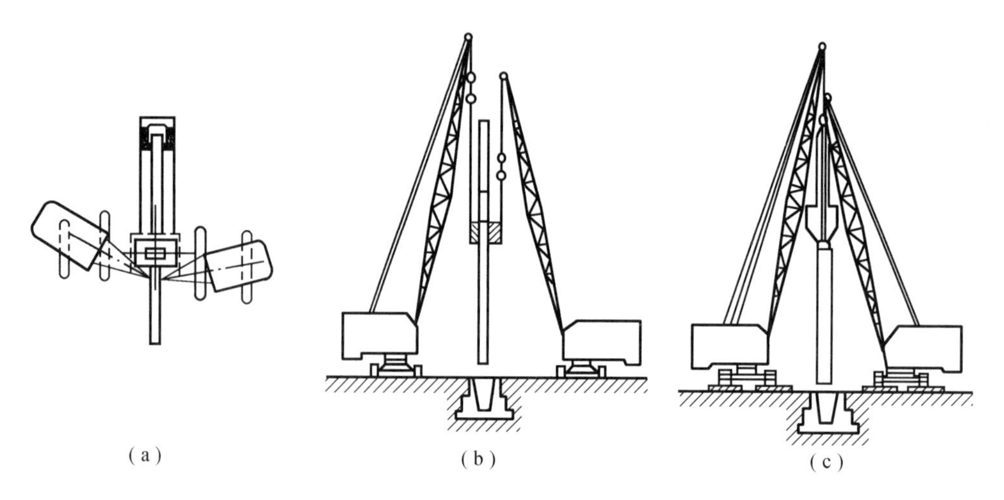

图 4-82　双机抬吊重柱一点的操作

双机抬吊重柱两点时的操作程序:

第一步　指挥两台起重机同时提升吊钩,升起至离地面为 $L+0.3$m 时停止起升(图 4-83a)。

第二步　指挥两台起重机同时转向基础,但须注意,*A* 机只转动把杆,不提升吊钩;*B* 机则一面旋转,一面同时慢慢提升吊钩,直至柱子从水平变为竖直(图 4-83b)。

第三步　当柱子竖立并对准杯口,指挥两台起重机吊钩同步下降,将柱子吊入基础(图 4-83c)。

二、吊车梁的吊装

在柱子吊装完成以后,即可吊装吊车梁。吊车梁安装就位,要求在起吊时水平上升,所

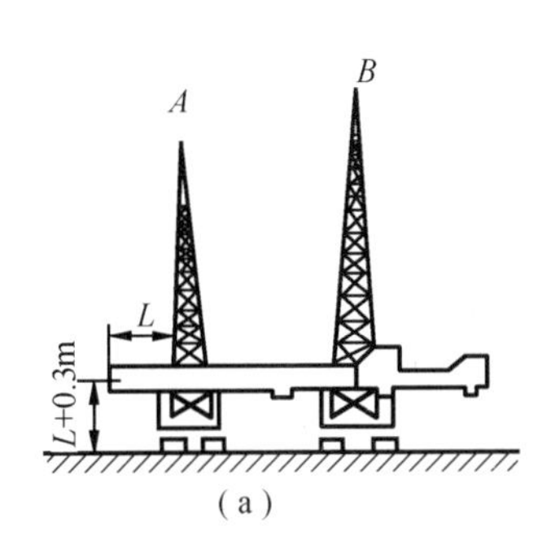

(a)

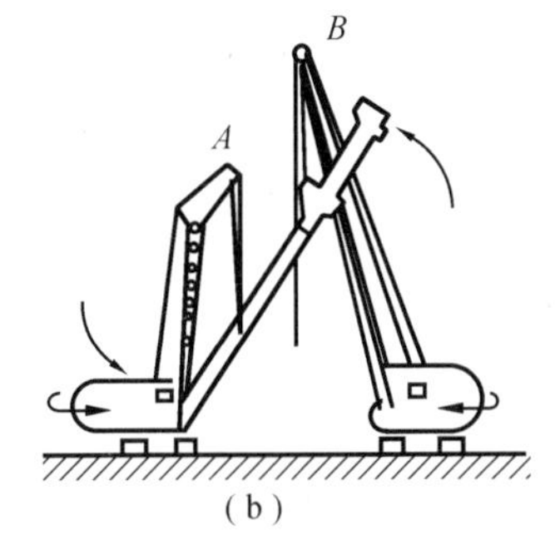

(b)

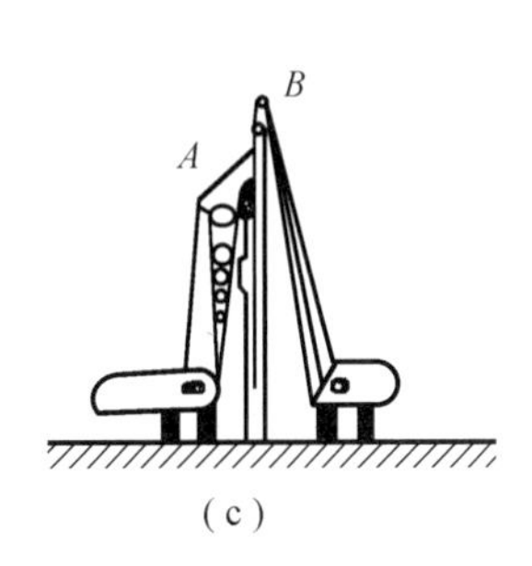

(c)

图 4-83　双机抬吊重柱两点的操作

以捆扎吊车梁时,尽可能使吊点以重心为对称,以便起吊后吊车梁基本保持水平。

捆扎方法有两种,对于一般吊车梁采用一台起重机吊装时,可用两点双斜索(图 4-84a);对于重型吊车梁用两台起重机吊装时,则采用两点双直索(图 4-84b)。

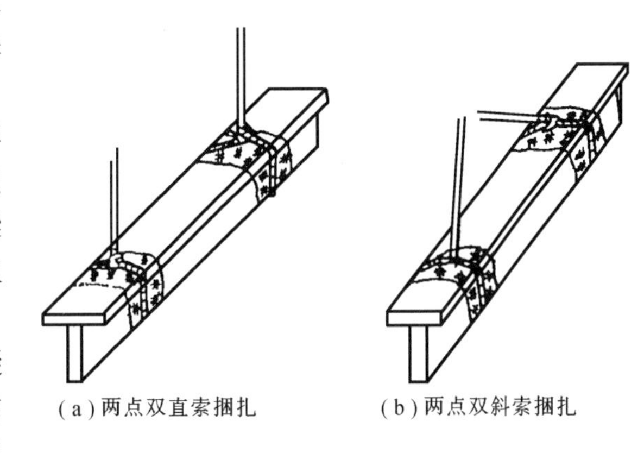
(a)两点双直索捆扎　　(b)两点双斜索捆扎

图 4-84　吊车梁捆扎

如果吊运有预埋吊环的钢筋混凝土梁,在吊装时只需用吊钩或卸扣与吊环连接就可起吊。但为了安全起见,应同时附加保险绳索(图 4-85)。

吊车梁的吊装,通常采用履带起重机或其他类型的自行式起重机,只有在缺乏起重机械,采用土法吊装时,才采用把杆等方法吊装。

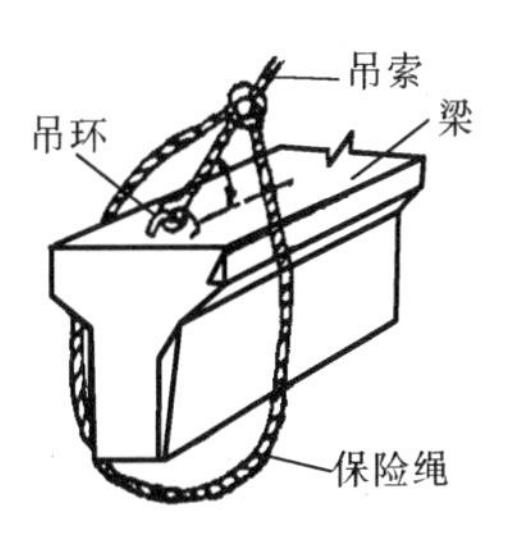

图 4-85　有预埋吊环的混凝土梁的捆扎

三、屋架的吊装

厂房的屋架有钢结构的和混凝土结构的两种,但吊装的方法基本相同。屋架的吊装与柱子、吊车梁相类似,大多数情况下采用悬空吊装。为了使屋架在空中能保持正确的位置,不发生摇摆,在起吊前应在靠边的节间系以绳索,并随吊物的升高逐步放松。由于屋架的质量、跨度以及安装到设计位置上去的高度不同,所选用的起重机械及吊装方法应随之而异。但无论采用何种方法吊装,它的捆扎和加固,必须保证屋架在有效稳定条件下完成。

(一)钢结构屋架的捆扎加固

根据屋架跨度的不同,屋架捆扎加固的方法也就不同。一般跨度在 15m 以内的屋架,可用一个吊点起吊,捆扎点在屋架顶端的节点上,并应作必要的加固(图 4-86)。跨度在 18~30m 的屋架,可用单钩两捆扎点起吊,但捆扎两点应以圆木加固,下弦要按计算作必要的加固(图 4-87)。也可采用横吊梁吊住两节点进行吊装。当跨度大于 30m 时,可捆扎两个节点或四个节点,用双机进行吊装,桁架腹杆和弦杆应按计算进行加固(图 4-88)。

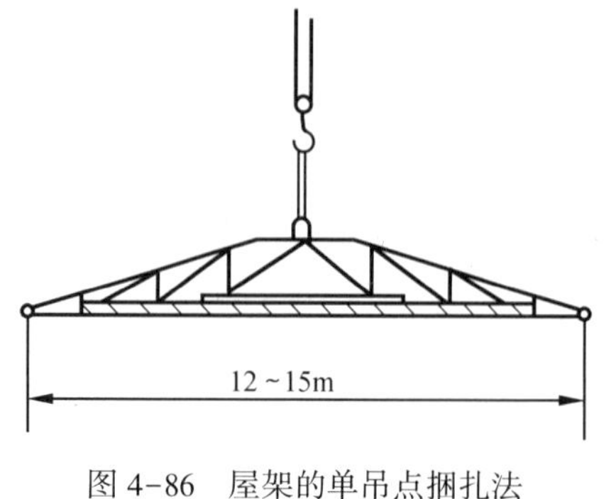

图 4-86　屋架的单吊点捆扎法

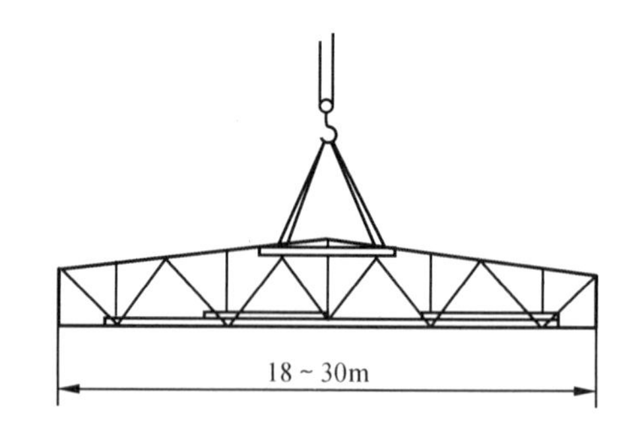

图 4-87　屋架的单钩双吊点捆扎法

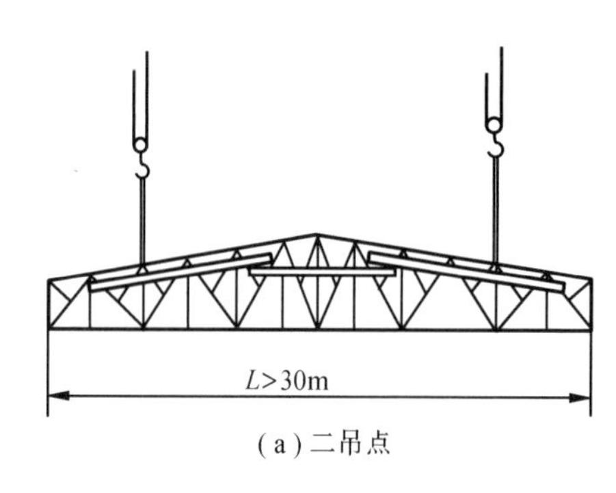

(a) 二吊点

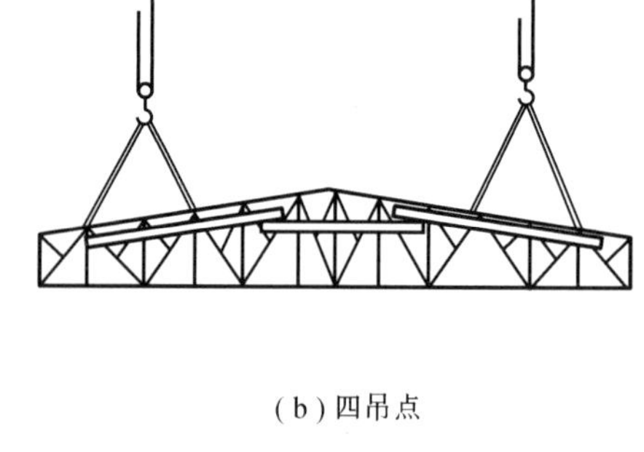

(b) 四吊点

图 4-88　屋架的双机吊装捆扎法

(二) 钢筋混凝土屋架的吊装

跨度在 12m 的预应力板梁，通常采用直吊索直接捆扎的方法起吊(图 4-89)，但这种方法增加了起升高度并使屋架受到压力，根据需要，应对屋架作必要的加固。跨度在 24m 以上的预应力板梁和预应力桁架梁，一般采用平衡梁四吊点捆扎法(图 4-90)进行吊装。这种方法安全可靠，屋架不受压力的影响。

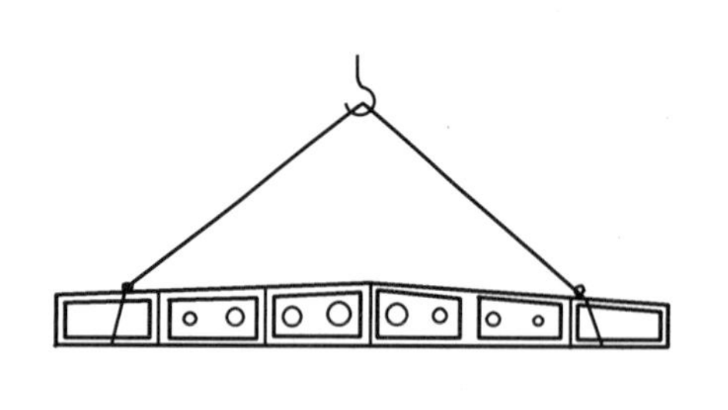

图 4-89　吊索直接捆扎吊装屋架

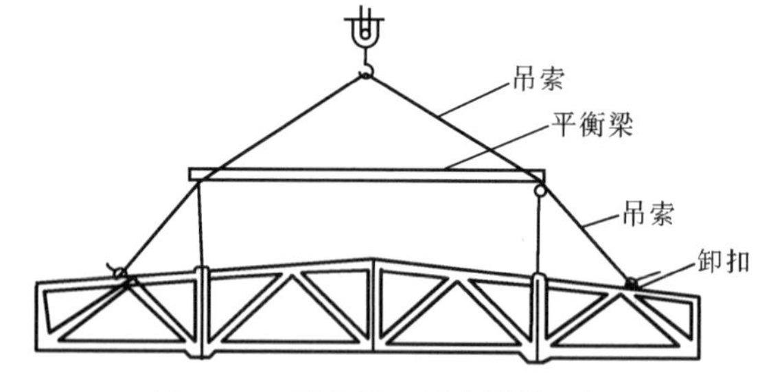

图 4-90　平衡梁四吊点吊装屋架

预应力板梁采用平衡梁捆扎吊装，虽然屋架受力均匀，稳定性好，但由于捆扎高度大，需用起升高度高的起重机。为了克服这一缺点，可采用吊索及附加钢索的捆扎法(图 4-91)，即把吊索直接捆扎在屋架节点上，并在中间加捆扎点，或主吊索在下弦起吊的捆扎法(图 4-92)，即用两根长度相等的吊索分别捆扎在屋架的两面下弦，在上弦中央节点亦设一捆扎点，以增加屋架的稳定性。

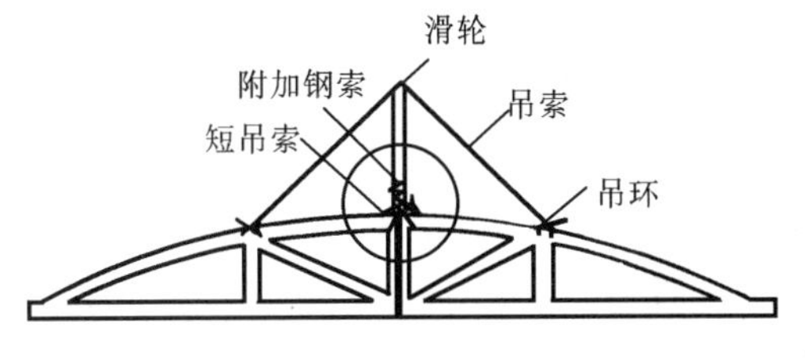

图 4-91　吊索及附加钢索的捆扎法

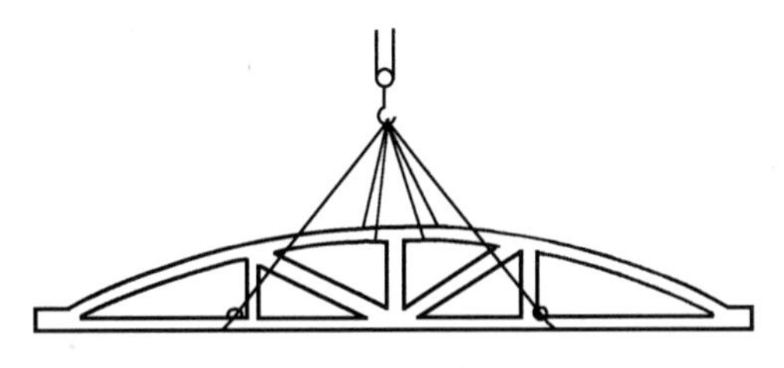
图 4-92　主吊索在下弦起吊的捆扎法

第十三节　烟囱的吊装和修理

烟囱的特点是细、高，属于体长柱式设备，其重力一般不太大。然而由于太高，加之需要安放在基础上，故给安装或拆除都带来了一定的困难。大多数烟囱，由于房屋所阻，自行式起重机难于开到现场，或由于高度高，起重机的起吊高度不够，这时多采用把杆吊装烟囱。根据具体的施工条件，可采用独脚把杆、冲把杆、抬令把杆等进行吊装。根据烟囱的结构和直径的大小，可采用一副或两副把杆完成吊装工作。一般情况下，直径 600mm 以下的烟囱，采用一副把杆即可。

烟囱吊装时的捆绑位置应在重心的上部，亦即在烟囱的一半高度以上。捆绑处应根据烟囱的具体结构进行加强，以防挤扁烟囱。吊索一般要空绕几圈，防止起吊时吊索滑动，发生事故。在起吊前，烟囱下部应拴以麻绳或棕绳作留绳，以便在吊运中控制烟囱的方向，防止烟囱在空中由于失去控制而打转。

采用一副独脚把杆吊装烟囱时，由于捆绑位置的关系，烟囱起吊后，不可避免地会出现倾斜现象，这应在施工前就要考虑到，并采取相应的措施，协助烟囱正确落位安装。如用两副独脚把杆吊装，只要捆扎绳扣位置对称，烟囱一般不会倾斜。然而两副独脚把杆缆风绳，有时会影响烟囱的安装位置，这需要在施工前，进行现场勘察，做好安排。所吊烟囱有多节组成且较高时，如果配备与烟囱高度相适应的独脚把杆进行吊装，就显得非常不经济，此时可配备一副与一节烟囱高度相适应的独脚把杆，采用冲把杆的方法完成吊装工作（图 4-93）。

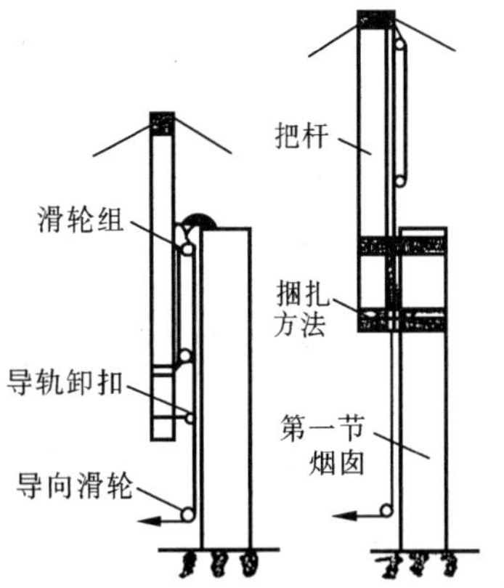

图 4-93　冲把杆吊装烟囱的示意图

冲把杆吊装烟囱时的操作步骤一般如下：

第一步　先利用配备好的独脚把杆，把第一节烟囱吊装固定好。

第二步　利用安装好的一节烟囱，把吊装烟囱的独脚把杆升高。具体方法是：用钢板吊钩挂在烟囱的上口，将吊装烟囱的定滑轮移到钢板钩上，连接固定好，动滑轮移至把杆下部捆扎固定，同时在把杆底脚上用钢丝绳捆扎好，并用卸扣锁在滑轮组跑绳上，起导轨和预防把杆倾覆的作用。

第三步　在上述提升把杆准备工作就绪后，把杆四周留四根缆风绳稳住把杆，松去其余的缆风绳，开动绞车把把杆提升至一节烟囱的四分之三左右高度，在把杆与烟囱之间适当垫些木块，并用钢丝绳把把杆与烟囱捆扎牢固。捆扎时，上道至少三圈，下道至少五圈，共捆上、下两道。捆扎方法与把杆对接法相同，但宜略倾斜一点，以免把杆受力后过多下座。

第四步　把杆冲好后，将滑轮组与缆风绳均恢复到原状，即可吊装第二节烟囱。

第二节烟囱吊装好后，再把把杆提升到第二节上冲好，吊装第三节烟囱，直至把烟囱吊装完毕。全部烟囱吊装完后，可利用烟囱把把杆放下拆除。

烟囱使用一段时间后，需要进行修理或调换，如果有些段节腐蚀严重时，就不能承受捆扎吊索的强度要求。这时，不能像安装烟囱时那样，整体拆下施工，一般要紧贴烟囱树立独脚把杆，分段拆除。

第十四节　重型高塔的单杠吊装

重型高塔，如化工、炼油设备中的一些大型立式静置设备，目前国内外通常是采用双把杆悬吊法，这已是十分成熟的经验。但这需要大型机具，如吊一个重 2940kN 的高塔，就需要两根起吊能力为 1960kN 的把杆和四台 196kN 的绞车，而且施工周期长。如果采用单杠板吊法，就能以较小的机具吊装重大的设备，而且使用机具较少，工效高，经济效果明显。

单杆板吊法也可称为转动竖立法，它能以高杆吊矮塔（图 4-94a），以较小的力起吊较大重量的塔，也能以矮杆吊高塔（图 4-94b），以较矮的把杆起吊较长、较重的设备。同时，单杆板吊在设备刚离地之时，各种吊装机具的受力最大，这便于对所有机具进行强度校核，对确保吊装的安全具有重要意义。

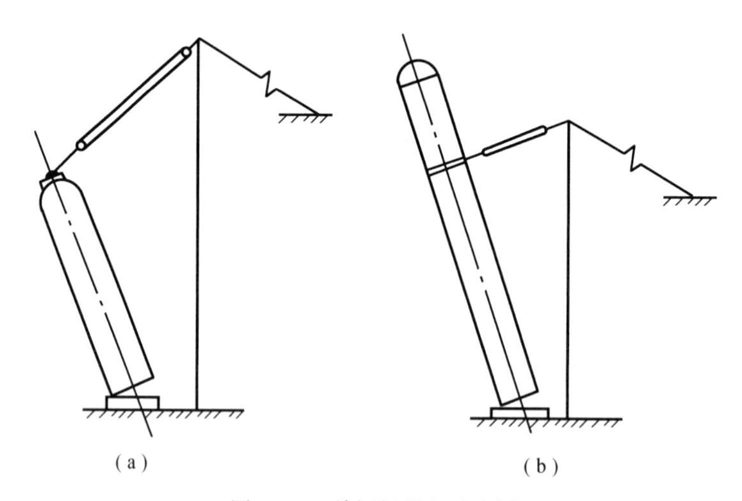

图 4-94　单杆板吊的示意图

单杆板吊的起吊力 T 的计算，可见图 4-95 对 O 点取力矩，建立平衡方程，当外角 $\alpha=0$ 时（设备中心线与水平线交角）可得

$$T=\frac{Ql_0}{l'\sin\theta}=\frac{Ql_0}{l\sin\theta} \tag{4-30}$$

这里为计算方便,取 $l=l'$。

由此可以看出,起吊力 T 有三种情况:

当 $\frac{l_0}{l\sin\theta}=1$ 时,$T=Q$;

当 $\frac{l_0}{l\sin\theta}<1$ 时,$T<Q$;

当 $\frac{l_0}{l\sin\theta}>1$ 时,$T>Q$。

我们所希望的是 $T<Q$,对吊装的塔来说 Q、l、l_0 为定值,因此,起吊力 $T(\alpha=0)$ 的大小取决于 θ 角的值。θ 角愈大,所需的起吊力愈小,相应的吊重机具受力也小,但 θ 角增大就意味着把杆增高,而把杆愈高,其稳定性愈不好,吊装能力下降的幅度很大。反之,θ 角愈小,把杆稳定性虽好,但起吊力大了,相应地吊装机具的受力也大。因此 θ 角的大小受吊装机具性能所制约,但只要我们选择适当高度的把杆及吊装距离,完全可能使 $T<Q$。

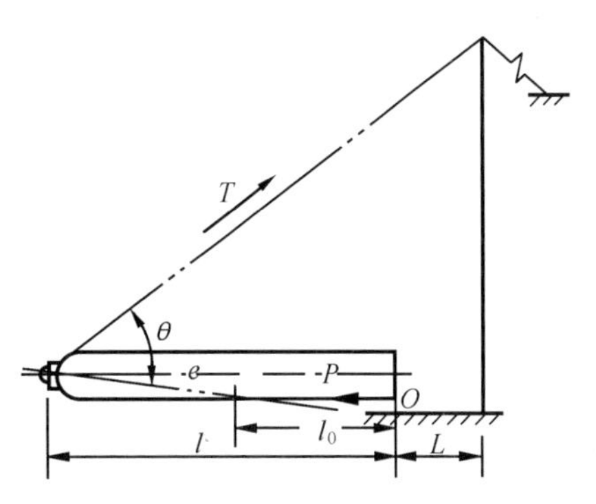

图 4-95　单杆板吊的受力简图

用单杆板起吊时,起吊滑轮组的选择应根据起吊力 T 的大小而定,通常采用两组滑轮组。为了保证两组滑轮组受力均匀,可采用图 4-96 中的两种穿绕方法,理想的方法是使用上下平衡梁穿绕法,它能解决由于绞车不同步所引起的不平衡的问题。如不采用平衡梁绕时,应注意:两滑轮组的动滑轮应捆扎在设备的同一标高点上,且应与设备中心线相对称;两滑轮组的定滑轮可分别挂在把杆的上下两点,但两点的距离不宜过大,以两滑轮组不相碰为标准。

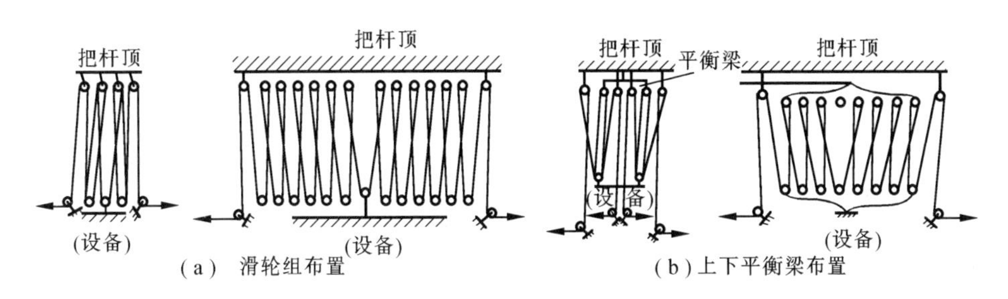

图 4-96　起吊滑轮组的布置方法

用单杆板吊起吊时,设备一般都采用捆绑方法固定动滑轮。捆绑点的位置,必须从把杆高度、设备长度及刚度等方面统筹考虑,选择一个对把杆、吊装力、主缆风绳及设备等都有利的捆绑点。

板吊过程中,支点产生水平推力,使设备产生滑移,当设备刚离地,脱离中间支承时为最大,随着吊装升角 α 的增大而相应减小。为了阻止设备在起吊过程中产生滑移,可在设备支点处布置制动滑轮组,随着设备板起升高的过程及时地、适量地松放制动滑轮组。制动滑

轮组一般采用两组，有如图 4-97 所示的两种布置。当设备板到一定角度时，由于设备的重

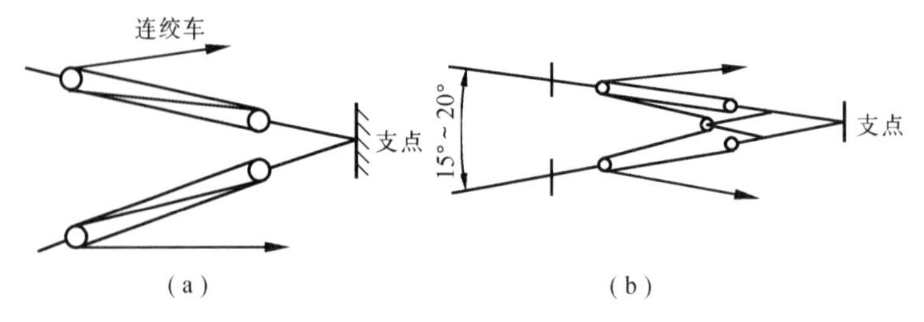

图 4-97　制动滑轮组的布置图

心通过支点，而开始向后倾倒。为了保证安全，防止设备后倾，必须布置后倾控制绳（图 4-98），在板吊过程中紧跟升角 α 的增大而逐渐放松，当达到一定的角度，控制绳处于完全受力状态时，此时应停止吊装，并缓慢放松控制绳，让设备自倾就位。

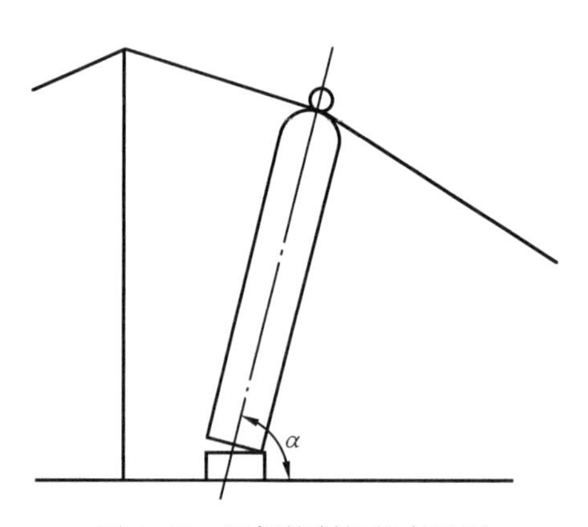

图 4-98　后倾控制绳的布置图

用单杆板吊起吊时，主缆风绳的受力很大，常常需要数根来承受，并必须使主缆风绳、把杆、设备三者的中心在同一条直线上。为了防止在板吊过程中出现设备的偏移现象，除了保持设备、把杆、主缆风绳基本处于同一垂直截面外，还须在设备的两侧拉两道控制绳，第一道控制 $\alpha=0°\sim50°$，第二道控制 $\alpha=50°\sim90°$，直至吊装完毕。第二道除了起控制作用外，还利用来为设备的找正发挥作用，因此其锚碇应尽量布置在设备基础的横向中心线上（图 4-99）。

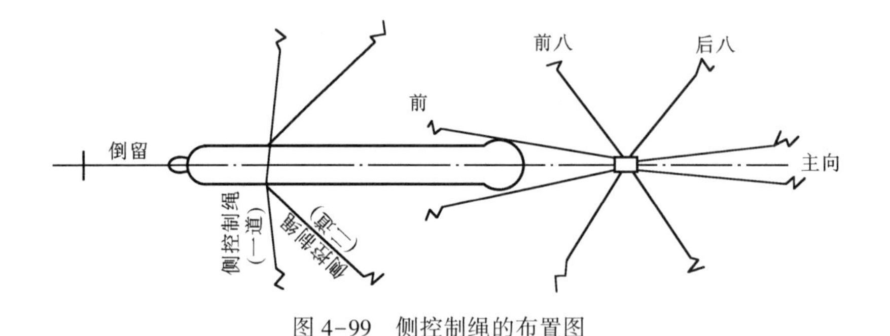

图 4-99　侧控制绳的布置图

第十五节　设备吊装

船厂设备的起重安装，一般包括厂内生产设备和修造船舶的设备安装。随着作业环境的不同，设备起重安装的方法也有所区别。对于厂内生产设备和船舶的甲板机械，通常由于作业场地较宽阔，起重机械能够直接吊位安装，只按常规的起重安装方法和步骤进行操作即

可，而船舶舱室内的设备安装，由于作业场地狭窄，环境复杂，多数设备不能被起重机械直接起吊到位安装，操作的方法有其特点，因此将用专门篇幅进行介绍。

一、厂内设备的吊装

厂内设备的吊装，是指非船上安装设备的陆地起重工作，其范围之广是可想而知的，起重吊装的方法很多，通常采用起重机械和把杆进行吊装。

使用起重机械进行起重作业时，由于机械化程度高，起重负荷量大，移动吊运方便，安全可靠等，所以起重机械是目前船厂中主要采用的起重作业方法，也是被广泛采用的吊装方法。船厂目前常用的起重机械有：桥式起重机、龙门起重机、门座起重机、汽车起重机、履带起重机、轮胎起重机、起重船等。

在采用起重机械进行吊装时，虽然主要起重工作是由起重机械来完成的，但人力的辅助工作是必不可少的。尽管手工操作只是极少部分的，却关系到整个吊装作业进度的快慢、质量的好坏和安全。

把杆吊装通常是在缺乏起重机械或受地形场地等客观条件限制下，才采用的吊装方法。

由于船厂是综合性的企业，所拥有的设备种类、范围也较广泛，有造机车间、轮机车间的金属切削设备、船体车间的冷加工设备、铸锻车间的铸锻设备以及船台、码头车间内的各种起重设备等。但是，不管吊装何种设备，都必须按照起重工作的“四要素”，了解好操作环境，掌握设备的结构、构件的形式和质量、重心及捆扎点的位置、吊装的程序和要求，制定正确的起重方案，合理地配备好吊索具。特别是要注意一些精密部件的安装，由于起重机械的吊钩起升速度较快，而容易损坏机件，此时，往往可采用在起重机吊钩上挂置手拉葫芦，在部件即将到位时，采用手拉葫芦缓慢地把部件松入，就位安装。

例如造机和轮机车间内的大型龙门机床，在安装时往往受到场地和起重机械的起重能力的限制，不可能整机吊装，通常采取分体吊装的方法。将机床分解或床身、立柱、顶盖、横梁、工作台、刀架等几大部件，依次逐一进行吊装。在吊装工作之前，必须按照起重工作的“四要素”，熟悉龙门机床的组装程序、工艺、部件安装的位置，掌握这几大部件的质量、重心、吊装的要求和捆扎点的位置，然后确定起重吊装方法，按需要选择配备好起重工具设备。

大型龙门机床的床身是机床的基础，一般由多节组成。吊装时，为加快组装进度，可逐节地先吊立柱外的床身，再吊其他各节的床身，而后再吊装立柱和顶盖。横梁的吊装要求很高，必须保持水平，否则将无法安装定位。因此，在吊装横梁的起重机吊钩上要另外挂置一只手拉葫芦，用于调节横梁的水平位置。工作台的吊装，除了要求保持水平外，还必须停止其在吊装过程中产生弯曲和扭转变形，因此，工作台的吊环位置要定得适当，吊索的长短应一致，角度不宜超过30°。然后吊装刀架等部件，同样要谨慎操作，避免返工和碰损。

二、船舶甲板机械的吊装

吊运船舶设备的起重机械，一般可分为下列几种情况：船在船坞时，可利用坞旁的门座起重机或横跨船坞的龙门起重机；船停靠码头时，可用码头上的门座起重机或用起重船吊装；船在船台时可用船台旁边的门座起重机；船停泊在江中或海中时，一般可采用起重机，万不得已时可采用把杆吊装。

船舶的甲板机械由于作业场地宽阔，起重机能够直接吊位安装，与厂内设备的吊装相类似，一般按常规的起重步骤操作即可。下面通过介绍装克令吊的吊装过程，进一步加深理解甲板机械的吊装方法。

目前我国一些船厂建造的某些船舶的起货机械多采用甲板克令吊。这些克令吊从运输、卸货、搬运、吊运、组装和船上试验，全为船厂的工作范围，因此，在卸货、吊运、堆放和安装时的起重操作，都必须遵照说明书的技术要求进行。

(一)克令吊的吊运方法

克令吊从港口吊卸和吊运时，应按下列方法进行：

1. 吊运壳体：克令吊壳体一般都设有吊环，吊运时，只要把四根吊索与吊环用卸扣相连接即可。但吊运时，必须保持壳体要十分平稳，注意四根吊索不能倾斜。图 4-100 为吊环在不同位置时的吊运情形。由于克令吊的型号不同，吊运时所用吊索的长度也不同，表 4-9 为 IHI 甲板克令吊所需的吊索长度。

表 4-9　IHI 甲板克令吊吊装的吊索长度

机　　型(单机)	吊钩与吊环的间距	吊 索 长 度
122.5kN(12.5tf)克令吊	8~8.5m	8.5~9m
1245kN(25tf)克令吊	8.5~9m	8.5~9m

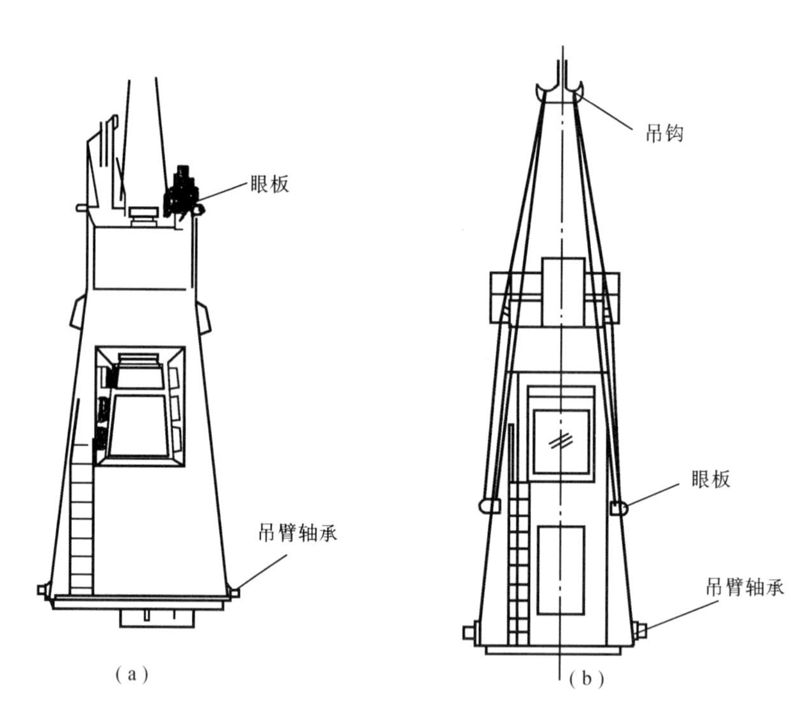

图 4-100　吊运克令吊壳体

2. 吊臂的吊运方法：吊臂一般均有吊环，吊运时只需用卸扣把吊索与吊环连接即可起吊，但必须要使四根吊索平稳。吊索所需的长度，主要应考虑吊臂顶端能首先轻轻地吊起(图 4-101)。

3. 吊运转盘：吊运转盘时，把吊运壳体的吊索通过卸扣与转盘吊环连接即可，但起重机的起吊速度要缓慢，注意不能使四根吊索倾斜(图 1-102)。

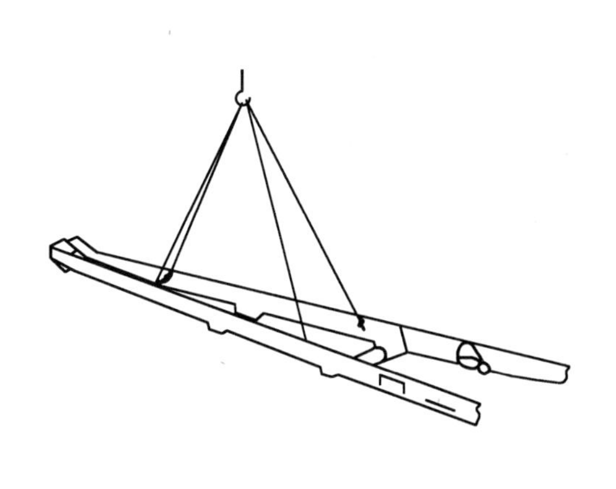

图 4-101　吊运克令吊吊臂

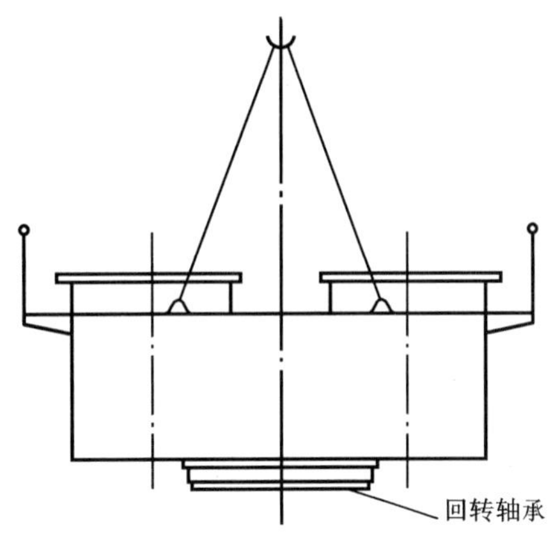

图 4-102　吊运克令吊转盘

(二)贮存

克令吊运抵船厂后,应按下列要求进行贮存:

1. 克令吊壳体和转盘搁在四个木墩上(约 400×1000mm)并用罩壳保持水密。

2. 吊臂搁在木墩上,注意切勿扭曲和切勿将重体放在上面。

3. 其他部件均贮存在室内,注意切勿受潮和损坏。

(三)吊船安装

在完成克令吊说明书所规定的安装前的准备工作后,即可按说明书的安装程序和有关要求,吊船安装克令吊。

1. 吊装转盘

首先按吊运转盘的方法,把转盘吊到支柱上就位安装。为了能使克令吊能在支柱上正确定位,一般都配有导销螺栓(图 4-103)。吊运时,首先在支柱的法兰面上拧上导销螺栓(注意船舶的倾斜度),三只导销要互成 120°的间距。然后由起重机将转盘平稳吊下,以导销调整螺孔,当转盘有一点碰到法兰和最大间隙为 10mm 时,将转盘坐落到法兰上,拧上所有的紧固螺栓。安装时应注意,使转盘的前面转至克令吊静止的方向,以免安装吊臂时转动克令吊。

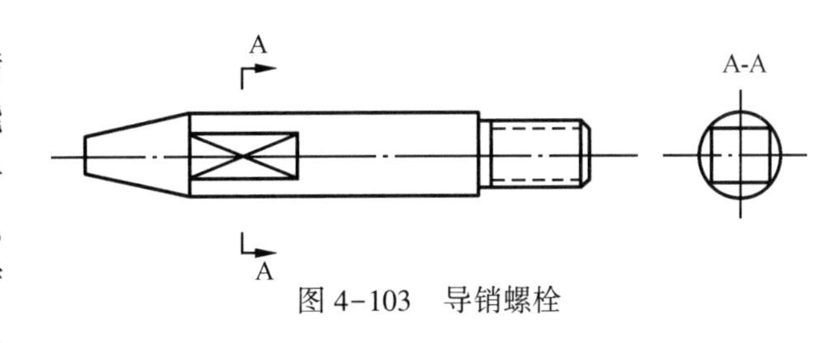

图 4-103　导销螺栓

2. 吊装壳体

按照克令吊壳体的吊运方法,平稳地吊运壳体并安装到转盘上。为使克令吊壳体能正确地定位,可采用安装转盘的三只导销螺栓,帮助安装找正。

图 4-104 为克令吊壳体和转盘为一体时,单克令吊直接安装在底座上时的吊运示意图。吊运时,先把壳体吊到约 1m 的高处,停止上升吊钩,垫好保险楞木,使三只导销螺栓互成 120°的间距,拧入回转轮环的螺栓孔内,然后继续上升,最后吊到底座安装。

为了便于安装吊臂,克令吊壳体应该在吊运时就定位好,使驾驶室面向安装吊臂的方向,使吊臂能放在搁架上或放在容易垫高的位置上。如果搁架已经装在吊臂上,对克令吊壳体进行大约定位就可以了。

3. 安装吊臂

为了能方便地安装克令吊吊臂，吊臂的吊运角度很重要，一定要成一适当的角度，平稳地吊运吊臂和安装到克令吊壳体上（图 4-105）。吊装时，必须注意切勿碰撞克令吊壳体的两侧，以免擦去油漆。吊臂安装后，应临时垫高或放在托架上。

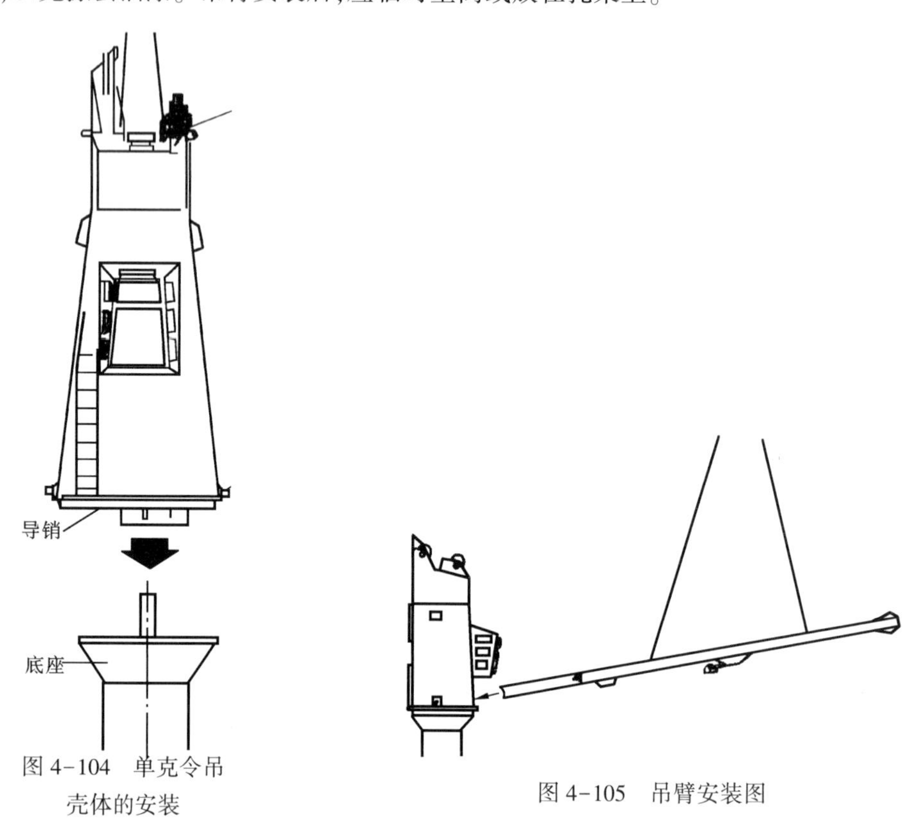

图 4-104　单克令吊壳体的安装

图 4-105　吊臂安装图

第十六节　船用主机的吊装

船用主机是船舶的大型设备，其吊船安装，可分为分体吊装和整体吊装两种。在修船工程中，船用主机的主要易损部件，一般都须拆卸进车间检查、修理，随后吊船安装。而在造坞工程中，目前多采用主机整体吊装，只有在起重机械的起重能力不够时，才采用分体吊装。

一、船用主机的分体吊装

船用主机部件的吊装，必须根据修造船工程的具体施工要求安排进行。在造坞工程中，根据大型柴油机产生的重力和运输吊装的具体情况，一般将大型柴油机分解成机座、曲轴、机架、气缸体、扫气箱等部件，分散吊入船舶机舱内进行安装。在条件允许的情况下，多数是在船台建造过程中就吊装好大型柴油机，否则要在船舶下水后，靠码头才进行吊装。

在进行吊装工作之前，首先要了解吊装过程中的环境；机舱、机舱口的尺寸；拆除机舱和机舱口的障碍物，保证部件正常吊运。掌握各主要部件产生的重力、重心、吊点位置、安装的部位和精度要求。并根据确定的吊装方案，配备好起重工具和设备。

(一)机座的吊装

机座的吊装,首先要正确掌握机舱口的纵横尺寸,拆除舱口和舱内有妨碍的部件和构件,保证吊运时,前后左右都有一定的移动范围。在舱口尺寸允许的情况下,可采用四根同等规格的吊索,分别穿在机座中适当的联通孔内,在吊索与机座边缘的接触棱角处垫上半圆铁管、麻袋或橡皮等衬垫,以保护吊索。如受到机舱口尺寸的限制,有时也可使机座倾斜,下到机舱。机座稍吊高离开地面后,应停止上升进行观察并调整,使其符合吊装要求。在机座吊进机舱就位前,应慢速下降。当机座底平面下降到离调整垫片约为 100mm 时,四周应用手拉葫芦拉住或临时在安装点一侧的定位板上靠紧,以防机座产生较大的偏离。然后再指挥起重机慢速下降,把机座平稳地坐落在调整垫片上,以后再通过千斤顶进行精确定位。

(二)曲轴的吊装

曲轴的形状复杂,吊装要求高。在吊装前,主轴颈、曲柄销等工作面都应用帆布或橡皮等包扎好,防止在吊运过程中与其他部体或构件相碰而触伤。装夹箍或捆扎钢丝绳作为吊点的曲柄销,除用帆布或橡皮包扎,外面还要加小硬木条或青铅保护轴颈。为使曲轴在吊运中减少挠曲变形,一般需要在曲臂之间用支撑加强,具体应参照说明书的要求或由钳工决定。捆扎点的位置,应根据柴油机的缸数对称布置。

曲轴在吊运中应保持水平,如因机舱口尺寸的限制,需倾斜进入机舱时,一般应以单头往下松。但在即将坐落机座时,必须保持水平,发现倾斜,应及时调整。对于大型船用主机的曲轴,为保证其正确、平稳地座入机座主轴承,一般可在机舱内机座的左右两旁端头各挂一只 49kN 的手拉葫芦,前后方向也各挂一只 49kN 的手拉葫芦,供曲轴着座前作微调和稳定之用。

如果起重机的起吊能力许可时,可采取将曲轴连同机座成为一体吊入机舱,就位安装。

(三)机架的吊装

机架的吊装,对于大型船用主机都通过 *A* 字架上部的减轻孔进行捆扎,捆扎的位置必须对称,同时要用麻袋、橡皮等作衬垫,以防损坏吊索。为了保证机架吊装时的左右平衡,需要在起重机吊钩上挂置一只 49kN 的手拉葫芦,供调整机架左右平衡之用。

机架坐落底座时的调整方法一般有两种:

1. 在机架安装前,在机座一侧配置专用定位止档两块,作为机架左右定位的靠山。而机架前后的定位则以推力轴承座的上盖平面为靠山。当机架平稳地吊进机舱时,依据机座的定位靠山缓慢地下降定位。

2. 在机舱内左右两旁挂 49kN 的手拉葫芦四只,前后方向挂 49kN 的手拉葫芦两只。当机架在着座以前,通过手拉葫芦来调整和稳定机架,使机架平稳、正确地就位。

(四)气缸体的吊装

气缸体吊装前,应预先配备好气缸木盖,以确保质量和安全。吊索通常可穿在适当的缸内,吊索和缸体折角的接触处,应垫好防止缸体边缘损坏吊索的衬垫。在扫气箱一侧用一只 49kN 的手拉葫芦来调整缸体的左右平衡。根据 *A* 字架上平面的倾斜度,在起吊时应调整好气缸体下平面的倾斜度。气缸体的定位方法,通常也是采用在机舱左右、前后位置挂手拉葫芦的方法来调整缸体,正确就位。

(五)缸套的吊装

主机修理时,由于缸套过度磨损或漏水等原因,需要拆除、修理或调整缸套。对小型柴油机,拉出气缸套,一般较为简单。可先在缸套上找到起重吊环的螺孔,装上起重吊环。通过吊索用手拉葫芦拉起即可。在大型柴油机中，起吊缸套时要使用较大的力，一般要使用恰当的起吊专用工具。在起吊缸套时，要注意起吊葫芦的吊钩一定要垂直拉起，防止碰坏缸套上的密封紫铜环，如遇到手拉葫芦拉不动时，不能硬拉，可在缸套下部用千斤顶顶活，然后再用手拉葫芦拉出。

装回缸套前，应严格避免脏物或水垢粘结在缸套与气缸体（水套）的接触面之间，造成安装时的困难。在装入缸套之前，缸体内部凡有水密橡皮圈通过之处，如有尖角必须凿去，以免割伤橡皮圈，并在橡皮圈外面涂上一层软肥皂，以便橡皮圈容易滑过。但应注意，切不能使用油脂或其他油类当作润滑剂，以免橡皮圈变质。装入缸套时，如果不能依靠缸套本身的重力或加上一点很小的外力自行落座，很可能是由于橡皮圈太粗，此时，不能用力强压，这样会使橡皮圈卷出损坏，造成返工。

（六）活塞的吊装

活塞是船用柴油机的主要运动部件。由于其工作条件恶劣，容易损坏，柴油机在工作过程中，一旦活塞发生故障，就会引起严重的后果。所以，活塞的安装要求很高，必须非常仔细，不得有半点马虎。为了保证安装质量和提高起重机的工作效率，船上活塞的拆、装工作通常利用船舶机舱的行车或挂置手拉葫芦，把活塞吊进或吊出缸套，然后用起重机接往吊运。

活塞的拆装可利用活塞顶上的起重吊环的螺栓孔，如果没有，一般都有专用的吊装工具，吊装时，应根据柴油机的发火顺序，将该缸盘车自上死点开始进行，在起吊活塞前，应详细观察气缸套的上端是否有台阶（由于活塞没有走到，而形成的凸台），有台阶时，钳工应用风磨机磨去，避免在起吊活塞时拉动缸套。

活塞在装入缸套时，应注意活塞中心要垂直、平稳、切勿倾斜。对大型柴油机，应先将活塞杆下端装上锥形导套，作为引导器，以防活塞杆下端的凸缘卡断填料箱中的密封环。活塞在缸套内下落时，注意不要卡断塞环。为此，有的机型在吊入活塞之前，首先在缸套上放置导向令箍来引导活塞进入缸套。在活塞下部即将进入缸套时，下降速度应缓慢，在降落过程中，大型柴油机需特别注意活塞杆和冷却套管的定位，待活塞杆插进十字头后，才可脱开吊钩，并使活塞杆与十字头装配服贴，然后上紧海底螺帽。

活塞在吊装过程中，应注意当活塞杆（或连杆）即将进入或离开缸套时，必须用手扶正，防止活塞杆（或连杆）晃动，碰伤缸套。

（七）扫气箱的吊装

扫气箱吊装的前后位置，以气缸体前端的止挡为基准，高低位置以机架的上平面为基准。扫气箱一般连同下部管路一起吊装，吊装的钢丝绳穿在适当的缸位上，并在吊钩上挂一只 49kN 的手拉葫芦与扫气箱的右侧相连，供吊装时调节平衡用。

（八）气缸盖的吊装

气缸盖一般可利用缸盖上的起重吊环的螺栓孔或专用工具，通过卸扣与吊索连接进行吊装。如用吊环吊装时，缸盖的吊环螺栓必须拧到底，不能有任何松动。安装时，缸盖必须保持水平，不能倾斜。当气缸盖进入缸盖螺栓时，应缓慢落低缸盖，并用手扶正缸盖，以防卡住或损坏缸盖的螺纹。在即将落位时，要注意气缸盖与缸套的凸肩要落位让进。

二、船用主机的整体吊装

船用主机分体的吊船安装，不仅工作量大，吊装所需的工具多、安装周期长，而且施工复杂,所以在起重设备条件许可的情况下,多采用整机吊装。这样可以大大减少劳动量;简化吊装工艺;缩短施工周期;为其他工序的作业创造了条件,对加快船舶的建造速度具有重要的意义。

大型柴油机由于尺寸大、重力大,采用整体吊装时,首先要把柴油机从车间的试车台上整体移位到码头,然后用起重船把柴油机整体吊起,并把起重船拖到船舶的机舱部位,定好船位,把柴油机吊进机舱就位。大型船用柴油机采用整体吊装时,应加强调查研究工作,对柴油机的尺寸、重力、吊运设备的起吊能力和幅度以及机舱口的大小等进行仔细的核算,并编制工艺方案。

一般主要的核算工作有:

(一)外形尺寸的核算

保证柴油机能安全吊进机舱口,四周要留有一定的余地。如果由于柴油机的外形尺寸受机舱口尺寸的限制,应拆除部分装置,使其符合吊装的要求。

(二)重力的核算

除去拆除部分产生的重力后,根据柴油机的净重加上吊索具产生的重力,必须符合起重机在吊装幅度位置的起吊能力。

(三)高度的核算

用起重船吊装时,所需的高度 H 可按下式求得(图 4-106)

$$H=h_1+h_2+h_3+h_4\leqslant H' \tag{4-31}$$

式中 H——采用起重船吊装时,从水平线算起所需要的高度(m);

h_1——船舶从水平线至机舱开口处一层甲板的高度(m);

h_2——吊入机舱口时的吊装高度余量(m);

h_3——柴油机的高度(m);

h_4——吊索的长度(包括吊具)(m);

H'——起重船在吊装幅度位置,吊起重物后吊钩从水平面算起的极限高度(应考虑吊重后,船首下沉的因素)(m)。

(四)起重船的幅度核算

主要核算起重船在有效幅度范围内,能否把柴油机吊入机舱。

(五)吊索具安全负荷的校核

对所选择的吊索具进行强度校核,是否合乎安全规程的要求。

(六)纵、横移牵引力的校核

根据所采用的运输方法,核算其纵、横移牵引力,据此配备绞车、滑轮绳、钢丝绳等设备和工具。

(七)地面和码头受压的强度校核

通过校核,对地面和码头采取措施,保证柴油机纵、横移顺利地进行。

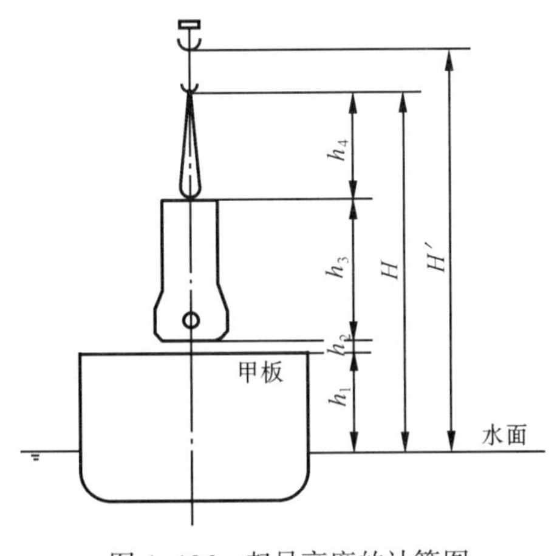

图 4-106 起吊高度的计算图

下面以 5L55GFCA 柴油机整机吊装 117600kN 的多用途集装箱船的全过程为例,了解整机移位、吊装的一般过程和操作步骤。

117600kN 的多用途集装箱船的主机在某厂造船车间安装好以后,采用气垫运输,将整台机移位到码头，然后由 4900kN 的起重船，吊入船上安装。其主要操作过程和步骤如下：

（一）主要的数据

1. 通过测量，机舱口开口的宽度 6m，长 8.5m；

2. 5L55GFCA 柴油机的净重为 1744kN，柴油机移位时连试车底座的总重力约为 2744kN；

3. 柴油机的外形尺寸见图 4-107；

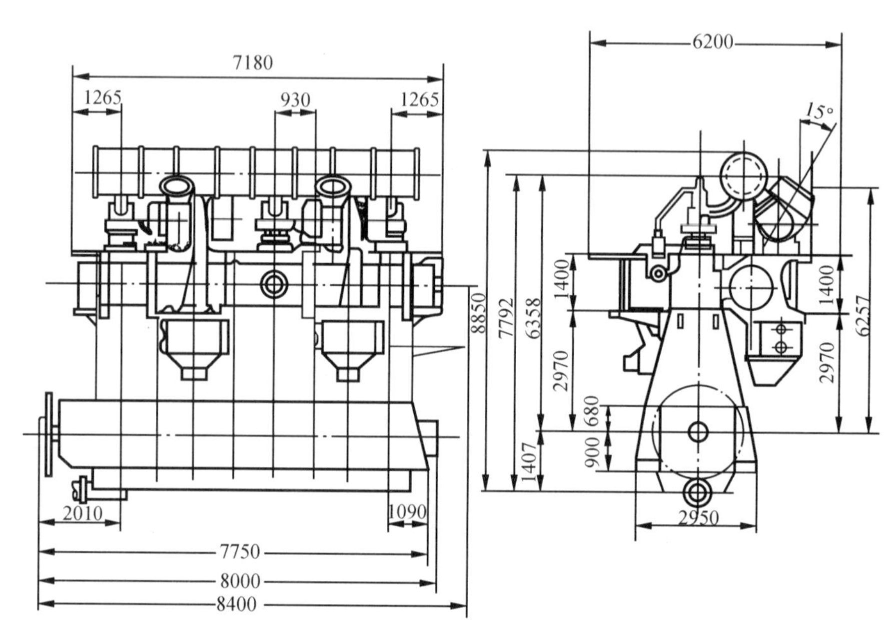

图 4-107　柴油机的外形尺寸

4. 由于机舱口的尺寸比柴油机外形的尺寸小，因此需拆除下列部件：转车机、自由端中层路台支架及花铁板、自由端应急鼓风机、测速传感器箱体、排气侧的最外挡路台支架及花铁板、排气侧的控制阀板、增压器、拆除上述部件后主机的外形尺寸见图 4-108，符合吊装要求。

（二）起吊设备及运输工具

1. 4900kN 的起重船：双钩，每只吊钩起吊能力为 2450kN，两钩中心距为 1800mm；

2. 吊索：6×37，直径 75mm，长 40m 的钢丝绳两根；

3. 吊具：采用图 4-109 所示的吊标四根，作吊耳用，分别装在 2、3、4、5 气缸上；

4. 气垫单元 44 只、空气管路一组、封盖板 28 块；

5. 顶高设备：980kN 的液压千斤顶 14 只；控制油泵一台，高压油管 28 根、保险楞木及木楔；

6. 牵引设备：49kN 的绞车一台、走五滑轮组一副。开口导向滑轮若干只（被拖移情况定）；

7. 直径 36~38mm 的空气橡皮管共计 500m、导向角铁及限位装置。

所有设备、工具在使用前必须经过检查，确认符合要求后，方可使用。

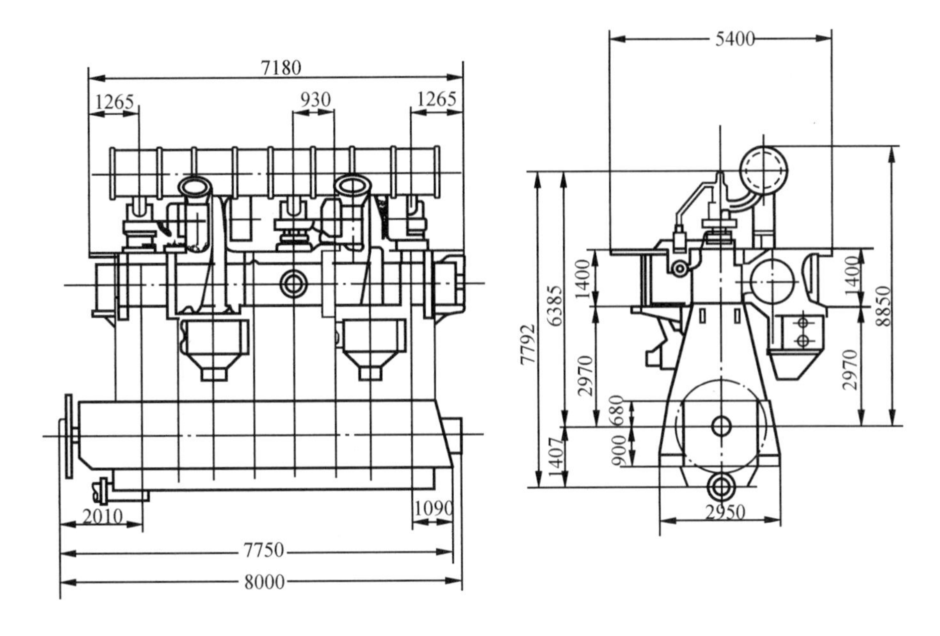

图 4-108　拆除部件后柴油机的外形尺寸

（三）安装吊杆

按下述步骤和要求安装吊杆

1. 将第一缸活塞转到上死点；

2. 拆下转车机；

3. 拆下 2、3、4、5 气缸盖，并分别在其位置上装上吊杆（安装时气缸套平面应加垫片）；

4. 敲紧气缸盖螺栓；

5. 吊杆安装后，曲轴严禁转车。

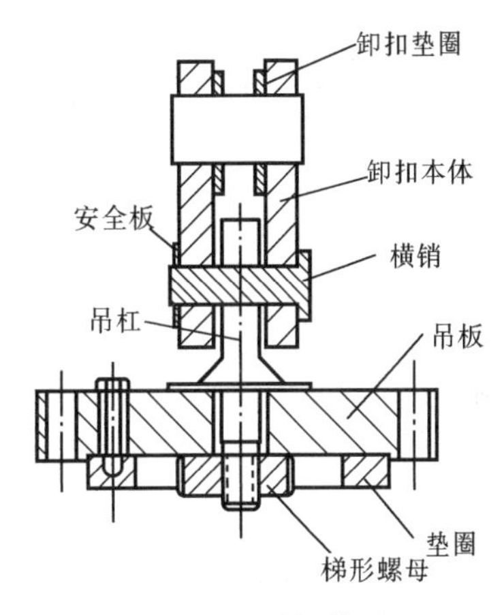

图 4-109　吊杆简图

（四）准备工作及要求

在正式操作之前，必须完成下列准备工作：

1. 主机的安装拆除工作应全部结束，并应具备将整体顶起的条件；

2. 作业场地及主机移动时的通道必须整理完毕，保证畅通，地面铺设的钢板上的电焊疤必须铲平、磨光，保证平整光滑；

3. 安装妥牵引设备和导向限位角铁，穿好滑轮组钢丝绳；

4. 船舶左右的吃水需调整到基本一致；

5. 机舱所有妨碍主机吊入的管子、脚手板、构件等物应在主机吊入之日前拆除；

6. 在主机舱面上，安装前后、左右限位挡板；

7. 推力轴输出端的法兰面要包扎保护木板；

8. 准备好四根引棒及垫主机用的硬木垫片。

（五）整机顶起及安装气垫装置

在顶高操作前，必须清除干净周围垃圾铁屑，检查柴油机上的各零部件必须安装紧固，机上不得堵放散装的管子、零部件、脚手板等物，以保证整机顶高、吊运安全。同时检查机座底脚螺栓，加高底座底脚的安装是否可靠，并再次敲紧。按图 4-110 布置好顶高液压千斤顶，连接好油管，试泵捉漏，确认安全可靠后，即可按下列步骤操作：

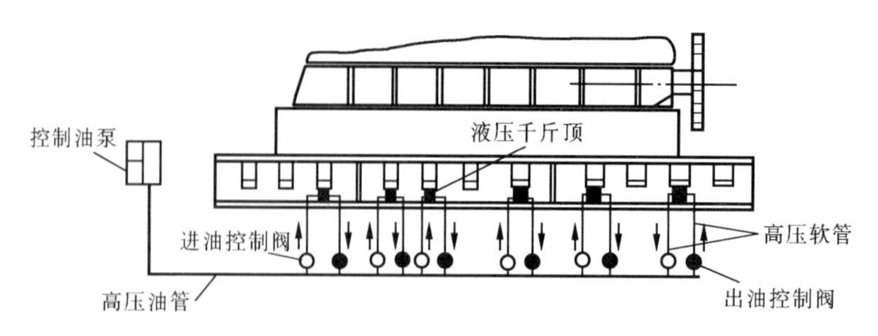

图 4-110　液压千斤顶的布置图

1. 缓慢加压，将机同步顶起，注意调整前后、左右位置的高度，切防单面顶起过高，要求保持基本一致；

2. 在顶高过程中，用木楔随升随垫实，进行保险；

3. 顶起到 85～100mm 时停止顶高，用木楔等保险好；

4. 拆除垫块，清理干净后，安装封盖；

5. 扫除干净底座下面的垃圾、铁屑等杂物；

6. 安装气垫单元；

7. 同步落低液压千斤顶，使柴油机坐落在气垫单元上；

8. 拆除全部液压千斤顶、油管。

（六）整机拖移

柴油机坐落在气垫单元上之后，接通气垫空气系统管系，通过减压阀调整空气压力，对气垫元件充气，当气垫元件胀起 7～10mm 左右时，用绞车将整机横移到中间，然后纵向牵引到交叉道，进行 90°转弯，再纵向牵引到码头。在牵引过程中，必须随时注意根据地面情况调整空气压力，并注意观察绞车牵引力的变化。

（七）整机吊入船上安装

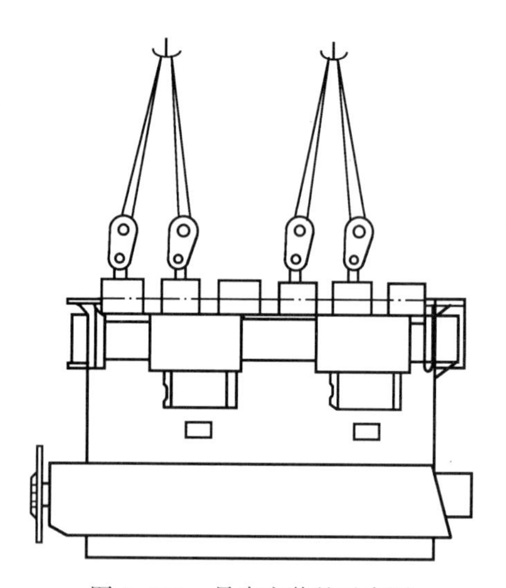

图 4-111　吊索安装的示意图

停好起重船的船位，按图 4-111 所示，生好吊索，拆除机座上的底脚螺栓，在油底壳前后、左右位置上各装三块保护木块，并扎牢，以便保护油底壳。做好吊运的一切准备工作之后，专人指挥起重船同步起升两只吊钩。起吊时，用绞车拉住柴油机的两端，防止柴油机转动，当油底壳脱离垫高底座后，才松开留住的钢丝绳。整机吊到一定高度后，停止升高，用拖轮把起重船拖至船舶机舱位置。定好船位后，缓慢下降吊钩。当柴油机吊入机舱接近舱面时，由安置在机舱内四角位置的四只 49kN 的手拉葫芦牵引，调整主机的位置，缓慢下降，引入主机限位挡板内。继续指挥起重船吊钩缓慢下降，同时调整两吊钩，使机座底平面与底座平行，当机座底平面离垫片约 50mm 时，在四只角上用引棒将主机定好位，然后缓慢下降吊钩，将主机坐落在垫片上。

起重船在吊装时，必须对起重船的作业区域进行封江，加强巡逻，以确保安全。

第十七节　舵的拆卸和安装

舵的吊装一般可分为船台、船排、船坞和水上四种情况。其中水上吊装时，由于水的浮力及波浪的影响，较为困难。其余的吊装情况基本相类似，可利用起重机或挂滑轮组（或手拉葫芦）进行吊装。

拆舵首先要做好准备工作，同时要搭好脚手，使钳工能在脚手板上操作。根据所定的吊装方案，布置好起重工具。如采用滑轮组拆卸时，要在船旁两边各挂一副滑轮组，滑轮组的跑绳引入绞车。

用起重机或滑轮组吊装舵时，捆扎方法有用钢丝绳捆扎和绕吊环吊运两种。采用钢丝绳捆扎时，钢丝绳一般在舵腰中绕四道，然后用卸扣骑马在交叉捆扎钢丝绳中。捆扎时，主要看舵的中心要对正滑轮组。如采用三门以上的滑轮组时，穿绕钢丝绳时应注意，必须从当中一门开始穿，保持滑轮平衡。为了防止吊装时捆扎钢丝绳往上面移动，要在舵上兜底生一根保险扣，俗称“落地千斤”（图 4-112）。如采用吊环吊装，焊接吊环的位置必须要选择正确，避免起吊时舵呈倾斜状态。

操作时，先用液压千斤顶把舵顶高，使舵销脱离舵托，拉紧两边的吊索，舵悬空在舵托上。然后，根据起重机接吊的位置，接吊一面的吊索渐渐拉紧，另一面的吊索跟着缓慢地松，使舵从船的一侧的边腰出来，再用起重机接住，吊至地面指定的地点。

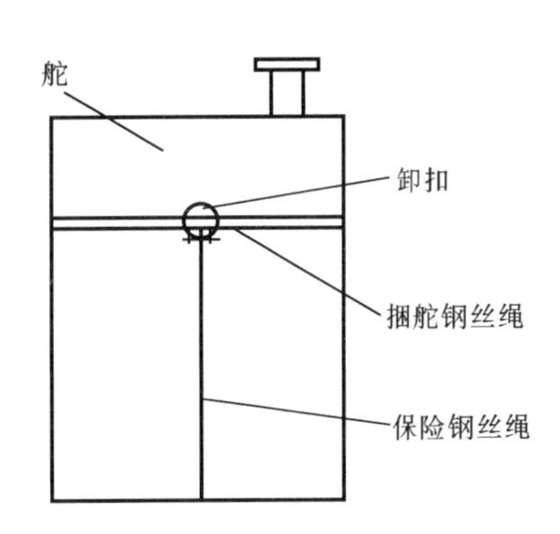

图 4-112　舵的捆扎方法

修船时，有时在水上卸舵，此时要求水面风平浪静，风力不得超过三、四级。在拆卸前，必须切实检查工作现场，制定确实可靠的施工方案，保证施工安全。通常的操作方法是在舵杆上面拧入吊环，用一只卸扣把吊环与两根吊索相连接，其中一根吊索生根在已挂好的手拉葫芦上，另一根连接在一根撇缆绳上。钳工把零件拆好后，手拉葫芦渐渐向下松，松到舵杆洞口，用小舢板到舵杆洞口捞起撇缆绳，拿出吊索，将吊索挂在起重机吊钩上，待吊钩上的吊索收紧后，舵机机舱内的手拉葫芦渐渐地向下松，起重机吊钩缓慢地上升，待舵腰出来后，拆除手拉葫芦的吊索，用起重机吊至指定的地点就可以了。

拆卸舵一般需配置的工具：

（1）舵腰档捆扎钢丝绳；（2）舵兜底保险钢丝绳；（3）两只肚卸扣；（4）两副滑轮组或手拉葫芦；（5）液压千斤顶；（6）撬杠。所选择的工具都必须经过计算，能够承受所吊装的舵的重力，并经过检查，符合安全要求方可使用。

舵的安装和拆卸方法相似，只是把程序颠倒过来即可。

第十八节　螺旋桨的拆卸和安装

拆卸螺旋桨时，首先要搭好脚手板，协助钳工拆除尾轴防护罩和尾轴螺母(将军帽)。搭脚手时，应考虑留有螺旋桨转动的间隙，并要搭得牢固，能够承受在脚手板上放置较重的工具和松螺母等操作时的冲击力等负荷。

拆卸时吊重的滑轮组或手拉葫芦的布置，对于小型船舶，一般螺旋桨和船尾底的距离较大，可在船底焊接吊环，根据情况挂二、三只手拉葫芦，一只在螺旋桨中心的船尾底上，供拆卸时吊重用，其余的依次挂在船尾的吊环上，供接出螺旋桨用(图4-113)。对于大型船舶，通常由于螺旋桨与船底的距离太小，不可能在船底挂滑轮组或手拉葫芦，此时，一般采用在螺旋桨位置的两边船旁各挂一副滑轮组。在拆卸时，两副滑轮组共同吊住螺旋桨的同一吊点，待螺旋桨脱离尾轴后，一副滑轮组缓慢车紧，另一副滑轮组跟着慢慢放松，直至螺旋桨腰出船底，由起重机接住，吊至指定地点(图4-114)。

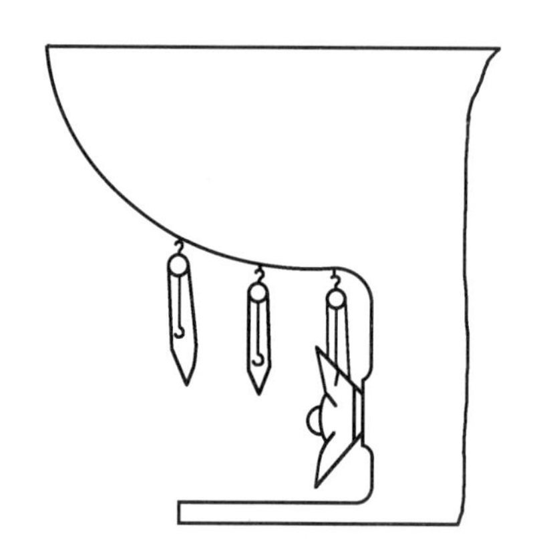

图4-113　拆卸螺旋桨手拉葫芦时船底的布置图

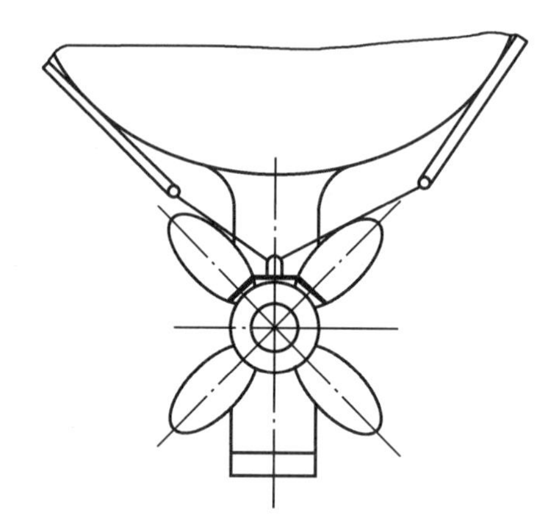

图4-114　拆卸螺旋桨滑轮组时船旁的布置图

由于船舶的螺旋桨与尾轴的锥端配合得很紧，在拆卸前，需要使螺旋桨与尾轴锥端松动。对于铁梨不油封的船舶，可采取将尾轴螺母松掉三、四牙，然后用特制的千斤顶或铁楔，向外挤压螺旋桨。此时应注意，必须在尾轴法兰处采取加强固定措施，防止尾轴外移。对于采用油封的船舶，其螺旋桨上通常有拉出用的螺栓孔，因此可采用压板螺栓，把螺旋桨拉出。

在挤离锥端前，应先用事先配置好的钢丝绳或链条，对螺旋桨进行捆扎。不论螺旋桨是几片叶子，一般均在螺旋桨的相邻两片叶子之间，绕“8”字形捆扎，然后用胖肚卸扣骑马在“8”形中间。卸扣要用绳索保险好，以防吊运时卸扣走动，造成螺旋桨倾斜。而在船台安装时，螺旋桨必须与船台的倾斜度保持一致，否则安装时会造成困难，此时保险绳索起留住卸扣的作用，更是不可少。在做好一切准备工作之后，就可利用滑轮组(或手拉葫芦)先将螺旋桨向船尾方向移动，让尾轴拉进船内，然后根据起重机接运的方向，渐渐地腰出螺旋桨，由起重机接住。吊至指定的地点。

安装螺旋桨的方法和拆卸基本相似，只要按相反的程序进行即可。

拆装螺旋桨一般应配备的主要工具：(1)大榔头(或撞山锤)；(2)手拉葫芦三、四只或滑轮组两副、木滑轮组一副(挂撞山锤用);(3)捆扎钢丝绳一根、胖肚卸扣一只;(4)接用及挂滑轮组的吊索、卸扣若干(视具体情况定);(5)根据拆卸方案,如需要,配备千斤顶一台。

第十九节　轴系的拆卸和安装

船舶在修理过程中需要修理尾轴,就要把尾轴从尾轴套筒中取出,送进车间修理,然后再上船安装。尾轴拆卸时,首先要搞清是向船体内抽拉(一般为单螺旋桨),还是向船体外抽拉(一般为双螺旋桨),根据具体情况因地制宜地备好工具。

尾轴向船体内抽拉,首先要拆除中间轴。根据船舶的具体条件,可采用吊运拆卸和滚动拆卸法拆卸中间轴。在高度许可的条件下,通常可采用吊运拆卸法,即在中间轴两端的上方挂手拉葫芦,利用手拉葫芦把中间轴吊移到一边,用木楞、木楔垫好。由于起吊高度的限制,无法挂手拉葫芦吊运时,可采用滚动拆卸法。预先铺好木墩(多数靠近中间轴,要滚动一边),分开轴的法兰以便取出垫圈或移出法兰上的凸肩。用千斤顶将轴顶起 10mm 左右,再在木墩和轴之间放上木楔,斜面向着轴要滚去的方向,将轴卸在木楔上,让其慢慢地滚到预定的地点,然后用木楔垫结实。随后,在尾轴套筒和尾轴法兰上安装支撑,加强固定,以备从尾轴锥端上取下螺旋桨。当螺旋桨和尾轴脱离开以后,即可抽拉尾轴。

抽拉尾轴应根据不同的船型,配置不同的工具抽拉。船舶机舱在中间的船只,拆卸工作一般都在地轴弄进行,由于受到高度的限制,可采用手拉葫芦拉尾轴。手拉葫芦按图 4-115 布置好,其 1 号位的手拉葫芦起吊高和留住的作用,其余工位的手拉葫芦起抽拉、留住的作用。首先,1 号位的手拉葫芦把尾轴法兰端略微抬高,然后 2 号位的手拉葫芦的钩子连入法兰端的吊点,缓慢拉动 2 号位的手拉葫芦手链,1 号位的手拉葫芦跟着慢慢松,使尾轴向前缓慢地移动。当吊点与 2 号位的起重链垂直后,脱去 1 号位手拉葫芦的吊钩,把 3 号位手拉葫芦的吊钩挂入吊点。此时,2 号位手拉葫芦起留住作用,3 号位手拉葫芦起抽拉作用。按照上述方法继续缓慢、平稳地进行抽拉,直至尾轴拉出尾轴筒为止。但是必须注意,在尾轴即将出尾轴套筒时,应用 1 号位的手拉葫芦与尾轴尾端连接好,拉紧,以防尾轴脱头,方可继续抽拉。在地轴弄抽拉地轴,有时由于在尾轴的轴线上面挂手拉葫芦,钢丝绳捆扎后在轴上面单点起吊抽拉,会遇到起吊高度不够。此时,可在同一吊点轴的两旁各挂一只手拉葫芦,捆扎轴后吊点为两个吊点,移至轴两边的轴心处的位置,以降低吊点位置的高度,解决高度不够的问题。在抽拉尾轴的过程中,当抽拉不动时,往往是由于顶端抬得过高而别死,或横向拉力太小的原因。此时,切不可硬拉,可把抬高的手拉葫芦略微松一点,在尾轴顶端的前方挂一只手拉葫芦,用吊索穿在尾轴法兰的螺孔内与前方手拉葫芦的吊钩相连接,以增加横向拉力。

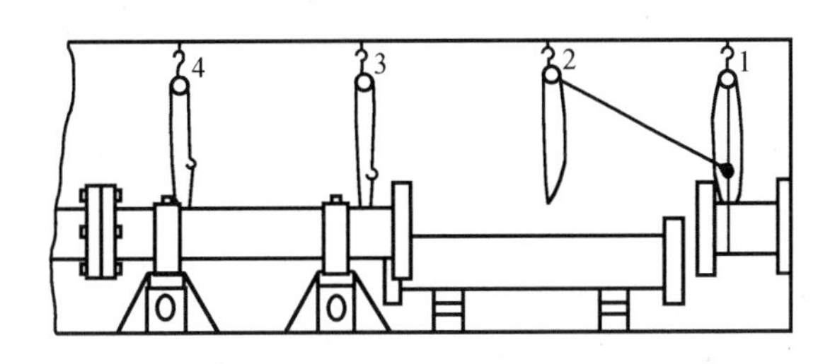

图 4-115　手拉葫芦的布置图

船舶的机舱在船尾时,由于拆卸尾轴的作业场地较高,此时可采用图 4-116 所示的方法,挂置滑轮组,配以风动绞车或电动绞车来完成抽拉工作,工作的过程与上述的方法基本相同。需要注意的是,在尾轴即将抽出尾轴套筒,调换滑轮组 1 的动滑轮到尾轴末端时,为防止尾轴窜出,应在尾轴中间挂一只手拉葫芦保险后,方可进行。尾轴抽出以后,应根据船只的具体情况,制定吊运进车间的吊运方案。如果采用在船边割开钢板吊运的方法,接运时,一般是尾轴锥端先出孔,为了防止近锥端处的捆扎钢丝绳脱头,必须要用绳索保险好,以确保吊运的安全。

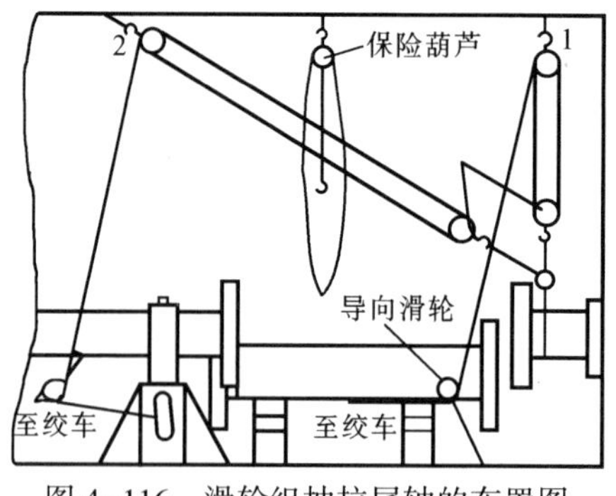

图 4-116 滑轮组抽拉尾轴的布置图

有的船舶的尾轴是往船外抽出的,如双螺旋桨船的尾轴。此时,通常可在船底的轴线延长线位置的上方,从尾轴套筒至船尾按一定时间距挂好手拉葫芦或滑轮组,供起吊、留住和抽拉用。在钳工拆除工作完毕以后,即可按照往船体内抽拉的方法,缓慢地把尾轴抽拉出尾轴套筒,然后用起重机接吊至指定的地点(图 4-117)。尾轴的安装与拆卸的操作程序相反。船舶在建造时安装尾轴管,通常是从船体外向里安装,可采用从船体外向里安装尾轴的方法,安装尾轴管,待在尾轴管安装进尾轴孔以后,应用撞山锤配合钳工把尾轴管完全就位。

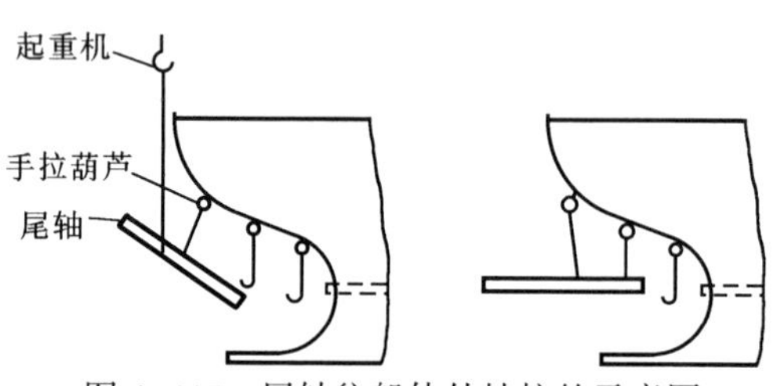

图 4-117 尾轴往船体外抽拉的示意图

第二十节 配电板的吊装

配电板的特点是高大而扁,其上安装有大量的电工仪表及控制开关及排有许多电缆和电线。吊运和安装时必须十分谨慎,不能有任何一点的碰撞。配电板一般是安装在机舱或集控室里,起重机不能直接吊到位安装,需要采用手拉葫芦悬空接运到位或滚杠托板等运输方法移运到安装位置,利用手拉葫芦吊起就位安装。

小型船舶如拖轮等,其配电板一般布置在机舱间前面发电组的旁边。从机舱口到安装位置要有一段距离,起重机不能直接吊到位安装。同时,配电板必须在主机没有安装之前吊进机舱就位,否则将会把路口封死。而此阶段正处机舱安装的初期,花铁板没有铺好,各种管道暴露在外,操作环境比较复杂。为了能使配电板移位的顺利进行,保证安装质量,通常在机舱口至配电板底座之间铺置两排脚手板,作为移位时的道木。为了减少滑移时的摩擦阻力,可将角钢倒置安放在脚手板的外边缘。脚手板的高度必须高于移位通道上的管道和构件的高度,其厚度,应考虑能承受配电板的负重。

小型船舶的配电板通常整屏吊运,横向移位安装。所以在安装之前,应依据移位距离的长短,根据需要,在通道两边按一定的间距挂好手拉葫芦,供移位时拖拉或留住用。一般配电板的顶上都布置有吊运用的吊环,但进机舱后如仍利用原吊环,则手拉葫芦的挂置高度就不够,因此,必须拆除两边的旁板,捆扎于配电板高度的 2/3 处的框架角钢上,降低吊点的高度。具体的操作步骤是:先用起重机把配电板吊进机舱,横置于已铺好的脚手板上(应尽量向移位方向靠足),此时,应注意配电板的安装方向,避免进去后妨碍转身;然后、拆除两边的旁板,在框架角钢高度的 2/3 处用白棕绳捆扎好,与第一道拖移手拉葫芦的吊钩相连(手拉葫芦的起重链应放足)，两边同步缓慢地拉手拉葫芦，起重机吊钩跟着慢慢地松，进行留住，使配电板在角钢上平稳、缓慢地滑移。当手拉葫芦与起重链垂直后，拆除与起重机相连的吊索，把前道的手拉葫芦吊钩与两边的吊点相连。此时，原来的拖移手拉葫芦变为留住作用，前面的手拉葫芦起拖移作用，按照上述的方法，直至配电板移到位，然后吊起就位安装。

大型船舶的配电板一般都布置在集控室，吊运路线通常是从靠近机舱间的大舱进去。此时，需要在集控室与大舱之间的墙板，切割钢板开孔，孔的尺寸必须根据配电板的尺寸而定。同时要在大舱舱口的位置与集控室孔之间用脚手板铺好移位平台，脚手板的厚度必须经过核算，能够承受配电板和操作人员的荷重。如脚手板的厚度不够时，可采用两块脚手板，以增加承载能力。由于集控室在施工期间，地面布满了电缆，因此也需要用脚手板铺好高于电缆的移位通道。根据移位路线挂好手拉葫芦，配备好吊索、滚杠等吊索具后，即可开始操作。由于配电板的尺寸大，一般均采用分成若干屏吊运、移位安装，这就需要根据配电板的安装位置，从里向外依次安装就位。首先用起重机把里屏的配电板吊运至大舱，纵向坐落在移位平台的滚杠上，此时应尽量使配电板靠近集控室方向。拆除配电板两边的旁板，在配电板高度的 2/3 处，将框架的角钢用白棕绳捆扎好，与位于集控室孔口的一只手拉葫芦吊钩相连，拆除顶上前面的两根吊索，放在后面的两只吊环内。然后拉紧手拉葫芦，起重机的吊钩车紧，进行留住。随着手拉葫芦缓慢地拉紧，起重机吊钩跟着慢慢地松，使配电板在滚杠上缓慢、平稳地移向集控室。当配电板大部进入集控室后，拆除与起重机相连的吊索，把配电板全部移入集控室，利用手拉葫芦，使配电板转 90°角(此时应注意配电板的安装方向)，再继续利用手拉葫芦和滚杠配合。按照上述的方法把与电板移位到安装位置(图 4-118)，再用手拉葫芦把配电板吊起就位安装。然后仍用上述的方法，依次把其余几屏的配电板移到位安装。

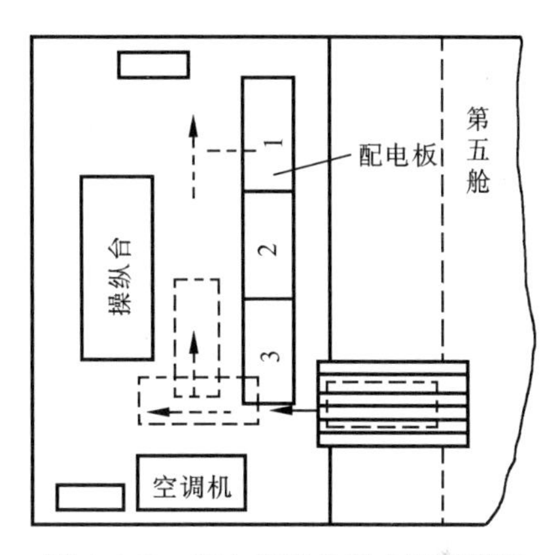

图 4-118　配电板移位行走的路线图

第二十一节　船舶舱室内部件的吊装

船舶在修造期间，机舱间大量的起重工作是配合钳工安装各种泵、发电机、冷却器、油水分离器、空气瓶、柜、锅炉等各种设备。这些船舶设备的吊装，往往由于作业空间受到限制，起重机不能直接吊到位，需要采用手拉葫芦或滑轮组，悬空接运或托板滚杠运输到位安装。

采用手拉葫芦悬空接运时，为了增加起重的高度并能方便地挂好手拉葫芦，可在顶板上焊接眼板或利用型钢卡(图 4-119)，用卸扣把手拉葫芦直接固定在眼板或型钢卡的眼孔里。由于各种设备在机舱内安装的位置不同，作业的环境和吊运的路线也就不同，因此在设备安装前，必须仔细了解作业的场地环境、吊运的路线，根据选择好的吊运路线，布置好眼板或型钢卡的位置。不管是采用眼板还是型钢卡进行吊运，均必须使其纵向受力，而不能横向受力。眼板在焊接好以后，应仔细检查焊接质量，确认安全可靠以后，方可使用。

为了减轻劳动强度，加快吊运速度，通常在机舱司格梁的适当位置挂一副滑轮组，滑轮组的跑绳通过导向滑轮引入风动绞车或电动绞车，代替接应起重机的第一只手拉葫芦。尤其在修船中，对于机舱内一些吊运高度高、距离远的设备，更能显示其优越性。通常，手拉葫芦的起升高度为2.5～3m左右，在修船时由于主机等设备的障碍，要把机舱底层和下平台的设备送进车间修理，往往先要把这些设备吊至上平台，然后用起重机接住，并吊至指定的地点。如采用手拉葫芦吊运，就至少要两只以上的手拉葫芦把这些设备垂直接运到上平台，操作工人就需在空中的适当位置拉手拉葫芦，因此不安全因素显著增加。采用了滑轮组，只要在机舱间适当的位置固定好绞车，利用导向滑轮和滑轮组就可方便和安全地把下层设备吊至上平台，让起重机接吊和接住，然后，起重机将吊来的设备送到下层的任何部位。

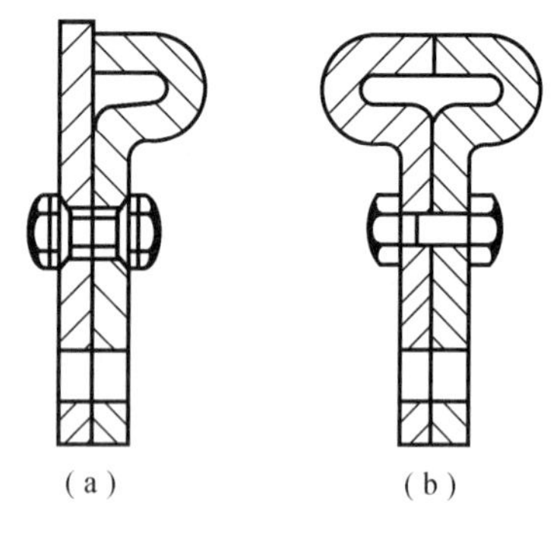

图4-119　型钢卡

有些较重、接运距离较长的设备，如采用手拉葫芦悬空接运，往往要挂较多手拉葫芦才能接运到位，造成施工过程复杂，操作人员劳动强度大。如果在机舱环境许可的情况下，可采用托板滚杠运输，到位安装，使施工简单，操作省力。

具体采用哪一种方法，必须根据船舶机舱内的作业环境和现有的工具设备，因地制宜地制定简便、合理、安全可靠的操作方案。如一台78.4kN重的船用柴油发电机组，用起重机吊进辅机舱就位安装，尚有5m的距离才能到位，通常可采取滑轮组配以绞车或手拉葫芦悬空接运到位，以及托板滚杠运输到位的办法完成。在辅机舱高度允许时，吊点布置在机器上面，用两副滑轮组悬空接运到位较为简便。如受到辅机舱高度的限制，吊点高度的位置必须降低，吊点只能布置在机器两旁时，可采用手拉葫芦悬空接运，需要六只49kN的手拉葫芦两排挂置（每排三只）。在辅机舱高度不够或操作环境条件许可的条件下，可用托板滚杠运输，到位安装。具体采用哪一种方法，应根据辅机舱的具体操作环境，如高度、有否移位的通道等以及现有的工具设备、操作人员的情况而定。有时为了机舱底层的设备和操作人员的进出方便，可在征得有关部门的同意后，在机舱间，适当的位置割除旁板，设备从开的孔进出。

各种泵、发电机组、冷却器、油水分离器等以及无吊环、眼板的设备吊装时的捆扎，一定要根据在机舱的安装部位、作业场地的高度、设备的结构、安装的要求等具体情况在无损于设备的地方捆扎，有的则需要加强或用专用的吊具进行吊装。对于作业受空间限制的设备，捆扎后的吊点多在重心以下，以增加净高高度，采用多台手拉葫芦抬吊。捆扎时，必须遵守起重操作规程的有关规定，确保吊运的安全。

第二十二节　船舶精密部件的吊装

船舶的通讯导航设备，如雷达、罗径、电台设备及操纵设备的控制台、操纵台等，与配电板一样都是精密设备。它们的共同特点是：质量较小；外壳油漆光亮；安装有各种电子元件和仪器仪表，因此在吊运时，必须十分谨慎，要轻起轻放，不能受任何的冲击。

安装前，必须要了解设备对吊运的技术要求、捆扎的部位。一般多采用白棕绳、尼龙绳等较柔软的绳索进行捆扎，如采用钢丝绳捆扎吊运时，必须要用布等衬垫包扎好后方可进行捆扎，不能损坏外壳的油漆。同时应找好物体重心的正确位置，捆扎好以后，可指挥起重机略微把吊索收紧，根据捆扎的情况，调整好吊索的位置，使其符合安装的要求，再指挥起重机慢速起升，待设备稍微离地时仔细观察捆扎的情况，确认安全可靠以后，方可指挥起重机起升，运至安装地点。捆扎的绳索在使用前，必须经过仔细的检查，如有腐烂、发霉、烧焦、断丝等现象禁止使用，捆扎绳索的安全系数一般取 10。

这些设备在船上的安装位置主要在驾驶室、电报间和集控室等，起重机一般不能直接吊到安装位置，必须根据具体作业场地的环境条件，采用手拉葫芦悬空接运到位或托板滚杠运输到位的方法安装。安装驾驶室中的设备，通常由于驾驶室的形状狭长，加之驾驶室的门在两边，需要移动的距离较长，一般用脚手板在驾驶室的地面上铺置高于地板的电缆，代替移位时的道木，在上面安放滚杠，把设备坐落在滚杠上，滚运到位。电板间内的设备接运距离较小，通常在安装位置的上方，用型钢卡挂好手拉葫芦，用手拉葫芦的吊钩接住起重机吊运来的设备，然后手拉葫芦缓慢拉紧，起重机跟着慢慢地松，进行留住，直接接运到位安装。而在集控室的设备可利用移位配电板所铺的道路，采用托板滚杠运输或手拉葫芦接运到位，进行安装。但必须根据集控室设备布置的情况，由里到外，不能把路封死的原则，依次安排好安装的程序，逐只运进安装。

第二十三节　上层建筑的整体吊装

船舶在建造中，船体的上层建筑采用整体吊装方法可以扩大平行作业的时间，缩短船台的使用周期，由于增大了平台的装配工作量，所以能够提高船体的建造质量。同时，船体的上层建筑采用了整体吊装方法以后，也为船用主机的整机吊装创造了条件，加快船舶的建造进度。

船体上层建筑的整体吊装（图 4-120），可在船台上利用大起重量的龙门起重机或门座起重机进行，也可在船体下水以后，利用大起重量的起重船进行，具体采用哪种方案，应根据各地区、各工厂的起重设备条件而定。

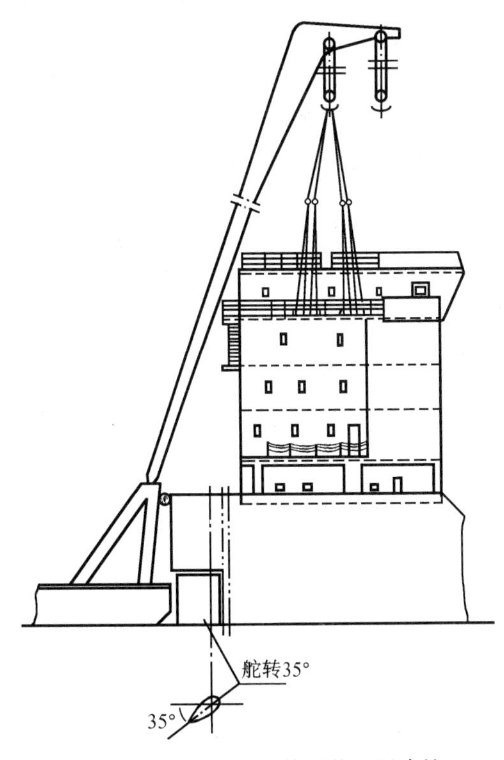

图 4-120　起重船整体吊装上层建筑

采用起重船整体吊装上层建筑，是在船体下水后，船用主机整机吊进机舱以后，再吊装上层建筑。上层建筑一般均在邻近岸边，起重船能将上层建筑整体吊起的有效幅度范围内的平台区域内建造。由于现在建造的船舶多为尾机型，因此，起重船把上层建筑从平台区域整体吊起以后，移位吊船安装。吊船安装有两种方法：一种是侧吊，即为起重船吊起上层建筑后，把起重船移位到被吊船舶机舱位置的船舷旁，起重船与被吊船舶垂直，然后安装上层建筑。这种吊装方法的优点是占用厂区岸线长度小，缺点是要求厂区水域面宽阔，起重船定位较困难，同时因起重船靠近航道，江面上船舶来往航行，会引起起重船本身摇摆，影响上层建筑的就位安装；另一种方法是尾吊，即起重船吊起上层建筑以后，移位到被安装上层建筑船的尾后方，与被吊船舶成一直线，而后安装上层建筑。这种吊装方法的优点：对厂区水域面的宽度要求不高；起重船处在被安装船舶的后方，并且紧靠码头，可以直接靠起重船自身的设备进行转向，不需要变更系泊位置和拖轮来拖曳，定位方便；由于起重船远离航道，而由江中来往的船只所引起的波浪对起重船的影响比较小，在大多数的情况下，不至于使起重船摇动和影响上层建筑的整吊安装。缺点是占用厂区岸线的长度较长。采用尾吊安装法要注意船型，对于某些船型，为了防止起重船船体与船的舵碰撞而损坏舵，在起重船移位船尾之前，必须把舵转动 35°，以增加舵和起重船船体之间的距离。

上层建筑组成一体后，其强度不如主体部分，它的特点是体积大、钢板薄、刚度差，吊运时稍有考虑不周，就有发生变形的危险。如上海某船厂为西德建造的“诺德希诺”号多用途全集装箱的上层建筑，长 11. 52m、宽 22. 2m、高 16. 1m，重力达 3430kN，大部分钢板的厚度仅为 8mm。因此，在考虑上层建筑整吊时，关键问题是怎样使力正确而有效地传递，以及如何克服结构上的变形，正确地选择吊点位置、吊环型式和布置方案，对上层建筑进行合理的加强。

吊点选择的一般原则是：

1. 考虑起重机的性能、参数和使用特点；

2. 各吊点的受力尽可能均匀，使上层建筑在吊装中保持平衡；

3. 吊点尽可能安排在强构件上，能充分利用原有结构，以减少补强构件。

上层建筑整体吊装工艺的设计，目前有三种情况：

1. 根据分段的具体结构情况布置吊点，在不改变原结构的前提下进行临时吊装补强。这样做虽然保证了吊装安全，但却浪费材料和工时，同时又使预舾装工作受到影响。

2. 在满足规范和使用要求的前提下，根据吊装时的强度条件，局部改变原结构的型式和尺寸，这样，不用增设临时补强构件，而利用构件本身的强度，即可安全吊装。

3. 在详细设计和生产设计阶段，统一考虑上层建筑的强度、性能及吊装的要求，使其结构尺寸及型式不仅满足规范的要求，同时也满足工艺吊装的强度条件，达到设计工艺一体化。

为了保证上层建筑整体吊装时的平衡，采用图 4-121 所示的吊环，可避免吊环定位的不精确或安装构件产生的重力的不均衡，引起吊运时的不平衡，在正常情况下，使用中间的四只吊孔，当重心偏尾时，可改用后四只吊孔；重心偏前时，改用前四只吊孔。

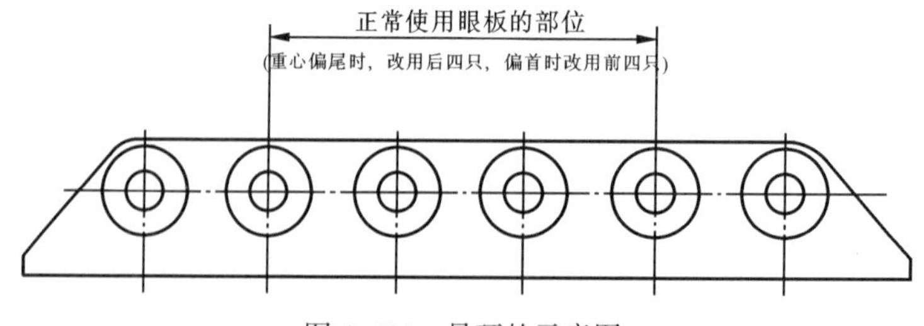

图 4-121　吊环的示意图

由于上层建筑体积大,要正确定位较困难,可在艉楼甲板左右舷对称布置定位导销(图 4-122),上层建筑的对应位置布置定位眼板,解决定位的困难。在安装时,首先在上层建筑的定位眼板套入定位导销,然后使上层建筑沿着导销缓慢落入就位。

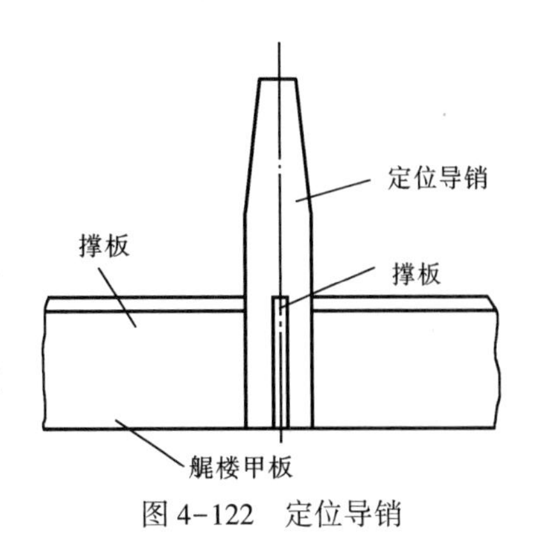

图 4-122 定位导销

上层建筑整体起吊前,必须仔细检查吊环的焊接质量;吊环处的船体结构是否有足够的强度和外板与胎架、平台间的连接焊缝等是否全部拆除。起吊时,应先把上层建筑吊离胎架或平台约 100mm,观察索具、吊环的安全是否可靠,然后再正式起吊,以确保安全。

第二十四节 钻井船井架的吊装

我国首次建造的"勘探三号"半潜式石油勘探船,井架重 1029kN,高 55.65m(图 4-123)。在建造中采用井架整体吊船安装,可以保证井架的安装质量,缩短安装周期,但又是一件复杂的起重工作。

一、安装工位的选择

井架在整体吊装前,首先在平台区域内要完成井架的全部安装工作。根据安装的工作量,可把平台区域划分为三个工位(图 4-124)。

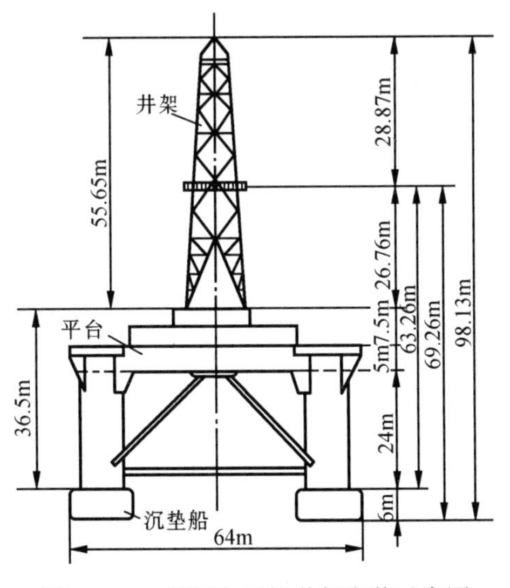

图 4-123 "勘探三号"井架安装示意图

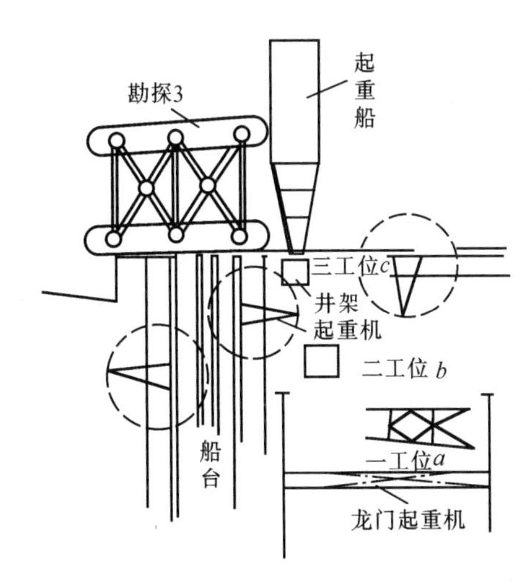

图 4-124 井架安装平台区域的布置图

1 号工位:平面组装工位,对构件进行油漆、保养及平面组装,并对组装件进行技术测定。

2 号工位:立位拼装工位,将 1 号工位完工的组装件进行分段拼装。分段拼装时可将单拼构件竖直搁在高低相符的登船铁扶梯上，然后用横撑、斜撑将单拼构件联结成立体井架分段。为了安装方便和操作安全，此工位上除了有一台 980kN 的门座起重机吊运构件外，还配备一辆 392kN 的液压汽车起重机，供吊升操作吊笼。操作工人站在吊笼中，经过起重机的升降对高空中的构件进行安装，从而免除了大量的搭脚手工作，加快了安装速度，改善了高空作业的条件。

3 号工位：井架大合拢工位，这个工位除了进行井架整体合拢外，还要由此将井架整体吊装上船。因此，三号工位应具备这样三个条件：

1. 在起重船的有效幅度之内，使之能将井架整体吊起。

2. 在勘探船附近，能利用勘探船平台上的起重机进行井架最高点的吊装工作。

3. 在 980kN 门座起重机的有效幅度范围之内，以便整体吊装时协同起重船把井架整体吊离地面。

二、吊点的选择

要把重力为 1029kN，高 55. 65m 的井架整体吊装到高达 36. 5m 的勘探船平台上，要求配备起吊高度和起重量与之相适应的起重机。在上海港，目前没有一台起重机能把井架从顶端吊离水面达 37m，因此吊点必须降低高度。通过计算可知，井架的重心在 20m 高度处。

从上海港的“向阳四号”——4900kN 的起重船的技术性能（表 4-10）可知，当把杆角度为 60°，跨距 36m 时，起升的有效高度是 64m。如把井架的吊点选择在高度为 26. 76m 处，强度最好的二平台，加上勘探船吃水线到安装井架平台的 36. 5m，两者的总高度是 63. 26m。当起重船吊重为 1029kN 时，船首下沉，起升的有效高度是 62. 8m。所以吊点最终选择在二平台以下的 1m 处，余 0. 54m 的吊装间隙。则可利用“向阳四号”起重船进行整体吊装。

表 4-10 “向阳四号”起重船的技术性能表

把杆角度	60°	50°	45°	40°
跨　　距	36m	40m	43. 4m	47m
有效起升高度	64m	61m	57m	50m

为了增加起吊高度，减少吊钩与吊攀用的吊索连接的距离，采用平衡吊攀，用销子把吊钩固定（图 4-125）。平衡吊攀通过四根与井架立柱连接的活络横撑杆固定在井架中间，同时通过四根直径为 52. 3mm 的吊索与井架底座立柱的吊环相连（图 4-126）。这样布置起吊后的井架虽有一定的倾斜角，但吊装过程中重心始终在平衡吊攀的控制范围之内。

图 4-125　平衡吊攀

三、准备工作

井架整体吊装前，首先把勘探船下沉 6m，使勘探船从吃水到安装井架的平台高度调整到 36. 5m。按照要求固定好平衡吊攀，同时在井架底脚处穿一副 196kN 的 5 门滑轮组，以防起吊时损坏井架底脚。

起重船在江边的3号工位定好船位,起重船的主钩通过两根吊索与井架外边(沿江的一边)的底座相连。井架里边的底座通过吊索与980kN的门座起重机主钩相连。起重船的副钩从井架第六拼空档中穿进井架体内,吊钩通过销子固定在平衡吊攀上。在底脚栓好留绳,以便控制方向。

四、整体吊装

一切准备工作就绪以后,经过检查,确认安全无误后即可开始起吊。起重船的主钩和门座起重机的主钩首先同步起升车紧,为了防止井架单面受力而偏倒,起重船的副钩跟着缓慢上升车紧。为了防止井架起吊离地时受力不均匀,损坏底脚,底脚处的一副滑轮组要拉紧。接着起重船和门座起重机主钩的继续同步上升,浮吊的钩跟着上升。井架离地约100~200mm时,检查吊索、吊攀的安全情况,确认安全可靠后,拆除底脚的滑轮组,两机的主钩继续缓慢同步上升,起重船的小钩跟着缓慢上升。井架底脚离地500~600mm时,门座起重机的主钩停止上升,起重船主、副钩继续缓慢上升。此时,井架开始逐渐倾斜,上升到一定高度后,门座起重机的吊钩不再受力,拆除门座起重机的吊索,门座起重机撤离操作现场,以免井架倾斜度增大时碰撞起重机把杆。起重机撤离后,起重船的主、副钩再继续缓慢上升,井架倾斜到5°~7°时调整倾斜角度,使两边底脚的高低相差2.56m。继续起升井架,当井架倾斜角增大到10°~12°时,井架的第六拼空档位子同起重船把杆头平齐,停止上升,把杆头开始进档。再缓慢起升副钩,使平衡吊攀的中心线与副钩的垂直线渐渐靠近,井架的荷重由主钩逐渐移向副钩,把杆头进档完毕后,主钩不再受力,但不能拆除主钩吊索,留住作为起重船移位过程中的保险吊索。当井架起升到37m以后,起重船移泊到勘探船的外档,定好船位,把井架安装到勘探船平台上。井架坐落后,起重船不受荷重,船道回升0.8m,此时把杆头的副钩正好从二层平台的横杆出档,从而完成整体吊装工程。

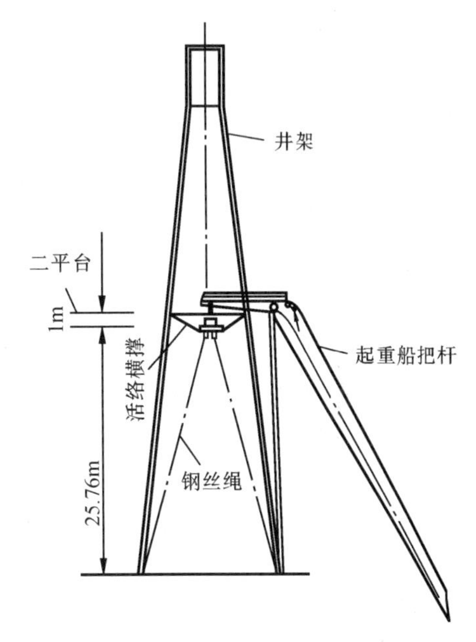

图4-126 平衡吊攀固定的示意图

第二十五节 大型船舶锚和锚链的拆装

对船舶拆装锚链,是船舶进厂修理、出厂、船舶下水前的一项起重工作。船舶拆装锚链有两种情况,即在船坞、船台、船排上拆装和停靠码头、带浮筒拆装。从船舶所在的地点和设备的条件看,船舶在前一种情况下拆装的条件比较好,作业场地宽畅,起重设备的起重能力一般都能满足拆装需要;后一种情况,拆装锚链时则受到场地和起重设备的限制。

在船坞、船排和船台上拆装锚链。拆卸前,首先将船下方的障碍物拆除,并用警告标志拉出危险区域,禁止任何人进入;拆卸时,利用锚机将锚链松下至最后一节,拆除锚链舱中锚链末端的固定销;然后继续开动锚机松下锚链,待锚链即将脱离锚机的持链滚轮时,停止松下。用钢丝绳的一头与锚链末端前的第四、五节处的锚链相连接,另一头绕过与持链滚轮成一直线布置的导缆滚轮或临时安放的开口导向滑轮,在带缆桩上拉紧围好(图 4-127),供锚链脱离持链滚轮后起留绳的作用。随后继续利用锚机松下锚链,钢丝绳随同锚链跟着一点点地松,当锚链脱离支链滚轮后,留绳承受负荷,渐渐松下留绳,让锚链缓慢滑下。必须注意,钢丝绳切忌连接在锚链末端的最后一节,以防锚链脱离持链滚轮时产生冲击,造成断绳事故。

锚链的安装方法与拆卸的方法基本类似,只是操作程序相反,也可用起重机将锚链逐节顺序地吊进锚链舱,最后一节通过支链滚轮吊放进锚链管,与锚连接即可。

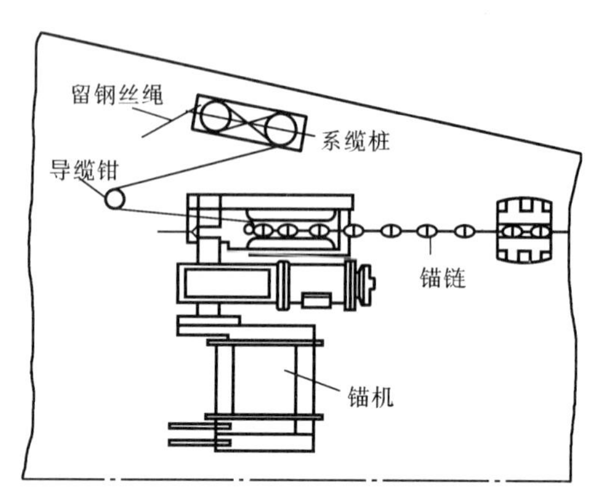

图 4-127　拆卸锚链,留住钢丝绳布置简图

船舶停靠码头或带浮筒时拆装锚链,需要使用方驳配合进行。拆卸时,将方驳停靠在船首锚链的下方,方驳停靠位置要正确,否则会使锚链滑入水中。拆卸方法与前一种情况的拆卸方法相同。但切忌将锚链集中堆放在方驳的某一点,以防方驳倾覆和应力集中。通常的方法是,当锚链松下一段后,估计堆在方驳上的锚链接近方驳的长度时,停止松下锚链,把用导缆孔松下引入锚机卷筒的钢丝绳与方驳上的锚链相连接,然后利用锚机,使锚链一边松下,引入卷筒的钢丝绳一边牵引正在下松的锚链和原来松下堆在方驳上的锚链,同时拉开成直线。拉到方驳顶端,锚链全部拉直后,松开卷筒上钢丝绳,单独松下锚链堆在方驳上。当堆放的锚链接近方驳长度时,再用前述的方法把锚链拉开,直至锚链全部松下。

安装的方法与拆卸的方法相同,程序相反。但须注意,牵引钢丝绳应与锚链的末端一节连接,以便钢丝绳牵引锚链直接进入持链滚轮。如有条件,也可用起重机或起重船进行。

思　考　题

1. 船厂起重吊装作业有哪些特点?

2. 起重作业经常采用的吊装方法有哪几种?

3. 在起重作业中,如何确定起重机的起吊高度和作用半径?

4. 不翻转一次捆绑法、翻转一次捆绑法、二次捆绑法的不同之点是什么?

5. 吊运长形物体通常有哪些吊运方法?

6. 吊点与吊物重心的位置有哪三种关系?

7. 有人讲:"两台起重机合吊一物体,起重机吊钩的上升速度快,受力就小"对不对,为什么?

8. 多台起重机联合作业时,如何确定起重机的最大许用负荷?

9. 散装法安装桥式起重机,采用自行式起重机安装时应考虑什么?

10. 散装法采用独脚把杆安装桥式起重机时,如何选择把杆长度?

11. 整体吊装桥式起重机前,应掌握哪些数据?

习　　题

1. 试述滚杠装卸法的工作步骤?

2. 多台千斤顶联合作业时应注意哪些事项?

3. *A*、*B* 两台起重机合抬一重 588kN 的设备,*A*、*B* 吊点间的距离为 6m,重心距 *A* 吊点的距离为 2m,吊点在重心之上 0.6m 的平面上,在起升过程中,由于 *A* 机上升速度过快,造成 *A*、*B* 吊点倾斜,其高低相差为 0.3m,在此状态下 *A*、*B* 两起重机的负荷各为多少?

4. 船体主要分段的特征和吊运特点是什么?其吊环一般应如何布置?

5. 船体分段翻身、吊运前应做哪些准备工作?

6. 船体分段翻身、吊运时应注意什么?

7. 572 型门座起重机修理时,如何拆卸三大件?

8. 如何采用滑行运输法整体移位 980kN 的门座起重机?

9. 用独脚把杆整体吊装一台自重 333.2kN,起重高度 19m 的桥式起重机,一般需配备哪些起重工具设备?

10. 吊装厂房柱子有哪几种吊装方法?

11. 有一烟囱由三节组成,独脚把杆只有其中的一节高,如何用此把杆吊装烟囱?

12. 一台大型柴油机的曲轴,如何吊进船舶机舱安装?

13. 如何吊运安装大型柴油机的活塞?

14. 整机吊装重型柴油机应进行哪些核算工作?

15. 一只重 225.4kN 的舵如何进行起重安装?

16. 如何安装一只重 176.4kN 的螺旋桨?

17. 如何安装一根重 117.6kN 的尾轴?

18. 一台重 78.4kN 的船用柴油发电机组,用起重机吊进辅机舱尚有 5m 的距离才能就位安装,应采取何种方法使其就位?

19. 用起重船吊装上层建筑,侧吊和尾吊各有什么特点?

20. 如何拆装大型船舶的锚链?

第五章　船坞、船台、船排工程及起重工艺

第一节　船舶进出坞工艺

一艘现代钢质运输船，一般将使用15～30年。在此期间，必须有计划地进行维护修理，以保持良好的营运技术状况。船舶坞修就是一种主要的维护修理措施。为了适应我国交通运输事业迅速发展的需要，充分发挥船坞的生产能力，提高坞修质量，缩短坞修周期，就必须培养一批能熟练地操纵与管理船坞和从事船舶坞修的技术工人。

一、船舶操纵的基础知识

待修船舶在进入厂区水域以后，进出船坞，都应在厂方指定的指挥人员的指挥下活动。为使船坞工作人员更好地领会驾驶指挥人员的意图，积极发挥各自在船舶进出坞过程中的作用，应当对船舶的操纵知识有所了解。

（一）车舵的作用

车即船舶的螺旋桨。船舶的前进和后退是由船上主机的运转，通过轴系连接螺旋桨产生推力来实现的。一般海船较多采用单螺旋桨，客船和军舰多采用双螺旋桨。

舵的作用是保持航向改变航向。正舵时，船舶保持直线航行。操舵旋转某一角度后，由于舵叶两面所受压力不相等，船舶就改变航向。左舵时，舵叶受到左边水流冲击的压力，使船尾向右，船首向左。同理，右舵使船尾向左，船首向右。当船舶后退时，舵的作用力正好和前进时相反。舵还是影响船舶操纵性能的一种主要因素。舵的面积大，舵压就大，回转力矩也大，回转性能就好。

（二）锚和缆的作用

操纵船舶时，锚和缆的作用不仅是很广泛而且也是很灵活的。如果使用得当，就可使船舶操纵安全和顺利。

锚的作用，除了在紧急情况下抛锚来制止船速，起刹车作用外；在船舶靠离码头和系泊浮筒时，还可利用抛锚来达到防止船首冲向码头，起阻滞作用；流速大时或吹拢风时，减慢吹拢的速度；顶流、平流、或吹开风时，抛锚后动车；用舵借锚链斜向的力量使船尾靠拢。另外，单螺旋桨船在狭水道中顺流航行时，可利用抛锚来调头。

（三）缆的作用

在靠离码头和进出船坞的操作过程中，正确使用缆绳可以协助船舶离靠。船舶停靠码头的缆绳，宜作如下布置(图5–1)。

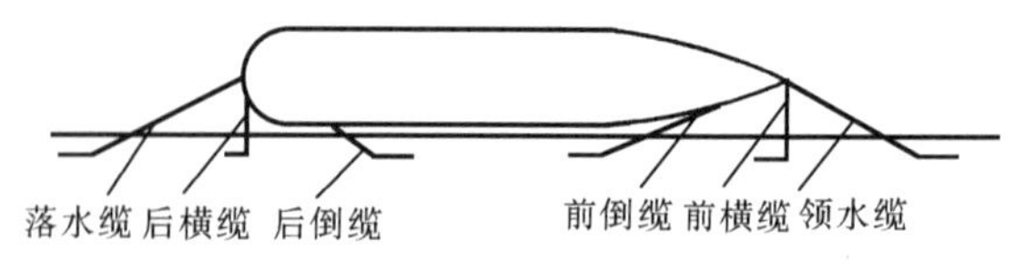

图5–1　船舶停靠码头时缆绳的布置图

1. 各缆的作用

首缆：抵抗来自船首前方的水流或倒车之力。

首、尾横缆:保持船和码头之间的距离,防止船被风吹而离开码头。

前、后倒缆:加强抵抗前、后方向来的水流或顺、倒车之力。

尾缆:抵抗从船尾后方来的水流或顺车之力。

2. 带缆与用车的配合

(1)带上首缆,船在前进,可使船首向外船的船尾靠拢;

(2)带上首缆,船在后退,可使船尾向外船的船首靠拢;

(3)带上前(后)倒缆,船在前进(后退)时,可协助船的旋转离开码头。

(四)风和水流的影响

风和水流对船舶进出坞操纵有很大的影响,我们应该根据具体的风力、风向和流速制定正确的操作方案,确保船舶安全进出坞。

风为主要作用在船体水线以上的部分,它和船舶装载情况以及上层建筑的高度有关。空船吃水浅,遭到强风不易控制;满载时吃水深,水下阻力大,抗风能力就较强。船舶静止或航行时,由于受到的风向不同,其偏移的方法也不同。例如风从正横前方斜向吹来,船舶停车时,船头必然会渐渐偏向下风;船在前进时受风,则船尾容易向下风偏移。

水流直接作用于船体的水下部分,将船推向下流。潮流和水流对于船舶操纵的影响,与风的影响有很大的不同。不管船舶吃水的深浅,潮流都产生同样的影响。一般来说,潮流并不增加船舶操纵的复杂性,而且还可以利用潮流来帮助调头、靠离码头、航行、船舶进出港等。

(五)无动力船舶使用拖轮的操纵方法

凡是停靠码头或进坞修理的船舶,由于主机、舵机、锚机和绞缆机等船上机械设备都不能工作了,即失去了动力,故称为无动力船舶。在这种情况下,待修船舶的移泊和进出坞操纵等,主要依靠拖轮来实现。

拖带方式主要有傍拖法和吊拖法两种。

1. 傍拖:傍拖也称并拖,即拖轮靠在被拖船的船旁,通常有下列三种傍拖形式:

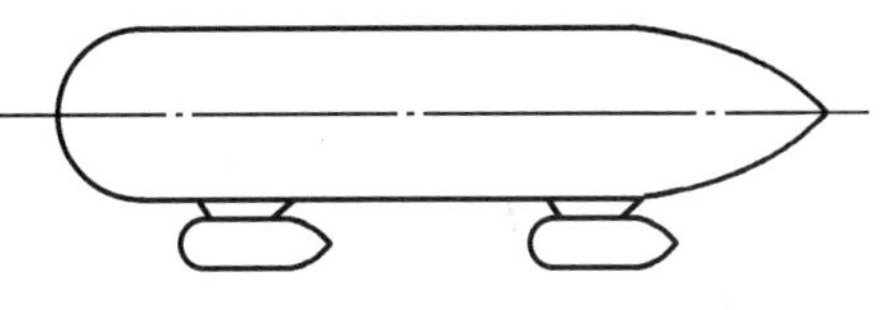

图 5-2　首尾并拖

(1)首尾并拖(图 5-2),即在被拖船的首尾各并着一艘拖轮。当首拖轮进车时,被拖船首向左回转,船尾向右回转,整个船慢慢向前。和首拖轮倒车时,被拖船首向右回转,船尾向左回转;当尾拖轮进车时,被拖船尾向右回转,船首向左回转;如尾拖轮倒车时,被拖船尾向左回转、船首向右回转。如要保持被拖船直线前进,可采取尾拖轮用较大的进车,首拖轮微速后退;如要保持直线后退,则尾拖轮用较大的车后退,首拖轮微速前进。

(2)双并拖(图 5-3)即两艘拖轮同时并靠在被拖船的尾部。如里面一艘拖轮用较大的速度前进,外面一艘拖轮用较小的速度后退,则被拖船可以保持直线前进。如要使被拖船直线后退,则里面一艘拖轮用较大的速度后退,外面一艘拖轮用较小的速度前进。

(3)单并拖(图 5-4),即只有一艘拖轮并靠在被拖的船旁,其进退车情况与首尾并拖法

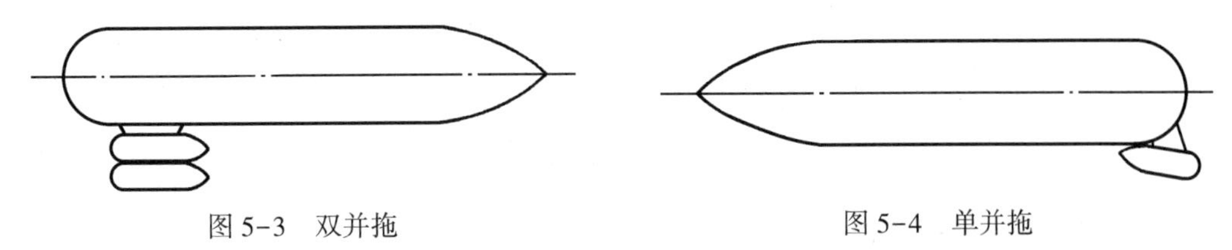

图 5-3　双并拖　　图 5-4　单并拖

中尾拖轮的用车效果相同。

2. 吊拖

吊拖即在被拖船的船首与船尾(或单头也可)各用拖缆挂向前、向后的两艘拖轮上的拖钩(图 5-5)。这种拖法的特点是活动余地较大,被拖船需要向前、向后或平行地向左、向右移动时,均可通过拖轮来实现。多用于拖长路、折头、进出坞等。

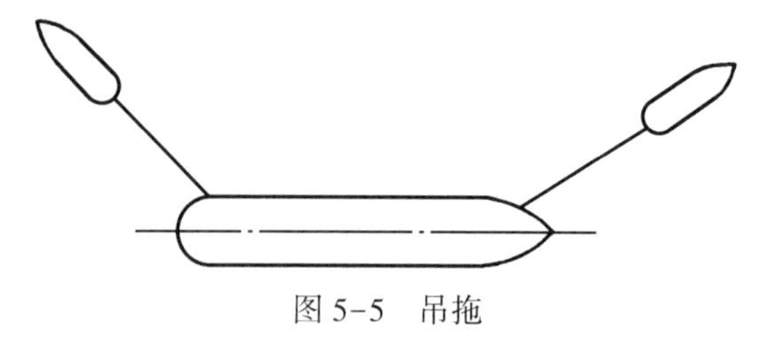

图 5-5　吊拖

二、船舶进出干坞的操作工艺

(一)船舶进坞的操作工艺

船舶进入干坞前,船坞工作人员必须准备好拖轮、带缆艇、索具、靠把等各种工具设备。各种通讯联络工具、信号旗(包括慢车旗)及需要配备的固定压载等,都应安放在适当的位置。所有岗位必须配备可靠的人员。然后,即可通知向坞内灌水。

1. 灌水

在开始灌水时,阀门不可开的太大,以免因水流冲击过急,而使个别墩木浮动或移位,影响船舶的正确坐墩。在灌水过程中,船坞工作人员应当在现场观察灌水情况,并坚守到弄清楚所有墩木都是良好地固定在规定的位置,没有漂浮的物件,保证船舶坐墩时不致发生危险为止。尤其是在灌水到达墩木顶部时应加倍注意观察,因为此时容易观察到墩木的高度是否一致及有浮动。

2. 开坞门

当坞内外的水位相等时,浮箱式坞门即可排水起浮。带好拖坞门的钢丝绳,把它从坞口移到坞口外侧或附近的码头上系牢。如果是卧倒式坞门,当坞内外水位差到达 0.5m 时,即可开始灌水卧倒。卧倒时间的长短应有当时的潮汐的大小决定,水位高度不够则倒下较慢。

坞门开启,挂好进坞信号旗,即通知引船入坞的指挥人员,往来船只到此减速航行。

3. 曳船入坞

由于声呐导流罩、防摇鳍等突出部分装置的存在,船舶靠拢和进入坞必须事先研究、安排好。通常船舶进入坞内要偏离船坞中心线或在进坞之后超出墩木范围,所以应保持足够的船底与墩木之间的距离,以防止碰撞这些设备。图 5-6,为某船厂操纵万吨级船舶进坞的拖轮配备和引船入坞的示意图。拖轮的数目、功率的大小应根据具体进坞船的大小、当时的风和水流的情况,来具体决定。

进坞船用拖轮拖至船口,先带好头缆(也称横水缆、涨水缆和顺缆)。两根缆索用带缆艇从坞口送到进坞船上。两根横缆(也称倒缆)在船头的两侧也同时带好(图 5-6b),起定船位的作用,然后指挥牵引船舶进坞。

船首进入坞口之后继续前进的方式,根据船坞的设备不同,有两种方式:一种是应用坞壁牵引小车,由坞首绞车拖动牵引小车沿轨道前进而曳船入坞(图 5-6c)。另一种是应用游线滑轮曳船进坞(图 5-7)。是在船坞两侧的地面安装两根钢丝绳作为游戏(引导索),上挂专制的铁滑轮,同时在铁滑轮上用卸扣连接一只单门滑轮(约 29.4kN),把从坞首绞车上放出的钢丝绳穿过单门滑轮而折向船首带缆桩上,用坞首绞车将船曳引进坞。同时在坞口带缆桩上带一根钢丝绳将滑轮留住,钢丝绳随着船舶前进的速度慢慢地松,以保持船首在船坞的中心,使船随游线滑轮渐渐地进入坞。

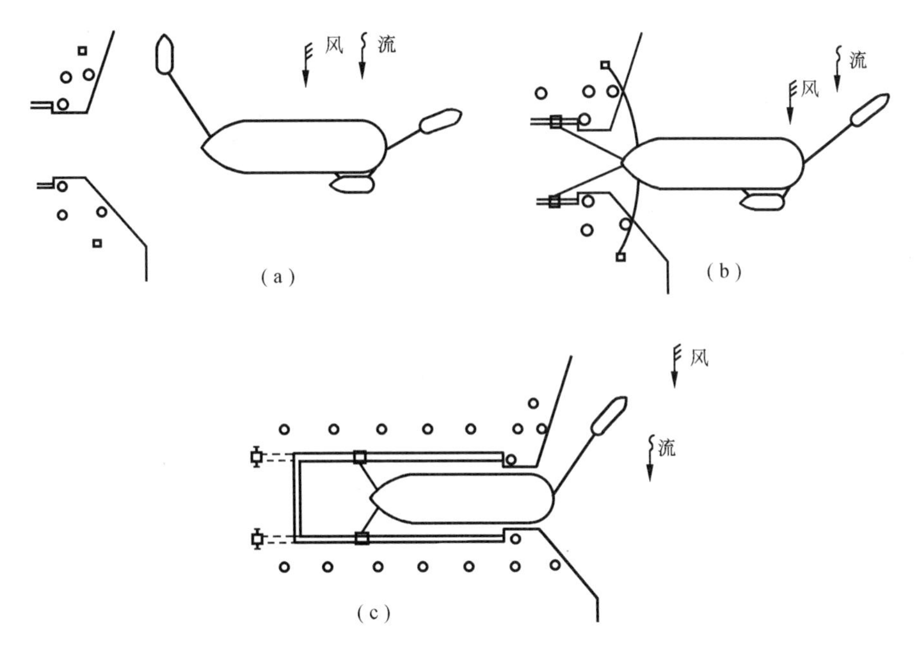

图 5-6　用牵引小车曳船进坞

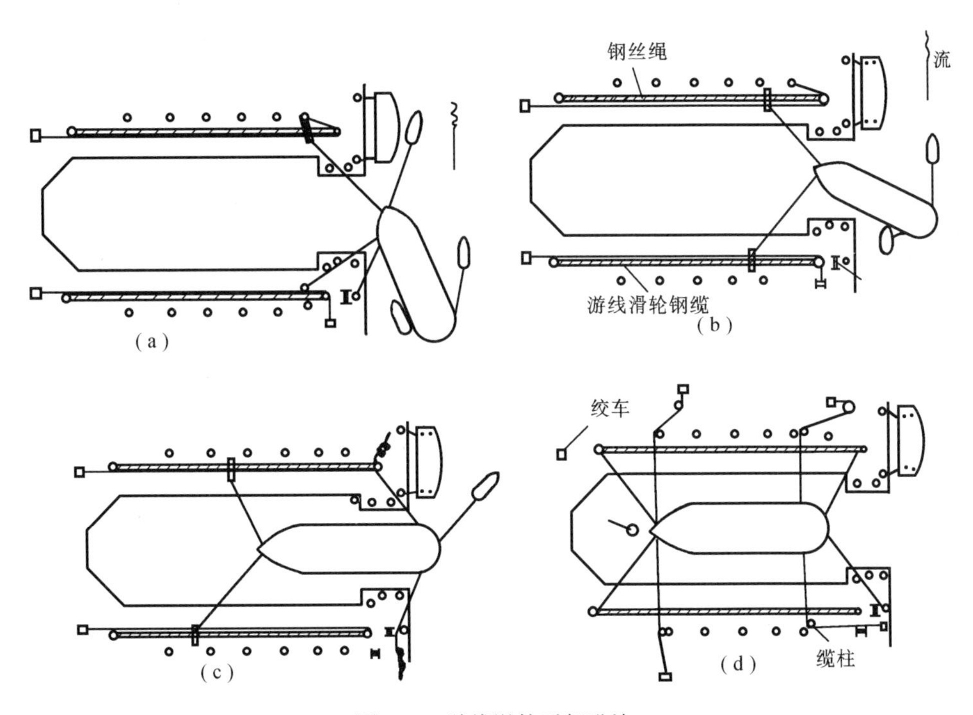

图 5-7　游线滑轮引船进坞

在操作过程中,一旦头缆挂好之后,船舶就准备在指挥人员的指挥下解脱首吊拖的拖轮。当船舶全长的三分之二进入坞口之后,傍拖拖轮即可解脱。此时,坞口两侧绞车上放出的缆绳系到船尾系缆桩上(通过坞口两侧系缆桩上的铁滑轮),作为尾倒缆和对中时用。在操作过程中要采取防碰撞措施，不能损坏坞槛。因为坞滥一旦损坏，就需拦坝修理，工程量大。

船舶进坞后，通过四周缆绳稳定(图 5-8)，做好定位工作后，即可排水坐墩。船舶坐墩时，由于横倾会造成坐墩船舶的中心线偏离龙骨墩的中心线，影响船舶的正确坐墩，甚至导致不幸的事故。根据统计，80%的进坞船舶都有程度不同的横倾现象，需进行船坞对中。

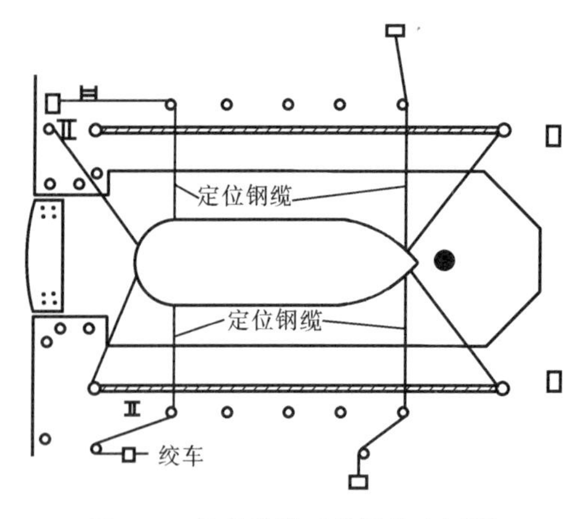

图 5-8　船舶进坞后缆绳的布置图

船坞对中时，如坐墩船中部的左、右舷有水尺，可以根据左、右舷的吃水差，求出“横倾时每米船宽的吃水差值”，推算出坐墩船的横剖面中心线水面处一点偏离船坞中心线的距离。如果坐墩船中部的左、右舷水尺看不清或没有水尺，则可根据相似的规律求出。对中时，在坞门中间以龙骨墩的中心线为基线并与其垂竖一把直尺Ⅰ，观察者立在直尺的后面，在直尺上选择接近水面的 A 点为基点，另用一把尺长为整数的直尺Ⅱ以 A 点为原点，放成与坐墩船横剖面的中心线平行。量出Ⅱ尺的端点与Ⅰ尺的距离 BC(图 5-9)，把 BC 除以 AB，即为每米吃水的偏移差值，根据艉吃水估算船底中点 D 偏离船坞中心线的距离。例如某船宽 20m，艉吃水为 4m，如Ⅱ尺长 500mm，BC 距离为 50mm，则每米吃水偏移差值为 100mm。则在调整船舶中心位置时，船向右偏移 400mm。这样当船舶坐墩后，船舶中心线与船坞中线就比较接近。船舶对中时必须掌握一个原则，即船向那边侧倾斜，就应偏离那边。

4. 关闭坞门及排水

进坞完毕就可关闭坞门。如为浮箱式坞门，则可用绞车把它从系泊处移至坞口原位，外侧两边留缆带好，内侧两边用绞车缆拉紧(图 5-10)。开启灌水阀门，灌水下沉，外侧留缆跟着松，内侧绞车缆绞紧，使坞门贴紧坞口。如为卧侧式坞门，则关闭其放气阀门，打开进气阀门，利用压缩空气排出空气操作舱内的水，门即慢慢浮起(将出水面时略有停顿)。当坞门

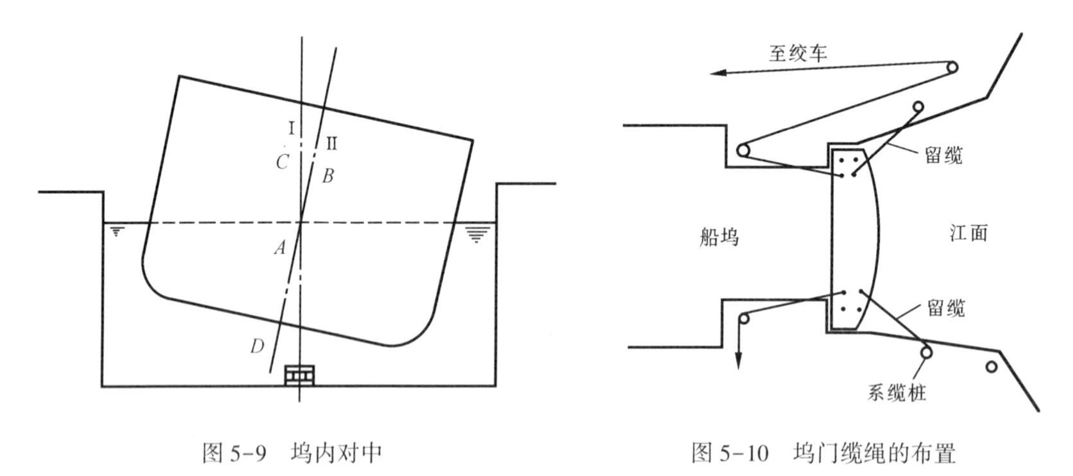

图 5-9　坞内对中

图 5-10　坞门缆绳的布置

即将直立时关闭进气阀门，打开放气阀门，水进入空气操作舱，使坞门固定于坞门座内，随即扣上保险钩，即可进行坞的抽水。

在排水过程中，船与岸的相对位置在变动，缆绳松紧程度也在变化，应随时注意调整，使船舶处于中心位置，保证船舶正确坐墩。

5. 船底检查和补加支承物

坞内的水抽干后，应立即对所有墩木进行检查，若有脱空或不合适的墩木，应立即用垫木、木楔塞紧、打实，或加支撑甚至移动墩木，直到满意地贴紧为止，同时检查是否避开突出部分与船底的阀。一切合格后，才算已经安全坐墩。

（二）船舶出坞的操作工艺

船舶坞修工程完工后，即可出坞。船坞工作人员在接到出坞通知以后（一般须有检验单位的签证），应拆去坞内所有的脚手板，对坞内进行仔细检查，固定好墩木等物，防止漂浮。并且应对船舶的螺旋桨、舵、海底阀等再仔细检查一遍，确认可靠，即可灌水。同时坞面必须做好：船上的缆绳按照与进坞定位的样子布置带好；如为坞箱式坞门则带好坞门缆绳及移坞门的车缆；拆除和船上联系的电缆、水管、风管；吊走上船过桥时收进船舷的吊挂支伸物等准备工作。

当坞内外水位相等时，即开始移动浮起的坞门至附近码头系泊。如为卧倒式坞门，则当坞内外水位相等或坞内外水位差为 0.5m 时，即可卧倒坞门。

坞门开启后，即可指挥曳船出坞。曳船出坞的动力是利用坞口两侧的绞车，即把坞口绞车放出的钢丝绳绕过坞口的导向滑轮连接到船尾带缆桩上，开动绞车，拉船向外移动，离开船坞。船首的两根缆绳仍照挂在牵引小车或游线滑轮的脱钩上，控制船舶不偏离中心线。船尾将到坞口时，由船尾引一根拖缆给拖轮将船渐渐引出，解除船尾绞车缆。船首将近坞口时，将船艏的缆绳给拖头拖轮带，然后拷掉脱钩。图 5-11 为游线滑轮出坞的作业图。在船舶出坞后使坞门恢复原位。所有工具、设备收拾好，直至船舶出坞完毕。

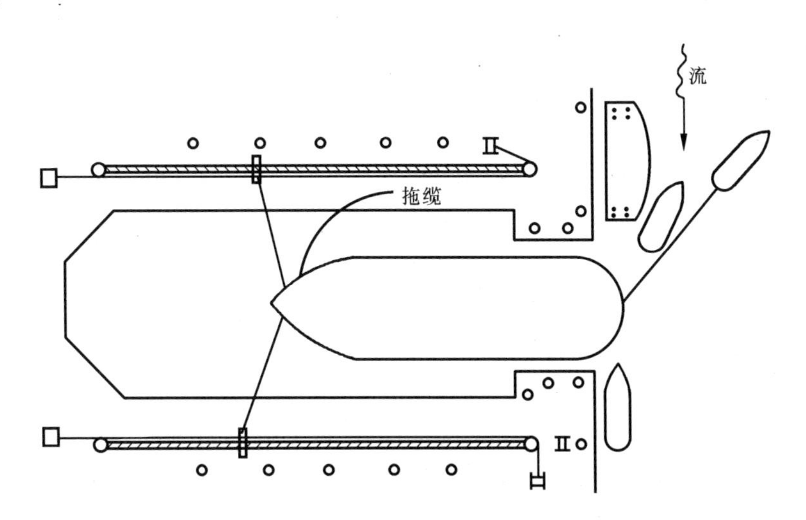

图 5-11　游线滑轮出坞的作业图

有时，进坞船的修理工程项目仅是对水线下的船体进行除锈和油漆，对轮机部分不作拆检。这样在进出坞操纵中，就可以利用船上的动力，我们称它为有动力船进出坞操纵。通常待修船依靠本船动力驶入厂区水域后，距坞口的距离约500m时停车抛锚，用船厂配备好的拖轮靠向待修的船，带好拖带缆绳，拖船进坞。拖轮的配备，应该根据船舶的吨位、风和水流的情况来决定。图5-12为某船厂在操纵一般小万吨级的船进坞时的拖轮配备，在一般情况下，该厂配备了三艘拖轮，一艘662千瓦(900马力)的拖轮在上风拖头，一艘662千瓦(900)马力的拖轮傍靠在下风船尾顶推，一艘294千瓦(400马力)的拖轮吊拖船尾。操作时，先有拖头拖轮将进坞船的船头拖上风，拨正航向并对准船坞中心线。当驶进坞口外径约30~40m时，尾部吊拖的拖轮开动车，以抵消进坞船的惯性并使其基本上稳定住。随即自船首引出一对缆绳用带缆艇传递上岸，先传上风侧，后传下风侧，同时利用船上的绞车绞紧缆绳，并调整船首，使其对准船坞中心线。再将首缆通过撇缆绳传递上岸挂到牵引小车或游线滑轮上，并在船首带缆桩上围好。随后再次开动船上的绞车，调整船位，对准船坞中心线，并通知，开动坞的首绞车，曳船进坞。

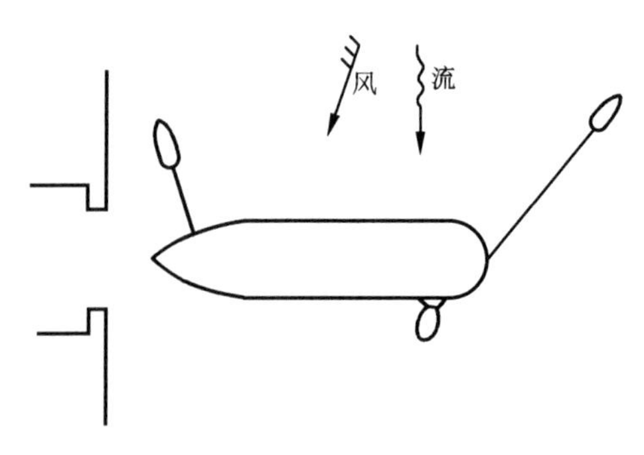

图5-12 有动力的船舶进坞时拖轮的配备

进坞后的操作与无动力的船舶相同。一般，当船舶约有三分之二船长进入船坞时，应向船上抛向撇缆，把船坞两侧的尾缆牵出带好。此时尾部傍靠的拖轮可以解缆。待船尾进入坞槛以后，尾缆已有绞车收紧并具有向后的拉力时，尾部吊拖的拖轮可以解缆。此时靠绞车收放尾缆，调整中心位置。在当船尾到达坞壁的船位标志处时，由船头引出两根横缆系到坞边系缆桩上，利用船上的绞车调整中心位置。随后即可关闭坞门，开始抽水。

三、船舶进出浮船坞的操作工艺

浮船坞与干船坞不同之处是：能够接纳船长大于船坞长度的船舶(一般认为外伸部分不要超过进坞船舶的深度)，只要不超过最大的举力；在进出坞作业时的空坞沉浮或抬船沉浮的过程中，都要求各部分受力均匀和避免纵横倾现象。为此，在船舶进出浮坞之前必须通过配载计算，确定坞修船搁墩的位置、各个浮箱所承受的重力、应提供的浮力大小和需排除的压载水数量等。使浮坞的各部分(浮箱)所获得的浮力能够与其所承受的自重及进坞船的重力之和保持平衡，并使由于进坞船的重心和浮坞的重心不在一垂直线上而产生的纵、横倾力矩，有与之相应的大小相等、方向相反的浮力差所形成的纵、横向力矩来与之平衡。

(一)配载计算的主要步骤

1. 确定进坞船在坞内停放的位置，除了考虑施工方便外，还应使船舶的重心尽量接近或位于浮船坞的中心线上，以减少抬船时产生的纵倾和横倾力矩。

2. 从图5-13所示的不同船型的重力分布曲线，根据进坞船的船型及浮坞各浮箱(包括浮箱之间的空档)的长度所占据的重力分布曲线的范围而确定单位长度以及各个浮箱所承受的重力(一般取浮箱长度中心点的垂线与重力分布曲线的交点，作为该长度范围内的平均承重)。

3. 根据每个浮箱应提供的浮力大小，计算各浮箱应排除的压载水数量，用各浮箱的浮力来平衡所承受的重力。

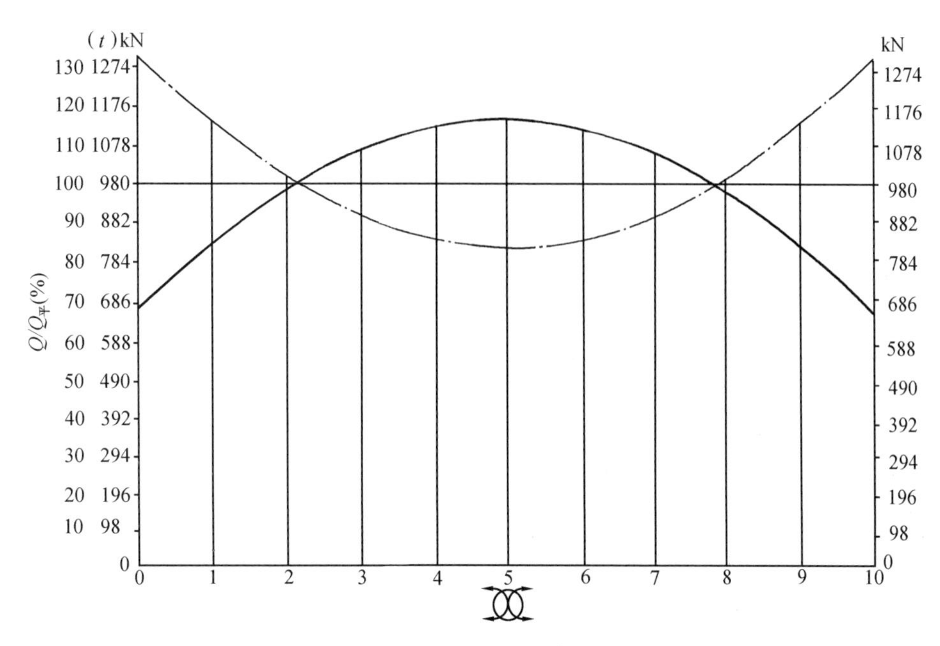

图 5-13　不同船型的重力分布曲线

注:1. $Q_{平}$ = 空船加压载后之重力/两椎间长 = Q/L_T(kN/m);2. 亦可用搁墩的长度代替 L_T

(二)船舶进入浮船坞的操作过程

1. 工作人员

船坞工作人员进入各自的工作岗位,检查和调试、运转各种机械和设备。准确就绪后向中控室汇报。

2. 浮船坞灌水下沉

有些浮船坞因系泊地点的水深不够,需收绞抛在外档的两个开锚,将浮船坞横移到达沉浮坑上面,才能灌水下沉。在沉坞时,水阀的开启应逐渐增大,不断加以调整,保持浮船坞的平衡。下沉的深度应根据进坞船的吃水而定,一般使船底与墩木面之间保持 0.5m 的距离,以保证进出船时船舶不撞倒墩木。

3. 曳船进坞

先用拖轮把进坞的船拖到坞尾下游。然后利用带缆艇把坞墙上放出的钢丝绳传到船首,系在带缆桩上,开动坞上的绞车,将船慢慢拖到坞尾。再把船首的缆绳传到坞墙上的牵引小车上,拖船入坞。当船首将到坞首时,即可解除绞车放出的钢丝绳;待船尾即将进船时,再把坞首绞车放出的钢丝绳传到尾部作为横缆,以便对中。

有些浮船坞在其坞尾下游附近停靠一艘囤船,进坞船先停靠在此,并使进坞船的中心线与浮坞的中心线基本接近,然后带缆引进坞。图 5-14 为某船厂充分利用厂区码头水域,在坞尾下浮附近停靠一艘厂修船,进坞船停靠在厂修船外侧,其中心线与浮坞中心线基本接近。然后带缆牵引进坞。为避免损坏厂修船,在进坞船的船尾傍拖两艘 662 千瓦(900 马力)的拖轮,里面的一艘顺车,外面的一艘倒车,使进坞船与厂修船悬空直线驶进浮船坞。船首挂到牵引小车上的缆绳,其放出的长度,应考虑到船在坞内的位置,避免过长或过短,给定位对中造成麻烦。

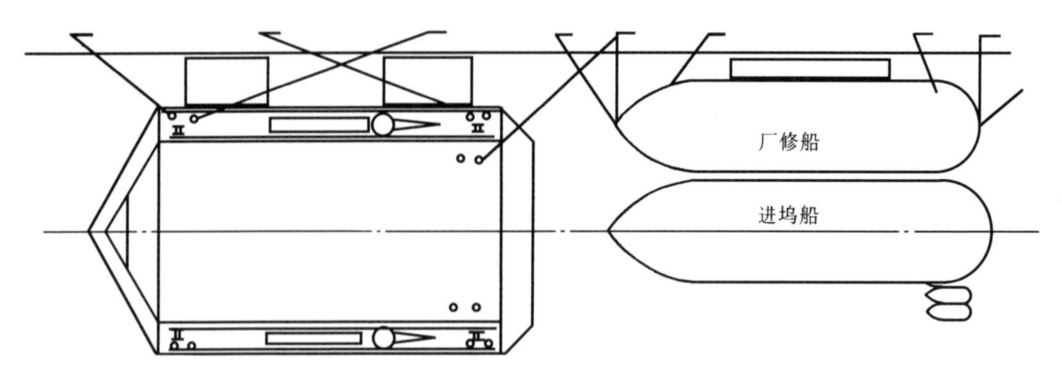

图 5-14　浮坞下游停靠的厂修船的进坞作业图

4. 排水抬船

船进坞对中定位以后,即可排水抬船。在排水过程中,由于进坞船与坞墙甲板的相对位置在慢慢变化,缆绳松绳也在跟着变化。为此,应随时注意收放缆绳,使船舶处于中心位置,配合对中。同时,应特别注意浮坞的纵倾和横倾情况,调整相应水舱的水位,保持浮坞的平衡。

当船坞的吃水低于龙骨墩顶部的高度,而高于浮船坞的抬船甲板的深度时的阶段,需特别注意浮坞四角的水位是否与计划水位相符,否则应调整相应水舱的水位。因为此刻仅有的水平面面积是浮船两侧坞墙所提供的面积,稳性系数最小。

如果浮坞是外移的,应在抬船甲板刚出水后,内移恢复到原来停泊处,再继续排水达到工作吃水为止。

5. 检查墩木

船抬好后,应立即对船舶坐墩情况进行初步检查,对个别尚未贴紧船底的楔木,需立即加入木楔打紧。对于比较瘦长的船舶,有时应在首尾加设天地撑,必须确信船已正常坐在坞墩上,然后解除船上的缆绳,进坞工作结束。

第二节　船 坞 管 理

要充分发挥船坞的生产能力,提高坞修的质量,延长船坞的使用寿命,提高经济效益,必须加强船坞的管理。

一、进坞前的准备工作

为了安全迅速地引船入坞,使船正确坐墩,并立即开展各项修理工程和缩短坞修周期,在船未进坞之前应做好各项准备工作。

(一)进坞会议

在待修船进坞之前的若干天,由厂生产科主管人员主持召开有船方和厂方有关的车间人员参加的进坞会议,以利船方和坞方的配合和互相协调,明确各自的准备工作的具体内容。进坞会议一般包括以下几个方面:

1. 确定船舶进坞的具体日期与时间，以及进入哪个船坞。

2. 要求船方提供进坞修理有关的技术资料，如：提供进坞图（无进坞图时可提供线型图或总布置图），以便按照船型安排坞墩，并避免回声测深仪收发器、水压计程仪、船底塞、海底阀等部位坐落在坞墩上；提供舵结构图，以便掌握拆卸船的方法等。与此同时，必须详细了解及参考该船上一次的进坞资料，从而确定本次的进坞墩位布置。

3. 协商引船入坞的操作方案，确定指挥信号以及联络方式。

4. 船方向厂方提出要求，例如，根据厂方所要求的吃水、纵倾与横倾是否需要调整倾侧的压载物等。

5. 明确船在坞期间应当遵守的条例。

（二）船方的准备工作

1. 按进坞会议上的要求，提供技术资料和图纸；

2. 尽量减少船舶的重力。减少纵横倾，使纵倾不超过 1/100L（船长）；横倾不超过 1°；

3. 收进突出在舷外的设备，如救生艇、舷梯等；

4. 封闭厕所，停止使用厨房、浴室、脸盆等；

5. 准备好带缆设备；

6. 船上的主机、舵、起锚机如能使用，需准备就绪；如不能使用，通知厂房。

（三）坞方的准备工作

1. 拟订坞内的布置方案。为了更好地利用船坞，常常有几条船同时进坞，此时应根据各船的修理特点确定每艘船在坞内的位置、龙骨墩和边墩的高度、拖进坞和坐墩的程序。

2. 摆墩。根据进坞船的进坞图或线型图和总布置图等有关资料确定的坞墩位置、数量及其高度，调整坞墩，并拆除声呐罩、测深仪罩、海底阀等舱底设备部位的墩木。

坞墩的主要功能是把坐墩船舶的重力传递到船坞结构上，同时在坞和船之间提供一个足够高的空档，以便于接近和保养。龙骨墩通常是固定的。边墩的布置要根据线型、船舶的大小或是否拆换底板而定。一般小型船舶进坞时，根据线型，在其中部型宽的 2/3 处，沿纵向各设一行边墩即可；中型船舶，需根据线型沿纵向各设两行边墩；大型船舶，则根据线型，沿纵向各设三行或三行以上的边墩，以保证坐墩后稳定性和有足够的强度来传递船舶的重力。一般平底船的边墩纵向间距为 4~6m。最外两列边墩的横向距离一般不小于三分之一船宽（尖底船不小于二分之一船宽）。边墩在纵向支托船底的范围，约为船长的三分之一。

为了加快摆墩的速度和保证摆墩的质量，摆墩时，人员可分两组同时进行，其中每组负责一边。这样可以避免由于疏忽，而使两边边墩重复同样的错误。也可以在完工后，互相检查，验收所摆好的边墩。

为了保证船舶坐墩后船体的稳定性，对于线型比较复杂或瘦长的船，应在船两侧的横壁处，准备好横向支撑木。必要时，还应准备在舭水龙筋处加设的斜向支撑木（图 5-15）。横向支撑木的长度，加设后应略呈倾斜，通常倾斜角度为 5°~10°，否则支撑木过短会失去作用。国外在修理军舰时尚使用“帽子”顶垫，即砍削木块使其符

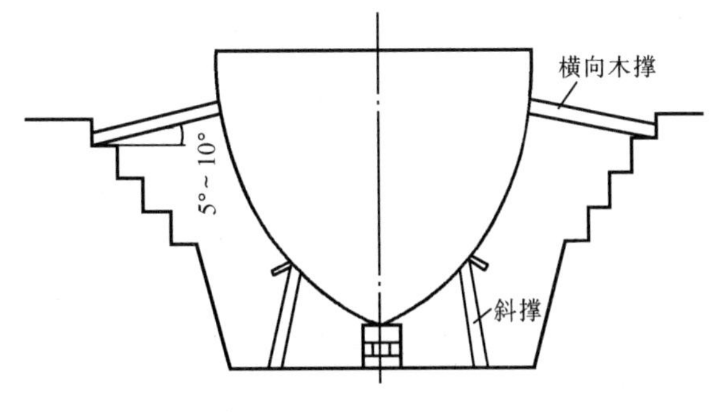

图 5-15　支撑木的布置

合线型,其高度误差为 6.4mm 左右,而龙骨墩的高度误差不超过 25mm 左右。

摆好墩木后,还必须准备好船舶在坞内前后位置的定位器(浮标或浮筒),以便表示首尾柱的位置。定位器是船舶进坞定位的导标,在坞内的位置必须正确无误。确定的方法是根据进船坞的进坞图或有关资料。首先确定船尾柱在龙骨墩中心线上的位置,并用一点表示,然后再由此点向船艏方向测量出船舶的最大长度,所得之点也用记号标在龙骨墩上。这两点之间的距离就是船舶的实际长度,并等于船首定位器与船尾定位器之间的距离。为了确定进坞后船舶在坞内的位置,可通过相当于船首柱的点,按垂直船坞中心线的方向放一只定位器,定位器的铅垂线必须恰好在龙骨墩的中心线上,并且与代表船首柱位置的一点相吻合。定位器通常制成浮标,可随着坞内的水位上升。船尾柱在坞内的位置,可通过艉柱点,沿横向拉一条线,在坞墙上作好标记表示。

同时应以艉柱点为基准向船首测量出船底阀、测深仪罩、声呐罩等船底突出装置的位置,拆除该部位的龙骨墩。

3. 在坞首和坞门设置好船舶进坞后对中的中心线标杆和标志(浮船坞可在坞首设置十字线)。

4. 清理坞底,最主要的是把漂浮物清扫干净,把脚手板、多余的墩木等固定好位置,防止其漂浮移动。把脚手架移到坞外或卧倒坞墙边。

5. 准备牵引用的工具与索具,对牵引设备进行调试运转,对润滑部位加足润滑油。

6. 检查水泵与灌水装置,保证在进坞的各项准备工作完毕后,能正常运转。

7. 根据进坞船的大小、风向和水流情况,配置一定数量和功率的拖轮,并准备好带缆艇。

8. 按照港务监督有关的信号规定,悬挂进出坞的信号标志:

白天:应垂直悬挂进出坞的信号,即代号为 D 的旗一面。

夜间:垂直开启进出坞的信号环灯。

二、进出坞的操作

在一切准备工作结束后,应有船坞长会同有关人员进行认真检查,确认安全可靠后,方可开始灌(排)水。

船舶进出坞时间的选择:干船坞一般选择在高平潮时进行;浮船坞则应根据停泊的水域情况、河底的深度和沉船后的水位确定。

为了保证船舶顺利地进出坞,在操作过程中,除有船坞长统一指挥外,前后还应指定专人负责,所有工作人员要明确分工,互相配合,严守岗位,听从指挥。指挥的命令必须清楚无误。

船坞泵房管理人员不得擅自离开工作岗位,必须严格检查阀门启闭情况(包括坞门),发现漏水应采取措施。浮船坞中控室人员要严格控制好浮坞各水舱的进水、排水情况,并及时与船坞的其他部位保持联系。泵舱间、机舱间的工作人员必须集中精力,巡视各种仪表,如有异常情况应及时向中控室汇报。绞车、绞缆机等各种转动设备,在运行中,禁止检修和无关人员靠近,操作人员必须密切注视周围情况,防止发生意外事故。

为了加强管理,每次船舶进出坞,都应有操作记录。操作记录时可填写船坞日志或专门的记录表格,表 5-1 为某厂浮船坞的操作记录表,供使用时参考。

表 5-1 轮坞操作记录表

日期　　　　　　　　　　　　　　星期　　　　　　　　　　　　　　天气

时　间	操 作 内 容	备　注
	全坞人员上坞,检查准备工作 开始多坞 船坞就坞坑位	
	开始压水沉深 带牵引缆索 中抬船甲板上下 尾抬船甲板上下 首抬船甲板上下 $T=$ $T=$ 沉深至需要水位。停止压水 船坞进吃水:艏　艉　舯 进坞轮吃水:艏　艉　舯	
	开始牵引进坞 带尾牵引缆(暂停) 进坞定位妥(出坞完毕)	
	开始排水 进坞船搁墩 $T=$ $T=$ 首抬船甲板露出水面 尾抬船甲板露出水面 中抬船甲板露出水面	
	开始绞靠码头 靠妥码头 排水完毕 调平衡完毕	

船坞排水结束以后,应立即冲清坞底和踏步的淤泥,并下坞检查船舶的坐墩情况,如发现异常,应立即采取必要的应急措施。

为了确保进出坞的安全,在六级风以上(不包括阵风六级)的风力时,不准进出坞。如果有特殊情况需要进出坞时,必须采取严格有效的安全措施。遇到下列情况之一时也不准进坞:

1. 不了解船舶的有关技术资料和无法进行图纸核对时;
2. 由于海损而造成船底情况不明时;
3. 已设法进行调整吃水差和横倾,但无法达到规定要求时;
4. 进坞船只的重力超过浮船坞的举力。

三、船舶在船坞期间

船舶进坞后，必须及时放好过桥扶梯，下设安全网。在未放好前，不准人员上下。并应经常检查，使之处于正常完好的状态。船舶在坞内时，必须采取严格的消防安全措施，应注意防止各种油类和其他易燃物质流进坞内，不准在禁烟区吸烟，避免火灾发生。浮船坞内各部位的消防器材，应有专人负责做好保养和检查，使之保持完好，其他人员不准随便移动。

船坞内要经常进行清扫，保持坞底清洁，搞好文明生产。坞方应指定垃圾箱，供船方倒放垃圾和杂物。在出坞灌水前，必须全面清除一切杂物和垃圾，以免污染水域。船坞内的横撑木上，严禁走人。横撑木两端的固定处要有专人经常检查，防止松动和绳索折断而发生事故。

船舶在坞期间，船坞工作人员应定期检查坞墩，必要时应补木楔。有时墩木移动了，这往往是轴系超出船壳或"向前直闯"所造成的，应予纠正。船体在修理过程中，必须随时注意坞墩拆除或移位。为防止船体变形，非船坞工作人员不得随意拆动坞墩。工作人员要用望光法测量船底基线，中修以上的船舶应作多次测量，如产生变形应采取加强坞墩的措施。为了防止船体变形和保证出坞时的安全，船舶在坞内不能改变油和水的分布状况，甲板上重物的数量与位置也不得随意变动。如因工程需要变动，应经过坞方同意，出坞前必须恢复原来位置。对于浮船坞，随着船舶重力的变动，则重新调整各水舱的水位来保持平衡。

重力移动记录准确与否会危及船舶出坞的安全，因此，船员造成的任何重力、液体数量和位置变动的精确记录应由船长负责。在出坞的前三天，船长应把变动的记录备忘清单交给船坞长。备忘清单应包括移动的数量、重力在移动前后的位置，可用肋骨号或与中心线之间的横向距离表示。对于液体则可用船舱的名称表示。

在船坞内施工的各工种人员，操作时必须遵守本工种的安全操作规程和规章制度。一切物体和工具都必须用绳索系拴传递，不得向坞内抛掷。

浮船坞的锚泊设备必须定期检查，特别是在台风、大潮汛季节，更应严格注意，在此期间必须派人员加强值班。遇到危险情况时，应立即向有关领导汇报，采取应急措施。

为了防止在起重吊运时发生意外事故，船坞上的各种起重设备、吊索具应有专人负责，并做好日常检查保养工作，尤其是起重吊索具应建立定期检查，检查合格后做好明显标志的制度，以确保安全。

四、船坞的保养与维修

建立船坞的定期检查、保养与维修制度，使船坞经常处于完好的状态，对于延长船坞的使用寿命是十分必要的。

船坞的定期检查主要有技术状态检查和水准的测量。同时还应经常了解和掌握船坞附近的水域和进坞航道的深度。为了保证能够检查船坞变形的程度，可按船坞的大小和结构特点，在船坞上建立一些适当的测量标记。为使检查船坞变形有根据，应按国家水准网而建立一个固定的水准网，而在船坞区内安设水准基点，根据这些基点进行测量。

检查项目一般有：

（一）船坞变形检查：船坞基础下沉状况、坞墙和坞底的连接状况、船坞外边的垂直状况，船坞混凝土的缺陷状况。

（二）船坞渗漏检查：根据坞内某一区域聚集的水量，测量一昼夜内渗到坞内的水量；并定期地对渗入的水进行化学分析,以便确定混凝土浸出的程度。

(三)木结构检查,特别应注意水线变换区域的木质腐朽、护木的损坏情况。

(四)检查钢板桩建造的坞墙旁边土壤下沉的情况。

(五)检查护岸建筑的损坏情况:一般检查斜坡面的变化情况、护岸的裂缝和板桩的腐蚀、损坏情况等;并应检查护岸以上岸壁的状况及护岸建筑的边缘状况。

(六)检查排水沟并经常清除沟内的垃圾和冰雪,使其处于良好状态。

船坞的保养与维修,主要包括日常保养和船坞的修理。日常保养应对检查所发现的一切损坏之处,尽可能立即修复或者是当损坏之处还不至于造成事故之前加以修复。同时应根据生产任务的情况,安排空闲时间对船坞的坞门、坞室、坞门槛、门框、墩木等各部分以及浮船坞的甲板、水箱、淡水舱和燃油舱等有计划的进行维护、保养、油漆,以保持良好的技术状态。船坞的修理根据修理工程的性质和工作量,可分为小修和大修两种。

船坞的小修应该是当发现一些缺陷之后,马上进行(紧急修理),或者定期进行,例如每年一次(计划修理)。

船坞的大修可以进行这类工程;如拆卸木结构部分(因木材经过8~10年以后腐朽而不能继续使用);此外,船坞混凝土部分逐渐被冲刷,经过若干年之后必须采取认真的措施保证恢复船坞的水密性。

第三节　新船的建造及下水工艺

船舶在建造期间,船台起重工作的范围很广,涉及到排墩、分段的翻身吊运上台、船舶设备的安装、下水准备工作及下水操作等。有些工程十分重要而且复杂,因此船台起重工应熟悉船台起重工程的内容和特征。

一、排墩

目前在我国各船厂,用以保证在船台上支承船体并使船体向下装置坐落的装置主要是中墩(龙骨墩)和边墩。这就要求中墩和边墩处在最大载荷下,不但要能够承受下水船舶的重力和保证船体的不变形,而且能顺利和无障碍地工作。因此,中墩和边墩的条件,除了应有足够的强度、重力和体积小外,还应使它们的构造能使得拆除工作不但容易而且迅速。

现在,还没有精确的计算方法来确定单只墩位的负荷,一般,各厂都根据本厂在建造各类船舶过程中所积累的经验而定。在确定单只墩位的负荷时,主要应考虑与墩位工作负荷有关的因素,以不破坏船底的局部强度和船台的强度为主要依据。具体的坐墩数量应根据下列的原则确定:

1. 根据船体结构、船舶下水重力和船台负荷分布,确定中墩和边墩的最少数量及部位。通常中墩应多于边墩。

2. 边墩的作用除支承船体外,还应考虑其加强分段安装的稳定性,因此,其设置的列数和数量要满足船舶的分段和稳定性两个方面。

3. 考虑墩位的承载能力。在一定的船台负荷下,墩位承载能力大时,其数量可减少。

4. 考虑船台的承载能力。船舶下水的重力过大、墩位处的船台局部承压能力不够时,可适当增加墩位,减少墩位处船台的局部承压负荷。

5. 考虑船体局部加强的需要，作水密试验时的相应舱位，应增加必需的墩位。

墩位的长度，通常为船舶线间长的 0.9 倍左右。墩位的前后间距，横向单列式中墩为 1.5~2m；纵向单列成“井”字式的中墩为 2.5~3.5m；第一道边墩为 1.5~2 倍的中墩间距；第二道边墩为 2~2.5 倍的中墩间距；第三道以上的边墩，可视情况而定。具体的墩位道数，可参考表 5-2。

表 5-2　船舶坐墩道数

墩位性质	船　　宽(m)				附　　注
	<10	10~18	18~25	>25	
	墩　位　道　数				
中　墩	1	1	1~2	1~2	当船底具有箱形中桁材时，可设两道中墩，成单列纵向布置
边　墩	2	4	4~6	6~8	

墩木的高度应从船舶下水时的吃水和高潮时的水位；在船底下操作方便；船底与滑道间能有足够的空间安放下水装置等方面来考虑。一般在纵向枋滑道船台上建造的船舶，墩木高度应以滑道木为基点，并由加滑板、楔头、大木楔厚度的总和，再加 20mm 的余量来确定。

在布置墩木时应该注意：

1. 船舶上船台前，必须先对船台及滑道进行清洁整理，然后根据船舶的尺度，决定船舶在船台上的位置。在排墩木前定出船体中心线、肋骨检验线、船台大接缝位置和船的定位点。

2. 墩木位置应根据船舶的尺度和重力确定。大型和特殊船舶，必须要有墩木布置图；中小型船舶可根据船体的重力，参考横剖面图和基本结构图进行布置。

3. 墩位应尽可能布置在刚性构件和线型平缓处，并应能保证分段定位安装时的安全和稳定。

4. 一般中墩应横向排列，水泥墩组成“井”字形，其基础墩成纵向，以便拉船台中心线时能予通过。当船底具有箱形中桁材时，可设两道中墩。边墩应纵向排列，除支承船体外，其位置和数量还取决于分段安放的稳定性。常用墩木的承载能力一般为 392kN，“井”字形的墩位可允许承载 608kN。

5. 墩位应避免布置在船台大接缝、未经水密试验的焊缝、放水塞、海水阀、测深仪等吸出口处。

6. 如果船舶的方形系数较小，船体线型尖瘦，排列墩木有困难时，为了减少单位墩木的负荷，可在滑道上增设临时墩位。

二、墩木部件的构造和承荷能力

墩位通常由水泥楔头、木楔头、铁楔头、砂箱和活络铁楔头等不同部件组成。

(一) 木楔头

木楔头一般用松木锯成长 900~1000mm、宽和高为 300mm。表 5-3 为木楔头承压试验的情况记录。在承压试验过程中，当木楔头平均承受 98kN 的压力时，下陷值虽不多，但已出现细裂缝；当其平均承受 392kN 的压力时，已经破坏。所以，木楔头的平均承受压力应控制在 196kN 之内,单面或部分受力以不超 98kN 为宜。

表 5-3　木楞头承压的试验情况表

图　　示	加荷量		沉陷深度(mm)					测量方法
	kN	tf	<1	<2	<3	<4	平均值	
	初读	初读	0	0	0	0	0	用钢皮尺测量四角;98kN 时木楞头出现细裂缝
	9.8	1	0	-1	-1	-0.8	-0.7	
	9.8	10	0	-3	-2	-2.8	-1.95	
	196	20	-1	-5	-3	-3.8	-3.2	
	294	30	-2	-6	-6	-6.8	-5.2	
	392	40					破坏	

(二)铁楞头

铁楞头由钢板焊接而成,是一种以钢代木,节约木材的好方法。表 5-4 为铁楞头承压试验的情况。从试验中可以看到,如在上下支承强度许可的情况下,可以承受 784kN 左右的压力。

表 5-4　铁楞头承压的试验情况表

图　　示	加荷量		沉陷深度(mm)					测量方法
	kN	tf	<1	<2	<3	<4	平均值	
	初　读		0	0	0	0	0	用钢皮尺测量四角;当承压 784kN 时,侧壁鼓出 2mm
	9.8	1	0	0	0	0	0	
	98	10	0	0	0	0	0	
	196	20	0	-0.2	-0.5	-0.2	-0.22	
	294	30	-0.5	-0.2	-0.5	-0.2	-0.35	
	392	40	-0.5	-0.2	-0.5	-0.2	-0.35	
	490	50	-0.5	-0.2	-0.5	-0.2	-0.35	
	588	60	-0.5	-0.2	-0.5	-0.2	-0.35	
	686	70	-0.5	-0.2	-0.7	-0.2	-0.4	
	784	80	-0.5	-0.5	-1	-0.2	-0.55	

(三)大木楔

大木楔一般用松木或硬木制成,其长 800~1000mm,宽 250~300mm,斜面 10°左右,大头厚 150~300mm,小头厚 80~100mm。表 5-5 为大木楔承压试验情况的记录。从表中可以看到大木楔承受后,下陷深度与压力成正比,压力越大,下陷也越多,大木楔也易损坏。为保证支承物的质量,一般平均受力以不超过 196kN 为宜,单面或部分受力以不超过 98kN 为好。

表 5-5　大木楔承压的试验情况表

图　示	加荷量		沉陷深度(mm)					测量方法
	kN	tf	<1	<2	<3	<4	平均值	
	初	读	0	0	0	0	0	用钢皮尺测量四角的沉陷
	98	10	-4.5	-5.5	-2	-3	-3.75	
	196	20	-5.8	-6.5	-2	-4.5	-4.7	
	294	30	-6	-8	-4.3	-6.5	-6.2	
	392	40	-6	-7	-7	-11.5	-7.63	

(四)砂箱

砂箱由钢板焊接制成，内填满卵石(图 5-16)。当船舶下水时，打开砂门使卵石外流，从而使墩木高度下降，达到拆墩的目的。

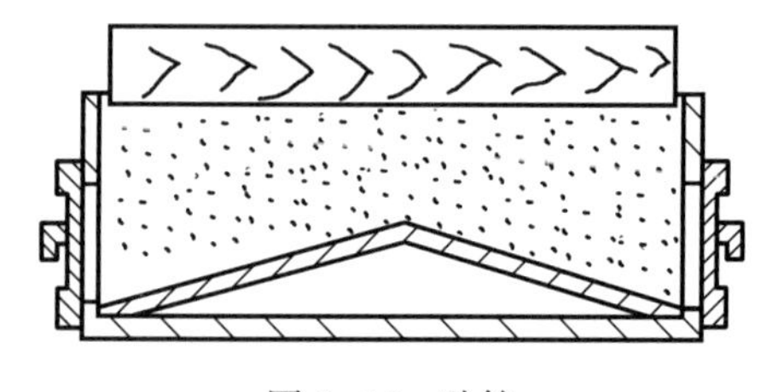

图 5-16　砂箱

砂箱填料选用的卵石直径不同，承受的压力也不同。表 5-6 和表 5-7 为直径 10mm 和直径 20mm 的卵石的承压试验情况。由比两表可以看出，卵石直径大，受力大，下沉小。该两种卵石的砂箱一般承压为 392kN 左右为宜。

表 5-6　砂箱(卵石直径为 10mm)承压的试验情况表

图　示	加荷量		沉陷深度(mm)							经纬仪测量		备注
	kN	tf	<1	2	<3	<4	5	<5	平均值	(1)	(2)	
	初	读	0	0	0	0	0	0	0	0	0	承压 196 ~ 294kN 之间时有石子声；294 ~ 392kN 之间时有碎石声；392 ~ 490kN 之间时有砂箱声，声音减少
	9.8	1	-0.9	0	-0.5	-1	0	0	-0.4	-1	-1	
	98	10	-2.9	-4.5	-2.5	-3	-3	-3	-3.15	-4	-3.5	
	196	20	-3.7	-5.5	-3.8	-4.5	-5	-5	-4.58	-5	-5	
	294	30	-4.4	-6.5	-4.2	-5	-6.5	-5.5	-5.35	-6	-6	
	392	40	-4.4	-7	-5.2	-5.8	-9	-8	-6.6	-7	-6.2	
	490	50	-5.4	-9	-5.5	-7	-10	-9	-7.65	-8	-7	
	588	60	-5.9	-10	-6.5	-8	-11.8	-9.2	-8.6	-9	-8.3	
	686	70	-6.4	-10.5	-6	-9	-13.5	-10	-9.23	-9.5	-9	
	784	80	-6.4	-11.5	-6.2	-9.7	-15	-10.5	-9.88	-10	-9.8	

表 5-7　砂箱(卵石直径为 10mm)承压试验的情况表

图示	加荷量		沉陷深度(mm)							经伟仪测量		备注
	kN	tf	<1	2	<3	<4	5	<6	平均值	(1)	(2)	
	9.8	1	1	0	0	0	-1	-1	-0.5	-0.5	-1	承压 196 ~ 294kN 之间时有石子声；294~392kN 时石子声加大；392~490kN 时碎石声；588~784kN 时碎石声加大
	98	10	-1.5	-1.5	-1.8	-2.5	-3	-2.8	-2.18	-3.5	-3	
	196	20	-2.5	-2.5	-2.8	-3.5	-4.2	-4.5	-3.33	-4.5	-4.5	
	294	30	-3	-3.5	-3.2	-4	-5.2	-5	-3.98	-6	-5	
	392	40	-3.7	-4	-4	-5	-6.3	-6	-4.83	-6.5	-6.3	
	490	50	-4	-4.5	-4.4	-5.2	-8.5	-7.5	-5.68	-7.5	-7	
	588	60	-5	-5.5	-5	-5.9	-9	-7.8	-6.4	-7.7	-7.8	
	686	70	-3.8	-5.5	-5	-6.5	-10.4	-8.5	-6.62	-8.5	-8.2	
	784	80	-5	-7	-5.3	-7.4	-11.5	-8.5	-7.45	-9	-9	
	882	90	-5.2	-7.5	-5.5	-8	-12.5	-10	-8.12	-9.7	-9.6	

(五)活络铁楞

下水墩木采用活络铁楞(图 5-17)，不但能节约大量卵石；避免船舶下水操作时的砂尘飞扬；而且拆墩迅速可靠，可以减轻船舶下水后的船台清理工作。

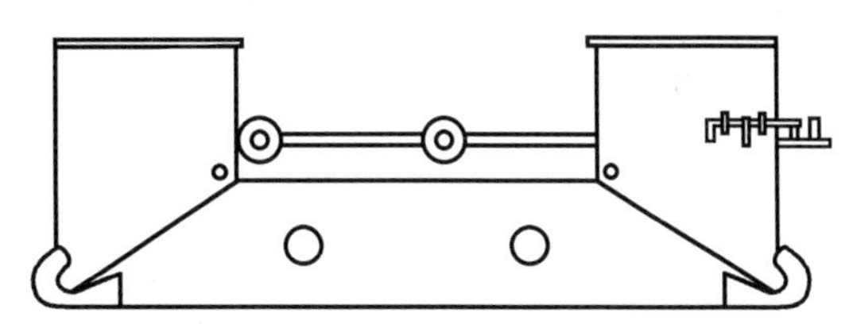

图 5-17　洛络铁楞

活络铁楞通过承压试验，从表 5-8 中可知，在上下支承强度允许的情况下，可以承受 392kN 左右的压力。

表 5-8　活络铁楞承压试验情况表

图示	加荷量		沉陷深度(mm)					测量方法
	kN	tf	<1	<2	<3	<4	平均值	
	初读		0	0	0	0	0	用钢皮尺测量四角
	9.8	1	0	0	0	0	0	
	98	10	0	0	0	0	0	
	196	20	0	-0.2	-0.5	-0.2	-0.22	
	294	30	-0.5	-0.2	-0.5	-0.2	-0.35	
	392	40	-0.5	-0.2	-0.5	-0.2	-0.35	
	490	50	-3.5	-5.5	-4.5	-5.5	-4.7	
	588	60	-4.5	-5.5	-5.2	-6	-5.3	
	686	70	-5	-5.5	-6	-6.3	-5.7	
	784	80	-5.5	-5.5	-7	-6.5	-6.1	

三、滑道和滑板

目前我国船厂的船台基本上都是采用纵向牛油枋滑道，船舶下水一般是采用双滑道下水，两条滑道的中心距，应满足大于 1/3 船宽的要求。滑道一般可作成固定或可移式两种。可移式滑道虽然根据船型，在一定范围内调节滑道的间距，使滑道尽可能布置在强力构件的下面，改善船体的支承情况，适应各种船舶的建造和下水，但相应增加了搬移滑道的工作量。固定式滑道虽然适应性较可移式滑道差，但可以减少经常铺设滑道的工作量，近年来我国新建的船台大多采用这种形式，滑道中心距一般为 6~7m。当船宽过大或滑道压力超出标准时，可采用四滑道下水。如上海某船厂在建造“风雷”号轮船时，原有船台滑道的中心距仅为 5.25m，滑道宽度只有 0.5m，而船宽为 20.4m。为了保证船舶下水的安全，采取将滑道宽度加宽到 0.75m 和增设两条副滑道的方法，解决在小船台造大船时，滑道承压能力不够和中心距不够的困难。

船舶下水时，滑道支撑下水船舶的全部重力，因此滑道宽度应根据下水船舶的重力而决定，计算式为

$$b=\frac{KQ}{nLP_s} \tag{5-1}$$

式中 b——木滑道宽度（m）；

K——船舶的重力作用于滑道的不均匀系数，一般取 1.2~1.3；

n——滑道排数，纵向滑道 n=2，横向滑道 n=L/(8~12)；

L——滑板长度，一般按船长的 80%~90% 计算；

P_s——滑道平面上的平均压力，一般为 147~294kN/m²，通常取 196kN/m²；

Q——船舶下水产生的总重力（kN）。

木滑道一般采用 300mm×300mm 见方的木材组成，如果计算所得的尺寸大 300mm，则可用多根上述规格的木枋拼接。拼接方法如图 5-18 所示。需注意的是螺栓头和螺母必须埋入滑道内，以免滑板运动时，滑板的边缘护木被碰擦。

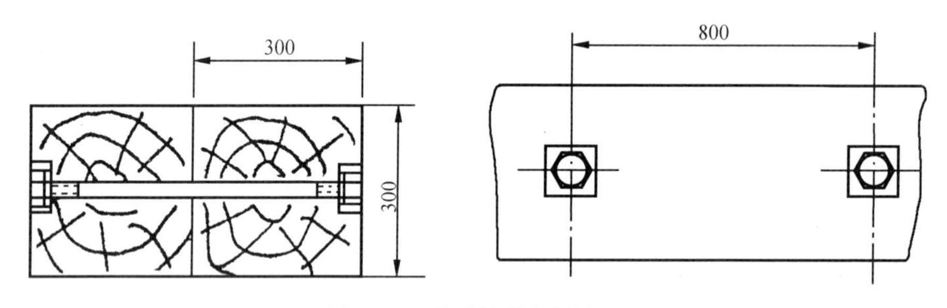

图 5-18 滑道的横向拼接法

当使用没有护木的滑板时，为了防止滑板在运动时因偏移而从滑道上翻跌下来，可在滑道外侧加装护木（图 5-19）。滑板是覆盖在滑道上受力并与船舶一起运动，从而达到船舶下水的目的。滑板的结构形式和尺寸视滑道的结构和尺寸而定。如果滑道没有护木，则滑板侧面应带有护木（图 5-20a）。图 5-20b 所示的钢木组合滑板可以减少下水装置中木质部分的总高度，提高其强度，并且由于滑板与船底之间的距离减少，只需直接在滑板上安放大木楔，高度即够，省去放置木楞头的工作量，是一种以钢代木的好方法。

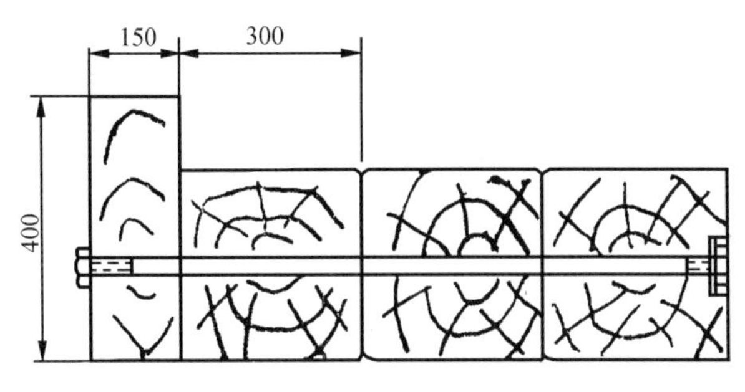

图 5-19　滑道护木的结构

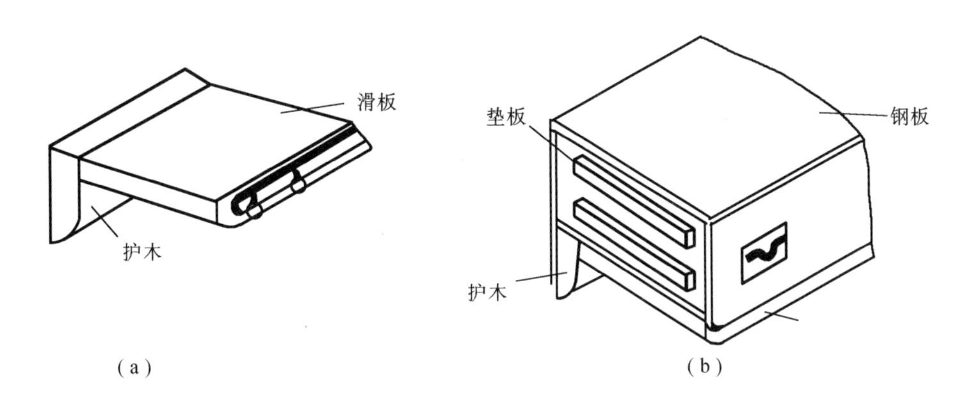

图 5-20　滑板结构图

(a)带有护木的木滑板;(b)带有护木的钢结构滑板

滑板的总长度一般取下水船长的 80%~90%,滑板的宽度一般至少应与滑道宽度相等,最好能比滑道宽 50mm 左右,厚度视船舶的大小而定。护木结构滑板的护木厚度应与滑板的厚度相等,护木超出滑板的长度应不小于 100mm。

四、下水支架

下水的船舶是依靠下水支架而搁置在滑板上的。下水支架按照所处的位置可分为:前支架、中间支架、后支架(图 5-21)。

(一) 前支架,放置于船首的支架。在纵向船台上下水时,当船尾部入水并浮起的瞬间,整艘船与下水装置一起绕继续下滑的艏滑板上的支架回转。此时,前支架的压力最大,约占下水船重力的 15%~30%。故对它的强度应加以特别的注意。前支架一般有木质和钢质两种。

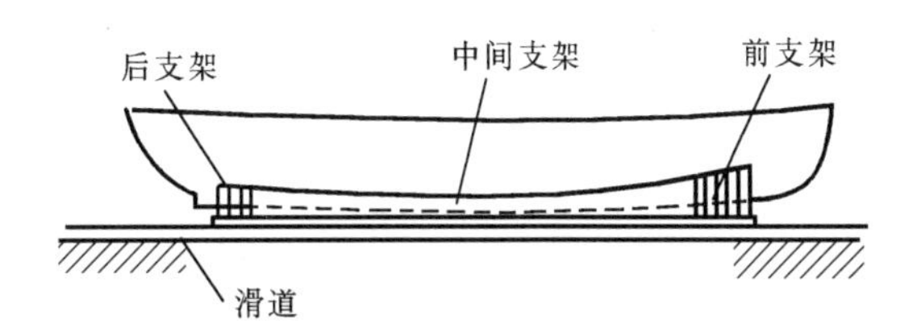

图 5-21　船舶纵向下水的布置图

1. 木质前支架

由于艏部线型尖削,要求前支架有相当的高度,所以松木坊采取竖直安放。为了避免船尾上浮时，首部受到前支架的集中作用力而损伤船体结构，通常采用钢板托住船首，在钢板与船壳之间垫以软质木板（图 5-22）。

2. 钢质回转支架

大型船舶下水时，较多采用可以转动的前支架（图 5-23）。支架的上、下半部用轴相连，轴承盖与轴承座的内表面做成凹凸形，并相互错开，这样当轴承盖随同上半部支架转动时，不致与轴承座相碰。当船尾浮起时，艏部在纵剖面内发生回转，首支架上部也可随之一起旋转，因而仍可保持原支承面积。但是这种支架锈蚀与受力变形后，转动失灵，很易卡住，需要妥善保养。

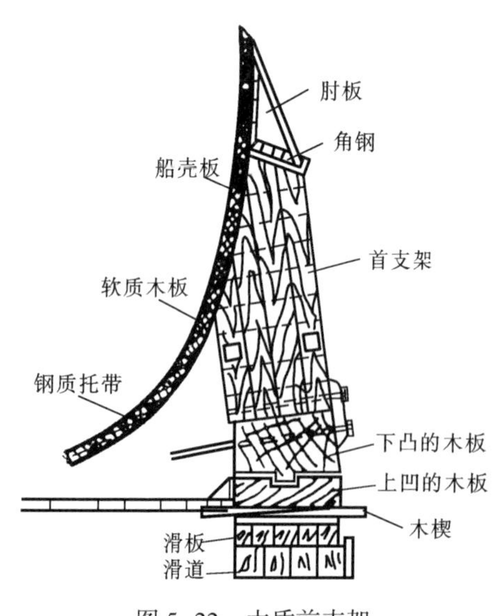

图 5-22　木质前支架

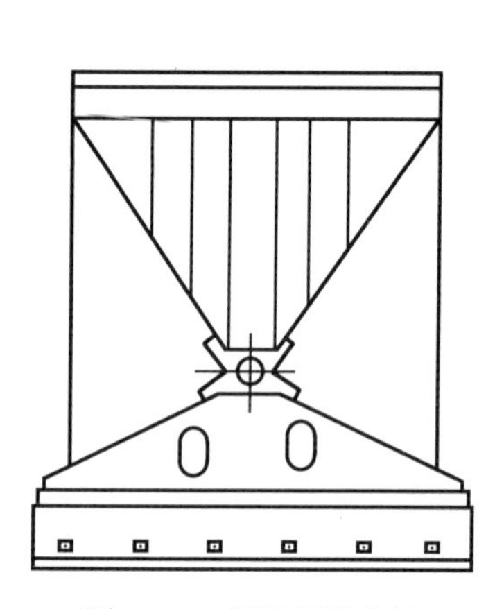

图 5-23　钢质回转支架

图 5-24 为箱形圆凹槽受力铰点结构的回转支架，当船艉浮时，上节自由支承在下节的凹槽中并作相对滚动，使用时安全可靠，对维护保养要求不高，在船舶的下水中采用的较多。

船舶下水前支架的安装和下水后前支架的拆卸工艺复杂。目前，有些船厂采用无艏支架下水工艺或用通用钢梁代替艏支架（图 5-25），节约了安装和拆卸支架的工作量，简化了下水装置。

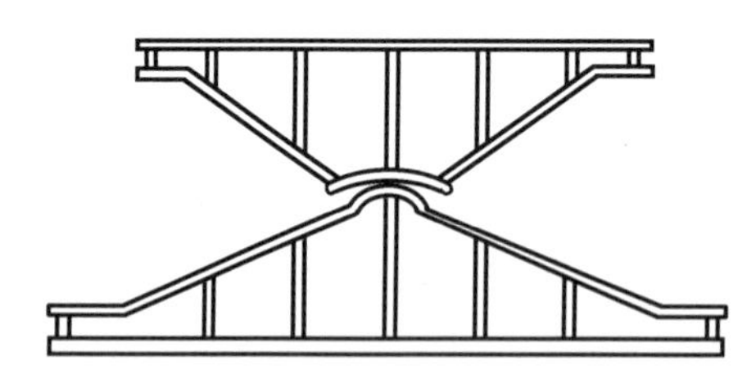

图 5-24　箱形圆凹槽受力铰点的回转支架

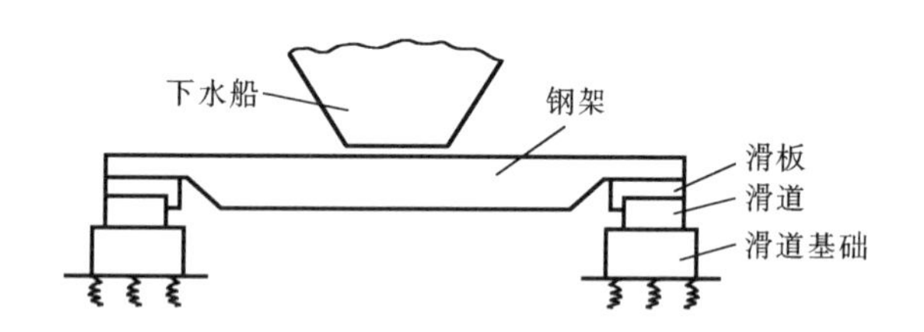

图 5-25　通用钢梁支架的示意图

（二）中间支架，设置于下水船舶的中间部分，在船舶下水过程中（船尾未浮时），始终承受着下水船舶的大部分压力，一般采用间断的垫木作为支架。间断垫木之间的距离应根据垫木的强度和船底局部强度而定。当把垫木设置到下水滑板上时，应符合船底局部强度的要求,即垫木应尽可能均匀地设置在船底的强力构件上,如肋板、龙骨的下面。

(三)后支架,承受下水船舶的部分压力,现在通常也用钢梁支架。

五、下水油脂

下水油脂一般可分为承压层和润滑层两层。承压层的主要作用是承受船舶下水时作用在油脂上的压力,防止由于木滑道的木质疏松易渗油而产生润滑剂渗进木材,保证油脂表面光滑,降低油脂的静摩擦系数,提高船舶下水的可靠性。润滑层的主要作用是保证滑道和滑板间的润滑,减少它们之间的摩擦阻力。

为了降低滑道与滑板间的摩擦阻力,保证船舶顺利下水,所采用的油脂必须满足下列要求:

1. 应具有较小的摩擦系数,如果油脂的摩擦系数过大,不但影响止滑器打开后船舶自行下滑的可能性,而且即使能自行下滑,将使下滑的加速度减缓。同时会增大油脂在船下滑时的压力,可能造成走油现象。由于船台的坡度一般为 1/18~1/22,因此要求油脂的静摩擦系数不得大于 0.035。

2. 应具有较高的承压强度,一般规定在各种气候条件下的静压强度为 147~294kN/m^2。保证能承受在下水准备期间及在下水过程中所产生的压力。

3. 油脂与滑道及滑板间应具有良好的粘着力,浇涂后不允许有裂缝、剥落现象。

4. 当环境温度在给定的范围内变化时,油脂的性能不会改变。通常要求在夏季高温时,油脂不软化熔烊;在冬季低温时,不产生龟裂。

5. 油脂与海水接触时,不应与海水发生化学反应。

目前,我国对于下水油脂的配方没有统一的规定。各船厂根据本厂所在的地理位置、气候条件、下水的技术要求(坡度、重力)、原料的供应情况等因素,以及使用习惯等进行配方。

为了更好地掌握油脂的配方,我们必须要了解组成油脂的各种成分对油脂性能的影响。

(一)承压层

1. 石蜡(俗称白蜡):系石油分馏时生成的矿物质,呈白色,熔烊后能起润滑作用,是承压层的基本成分。石蜡的熔点不同,性能也有所差异。常用的石蜡熔点有 48℃、50℃、52℃、54℃、56℃、58℃、64℃、68℃等多种规格。我们应根据不同季节的特点,选用不同熔点的石蜡配制下水油脂。如气温低时,可选用低熔点的石蜡,使组成的油脂油质软,不易龟裂。而气温高时,应选用高熔点的石蜡,使组成的油脂在高温时不软化熔烊,仍保持有较高的承压强度。因此,在夏季下水用的油脂中可适当增加高熔点石蜡的比重。

油脂的静摩擦系数与石蜡的硬度有关,石蜡的硬度高,组成的油脂的摩擦系数就小。所以在保证油脂不龟裂的前提下,适当选用高熔点的石蜡,提高石蜡的硬度,有利于降低油脂的静摩擦系数。

2. 松香:松香的熔点为 90℃~100℃,在 80℃时已变软。松香在下水油脂中起的作用主要是:起胶结作用,增强油脂与滑道、滑板间的粘结力;提高油脂的硬度,增强油脂的承载能力。在夏季使用的油脂配方中,可适当增加松香在油脂中的比重。但必须注意松香的用量不能过多,因为用量过多,会由于松香质脆使油脂龟裂,这种倾向在低温时特别明显;同时会使油脂表面起腻,影响油脂的润滑性。

3. 硬脂酸:是鱼油干馏时得到的固形脂肪酸,规格分为 1~4 级,色泽由白至黄,凝固点在 52℃~57℃范围内。硬脂酸的作用是提高油脂的润滑性和承载能力,所以在夏季的油脂配方中,可适当增加硬脂酸的用量。但硬脂酸的价格较贵,同时对降低油脂的静摩擦系数的作用不十分显著。

4. 机油:主要作润滑剂用。由于机油的防裂性较好,在冬季油脂配方中加入适量机油,可以改善油脂的龟裂现象。如“郑州”号下水油脂中原配方为85%的石蜡,15%的松香,在-4℃作低温试验时发现油脂有微裂,后另加2%的机油,解决油脂的龟裂问题,保证油脂在-18℃时不龟裂。

表5-9为承压层配方中各种成分对组成油脂作用的归纳,以供使用时参考。

表5-9　各种成分对下水油脂的作用

油脂成分	常温下粘　性	摩擦系数	浇注附着　力	硬度	脆性情况	承压能力	润滑作用	适 应 范 围
机油	最小	最小	-	-	-	无	好	冬季加入微量机油,可改善油脂的防裂性能
松香	-	最大	良好	较高	低温时脆性大	最高	-	加入量增大时,油脂承压能力增大,但不易过量,否早油脂易龟裂;通常夏季用量应适当增加
硬脂酸	-	较黄油大	良好	较低	有良好的韧性	制成硬脂酸钙皂后较石蜡高	-	在一定范围内加入量增大时,油脂承压力增大;在使用时常先制成硬脂酸钙皂,耐高温性能更好
石蜡	-	较硬脂酸　大	一般	较低	低温时易　脆	较松香低	-	为下水油脂的主要成分,加入量增大时承压力略有降低趋势

注:表中黄油(即钙基润滑脂),其摩擦系数比机油大。

我国南方地区夏季气温高,高温油脂的配制是保证船舶安全下水的一个关键问题,目前通常是在油脂中加入硬脂酸钙皂。由于钙皂的熔点很高,可相应提高油脂的熔点,增大油脂的承载能力,改善润滑性,是配制高温油脂的关键成分。但必须注意的是钙皂的熔点很高,在冬天使用时易使油脂分层龟裂,在低温季节(除华南地区外)一般不宜应用。

钙皂一般由各厂自己炼制,具体方法是:

配方(重量比):硬脂酸100、生石灰6.1、水82。

炼制方法：将硬脂酸加热熔化到 80℃～90℃左右，把预先调制好的石灰乳（生石灰 6.1 份加水 82 份），一面慢慢加入，一面不停搅拌；加完后在 100℃左右搅拌 2～3 小时，待水分蒸发，钙皂溶化；再拌 20 分钟，取出少许试样，如果冷却变硬、不粘手，即皂化完全，取下冷却即成硬脂酸钙皂，其熔点为 98℃。

油脂使用后可以回收利用，但经过多次熬制质易变脆，影响使用性能。

（二）润滑层

润滑层采用的润滑剂有润滑油、润滑脂和钾皂三大类。它们都降低油脂的摩擦系数，起助滑作用。由于各类润滑剂的性能不同，适用的范围也不同。

1. 润滑油：北方地区气温低，较多采用含沥青质和胶质少、粘度小的淀子油；南方地区气温较高，较多采用含沥青质和胶质多、粘度大的机油。润滑油通常是作润滑层盖面用，可助滑。但其质薄易流淌，不宜多加。

2. 润滑脂（俗称黄油）：下水中常用的润滑脂有钙基脂和铝基脂两种。淡水地区船厂较多采用钙基脂，因其不易溶解于水，抗水性强，熔点低，其中 3 号钙基脂的使用条件与下水工作条件相近。沿海地区的船厂较多采用铝基脂，因其机械性能好，抗水性能较高，能在与海水接触的工况下作润滑剂。其中 AMC-1 铝基脂多用于冬季，AMC-3 铝基脂多用于夏季。

3. 钾皂（俗称烂肥皂）：钾皂的承压强度较高，有一定的韧性，常作为大型船舶下水的润滑层成分之一。一般均由各厂自己炼制，具体方法是：

（1）先将苛性钾 1 份加水 2 份泡成钾碱水；

（2）用一容器加水 2 份，加热到 75℃左右，加入米糠油或豆油一份和 0.6 份钾碱水，不断搅拌加热。待水分蒸发至糊状，由稀变稠即成钾皂。

为便于正确地配制下水油脂，表 5-10 和表 5-11 分别列出了我国各地区下水油脂的配方情况和上海地区船厂，大中型船舶部分下水油脂的配制实例，以供选择配方方案时参考。

表 5-10　下水油脂的典型配方情况表

<table>
<tr><th rowspan="2">使用地区</th><th rowspan="2">使用季节</th><th colspan="2">油脂成分及配方重量比（%）</th><th colspan="2">承压能力</th><th rowspan="2">浇涂工艺</th><th rowspan="2">附　注</th></tr>
<tr><th>承 压 层</th><th>润 滑 层</th><th>kN/m²</th><th>tf/m²</th></tr>
<tr><td rowspan="2">华南地区</td><td>夏季</td><td>石蜡：65（熔点≥60℃），硬脂酸钙皂：35</td><td>3 号，钙基脂，上面再浇一层机油</td><td>50℃
509.6</td><td>50℃
52</td><td rowspan="2">按比例混合成，加热熔化、调匀，再在 140～160℃下煮 20 分钟左右；承压层浇涂温度：第一层：130℃，第二层：125℃，第三层：120℃，分层浇涂温差不大于 5℃。</td><td rowspan="2">硬脂酸钙皂需要先炼制好</td></tr>
<tr><td>冬季</td><td>石蜡：70（熔点≤58℃）硬脂酸：30</td><td>3 号钙基脂，上面再浇一层机油</td><td></td><td></td></tr>
</table>

华东地区	夏季	配方 1:石蜡:80(熔点≥60℃),松香:10,硬脂酸:10	3 号钙基脂或钾皂,上面再浇一层机油	25℃ ~ 32℃ 时 > 147	25℃ ~ 32℃ 时 > 15	按比例混合后,加热熔化、调匀,在>180℃温度下煮若干分钟;承压层浇涂温度:第一层:150℃,第二层:130℃,第三层:110℃	
		配方 2:石蜡:75(熔点≥60℃),松香:10,硬脂酸:15		25℃ ~ 33℃ 时 > 196	25℃ ~ 33℃ 时 > 20		
		配方 3:石蜡:70(熔点≥60℃),松香:10,硬脂酸:20		25℃ ~ 33℃ 时 > 215.6	25℃ ~ 33℃ 时 > 22		
	春秋季	石蜡:90(熔点58℃),硬脂酸:10	3 号钙基蜡或钾皂,上面再浇一层机油	20℃ 时 > 196	20℃ 时 > 20	按比例混合后,加热熔化、调匀,在>180℃温度下若干分钟:承压层浇涂温度:第一层:150℃,第二层:130℃,第三层:110℃	
	冬季	石蜡:90(熔点54℃),松香:10	3 号钙基蜡或钾皂,上面再浇一层机油	10℃以下时>196	10℃以下时>20	按比例混合后,加热熔化、调匀,在>180℃温度下煮若干分钟;承压层浇涂温度:第一层:150℃,第二层:130℃,第三层:110℃	
北方地区	夏季	配方 1:石蜡:90(熔点 70℃),松香:10	松香基油油,上面再浇一层机油	25℃ ~ 28℃ 时 > 245	25℃ ~ 28℃ 时 > 25	按比例混合后,加热熔化,调匀,在 140℃ 温度下煮约 30 分钟;承压层浇涂温度:第一层:135℃,第二层:125℃	松香基滑油应预先制好
		配方 2:石蜡:80(熔点 70℃)硬脂酸:10,松香:10	松香基滑油,上面再浇一层机油	27℃ ~ 30℃ 时 > 245	27℃ ~ 30℃ 时 > 25		
北方地区	春秋季	石蜡 1:90(熔点56℃ ~ 60℃),松香:10	松香基滑油上面再浇一层机油	10℃ ~ 20℃ 时 > 245	10℃ ~ 20℃ 时 > 25	按比例混合后,加热熔化、调匀,在 140℃ 温度下煮约 30 分钟;承压层浇涂温度:第一层:135℃,第二层:125℃	
	冬季	配方:1 石蜡:90(混合熔点 46℃)松香:10	松香基滑油(加上降凝剂乙二醇),上面再浇一层航空机油	- 12℃ ~ 0℃ 时 > 245	- 12℃ ~ 0℃时>25		
		配方 2:石蜡:90(熔点 52℃),松香:10		- 2℃ ~ 10℃ 时 > 245	- 2℃ ~ 10℃ 时 > 25		

特殊条件	高温高压	在夏季油脂中加入约3%的普通聚氯乙烯颗粒	3号钙机油上面再浇一层机油			将油成分混合，熔化后，加入聚氯乙烯颗粒，持续搅拌，加温至180℃以上，保持一定时间；浇涂温度：150℃~160℃	在特殊高温高压条件下供参考使用；实际使用时应作试验
	低温防裂	在冬季油脂中加入<3%的机油	1号钙基脂或水肥皂，上面再浇一层低标号(HJ-10~HJ-30)机油			浇涂温度：110℃~120℃	使用时应作承压能力试验

注：1. 表列的典型配方供选择下水油脂配方方案时参考。具体配制时应根据船舶的特点、下水工艺、气候条件等作适当调整。各地区的油脂配方也可相互参考。

2. 松香基滑油的配制方法配方(重量比)：特级松香30、苯二甲酸二丁酯5.7、氢氧化钾水溶液11.1(浓度氢氧化钾：水=3∶7)、淡水55。

炼制方法：将松香倒入水中，加热至完全熔化；停止加热，在搅拌下倒入氢氧化钾溶液，煮沸1~2分钟；停止加热，在搅拌下倒入苯二钾酸二丁酯，然后继续加热，煮沸1~2分钟，搅拌冷却即成。

表5-11 上海地区的船厂、大中型船舶下水油脂承压层的部分配方情况

序号	船名	下水日期	承压层配方(%)					备注
			石蜡	硬脂酸	机油	松香	硬脂酸钙皂	
1	长征	1970.7.31	75(熔点:56℃)	-	-	15	10	适应春、夏、秋季原为30%钙皂，后嫌软，加5%松香，该厂拟作夏季油脂
2	长风	1971.6.27	70(熔点:58℃)	20	-	10	-	
3	风光	1971.8.18	70(熔点:62℃)	-	-	5	25	
4	庆阳	1971.12.5	87	-	3	10	-	
5	郑州	1971.12.21	85	-	另加2	15	-	
6	辽阳	1972.11.19	65	35	-	-	-	
7	东方红17号	1978.4.22	85	10	-	5	-	
8	鲁班	1981.1.15	95	-	2	3	-	
9	华佗	1982.1.20	95	-	2	3	-	
10	屈原	1983.6.29	75	15	-	10	-	
11	振奋5号	1984.4.15	85	10	-	5	-	
12	东方红30号	1984.4.28	80	15	-	5	-	

六、油脂的浇涂工艺

在浇油脂前，应先将滑道或滑板表面清理干净，然后用炭火烘烤，目的有二：一是把粘附在其上的油脂烤化，便于清除；另一是把表面的水分烤干，可以保证承压层表面质量，保证下水安全。最后在滑道或滑板浇涂的长度范围内的两侧边钉上木档条或绳子，档条高出滑道表面的高度，相当于所浇承压层的厚度，防止油脂流散到地下及便于控制浇涂的厚度。

滑道上的承压层一般浇二度或者三度，这样可以避免一次浇涂时，油脂过厚，油质不均，影响油脂质量。第一度油脂浇涂时，由于滑道表面略潮湿，油温应稍高一些，一般控制在130℃～160℃内，以后逐层递减5℃～10℃。否则次度油温过高，将使已浇的油层烊化。下层油脂已粘结，但手摸时仍有热感时再进行次度油脂的浇涂。否则就容易产生油脂分层，受压后易发生起壳现象。浇涂油脂必须由船首到船尾，因为从上往下浇油脂的厚度均匀，便于控制。各度浇涂时应连续进行。油壶出口与滑道距离不可过高或过低。因过高，油脂易产生气泡；过低，油脂易冲散，造成表面不平。

承压层浇好冷却后，就可浇涂润滑层，在承压层表面涂一层润滑脂（黄油），如果需要再在润滑脂上放置钾皂（烂肥皂）小团，然后浇上润滑剂。滑板润滑脂涂好后，应翻身搁好，以防承压层损坏或垃圾杂物掉在上面，同时也便于吊运至滑道上安装。

七、船舶的下水准备工作和下水操作

在船台上建造的船舶，其主要结构完成以后，就需将船体送到水面。船舶下水是一项重大而复杂的工程，下水准备工作的质量直接关系到船舶能否安全下水。其主要内容有：

1. 整理下水滑道、滑板，根据气候和船舶下水时的重力，分别浇注好下水油脂，上下合盖好。在滑板护木里口与滑道侧边临时加放同样的木楔（或木条），以保证下水时滑道护木与滑道间留有一定的间隙。两根滑道相同位置上的两块滑板护木之间，根据需要用横撑（龙门撑）撑好。为避免滑板盖上后，润滑剂流失和防止盖上时间长而造成下水时摩擦系数的增大，应在滑板护木底部与船台地面之间用木撑临时撑牢，使滑板与滑道之间留有一定间隙（图5-26）。

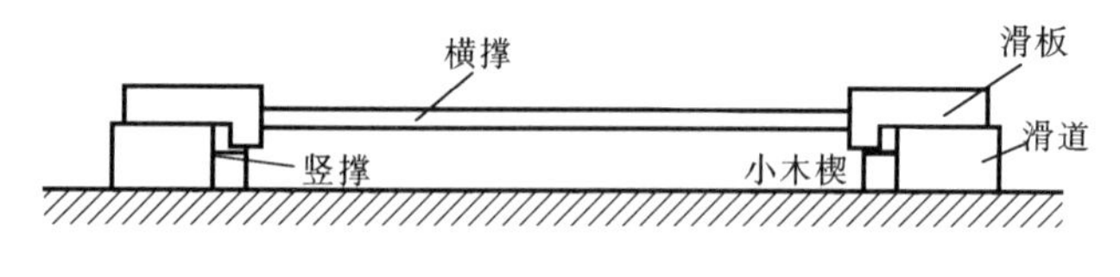

图5-26　滑板盖好后采取的临时措施

2. 将支承木楔和垫木在滑板上全部放妥，但暂时不能敲紧。滑板、支承物分组用钢丝绳串连好，每组一根拆滑板的钢丝绳，钢丝绳的一头与滑板相连，另一头在船上固定好，便于下水后打捞。

3. 安装好机械和手敲止滑器，必要时安放好助滑液压千斤顶。

4. 清除船台下水道里的淤泥。

5. 拆除舷外脚手及障碍物，同时将船舶内的移动物，特别是舵、螺旋桨固定好。

6. 准备好下水后的止滑装置、带缆钢丝绳、引物缆、防撞碰垫、救生、防漏和消防器材等。清除和整理好船舶、船台上的垃圾、杂物。

7. 通知港务监督部门，在下水时禁止船舶往来，并配备好拖轮。

船舶下水准备工作完成后，即可按指定的日期进行下水。船舶的下水有下水总指挥发布操作命令，操作人员执行命令进行操作。

第一道命令：自滑道两舷从尾向首同时进行，将滑板上的木楔全部敲紧。在敲木楔以前，必须把滑板护木与滑道间的临时垫木，滑板与船台地面之间的临时木撑拆除。敲木楔时必须注意，全部木楔的敲紧程度应一致，决不能松紧不一。然后由检查员检查命令的执行情况，报告指挥。

第二道命令：从尾向首逐挡拆除正中坐墩。拆除后，油漆工迅速补好坐墩处的油漆，检查员检查完毕，报告指挥。

第三道命令：从尾向首拆除里道边墩，同样补漆好，检查员检查完毕，报告指挥。

第四道命令：从尾向首拆除外道边墩，同样补漆好，检查员检查完毕，报告指挥。

第五道命令：两舷同时敲掉落地撑，助手检查后报告给指挥者。

第六道命令：破断穿连的机械止滑器棕绳，开动止滑器，使船舶滑下水。如果此时船舶不能滑动时，则直接开动助滑器，顶船下水。

至此，下水的工作即告结束。以后抛锚止滑，拖轮将船拖靠码头。同时，把滑板等吊上船台。

八、船舶下水时的运动和受力情况

船舶纵向下水过程中出现的力学现象不仅是决定船舶建造工艺要求的重要参考资料，而且关系到船体强度，也是下水过程中是否需要采取相应工艺措施的重要依据。

(一)船舶下水的基本条件

如图5-27所示，重Q的船坐落在倾角为β的滑道上，会产生两个分力：平行于滑道的下滑力P_1和垂直于滑道的正压力P_2，它们分别为

$$P_1=Q\sin\beta,$$
$$P_2=Q\cos\beta$$

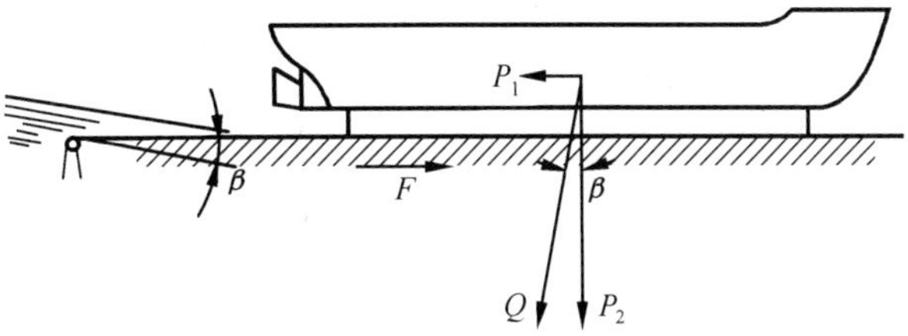

图5-27　船舶坐落在滑道上受力图

要保证下水时，船舶在船台上能依靠本身的重力沿滑道下滑，必须使重力沿滑道的分力大于骨板和滑道之间的摩擦力F。设滑道与滑板之间的静摩擦系数为μ_0，则$F=\mu_0 Q\cos\beta$，即$Q\sin\beta>\mu_0 Q\cos\beta$，所以

$$\frac{\sin\beta}{\cos\beta}=\tan\beta>\mu_0 \qquad (5-2)$$

由此可见，船舶依靠重力下水的最基本必要条件是：滑道应具有足够的倾斜度(坡度)，以克服滑板与滑道之间的摩擦力。

滑道坡度根据船型的大小，可采取下列数据：

小型船($L=100$m以下)：1/12～1/16；

中型船($L=100～200$m)：1/16～1/20；

大型船($L=200$m以上)：1/20～1/24。

选用上述数据时，应根据因地制宜的原则和典型产品的下水重力，首先保证船体能自行下滑，在保证安全的前提下，选择最经济的滑道坡度。

滑道坡度选定以后，β值即为定值。为此μ_0值必须控制在一定的范围内，一般μ_0的数值在0.02～0.08范围内，根据我国上海地区所用油脂的统计，一般在0.03左右(下水在春夏季节)。船舶开始滑动后，摩擦系数急剧下降，此时摩擦系数μ的值约为0.01～0.04。μ_0值的大小与滑道的材料、滑道表面的光洁度、油脂成分、气温、湿度以及滑道单位面积的压力等因素有关。由于影响因素较多，一般需事先进行试验测定。

一般船舶下水时，在止滑器打开以后能自行下滑，但也必须注意到，当止滑器打开以后，有时船舶仍然静止不动。这是由于开始滑动时的静摩擦系数过大，当遇到这种情况时，一般用预先装置好的滑轮组(俗称倒串葫芦)曳引或装设于滑板前端的液压千斤顶顶滑推板上，甚至可用拖轮拖曳，促进船舶下滑。当用上述措施仍不能促使船舶下滑时，必须返工，重行涂油。

(二)船舶下水的四个阶段

船舶纵向下水时,一般总是尾部先入水,这是因为船尾线型较船首肥胖,入水后浮力增加较快,船身能较快的浮起,并且在水中受到的阻力较大,因此可以缩短在水中的滑行距离。

船舶在直线滑道下水的过程中,由于船身位置沿滑道方向不断发生变化,所产生的作用力也随之变化。根据纵向下水的受力和运动特征,可分为四个阶段:

第一阶段:船舶开始滑行起,到尾部接触水面止。在这阶段中,船舶的运动方向始终与滑道平行,下水船舶的重力全部分布在滑道上。

从图 5-27 可知,船舶在滑道上下水时,下滑力 T 为

$$T=Q_c\sin\beta-\mu Q_c\cos\beta \tag{5-3}$$

式中 T——船舶下水时的下滑力(kN);

Q_c——下水船舶的总重力(包括下水装置的重力)(kN);

β——船台的倾斜度;

μ——滑道与滑板之间的动摩擦系数。

船舶对滑道的压力 $P_2=Q_c\cos\beta$,由于下水船舶的重力沿滑道长度方向上分布是不均匀的,如尾机型船舶,在尾部的重力大于船首,所以滑道单位长度上承受的压力为

$$P_c=\frac{KQ_c\cos\beta}{nL} \tag{5-4}$$

式中 P_c——滑道单位长度上承受的压力(kN/m);

K——滑道受力不均匀系数,一般取 $K=1.2\sim1.3$;

Q_c——下水船舶的重力(包括下水装置的重力)(kN);

β——滑道倾斜度;

n——滑道的排数;

L——一排滑板的长度(m)。

第二阶段:船舶尾部接触水面产生浮力,到船尾上浮以前为止。在此阶段中,船舶的运动仍与滑道平行,浮力随着船舶的继续入水而增加。

从图 5-28 中可知,如果浮力 γVg(γ 为水的密度,V 为船体排水体积,g 为重力加速度),作用在浮心 C 上。下水船舶的重力为 Q_c,作用在重心 G 上,支架反力为 R。它们分别距首支架端点 A 的距离为 L_G、L_c、L_R,则力和力矩的平衡方程为

$$Q_c=\gamma Vg+R \tag{5-5}$$

$$Q_cL_G=\gamma VgL_c+RL_R \tag{5-6}$$

当船舶滑程增大到某一值时,浮力与重力对首支架端点产生的力矩相等,即 $\gamma VgL_c=Q_cL_G$,尾部开始上浮。随着船舶的继续下滑,浮力对首支架端点产生的力矩就大于重力对首支架端点产生的力矩,即 $\gamma VgL_c>Q_cL_G$,船尾就逐渐绕首支架端点旋转上浮。在此过程中,首支架承受的压力随着浮力的增加而增

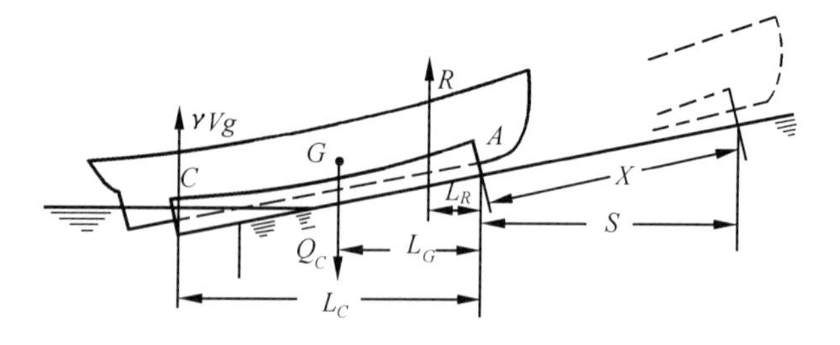

图 5-28 下水第二阶段的示意图

大。艉浮时,首支架承受的压力是相当大的,从表 5-12 中可以看到约占下水重力的 15%～30%。这种压力为瞬时的动载荷,对纵向强度较差的船舶是不利的,必须充分考虑到。

表 5-12　我国部分船舶下水的重力与首支架压力的关系

船　名	下水的重力 Q		前支架压力 R		R/Q(%)
	kN	tf	kN	tf	
向　阳	30997.4	3163	8134	830	26.3
朝　阳	36456	3720	8281	845	22.7
大庆 27	44100	4500	10780	1100	24.5
风　雷	41160	4200	6860	700	16.7
风　光	42483	4335	8036	820	18.9
安　源	39690	4050	9604	980	24.2
九　江	42630	4350	6605.2	674	15.5
长　风	54880	5600	13132	1340	23.9
大　冶	45080	4600	9800	1000	21.7
郑　州	65660	6700	16268	1660	25.4
长　征	26734.4	2728	4802	490	17.9

船舶尾浮时,首支架应处于船台滑道的加强区,否则需采取相应的工艺措施。如“风雷”号下水时,从计算中发现艉浮时首支架刚好进入加强区,为了保证艉浮时首支架处在船台加强区,在艉舱加载 1764kN,使艉浮延迟,不仅减少了首支架的压力,而且当船尾浮时,首支架正好处在加强区,保证了安全下水。

如果尾部入水后浮力不够大,当重心 G 点滑过滑道末端后,浮力对滑道末端的力矩 γVgL_c 小于重力对滑道末端的力矩 Q_cL_G,则船舶就可能以滑道末端为支点发生艉弯现象(图 5-29)。此时,将可能产生船舶冲入水底的沉没事故,或由于滑道末端的压力过大,将使船底遭受很大的局部压力,使船底损伤或滑道末端损坏。

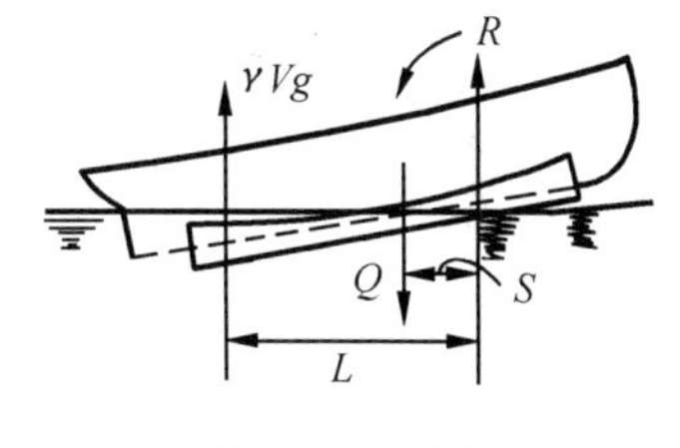

图 5-29　尾弯

为了防止尾弯现象,一般可以采取以下几个方法:

1. 加大滑道的坡度,使尾部上浮的时间提早。但需注意,艉浮过早,将会使首支架的反力增加。

2. 延长水下部分滑道的长度,减小或消除尾弯力矩。

3. 待大潮位下水。大潮位的作用相当于延长滑道的水下部分。

4. 艏部加压载使重心前移,或艉部加浮箱增大浮动。

第三阶段:自船尾上浮到船自由浮起为止。在这阶段中可能出现,当首支架经过滑道末端时,船已完全浮起,顺利地在水中滑行,或当首支架离开滑道末端时,浮力小于下水重力,即艏吃水小于船舶自由浮起时的艏吃水,艏部将出现艏跌落(图 5-30)。

船舶产生艏跌落时艏部结构以及下水架可能与船台末端相碰撞,所以在下水过程中应尽量避免艏跌落现象的产生,应在下水前摸清河床情况和采取相应的工艺措施,避免艏跌落

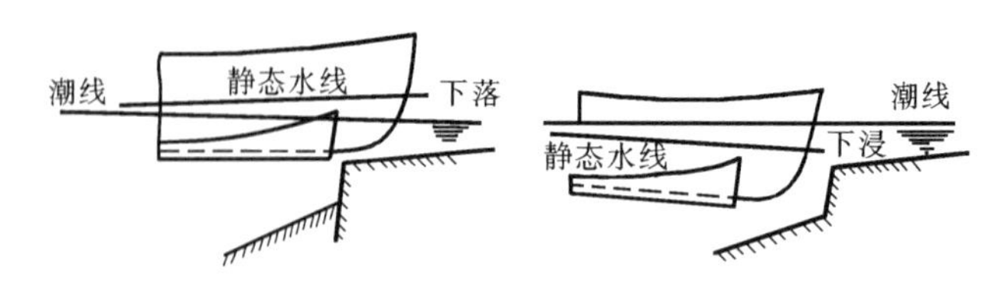

图 5-30　艏跌落

的产生。

艏跌落现象的产生一般是由于滑道水下部分过短以及船舶重心偏前产生的，为此可采取：

1. 高潮位下水，保证在同一滑道长度内获得较大的水位。

2. 延长滑道水下部分的长度，其作用相当于高潮位下水。

3. 尾部加载，使重心移后，加大尾倾，减少艏吃水，保证船舶顺利全浮。

第四阶段：从船舶全部浮起到船舶停止滑行为止。在此阶段，因惯性力的作用，船舶将自由滑行，为了使船舶下水后的滑行路程在限制的范围内，必须采取下面的制动措施。

1. 锚制动：船舶下水时利用船首安装的锚机抛锚制动。此法使用方便，但需要抓准时机，才能收到较好的效果。上海地区船厂经常采用这种制动方法。

2. 盾板制动（图 5-31）：在舵或艉后的两侧用平板装成与横剖面平行的阻力板（盾板），依靠入水后在水中运动时所产生的水阻力而起到制动作用。

盾板制动具有安装简便的优点，但其制动力的计算较困难，同时制动作用必须在船舶进入水后才能产生，所以一般多用于下水坡度大的小船。

3. 缆索制动（图 5-32）：在船两侧地面上各固定一条地链（可用锚链、直径 100～125mm 的麻绳或直径 75mm 的钢丝绳），在艏部两侧各固定一条船链，并向后以一定的间距用吊索悬于甲板上。船链与地链间用麻绳制动索相连。当船舶下滑时，制动索、吊索相继被拉紧断开，吸收滑动能量，达到制动的目的。此法的优点在于船舶开始滑动后不久，即可起制动作用，一般用于大船，但由于安装复杂，现在已很少采用。

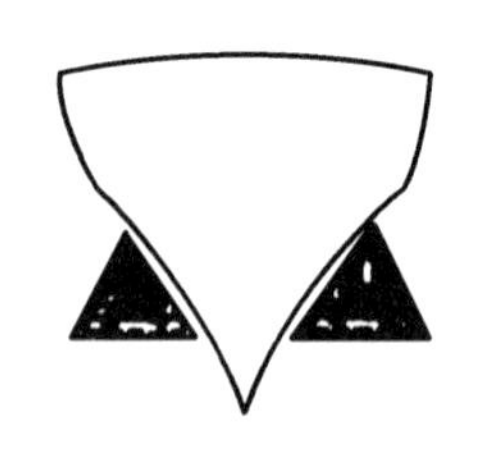
图 5-31　盾板制动装置

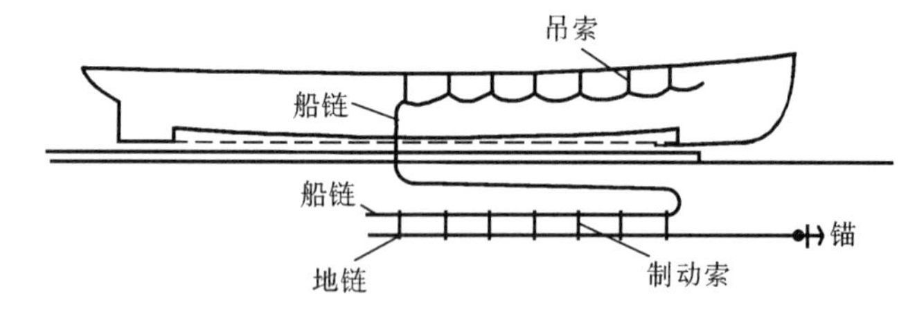

图 5-32　缆索制动

第四节　船台管理

随着造船工业的飞跃发展，船舶又朝着大型化和专用化方向发展，造船的生产方式、造船工艺和方法均有所改进。但任何一项单项的生产工艺的革新，单项先进设备的应用对提高企业的生产能力都是有限的，只有把科学的管理方法与先进的技术装备两者紧密地结合起来，才能更充分、更合理的发挥先进技术的作用，以达到最大限度地提高企业生产能力的效果。我国的造船工业与发达的造船国家相比，科学技术方面的差距固然很大，但管理的差距更大。我们必须切实注意到，在发展技术装备的同时，要重视科学管理。

船台管理应围绕提高造船效率，扩大生产能力，降低造船总成本这个总目标，把经济、效率、数量和质量四个方面有机地统一起来，而质量应是其中的核心。其包括生产管理、安全管理、质量管理、设备管理、材料管理等。

一、生产管理

由于船舶开工上台及下水时间已为工程计划所规定，分段的组装进度又是计划所确定的。因此所定的进度是不允许随意改变的，要千方百计地去完成。生产管理的目的应根据计划的进度要求作出施工场地、机器设备、人员的利用计划，并监督实行，保证下达的计划能如期完成。

同时应根据船台的工作特点和轻重环节，合理安排劳动力。如在确定船舶上台日期与前一艘船舶下水日期的间隔一般是较短的，而在此阶段需要把下水装置回收、船台清理、按船型布置墩位（如同类型船的排墩工作量就较少），则此阶段的工作量较多；在分段上台后到下水期间，根据各厂情况不同，在此阶段主要是负责船体分段翻身、吊运上船台合拢、预舾装的机件、设备吊运上船安装，脚手架的搭、拆；在船舶下水期间，需要做好下水准备工作和在指定日期进行下水操作。在这些阶段都应合理分配好人力，保证各环节顺利进行。

一般下水油脂是在下水的前 3~4 天浇涂好，才能盖上滑板进行各项准备工作，水下部分油脂则在下水前一天浇涂。为了保证下水准备工作的质量和按指定的日期下水，除了需制订下水准备工作的进度计划，人员安排，质量和工作进度的检查外，还应根据船舶在船台建造期间两头工作量较多，中间阶段起重工作量较少的特点，充分利用中间阶段的多余人员对船台进行清洁整理、工具设备维护保养、提前准备下水的部分准备工作以及下艘船舶上台的准备工作。

由于潮汐表预报的水位与实际水位存在着误差，需在下水的前几天，应指派专人观察、记录实际水位，并与潮汐表的预报水位进行比较，以便更正确的掌握下水日的水位情况。在下水日，潮位观察员应按指定的时间间隔向下水总指挥报告实际水位情况，便于总指挥根据水位情况，确定正式下水的时间。

下水操作的组织体制是保证下水操作紧张而有秩序进行的前提。一般有下水总指挥、通讯联络员、检查员、操作人员等组成。操作人员可根据滑道情况分成两组（或若干组），每组由组长负责，小组成员可根据不同的操作顺序进行具体分工。为了保证下水操作工作的顺利进行和船舶的安全下水，在下水操作正式开始前，应组织好人员对滑道浇注润滑剂，拆除砂箱门上的锁紧铁丝等准备工作。

二、安全管理和质量管理

起重作业的安全和质量是互相牵连的。在船台管理中，我们应把安全管理和质量管理有机地统一起来，强调在船台生产的一切环节中要加强安全管理和质量管理。树立预防为主的观点，贯彻“以防为主，防、检结合”的原则，消除各种隐患，在管理上着重防患于未然的制度。在研究和布置船台排墩、分段翻身、吊运上船台合拢、预舾装机件吊船安装、船舶下水的整个建造过程中都要考虑如何保证安全和质量。因此必须严肃生产纪律、工艺纪律、建立必要的规章制度,严格执行奖惩制度,建立起稳定的生产秩序。

在造船过程中,吊运任务较多,作业环境多变,又是多工种同时作业,是较危险的工作。应对职工经常进行安全技术教育,严格执行起重安全操作制度,对起重吊索具加强科学管理。上海某船厂为了保证船体分段的吊运安全和质量,在吊环安装焊接好以后,必须经过检验人员检验,确认安全可靠,挂上检验合格牌后,起重工人方可吊运,并已成为制度。在日本的船厂都有较成熟的吊环标准图,事先利用小料制成标准件,有标准管理方法,在生产设计中根据标准,绘制出吊环作业图,并在吊运前按图领出标准吊环预装。这样可避免在分段搬运或翻身时绘图,临时装焊,以提高质量,保证安全。

船舶在船台期间必须注意,由于采用不同的建造方法,或由于焊接、环境气温变化、及个别区域安装机电设备、隔舱水密试验时的注水所造成的船体重力的上升等原因而产生的变形,引起墩位负荷的变化。在个别情况下,船体与个别墩位会形成空隙,需要经常检查墩位的承负情况,并及时调整。

大型船舶下水是一项重大而复杂的工程,在做好一切下水准备工作后,必须组织有关人员进行周密的检查,内容包括:

1. 下水墩位的情况,应保证能无妨碍顺利地拆除;

2. 船舶本身的锚设备和带缆设备的准备情况;

3. 船内重物、机器设备、舵和螺旋桨是否都已固定,舵必须放在零度位置上;

4. 滑道、滑板、支架、控制设备的情况;

5. 制动设备的情况;

6. 下水的通讯系统是否完善,是否能保证下水操作时,能传达下水时的各项命令及命令执行后的汇报。

7. 海底阀门以及船舶甲板以下的所有人孔、舷窗和下水时不需通行的舱室水密门和水密舱盖是否关闭,保证船体的水密性;

8. 船台和下水道的障碍物是否清除,保证不阻碍船舶下水;

9. 制定好安全操作规程,保证船舶安全顺利下水。

三、设备管理

船台设备管理的好坏直接关系到起重作业的安全以及船舶能否顺利下水,为此要有计划、定期地对各种设备进行检查、维护保养,延长使用寿命,确保安全。

滑道和滑板是船舶下水的主要设备,支承下水船舶的全部重力。由于时干时湿,容易腐烂。为了缩短下水前准备工作的期限,保证船舶顺利下水,在分段合拢阶段应组织有关人员对滑道、滑板进行外观和内部腐烂情况的检查,如有损坏或腐烂及应时修正。为防止滑道在船舶建造期间被损坏,可用薄铁板做成罩壳,盖在滑道表面上,保护滑道,到下水浇油脂时收去罩壳。

当船舶从船台墩木移到滑道上时,船台制滑器能防止船舶自由下滑,并对船舶下水进行有效的控制。其既要起止滑效果,又要操纵灵敏,不易造成差动卡死,因此在船舶下水准备工作期间,必须对止滑器进行仔细检查,对活动部件加油润滑。为了保证止滑器工作时的安全可靠,船舶下水以后,钢丝绳等部件应及时拆除,保管好。

在分段上台后到船舶下水前的船舶建造期间,起重工作除了完成计划的任务外,主要的工作应是对工具设备进行检查保养。对损坏的砂箱、活络铁楞、输送滑板的工具等有损坏的，都应及时修正，延长使用寿命。

四、材料管理

加强材料管理是降低造船成本的一项措施，应指定专人负责（兼管工具设备）。应有专门的材料堆放场地，分类堆放，木材应尽量避免日晒雨淋，下水油脂原料应集中放在油料储藏室。为了加强管理，应建立材料实物卡和严格的领用制度，材料出库使用和使用后进库均应有登记手续。使用以后的材料都应经过检查、整修后进库。对于不能整修的材料，应以节约为原则，在确保安全的前提下，可利用的应尽量利用，如木枋在部分腐烂后，可锯成楞木或垫板。不能利用的应及时报废，补充。回收的下水油脂应标明配方成分，分开安置，决不能不同的配方混在一起，便于以后利用。

第五节　船舶上下排

船排是用以船舶上墩进行修理，以及在修理和建成船舶后下水的设施。根据船舶在水中拉起的位置，通常可分为纵向滑道和横向滑道两大类，详见表5-13。纵向滑道的滑道与上墩、下水船舶的中心线平行；横向滑道的滑道与上墩、下水船舶的中心线垂直。它们都是以一定坡度从陆地伸入水域的建筑物，借助机械化设备，使船舶沿着斜面上、下运行，完成上墩和下水的作业。为了提高修造船的效率，通常在滑道的后方或两侧陆域，配置有移船区域或多船位的船台区，可同时进行多艘水平放置的船舶的修理和建造。

表5-13　船　排　分　类　表

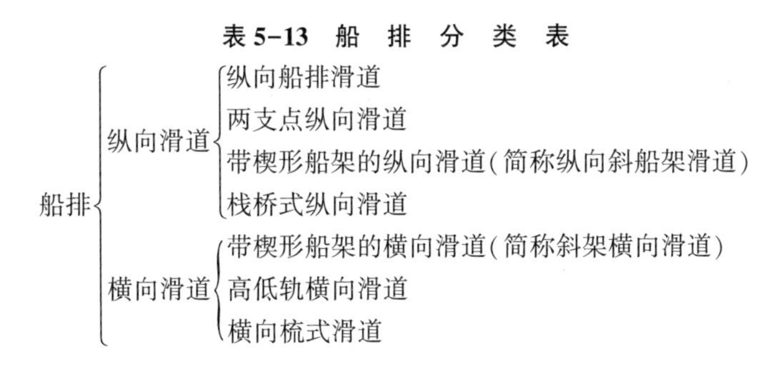
- 船排
  - 纵向滑道
    - 纵向船排滑道
    - 两支点纵向滑道
    - 带楔形船架的纵向滑道（简称纵向斜船架滑道）
    - 栈桥式纵向滑道
  - 横向滑道
    - 带楔形船架的横向滑道（简称斜架横向滑道）
    - 高低轨横向滑道
    - 横向梳式滑道

船舶的上下排是一项重要而复杂的工作，涉及到许多因素，如滩基、滑道的坡度、岸边下水情况、潮汐涨落情况、船舶的长度和重力沿长度的分布情况，船舶下水时的稳性等。为了保证船舶安全上墩、下水，必须要对各种影响因素进行充分考虑，综合分析。

一、坡度滩基的选择

在选择船舶上墩、下水的坡度滩基时，必须考虑下面的情况。

1. 为了便于操作，纵向滑道上墩的船舶一般要求，滑道布置方向与水流逆向，尽量减少水流对船体的影响，在流速较大的地区，滑道方向应尽量与水流方向一致或成一较小的角度；横向滑道上墩的船舶，其轴线则应与水流方向基本平行。

2. 船舶上墩、下水区域的河底不得有礁石和钢铁杂物等，以免损伤船体。滑道布置应尽量避免回淤问题。河床的深度必须保证船舶上墩、下水时不碰到河底。

3. 坡地滩基下的地基必须坚固，具有一定的耐压性，坡地最好有一个3度左右的自然坡度。

二、滑道的轨距和坡度

（一）轨距

纵向滑道的轨距，一般取船宽的1/3～1/2，大值适应斜架纵向滑道和三轨纵向滑道，小值适应其他形式的纵向滑道；横向滑道的轨距应根据船舶所受的载荷和走轮数，以及相应的轮压等因素综合考虑，一般取4～10m，最大可达10m。

（二）坡度

纵向滑道一般取1/20～1/12，其中二支点纵向滑道取1/10～1/6；横向滑道坡度一般取1/12～1/4，对于大中型船舶取1/12～1/8，中小型船舶取1/8～1/4。

三、船舶重力的估算

上墩船排的重力，即空载重力，一般可从船舶的技术文件中查出，在缺少资料时，可按下式近似估算

$$Q=L_{BP}BT_0\delta\gamma g \tag{5-7}$$

式中 Q——船舶的空载重力（kN）；

L_{BP}——船舶两垂线间的长（m）；

B——船舶吃水线外的型宽（m）；

T_0——上排前测得的平均吃水（m）；

δ——船舶的排水量方型系数，查表5-14；

γ——水的密度，淡水为$1t/m^3$；海水为$1.028t/m^3$。

表5-14 各种类型船舶的方形系数

船 型	方形系数 δ	船 型	方形系数 δ
远洋客轮（中、小型）	0.45～0.65	油 轮	0.75～0.85
远洋客货轮（大型）	0.5～0.68	渔 轮	0.50～0.60
海洋货轮	0.7～0.78	挖泥船	0.88
内河客货轮	0.70～0.89	破冰船	0.46～0.52
货 驳	0.82～0.85	木 驳	0.84～0.9
拖 轮	0.45～0.60	货帆船	0.42～0.6

当船舶有纵倾时，平均吃水可按下式确定

$$T_0=\frac{T_F+4T_M+T_A}{6} \tag{5-8}$$

式中，T_F、T_M、T_A分别为艏、舯及艉的吃水（m）。

当船舶有纵倾和横倾时，其平均吃水可按下式确定

$$T_0=\frac{T_{FL}+T_{FR}+4T_{ML}+4T_{MR}+T_{AL}+T_{AR}}{12} \tag{5-9}$$

式中　T_{FL}、T_{FR}——艏部左舷和右舷的吃水(m)；

T_{ML}、T_{MR}——舯部左舷和右舷的吃水(m)；

T_{AL}、T_{AR}——艉部左舷和右舷的吃水(m)。

当很难获得船舶的吃水资料时,船重的近似值可根据船舶的长、宽和舷高按下式估算

$$Q=\frac{L_{BP}BH}{m} \tag{5-10}$$

式中　H——舷高(m)；

m——系数,查表5-15。

其余符号同前。

表5-15　各种不同船型的 m 值

船　　型	m　值	船　　型	m　值
内河钢驳	16	内河木驳	7
湖内及停泊场用钢驳	11	内河机动船	4

四、滑道的构造特点

(一)纵向滑道

1.船排纵向滑道

船排纵向滑道是在牛油枋滑道的基础上配备一些机械化设备演变过来的。船舶修造的坐落在带有滚轮的整体船排和分布船排上。上墩、下水时,船排在斜向船台的轨道上借助绞车通过钢丝绳和滑轮组曳引移动(图5-33)。

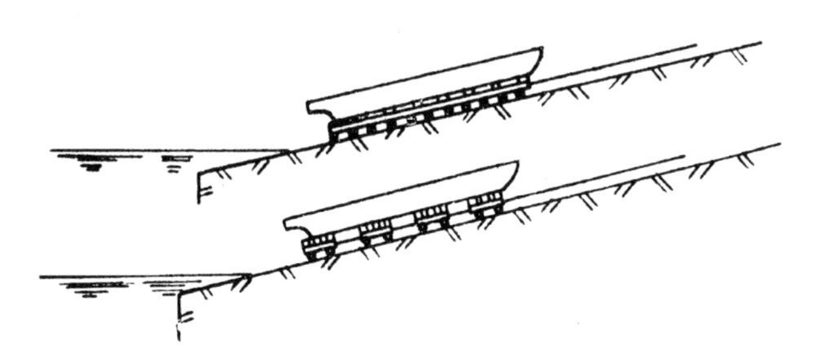

图5-33　船排纵向滑道

船排纵向滑道的坡度,一般采用1/14~1/20,最大可达1/12。轨道有二道轨或三道轨两种形式,如果采用三道轨形式,则中间的一道一般用双轨。

船排纵向滑道所用的船排一般分节式的较多,每节船排长度为4~6m,船排间距3~4m。船排的布置根据船舶的重力分布而定。在机舱下面可适当布置得密一些,两端悬伸约为船长的10%~15%。第一节船排要承受首支架压力,其结构较强,其他可为一般船排。船排的宽度约为船宽的60%~80%。高度视荷重大小而异,一般约0.4~0.8m。

采用船排纵向滑道,船舶修造时是处于倾斜状态,由于船排高度低,在船底下工作很不方便,而且在尾浮时会产生首支架的压力,对于纵向强度较弱的船舶是不利的,一般适用于

小型船舶。但由于其设备简单,使用方便,所以目前我国船厂的各类机械化滑道中,船排纵向滑道是应用较为普遍的一种。

2. 两支点的纵向滑道

两支点纵向滑道是采用两部小车来支承船舶上墩或下水的。船舶坐落在小车上可以直接从斜坡部分拉曳到水平部分,通过水平横移架再移至两边的侧面船台(图5-34)。

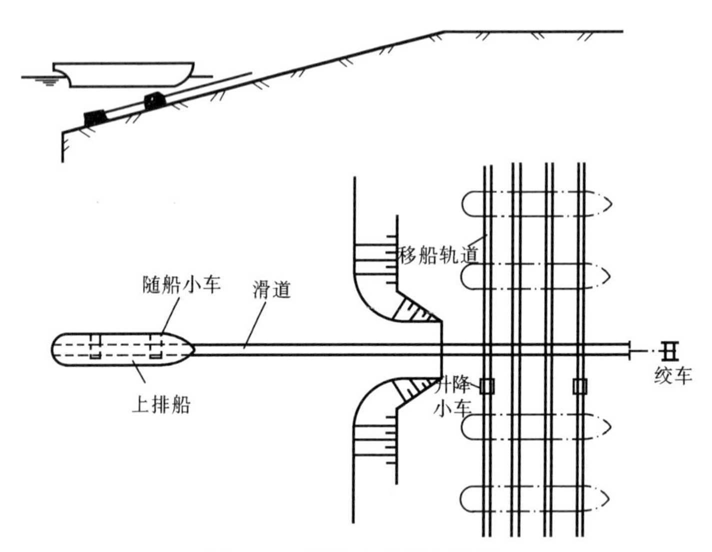

图5-34　再支点的纵向滑道

船体在两支点支承下将产生较大的纵向弯矩,因此两支点纵向滑道只宜用于具有足够纵向强度的小型船舶,如渔轮、拖轮和小型舰艇等。为了提高其通用性,可把两部小车制成整体架的形式,船体可直接支承在架面上或在架面上布置一定数量的单梁式随船小车来支承船体。前者支承方式适用于木船和小船,后者可用于较大纵向强度又较小的船舶。

3. 带楔形船架的纵向滑道

带楔形船架的纵向滑道简称斜架滑道(图5-35)。在机械化滑道中也是应用较广泛的一种滑道。斜架滑道不同于船排滑道,它的架面纵向轨道或布置在架面的支墩是水平或近于水平的,船舶基本上在水平状态下落墩或起浮,犹如在船坞中一样。故避免了因艉浮而产生的首支架压力,增加了船舶上墩、下水的安全性,同时简化了操作工艺,使它能应于较大型船舶的上墩或下水作业。

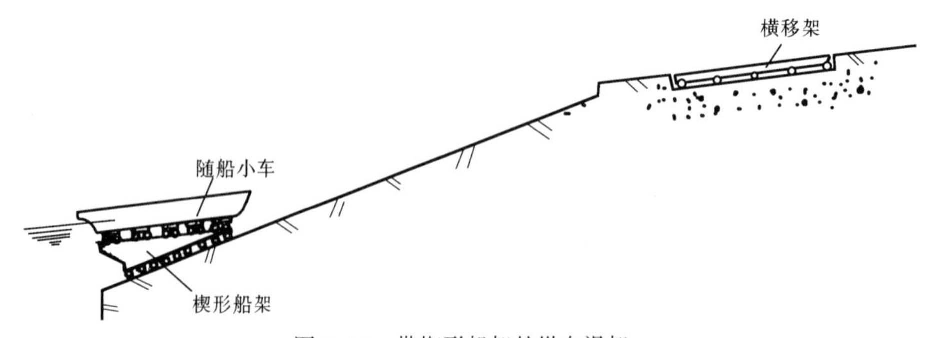

图5-35　带楔形船架的纵向滑架

斜架滑道的缺点是斜架尾端较高,要求滑道末端有较大的水深,所以标高较低,增加施工困难和造价,有时也会带来较大淤积的问题。对于大船和坡度较陡的滑道,斜架尾部很高,容易产生不安全感。

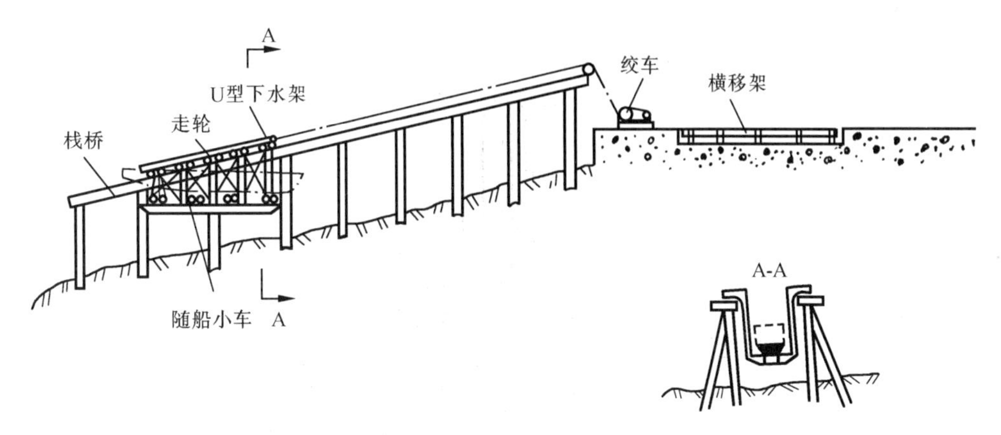

图 5-36 栈桥式纵向滑道

4. 栈桥式纵向滑道(图 5-36)

栈桥式纵向滑道是以将滑道铺设在露出水面连续的桩基栈桥平台面上而得名的。其特点是:取消了习惯上在水下铺设滑道这一较为复杂的施工方法,改为在水面上进行,可以保证施工精度,清淤工作较方便;如栈桥平台强度足够的,其外侧还可停靠船舶,可解决船厂的岸线不足,充分发挥船舶上墩、下水建筑物的作用。图 5-36 是栈桥式纵向滑道的典型布置图。

(二)横向滑道

1. 带楔形船架的横向滑道

带楔形船架的横向滑道简称斜架横向滑道。它的原理同斜架纵向滑道相同,都是在水平状态下进行上墩、下水。其承载船体的楔形船架有整体式和分离式两种。根据移船方式的不同,斜架横向滑道有单层架、双层架和三层架三种形式。

图 5-37 为带船台小车的双层架式斜架横向滑道的布置图。在斜架面上放置支墩或随船小车,船舶落墩后被拉曳至滑道上端,使用液压船台小车插入船底,顶升船舶脱离支墩或随船小车,再横移至滑道两侧的船台区域。

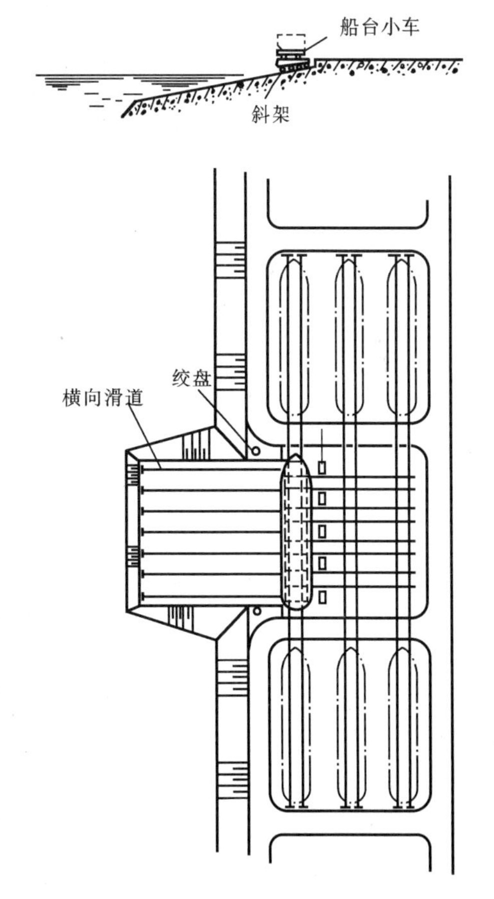

图 5-37 带船台小车的双架式斜架横向滑道

2. 高低轨横向滑道

高低轨横向滑道是在滑道的斜坡部分或水

平部分,因敷设有标高不同的高低两轨道而得名的(图5-38)。它由高低轨道的斜坡部分和横移区组成。其特点是下水车在滑道斜坡部分时,临水和靠岸两端的走轮各自行使在不同高度的高低轨道上,以保持架面和运载的船体处于水平状态。

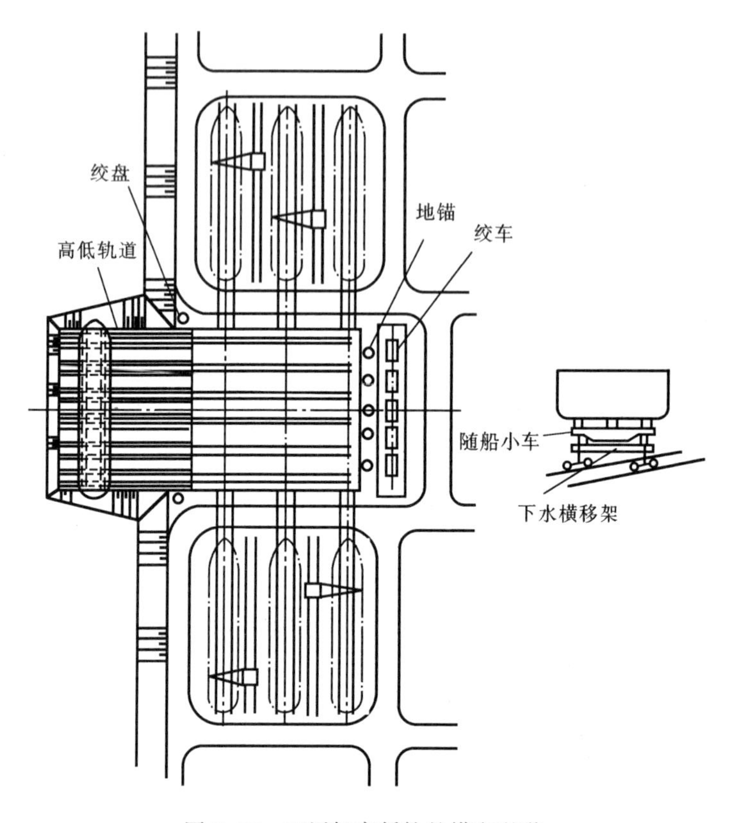

图5-38　双层架高低轨的横向滑道

高低轨横向滑道的下水车除完成船舶上墩、下水作业外,还担负着横移区的横移任务。这样在多船位船台布置时可以减少设备,相应地缩短滑道的长度,提高生产率。下水车有单层架和双层架两种,单层架下水车在船舶被拉上横移区纵移前,需要将车轮转向才能进行移船作业,或将船舶转载到另一套纵移的船台小车上去,轮子转向和换车操作均较复杂;双层架是把下水车制成整体,船舶坐落在整体下水车的随船小车上,下水车的架面与侧面水平船台的地面相平,船舶可以直接从下水车纵移到水平船台上,同时,船舶可以直接搁置在随船小车上修造,避免了繁重的换墩和垫墩工作,移船工艺操作较为方便。

横向高低轨滑道操作简单、上墩下水平稳可靠,对水域深度要求不大,适应于中型船厂成批生产,其起重量一般在19600kN左右,个别可达到29400kN。缺点是:横移架拉曳时不易同步,容易产生歪斜;对船舶建造吨位限制较大,不利于发挥设备潜力。

3. 横向梳式滑道

梳式滑道是斜坡部分的轨道与水平横多区部分的轨道在平面布置上交叉批列,且又相互延伸一段长度,形成高低交错的梳条而得名的(图5-39)。它有斜坡滑道、水平横移区和两翼水平船台三部分组成。这种形式滑道的主要承船设备是:布置在滑道上的为分离式斜架,借助绞车牵引被拉曳;配备在水平横移区上的为船台小车,小车可自行。

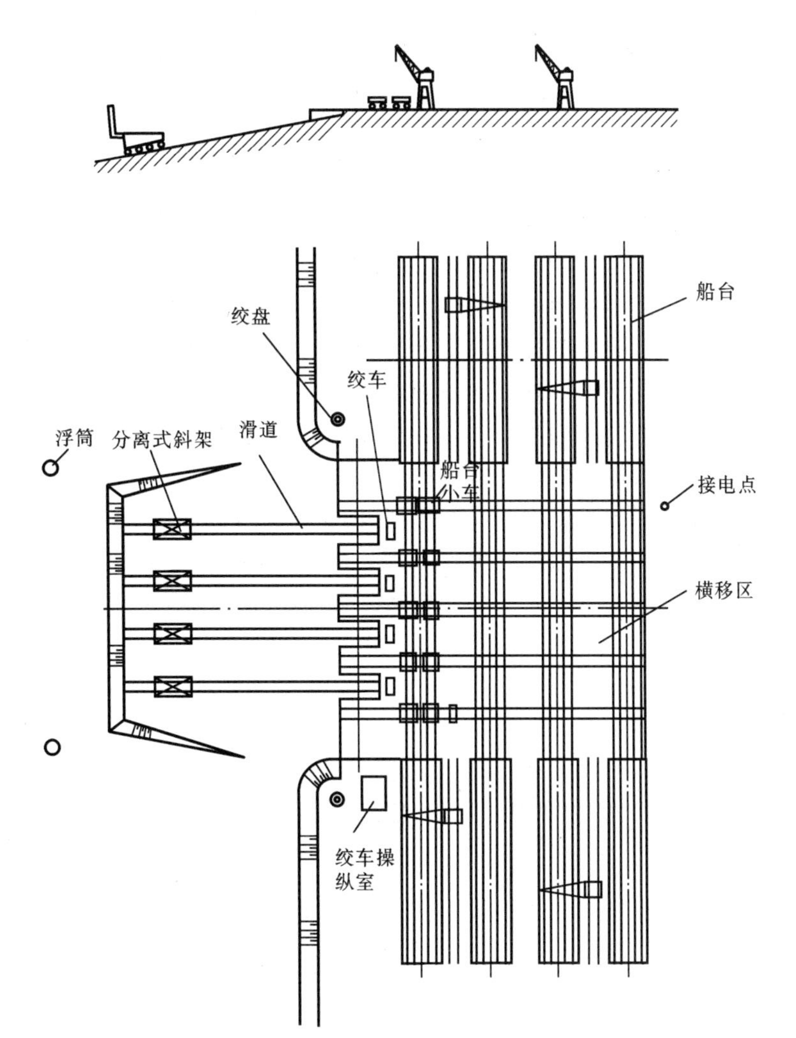

图 5-39　梳式滑道

梳式滑道由于斜船架轮子较多，轮压较小，且斜坡坡度较大，滑道末端水深相应较小，所以对滑道斜坡部分要求不高，土建投资费用一般低于高低轨滑道。船台小车是自行，平地移船没有繁重的穿绳工作，绳移区也可用于修造船。缺点是：换车和轮子转向工作较麻烦；横移中容易偏；同时小车的机构复杂，不利于维护保养。

梳式滑道适用于 19600～29400kN 重的内河船舶和工程船舶，较多用 9800kN 的平底船。

五、船舶上墩、下水的操作

机械化滑道的形式较多，但无论使用哪种形式的滑道，其上墩、下水的作业法都是大同小异的，一般有下列各项工作：

(1)将船对准并放置在船架上；

(2)将船沿斜坡轨道拖至水平部分；

(3)将船从船架换置到船台小车上(或将船架轮子转向)；

(5)将船搁置于墩木上并将船台小车从船下拖出；

(6)船舶下水。

下面通过船排纵向滑道的船舶上墩和高低轨横向滑道的船舶下水,进一步说明船舶上墩、下水的操作工艺。

(一)船排纵向滑道的船舶上墩操作

船舶上墩必须根据船舶的线型布置船排的墩木。

对于平底船,船排的坐墩布置比较简单,只需在船排每节小车上的两头或正中,横向放置厚度相同的长木方子,并固定在小车上(一般用搭马固定)。长度则根据船排小车而定,如果船排小车长度不够,则取上排船舶总长度的1/2也可,但上排后应立即加强。

尖底船舶的上墩,船排的布置比较复杂,一般应根据船舶的线型图布置船排的坐墩。如果没有线型图,可用实测法来布置(图5-40)。首先找到船舶的中心线,深入到上墩船排的舱内底层,找准水平龙骨,正中用尺量出至船底板的距离 $h_{中}$,而后再在船舶总宽度的1/4处,用同样方法量出至底板的距离 h_1(图a),$h_{中}$ 减去 h_1 的差值即是边墩的高度(图b)。在一般情况下,尖底船舶实测三点(即距中心点各向首尾相等的距离,以同样的方法再测出两点)就可以布置座墩。边墩一般是一根长木方子,下面用木楔在船排小车的横放木方上,向里垫成斜形,在边墩长木方的两头适当放些草包或砂袋,均一起固定在船排上。

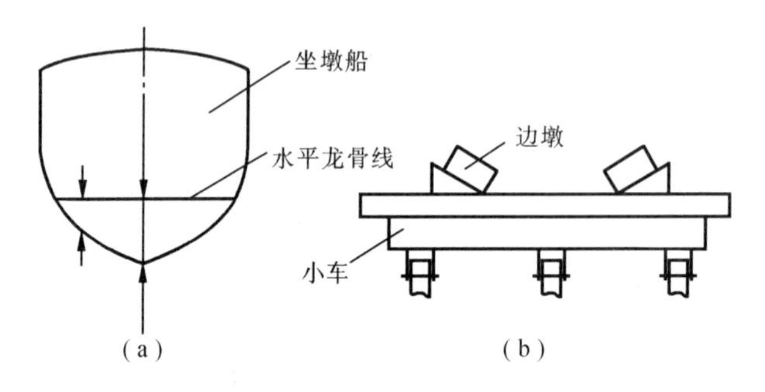

图5-40 实测船排的坐墩布置

在一切准备工作就绪以后,潮水涨到一定位置时,即将船排放下水。上排的船舶由拖轮拖至船排处,船首向里对准船排,用四方缆前后、左右将船领直。指挥者在船舶上看准三根标志成一直线时,对准好中心线,指挥绞车慢慢地牵引,四方缆要跟着匀速地松,直至船舶平稳地坐落在船排上(图5-41),然后拖上岸。船排上岸后,拆除四方缆,检查和加强座墩及前后的支撑,锁好保险装置,放好上下船的安全扶梯。

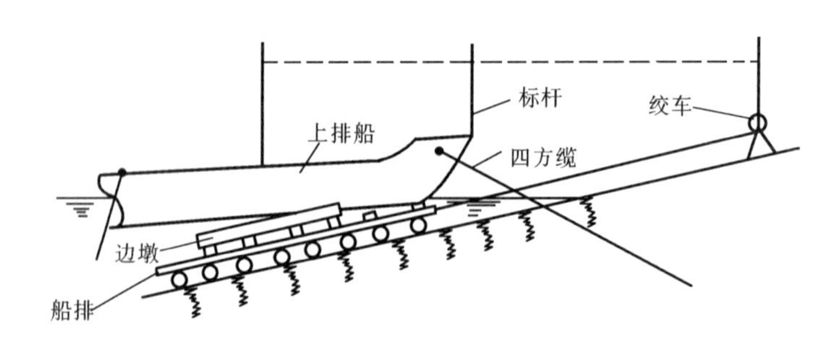

图5-41 船舶在船排纵向滑道上上排

（二）高低轨横向滑道的船舶下水

船舶在高低轨横向滑道下水前，必须做好下列准备工作：

1. 清除下水道的淤泥和杂物，将船排空放至下水道中，检查水域深度和淤泥情况，然后根据下水船舶的吃水及潮汐情况，确定下水日期，保证船舶在下水后能安全起浮和拖离下水道。

2. 在船舶下水的前一周，应进行腾墩工作，补好旧墩处的油漆。腾墩前，必须将新墩的位置全部划出并油漆好。腾墩的程序是由尾向首，先中墩后边墩，换一道，拆一道。对于尖底船舶，必须在横向穿几根长木方，再视船舶的大小在木方上竖直放一根或数根木方垫紧做边墩。中墩和边墩都必须固定在随船架上。为随船架内多余的墩木、杂物清除出架外整理好。

3. 清除和整理好轨道周围和下水船舶在船台区域的垃圾、杂物。将船排轨道与船台轨道相接，穿好牵引船舶的钢丝绳滑轮组，把船排移至下水船舶所在的船台上。

4. 拆除下水船舶舷外的脚手及障碍物，固定船舶舱内的移动物（主要是舵、轴等）。

5. 对船排、随船架走轮加注润滑油。

6. 准备好带缆钢丝绳、引物缆、防碰靠把和救生设备。

上面的准备工作做好之后开始下水操作。

为了保证安全和移船工作顺利进行，必须在移船区通道上挂置警告标志，禁止车辆和行人通过，移船区域不准非工作人员进入。

在逐个检查，随船架走轮区域无障碍物；随船架的连接强度；墩木固定是否安全可靠以后，即可开始移船。开动纵向电动绞车，将下水船舶由船台上牵引至船排上，并固定好；拆除警告标志、连接轨道和此牵引车的钢丝绳；然后开动横向电动绞车同步将船排牵引到下水道坡道高低轨处，系好下水船舶首、尾两侧的四根缆绳（俗称四方缆）；待潮汐基本涨足后，继续开动横向电动绞车同步将船舶平稳送下水，四方缆则跟着船舶下水速度调整松紧；待船舶起浮后，即利用横向电动绞车把船排牵引上岸；当拖引拖轮缆绳系好后，解除下水船舶后尾两侧的两根四方缆，让旁拖拖轮进挡系缆；当拖轮和旁拖拖轮开动后，即可解除下水船舶船首的两根四方缆，用拖轮将下水船舶拖至码头停靠。

第六节　影响船舶进出坞、上墩和下水的因素

影响船舶进出坞、上墩和下水的因素很多，除了船舶和设备条件方面的因素外，潮汐、风向、淤泥和季节性水位（枯水和洪水）等自然条件也是影响船舶进出坞、上墩和下水操作的重要因素。

由于月亮和太阳引力的作用，海水发生周期性的升降而形成潮汐，并影响到沿海港口及内河部分地区的水位涨落。潮汐所造成的水位高低对船舶进出坞、上墩和下水操作带来一定的影响，是确定船舶进出坞、上墩和下水时间的主要依据。在船舶进出坞和上墩时，为了保证船底与墩木之间有足够的间隙及防止退潮来不及定位而发生事故，一般均选择在涨潮或高平潮时进行。船舶在纵向牛油枋滑道滑下水时，为了使船舶在下水过程中滑行方向不发生偏斜，有足够的水位保证舶船下水后能安全起浮，一般都选择在高平潮时下水。有时为了减少和避免下水时产生尾弯、艏跌落等现象，而要等待大潮位下水，以保证在同一滑道长

度内获得较大的水位，保证在艄部离开滑道末端时，艉部有较大的吃水。对于具体的船舶选择怎样的潮位下水，应根据各厂的地理位置、下水的工艺和下水时的气象条件等来决定。例如“郑州”号的下水计算中，发现艉浮时首支架正好进入加强区，为了保证安全，不待水流平潮就先行下水，以保证艉浮时首支架在加强区内。

为了便于工作，表5-16列出了我国主要一些港口的潮汐情况表，表5-17和表5-18列出了上海港口的涨潮时间和历年水位月的特征。

表5-16　一些主要港口的潮汐表

港　口	大　潮（上升米数）	小　潮（上升米数）	备　注	港　口	大　潮（上升米数）	小潮（上升米数）	备　注
大　连	2.8	2.3	半日潮	青　岛	4.2	3.3	半日潮
秦皇岛	1.1~1.5	0.7~1.1	潮高不规则	黄　浦	2.7	2.2	不规则半日潮
天　津	3.2	2.6	不规则半日潮	广　州	2.3	1.89	不规则半日潮
烟　台	2.6	2.1	半日潮	湛　江	3.7	2.9	不规则半日潮
上海、吴淞口	4.0	2.6	半日潮	福州 罗星塔装卸锚地	4.6	3.3	半日潮
苏州河口	3.78	2.52		福州 闽江口	5.5	4.0	

表5-17　上海吴淞口、苏州河口涨潮（半日）的时间表

日　期	吴淞口	苏州河口	日　期	吴淞口	苏州河口
初一、十六	9:24	10:04	初九、二十四	15:48	16:28
初二、十七	10:12	10:52	初十、二十五	16:36	17:16
初三、十八	11:00	11:40	十一、二十六	17:24	18:06
初四、十九	11:48	12:08	十二、二十七	18:12	18:52
初五、二十	12:36	13:36	十三、二十八	19:00	19:40
初六、二十一	13:24	14:04	十四、二十九	19:48	20:25
初七、二十二	14:12	14:50	十五、三十	20:36	21:16
初八、二十三	15:00	15:40			

表 5-18　黄浦江历年水位月的特征值表

月份	类别		站名				
			吴淞	高桥	黄浦	建源	吴泾
一月	高潮	最高	4.55	4.53	4.28	3.98	3.52
		高平均	3.94	3.85	3.63	3.52	3.15
	低潮	最低	0.03	0.19	0.28	0.32	0.74
		低平均	0.35	0.40	0.63	0.69	0.99
二月	高潮	最高	4.57	4.19	4.26	3.92	3.55
		高平均	3.97	3.83	3.67	3.55	3.15
	低潮	最低	0.03	0.20	0.37	0.43	0.85
		低平均	0.41	0.44	0.69	0.75	1.06
三月	高潮	最高	4.61	4.49	4.32	4.06	3.58
		高平均	3.98	3.90	3.67	3.56	3.20
	低潮	最低	0.06	0.27	0.37	0.41	0.89
		低平均	0.42	0.46	0.72	0.78	1.10
四月	高潮	最高	4.32	4.17	4.09	4.04	3.40
		高平均	3.99	3.91	3.69	3.58	3.24
	低潮	最低	-0.25	-0.07	0.36	0.41	0.98
		低平均	0.47	0.46	0.76	0.86	1.19
五月	高潮	最高	4.44	4.37	4.20	4.06	3.63
		高平均	4.13	4.09	3.80	3.70	3.36
	低潮	最低	0.16	0.35	0.55	0.64	1.17
		低平均	0.63	0.66	0.91	1.00	1.36
六月	高潮	最高	4.84	4.61	4.49	4.28	3.70
		高平均	4.29	4.22	3.97	3.85	3.43
	低潮	最低	0.40	0.51	0.63	0.78	1.09
		低平均	0.77	0.79	1.04	1.12	1.43
七月	高潮	最高	5.19	4.68	4.77	4.48	3.83
		高平均	4.47	4.37	4.13	4.00	3.60
	低潮	最低	0.39	0.43	0.69	0.71	1.11
		低平均	0.80	0.80	1.11	1.19	1.51
八月	高潮	最高	5.36	5.15	4.98	4.67	4.11
		高平均	4.64	4.54	4.25	4.12	3.65
	低潮	最低	0.40	0.51	0.73	0.83	1.28
		低平均	0.75	0.76	1.07	1.16	1.46

九月	高潮	最　高	5.50	4.66	4.86	4.63	3.87
		高平均	4.58	4.42	4.23	4.11	3.67
	低潮	最　低	0.31	0.49	0.70	0.89	1.31
		低平均	0.70	0.71	1.09	1.19	1.54
十月	高潮	最　高	4.84	4.77	4.59	4.31	3.83
		高平均	4.42	4.33	4.10	4.00	3.62
	低潮	最　低	0.19	0.32	0.57	0.66	1.10
		低平均	0.62	0.63	1.02	1.09	1.42
十一月	高潮	最　高	4.85	4.54	4.54	4.15	3.66
		高平均	4.27	4.16	4.01	3.83	3.40
	低潮	最　低	0.14	0.25	0.44	0.40	0.82
		低平均	0.50	0.49	0.85	0.91	1.21
十二月	高潮	最　高	4.79	4.36	4.48	4.18	3.61
		高平均	4.09	3.99	3.78	3.65	3.23
	低潮	最　低	-0.01	0.00	0.35	0.42	0.79
		低平均	0.37	0.38	0.68	0.74	1.02

由于潮汐的影响,水流的强度时有变化,而潮流的强弱又往往受到风力的影响。水流和风对船舶的影响是不同的。水流是直接作用于船体的水下部分,将船推向下流,即产生流压差,不管船舶的载重情况和吃水的深度如何,水流都会产生同样的影响。所以船舶的下水时间,通常都选择在高平潮或水流速缓慢的慢涨水(或慢落水)时间,以避免快涨水和快落水时水流急而使下水船舶的滑行方向产生偏斜。风力主要作用在船体水线以上的部分,把船舶推向下风,它和船舶装载情况以及上层建筑高度有关。风力过大将会使船舶的进出坞、上墩和下水的操作困难,严重的会造成事故。如某万吨船下水时,由于当天风力高达八级,船体刚尾浮时,首支架部分就偏移20多毫米,滑板护木被撕裂。

水流和风力对下水船舶的作用主要有以下四种基本情况:

一、水流和风力在同一方向垂直作用在船舶的侧面(图5-42)。在水流和风力同时作用下,下水船舶艉浮时,船体转向速度快,全浮后,滑行方向容易偏斜。

二、水流和风力以相反的方向垂直作用在下水船舶的两个侧面(图5-43)。在这种情况下,水流和风力的作用可以互相抵消一部分。因此,通常利用水流来平衡风向的影响,使船舶滑行的偏斜减少。

三、风向平行下水船舶的下水方向,水流垂直作用在下水船舶的侧面(图5-44)。在风力作用下,下水船舶的滑行速度将会加快,全浮后船舶在水中的滑程也增大,在江面狭窄时应采取有效的制动措施,如掌握好抛锚时机等;同时在水流作用下,滑行方向将会产生偏移。

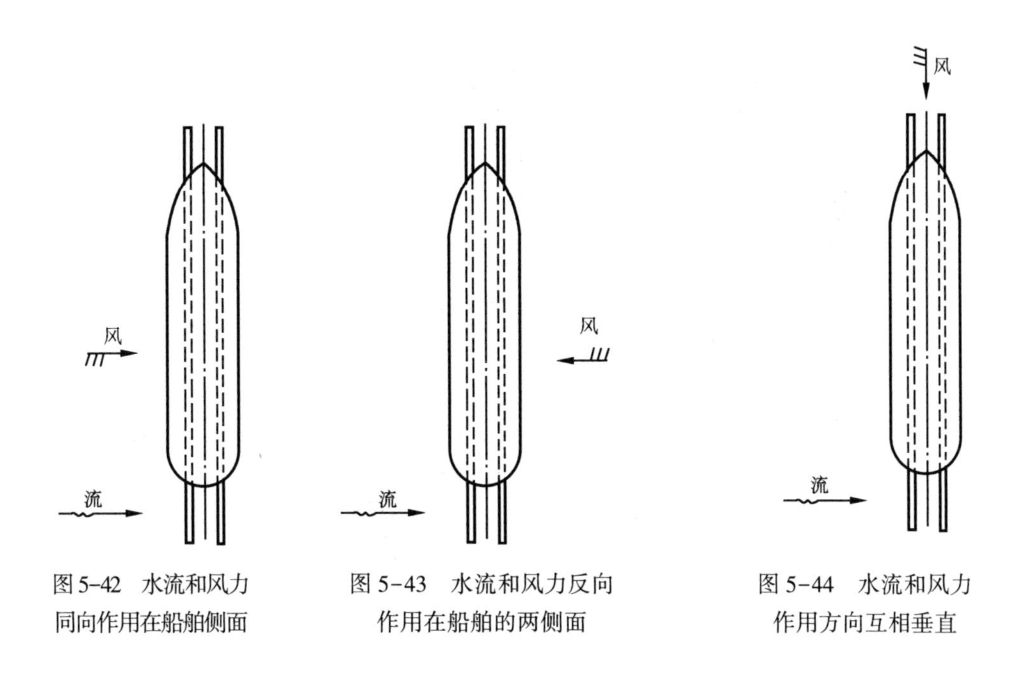

图5-42 水流和风力同向作用在船舶侧面

图5-43 水流和风力反向作用在船舶的两侧面

图5-44 水流和风力作用方向互相垂直

四、风力垂直作用在船尾，水流垂直作用在下水船舶的侧面。由于风力的作用方向与船舶滑行的方向相反，将会使下水船舶滑行速度减慢，全浮后的滑程减少。

除上面四种基本情况外，风力作用于下水船舶的形式还有其他多种情况，同时潮流的强弱也时常在变，我们必须根据下水时间的具体气象条件，制定具体船舶的下水工艺，采取有效措施，保证船舶安全下水。

第七节 升 船 机

升船机是在厂区的岸边借助液压或卷扬式的绞缆机作垂直升降，达到船舶上墩、下水的目的，适用于场地狭窄的船厂。

上海某船厂由于厂区场地狭窄、纵深小、空间高度受到限制，就采用升船机进行船舶上墩、下水。它的平台长为100m，宽14.5m，共有20个卷扬机吊点，每个吊点的设计起重量为1470kN，总起重量为29400kN，升船机实际起重量为19600kN。平台为箱形结构，可自浮，便于拖运。升船机的操作工艺如图5-45所示，船舶如要上墩，由电动立绞把上墩的船舶曳引到升船平台所在的水域，升起已布置好墩木的平台承托船体。当平台上升到平台与横移区地坪齐平时，用定位闩将平台闩住。然后将船体转载到移船小车上，沿着18组横向轨道进行横移，移到水平船台轨道外，车轮转向90°，再沿船台轨道纵移进入船台区。

采用升船机，因其机械设备的自动化程度高，能集中操纵，投入劳动量较少，所以操作平稳可靠，对于厂区狭小、产品定型的船厂是较理想的上墩下水方案。但是升船机尺度的局限性较大，对生产多品种产品的船厂，其优点就不太显著。

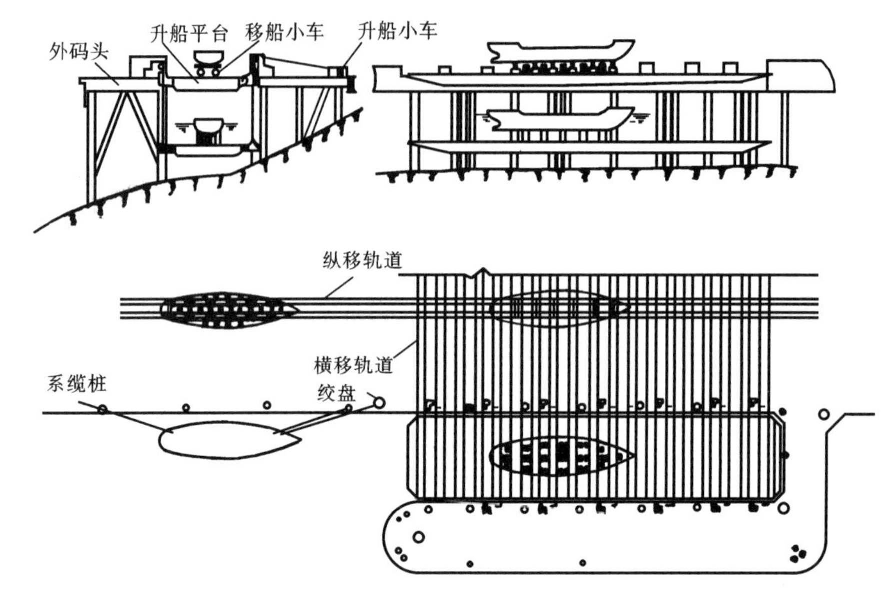

图 5-45　升船机操作工艺的示意图

思　考　题

1. 风和流水对船舶的作用是相同的,对不对,为什么?
2. 用浮船坞排水抬船时应注意什么?
3. 船舶进坞前如何布置墩木?
4. 用浮船坞排水抬船时为什么要松紧定船位的缆绳?
5. 船台上布置船舶坐墩时,一般有哪些规格?
6. 如何确定船台上墩木的高度?
7. 承压层的各种成分在油脂中各起什么作用?
8. 船舶依靠重力下水的基本条件是什么?
9. 为什么船舶纵向下水时总是尾部先入水?
10. 起重的安全和质量管理应贯彻什么思想?
11. 船排有哪些形式,各有什么特点?
12. 船舶下水时为什么一般都选择在高平潮下水?

习　　题

1. 船舶停靠码头时缆绳应如何布置?
2. 船舶进干船坞的主要操作步骤有哪些?
3. 船舶进入浮船坞有哪些主要操作过程?

4. 船舶进坞前,坞方要做哪些准备工作?
5. 对船台墩位的要求是什么?
6. 确定船舶坐墩时应掌握哪些原则?
7. 下水油脂一般有哪二层组成,各起什么作用?
8. 下水油脂有哪些要求?
9. 船舶在纵向滑道下水时有哪些过程?
10. 船台管理的目标是什么? 管理的主要内容是什么?
11. 船舶上排一般有哪些工作?
12. 船舶如何在船排纵向滑道上上排?
13. 船舶在高低轨横向滑道下水前,应做好哪些准备工作?

第六章　大型工程的施工组织和现场管理

第一节　施工前的组织工作和施工准备

为了使起重作业能够正确地、有程序地进行，确保起重作业的安全、可靠，对于大中型设备的起重作业，在作业前应编制施工方案和措施。

一、编制施工方案

起重施工方案的编制应根据起重工程的内容、性质、要求，工程的施工图纸及有关工程的竣工图纸，施工工期的计划安排，现场现有的工具设备与技术力量的配备等为依据，初步选出几个可以施行的方案。将几个方案加以系统整理和比较，组织有关人员研究讨论，初步确定施行的方案，报请领导审批，最后确定。

当施工方案确定后，即可进行施工方案的编制，主要内容有：

1. 施工方案设计说明书，包括被吊设备的数量、重量、重心、几何尺寸、精密度、使用的工具设备与布置、设备堆放的位置、预备装配清洗的位置、二次运输路线、吊装程序等；

2. 吊装与搬运过程中，工具设备最大受力时的密度和稳定性的校核；

3. 平面布置图，包括设备运输路线和吊装顺序、拼装和吊装的位置、把杆的竖立、移动与拆除的位置，其它起重工具设备的布置、施工指挥人员的指挥位置、施工区域警戒线的划分等；

4. 起重作业所需机具设备的明细表和汇总表；

5. 劳动组织与岗位责任制；

6. 施工指挥命令下达程序和指挥信号；

7. 施工进度表；

8. 施工的技术要求；

9. 安全技术措施。

二、施工准备和技术要求

在起重施工方案正式批准下达以后，应对全体施工人员宣布，同时进行施工的准备工作。在施工前，必须做好下列施工的准备工作并达到规定要求。

1. 设备基础已按设计的要求施工完毕，并经有关部门验收，证明合格；

2. 施工场地已经平整，设备基础周围的土方已回填夯实，通道已经铺好，垃圾杂物已清除；

3. 被吊运设备已符合施工方案中的要求并已具备正式吊运的条件；

4. 起吊机索具已按施工方案的要求配备好，并拥有合格证明，钢丝绳、卸扣等索具经外

观检查,无不安全之处,滑轮应转动灵活,绞车已经过运转试验,制动器保证灵敏可靠,全部机具的润滑部位均应注油润滑;

5. 已经具备施工电源,并能保证供电;

6. 人员已具体分工,并明确各自的工作职责;

7. 设备就位时,各工种的配合已经明确;

8. 了解安装日期的天气预报情况。

在一切准备工作按要求完成后,应组织有关人员进行全面检查,检查中对于检查出来的问题,必须及时整改,在确认施工已建立在安全、可靠的基础上,方可正式施工。

第二节　现场管理和安全技术规程

起重作业是一种集体的劳动,参加施工的人员必须互相协调和配合,统一行动,以确保施工安全和工程质量。对于大、中型工程的起重作业,加强施工现场管理和制定安全技术操作规程,是保证施工安全和工程质量必不可少的手段。

一、现场管理

为保证确定的起重施工方案在具体作业时能得到顺利的实施,大、中型工程应设立现场总指挥和各岗位分指挥。整个工作现场有总指挥负责和调配,各岗位的分指挥应准确执行总指挥的命令,做到传递信号迅速、准确,并对自己负责的工作范围负有全面责任。为使总指挥的命令和信号在整个施工过程中能正确、迅速地传达到各个岗位,除了借助于通讯联络设备外,还应规定统一的指挥信号,参加施工的全体人员必须熟悉此信号,以便各操作岗位能准确无误地执行操作指令,协调工作。

为了保证施工现场的秩序,必须按分工明细表对全体施工人员进行具体分工,明确职责,熟悉工程内容和作业方法,同时要求全体施工人员遵守现场工作纪律,服从命令,听从指挥,不得擅自离开工作岗位。在施工现场应划分施工警戒区域并围有警区标志,派人员警戒,严禁非工程施工人员入内。

在施工吊装前应进行试吊,即在设备刚离地时停止起升,检查机具、缆风绳、地锚等受力情况;设备的捆扎是否牢固可靠,确认无问题后才能正式起吊。

在施工过程中,为保证作业的顺利进行,应做好现场清理,随时清除一切障碍物,保持施工场地整洁,做到文明生产。在施工中如果发生机索具缺少,需要代用时,必须经过研究,同时征得总指挥同意后,方可代用,并要作好记录。如因故施工中断时,必须采取措施,吊物不准悬空过夜。一旦发生事故,应严格保持现场并维持好现场秩序,立即向有关部门汇报,同时做好记录以便分析原因。

为了更好地对施工人员进行奖惩,在施工全过程中应对施工人员的工作情况进行认真考核。

二、安全技术规程

起重作业中除应遵守一般的安全操作规程外,还应注意以下几点:

1. 作业开始前,施工人员必须检查被运输和吊装设备的捆绑是否平稳牢固,棱角快口部位及精密部件有否采取衬垫措施;重心是否找准。

2. 设备运输和吊升时应平稳,避免振动和摆动,在设备就位固定前,严禁解开吊装索具。

3. 一般情况下,不允许施工人员随同吊装的设备或吊装机具升降,如有特殊情况,必须随设备升降时,应采取可靠的安全措施并经有关部门批准。

4. 施工现场应设警戒线,树以明显标志并派人员警戒,严禁非本工程施工人员通行和入内。

5. 在设备起吊过程中,施工人员不得在起吊设备下面和受力索具附近停留或通过。

6. 严禁在六级以上的风力进行吊装工作,风力超过五级时不能进行大型设备的吊装。

7. 在进行把杆的竖立、移动和设备吊装工作前,应与当地气象站联系,了解天气情况,一般不允许在雨雪天、夜间、雾天进行。如果工作需要必须进行把杆竖立时,应经有关部门批准,采取防滑措施,并有充足的照明设备。

8. 在施工过程中如需利用建筑物系结索具时,必须经过校核,能够安全承受并经过有关部门批准后,方可利用,同时要垫厚木板等保护物,以保证建筑物和连接索具不磨损,但对下列建筑物一般不准利用。

(1)输电塔和电线杆;

(2)生产运行中的设备及管道支架;

(3)树木;

(4)不符合使用要求或不明吨位的原有锚点。

9. 钢丝绳应远离带电的电焊线和电线,严禁与电门接触,以防止发生事故。一般应与带电线路保持 2m 以上的距离。

10. 在起吊过程中,当设备离地面 200mm 左右时,应停止上升,检查各部位的受力情况和设备捆绑情况,确认安全可靠后,方可指挥继续起吊。

11. 使用滚杠搬运物体时,滚杠直径要一致,应有专人指挥,统一行动,速度不得过快,地面必须平整结实,滚杠不得用手一把抓,手指应放在管口内,防止滚杠轧伤手。

12. 用排子或爬犁运输设备时,设备的重心应放在排子或爬犁的中心稍后一点处,当采用斜面滚动法装卸时,斜面应平缓,角度不能过大。在滚运时,相反方向要设有制动装置。

13. 在作业前,应组织有关部门根据施工方案的要求共同进行全面检查,经检查合格后,方可进行施工。施工人员进入操作岗位后,仍须对本岗位工作进行自检,确认无问题后,方可进行工作。

14. 电动绞车除固定牢固外,电器设备必须接地。非操作人员禁止开车,下班后切断电源加锁。钢丝绳在卷筒上至少应保留 4.5 圈。

15. 雷雨季节,如周围无高于把杆的建筑物,把杆应装避雷装置。

第三节　高空作业的安全管理

高空作业是一种危险性较大的作业,如果操作人员稍有疏忽或由于机具设备的缺陷,就会严重危及操作人员的人身安全。据我国某城市劳动部门的统计,在 1975 年 206 件工伤死亡事故中,其中高空坠落死亡有 48 件,占总死亡事故的 23.3%;1977 年 240 件死亡事故,其中高空坠落 45 件,占总死亡事故的 18.6%。在造船厂,起重工的高空作业比较频繁,加强高空作业安全管理,确保高空作业设施的安全可靠,保护施工人员在登高作业时的安全,是起重安全生产管理的一项重要内容。

为了保证施工中登高人员的人身安全和高空作业的顺利进行,在施工过程中,凡是参加登高作业的人员,都必须按照有关规定进行体格检查,对患有高血压、心脏病、癫痫病、严重贫血和其他不适于高空作业的人员,一律不准登高作业。

在施工中,参加登高的人员必须穿戴好登高时所需的劳动防护用品,如进入高空作业场所一律要戴好安全帽,登高作业时一定要穿好高空鞋。在高空作业时,遇有不能设置防护栏杆等安全设施的部位,一律要佩带安全带,绳子要系扣在牢固的结构件上,不准系扣在活动的物体上。并应带好工具袋,工具等物放在工具袋内,不要从高空向下乱扔工具、物件,以免危及他人的安全和影响作业环境。

为了保证高空作业人员的人身安全,一般不应在夜间进行作业,如需进行,应保证有充足的照明设施。在遇有六级以上的大风时,禁止露天悬空登高作业。在遇有霜、雪、冰冻时,应及时清扫作业场所,采取防滑措施。

对于脚手架、脚手板、扶梯、防护栏杆、安全网等安全设施,除应选派工作责任心强、身体素质好、有高空作业经验的人员搭拆、架设、检查、修理、保管,并应有专人负责。在搭设以后,应先进行自检,然后应经使用单位的工段长或组长检查验收后,才能正式使用。在使用过程中,禁止他人擅自拆卸或增设。脚手架、脚手板必须搭装平稳、牢固,不能摇晃。脚手架附近不准架设高压输电线,如遇有不能拆除的电气配线设备时,应采取隔绝的防护措施。

搭脚手用的材料必须符合安全要求。木质脚手的木杆和脚手板应以剥皮杉木和其他各种坚韧的强度高的硬木为标准。杨木、柳木、桦木、椴木、油松和其他腐朽、折裂、枯节等易折木杆及木板一律禁止使用。木杆有效部分的小头直径,立杆不能小于 7cm;大横杆、小横杆不能小于 8cm。脚手架的长度在 6m 以上,其厚度不得小于 7. 5cm、宽度不得小于 30cm;长度在 6m 以下的脚手板,其厚度不得小于 5cm、宽度不得小于 25cm。脚手板应经常检查,凡是腐朽、扭纹、裂伤、大横透节的木质脚手板一律禁止使用。竹竿脚手应以四年以上的毛竹为标准,青嫩、枯黄、或者有裂纹、虫蛀的都不许使用。竹竿有效部分的小头直径:立杆、大横杆不能小于 7. 5cm;小横杆不能小于 9cm(如小头直径在 6cm 以上不足 9cm 的竹竿,可采用双杆并行使用)。对金属脚手架,严禁使用弯曲、压扁或者有裂缝的管子,各个连接部分要完整无损。吊挂式脚手的挂脚、三角支撑的焊接应由考试合格的焊工焊接,以保证焊接质量,焊缝经过检验,符合安全要求后,才能使用。金属脚手的构件,应定期除锈油漆保养,检查焊缝质量,确保安全。

搭脚手用的链条、卸扣、绳索、吊环等工索具不准有裂纹、损伤或变形,不符合安全要求的一律不准扣搭在脚手上。所用梯子应坚实完好,无损坏、缺档、腐蚀,竹梯不许有虫蛀。梯阶的间距不能大于 30cm,梯脚应采取橡皮包扎等防滑措施,顶端应用绳子等物扣牢,支靠体应牢固,放置坡度为 60 度为宜。两梯连接使用时,应在连接外用金属卡子卡牢或用铁丝绑牢,必要时应设支撑加固。

在船舷外、船舱内以及离地 3m 以上的高空作业时,应使用双拼脚手板,板与板之间须用夹具等物固定。同时,须加设不低于 1m 的防护栏杆或下设安全网。

两层以上的多层脚手,每层脚手必须安设固定的上下行人扶梯。

第四节　起重吊运工作中发生事故的原因和预防措施

起重作为是一项比较复杂的工作,作业的方法又是灵活多变的,操作人员必须根据作业的对象、环境和设备条件随机应变,如在操作中稍有疏忽,就会发生事故,危及设备和人身的安全。根据统计,在机电、冶金、建筑、港务、铁路等部门中,起重事故约占总伤亡事故的30%左右;我国某城市1973年至1977年所发生的工伤死亡事故中,起重死亡事故约占23.5%;日本在1977年共发生起重伤亡事故7059件,死亡246人。造船工业由于作为环境复杂,操作对象多变,起重事故所占的比例也是很高的,尤其是一些专业由于作业环境复杂,操作对象多变,起重事故所占的比例也是很高的,尤其是一些专门从事起重作业的部门。如某船厂起重车间1978年发生的35件安全事故中,起重事故就有22件,占总事故的6.3%,共歇660个工。图6-1是对22件起重事故的分析,从图中可以看出,多数事故是由于违章作业、对工具设备和作业环境缺乏检查、技术不熟练而造成的。

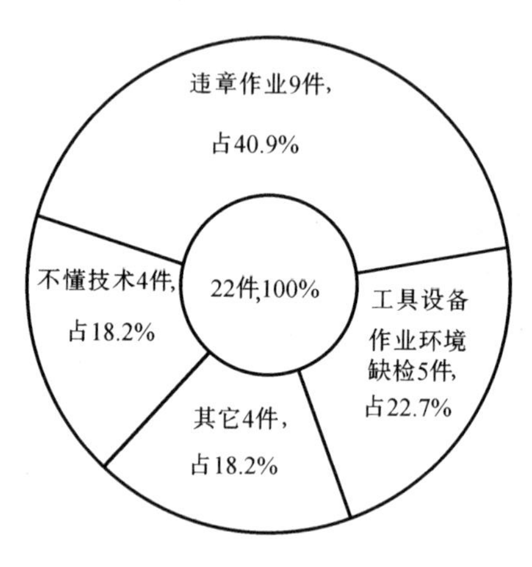

图6-1　起重事故分析图

一、起重事故的原因

任何事物都有它的客观规律,安全生产也有它的客观规律,我们掌握了这些规律就可以化被动为主动。为此,对起重事故进行分析,并将其发生的原因归类,主要有:

(一)操作者的原因

起重工是特殊工种,起重工人应受专门培训,如果起重工人没有熟练的操作技能,遇到特殊情况就会措手不及,很容易造成事故。操作人员对工作缺乏责任感,偷懒图快、急躁情绪、侥幸心理、经验主义、盲目蛮干等都是造成事故的原因。

从发生事故的对象来看,有这么几种人容易发生事故:1. 工作粗心大意,冒冒失失;2. 互相不团结,意气用事;3. 对工作缺乏责任感,不热爱起重工作;4. 有家庭纠纷或家庭困难;5. 爱出风头,好表现自己;6. 缺乏安全知识,喜欢乱摸乱动;7. 劳动纪律差,自由散漫;8. 体弱多病,不宜登高者。

从思想状况来看,有这几种情况容易发生事故:1. 平时认为安全和不重要的作业,思想上容易忽视安全,操作上麻痹大意;2. 忙于赶任务,抢进度,而违章作业,投机取巧,蛮干、乱干;3. 节假日前后、工作调动前后、受批评表扬前后,此时思想开小差,精力不集中;4. 领导不重视,光抓生产,不抓安全,没有防范措施。

(二)工具设备

对起重工具设备没有建立和健全维护保养、检查、试验等管理制度。对工具、设备只管使用,没有维护保养和检查,以致使吊索、卸扣、吊环、手拉葫芦等工具设备,由于存在缺陷没被发现,而在使用中突然断裂,吊物坠落而砸伤人;绞车等设备的传动部分没有防护装置,衣服等被齿轮卷进而造成人身伤亡事故。

(三)操作环境

作业环境是起重作业的四要素之一,与起重作业的安全生产息息相关,由于操作现场的东西堆放得杂乱无章,在操作过程中,往往容易造成操作人员的碰伤、绊倒或由于通道的不畅通,进出无退路等造成事故。

(四)违章作业

从事故的统计来看,违章作业是发生事故的主要原因。安全生产制度是工人群众长期生产实践的科学总结,是血的教训。各厂除应遵守国家颁布的《起重机械安全管理规程》和《建筑安装工程安全技术规程》外,还应建立和健全一整套包括安全教育、安全操作、工具设备维修保养的起重安全生产制度;执行或违反安全操作规程的奖惩制度等,加强现场检查和安全管理,杜绝违章作业,确保起重作业的安全。

二、典型事故分析

(一)吊物坠落打击

吊物坠落打击伤人,是起重伤害事故中较为常见的一种,图 6-2 是对 60 件桥式型起重机起重作业中发生的起重事故的分析,可以看出,吊物坠落打击占第一位。我国某城市 1975 年工伤死亡人数 206 人,其中物体打击死亡 25 人,占 12.14%,占各类事故比例的第三位。从事故的分析来看,多数是由于违反操作规程;使用吊索具的规格过小或有缺陷;使用方法不当,捆扎不牢靠等原因。

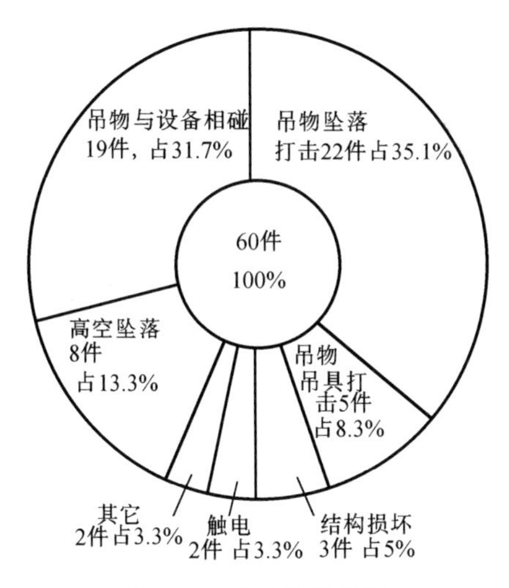

图 6-2　事故类型分析

事故实例:

1. 1979 年 3 月,某厂在吊运 662 千瓦(900 马力)拖轮的管系单元组装件时,用两根直径 13mm 的吊索捆扎两头,起吊六拼共重 50.96kN 的单元组装件,当吊至 15m 的高度时,吊索断裂,单元组装件从高空坠落,击伤在船台上操作的 2 名工人,造成人身事故和吊运质量事故,经济损失 6382 元。

2. 1980 年 3 月,某厂在"长岭"轮机舱吊活塞时,利用船方提供的吊环作为吊具,当活塞吊出气缸后，在翻身吊运中，吊环突然断裂，活塞坠落打击在气缸盖的排气阀上，造成活塞和排气阀损坏。事后对吊环进行检查，发现吊环的材质有问题。

3. 1977 年 5 月，某厂船体车间一起重机吊运机器时，由于角铁没有焊牢，在吊运中脱焊，机器坠落打击在操作起重工的胸腔，当场死亡。

4. 1974 年 8 月，某厂在吊卸钢材时，由于捆扎方法不对，当钢材吊离地面后，失去平衡倾斜，钢材滑下，打击在一操作工人的面部和胸部，造成死亡事故。

上述事故都是由于操作者的疏忽而造成的，由此可见，我们必须十分注意吊运中的安全问题。为了保证吊运安全，我们一定要牢记六个要不得，即：毛估估要不得；试试看要不得；差不多要不得；吃不准要不得；马马虎虎要不得；超负荷要不得。

（二）“翻车”事故

汽车起重机、轮胎起重机，履带起重机、塔式起重机、门座起重机等旋转类型起重机的“翻车”事故，应引起我们的高度重视。“翻车”事故的主要原因是起重机丧失稳定性，主要是由吊重超载、支承不平（包括有坡度）、惯性力、离心力、风力等因素造成。

旋转类型起重机的超载，实际上是超力矩，所以有时起重机起吊时并不超载，但在旋转过程中由于超力矩而造成翻车事故，这是由于坡度和离心力的影响。坡度对起重机的起重能力有很大的影响，其起重能力的降低率随坡度的增大而增大，在作业中是不允许起重机在不利于稳定性的坡度上进行正常作业的。起重机吊物后产生的离心力矩与起重量、幅度、高度成比例，转速越快，离心力也越大。对于汽车起重机、轮胎起重机、履带起重机在带载作业时，一般不应使用额定转速进行旋转，同时应注意风速、风向的影响。

由于斜吊会产生一个不利于稳定性的水平拉力，使起重机丧失稳定性，这也是造成“翻车”的一个原因。

事故实例：

1. 1978 年 3 月，某厂 156. 8kN 的轮胎起重机在码头边，把驳船上的预制件吊运上卡车，由于吊运时超负荷导致超力矩，致使一只撑脚销子断裂，起重机翻车，三人压在车下而死亡。

2. 1976 年 9 月，某单位在建筑工地用汽车起重机吊泥土，在吊运过程中由于撑脚下面泥土松陷，一转臂就失去控制而造成“翻车”事故，致使一操作工人压在起重机下死亡。

3. 1974 年，某厂 78. 4kN 的轮胎起重机作吊重试验时，吊重 31. 4kN 时并不超载，由于违反操作规程，起吊后伸臂，造成超力矩而翻车。

4. 国外某船厂有一台起重量为 121. 5kN 的固定式塔式起重机，为移动在水中距起重机 37m 外的一节浮桥，把起重臂变到最大幅度的 30m（此时起重量为 4 吨）还不够，就斜钩在浮桥上。当吊钩起升时，钢丝绳一拉紧，就听到塔身的金属结构发出破坏的声响，随后塔式起重机就倒下来。司机由于胸部受重伤而死亡。事后查知，浮桥的实际重力为 88. 2kN，由于斜拉超载而把塔身的连接螺栓拉断，造成倒塔事故。

因此在使用旋转类型起重机时，必须掌握所用起重机的起重特性曲线，即起重量随幅度变化的规律，吊物的实际重力。吊钩必须保持垂直状态，禁止用吊钩与地面或轨道成倾斜方向拖拉物体或斜吊。如所吊物体的重力接近最大容许负荷时，应进行试吊，确认安全可靠后方可正式起吊。对于汽车起重机、轮胎起重机等自行式动臂起重机在对吊物的重力估计不准时，可将物体稍稍吊离地面，到把杆的反方向，用脚踢踢支撑器是否活动，如有活动则不准起吊。

（三）折臂事故

旋转类型起重机的起重特性有稳定性条件和强度条件两方面组成。在大幅度时，主要由稳定性条件来决定，小幅度时由强度条件决定。起重机的折臂事故多数是由于把杆幅度过大，再加上惯性作用或超过把杆的强度根据，使把杆损坏。

事故实例：

1. 1978 年 11 月，某厂 392kN 的门座起重机吊运 25 张大小不一的铁板，地面操作人员估计重力为 117. 6kN，把杆幅度在 28. 5m 时起吊，起重量为 235. 5kN，铁板吊离地面约 1m 时，象鼻梁突然弯曲变形。后经查证，铁板重力为 473. 93kN，严重超负荷。

2. 1973 年 6 月，某装卸区 29. 4kN 的振动起重机吊运钢带落驳，由于超负荷致使吊杆断裂，把一船员打入河中，经打捞送医院抢救，无效而死亡。

所以在起重作业时，必须了解所吊物体的正确重力，掌握起重机起重能力的特性曲线，保证起重作业的安全。

（四）站立位置不妥

物体在吊运过程中常常会出现大小不等的缓慢或迅速的惯性晃动，有时可能会突然出现意想不到的情况。在起重作业中，人如停留在物体移动或可能移动到的方向、区域，俗称下风或死角，往往会因避让不及或者无法避让，就容易造成重大人身事故。

事故实例：

1. 1981 年 2 月，某厂 490kN 的浮船式起重机吊运码头引桥上重 78. 4kN 的大型机床车头箱，由于跨度相差 2m，而违反安全操作规程，斜吊。在吊索即将拉紧时，捆扎吊索将滑出，一起重工就跑上去，左脚放在第二根滚杠（直径 60mm）滚动方向的下面，当吊钩车紧时，滚杠滚动，压在某左脚背上，当即左脚被压，抽不出来，指挥人员立即指挥起重机继续上升，但在上升时，滚杠再次滚动，以致造成粉碎性骨折而截肢。

2. 1982 年 2 月，某厂吊石油钻探船的长 18m，直径 2m，重 237. 16kN 的横撑，三根横撑堆放成“品”字形，要先吊运上面一根。由于一端垫放的间隙太小，吊索不能穿进，需要把另一端先吊高，然后再把吊索从吊高后的间隙中穿过。在穿吊索时，一起重工走进下面两根横撑中间的开挡里去接吊索。由于当上面一根横撑单端吊高时，下面两根横撑因垫楞没按要求垫放而滚动，上面一根横撑单端滑下，将其当场压死。

3. 1973 年 4 月，某厂在用汽车起重机吊运直径 15cm 的钢管，由于指挥者站立的位置不妥，当钢管起吊离地后，晃动，打击在其胸部，经抢救无效而死亡。

因此在起重作业中，作业人员必须正确辨别上风和下风。站立的位置必须是在物体不会移动或移动不到的区域，俗称上风或安全位置，切不可停留在下风或死角，避免事故的发生。

（五）物体放置不稳

由于物体重心位置和支承面的不同，放置物体时会出现稳定状态、稳定平稳状态、不稳定状态和倾覆状态。当物体处于不稳定状态时，稍受震动就会倾覆。在起重作业时，由于物体放置得不稳或垫的不平而造成事故也是较多的。

事故实例：

1. 1975 年 10 月,某厂重 44. 1kN 的冲床,经吊运放置后,由于下面没有垫结实而倾斜,造成翻倒,压在一清理工人的头部而死亡 。

2. 1973 年 11 月,某厂铸钢车间吊运一钢锭模放到龙门架子上。安放时模子平面没有平放在下面,而是倾斜的,后来倒塌,压在一操作工人的腹部,造成死亡事故。

3. 1979 年 9 月,某厂在吊“高阳轮”的起货机控制板时,由铲车把控制板从电工车间运输到码头,由于一只斗里竖放四屏控制板,到码头后解除了绑扎绳和铲斗边上垫实的木楔,准备吊上船。在松一边控制板的千斤绳时,另一边一块控制板失稳,突然倒下而损坏,价值1202 元。

因此在放置物件时,一定要垫平放稳,不能有丝毫摇晃。特别是放置高大笨重物件,在条件许可的情况下,尽可能使其重心位置最低,支承面最大,以保持稳定状态,保证安全。

(六)工具设备的缺陷

在起重作业中,如果对使用的工具、设备缺乏检查,一旦使用有缺陷的工具、设备,就会发生事故。由于工具、设备的缺陷而发生的事故,不但损坏吊运的设备,而且常常引起人身事故。

事故实例:

1. 1980 年 6 月,某厂在“长风”轮舵机间用 9. 8kN 的手拉葫芦吊重 7. 64kN 的舵机缸体时,手拉葫芦的起重链条突然断裂。缸体坠落而损坏,经检查后,知道起重链条有旧伤痕。

2. 1983 年 1 月,某厂在抢修 147kN 的,门座起重机变幅机构,需用两只 49kN 的手拉葫芦在定配重处保险,在手拉葫芦刚拉紧时,吊钩突然断裂。经检查后,知道吊钩有旧伤痕。

3. 1974 年 11 月,某厂用桥式起重机吊运拉丝机,在吊运到位下降进,吊索突然断裂,机器坠落压在一装配工身上,造成死亡事故。

4. 1976 年 11 月,某厂用汽车起重机卸下卡车上的铁管,当吊钩刚起吊时,钢丝绳突然断裂,管子从车上摔下,击在一装卸工的头部,造成死亡事故。

加强对起重工具设备的管理,建立维护保养、定期检查、使用前检查等制度,不符合要求的工具设备严禁使用,是确保起重安全作业的一项重要措施。

起重事故是多方面的,类型也不同,本节不能一一述及。平时发现有事故的苗头,就应立即采取措施。发生事故时,现场人员要保持镇静和发挥高度的革命责任感,防止事故扩大。事故发生后,要及时总结经验教训,做到“三不放过”,事故原因分析不清不放过;事故责任者,领导和群众没受教育不放过;没有切实可靠的安全措施不放过。对没有伤亡的事故,也要查明原因,弄清责任,吸取教训,制订出避免事故重复发生的措施。

三、船舶下水事故的分析

船舶下水是船厂起重作业的一项重要工程,表 6-1 中列出了船舶下水过程中常见事故的原因、防止和处理措施。

表 6-1　船舶下水事故分析

下水型式	事故类别	事　故　原　因	防止及处理措施
纵向牛油枋滑道下水	止滑器打开后,不下滑	1. 静止下滑力等于或小于滑板与滑道之间的摩擦阻力; 2. 下水船舶重力小; 3. 油脂配方不当。	施工前注意: 1. 下水油脂应根据下水船舶的重力、滑道坡度、气候条件正确配方; 2. 浇注工艺要正确,并应保持清洁; 3. 加压载。 事故发生后采取的措施: 1. 立即掀动滑板顶端的液压助滑器,顶推滑板; 2. 用绳索拉曳助滑; 3. 用拖轮拖带; 4. 采用上述措施仍无效时,将船垫牢、固定,拆除滑板,重涂油脂。
	下滑受阻,中途停顿	1. 油脂涂层不平整; 2. 油脂承压能力不足,滑行中被破坏; 3. 滑脂太软,天热熔化; 4. 油脂粘滞,影响下水; 5. 油脂附着力不够,起壳; 6. 滑道与滑板边的间隙太小,易卡住; 7. 滑道变形; 8. 滑道速度不够,水阻力大。	防止措施: 1. 油脂配方要正确; 2. 浇涂工艺要正确,保证油脂层质量; 3. 滑道与滑板边要保持一定的间隙; 4. 滑道与滑板要有足够的强度; 5. 选择合理的滑道坡度。 事故发生后采取措施: 1. 液压千斤顶顶推滑板; 2. 绳索拉曳助滑; 3. 拖轮拖带; 4. 上述措施无效后,将船舶垫牢固定,拆下滑板重新涂油脂。
	艉弯	船尾上浮前,船舶重心已出滑道末端,船尾重力对滑道末端的力矩大于船尾浮力对滑道末端的力矩。	防止措施: 1. 加大滑道坡度; 2. 延长滑道水下部分的长度; 3. 船舶首部加载; 4. 船舶尾部加浮箱; 5. 选择大潮位下水。
	艄跌落	当首支架离开滑道末端时,浮力仍小于下水船舶的重力。	防止措施: 1. 延长滑道水下部分的长度; 2. 尾部加压载; 3. 选择大潮位下水。
	首支架破裂	1. 首支架压力过大; 2. 首支架强度不够。	防止措施: 1. 取较小的墩木坡度; 2. 减少滑道坡度; 3. 减少下水船舶的重力; 4. 尾部加载; 5. 加强首支架。

高低轨滑道下水	船舶不起浮	1. 下水船舶自重大,吃水深,超过了滑道的设计标准; 2. 船舶重力不平衡; 3. 坐墩过高; 4. 淤泥阻塞; 5. 水位偏低。	防止措施: 1. 应对下水船舶的重力,吃水深度、重力分布情况,坐墩高低进行周密考虑; 2. 冲走滑道水下部分的淤泥; 3. 选择大潮位下水。 事故发生后采取的措施: 1. 如因自重大、吃水深、坐墩过高,应设法减重; 2. 若船舶重力不平衡,调节平衡; 3. 若淤泥阻塞,重新牵引上岸,清除淤泥; 4. 若水位过低,重新牵引上岸,待大潮汛下水。
船排纵向滑道下水	船舶不起浮	1. 下水船舶自重大、吃水深; 2. 坐墩过高; 3. 下水船舶重力分布不平衡; 4. 下水道淤泥阻塞; 5. 水位过低。	防止措施: 1. 船舶下水重力、吃水深度和压载应符合滑道设计要求; 2. 坐墩标高应保证船舶能安全起浮; 3. 下水前应清除淤泥; 4. 掌握潮汛情况,选择大潮位下水。 事故发生后采取的措施: 1. 将船重新牵引上岸,然后突然松去离合器,让船下滑加速,使其起浮; 2. 利用拖轮拖曳; 3. 上述方法无效后,牵引上岸,支撑加强,清除下水道的淤泥或待大潮位下水。

思 考 题

1. 起重施工中,操作人员应做到什么?
2. 在大型施工中,如果缺少机索具需要代用,操作人员认为可以就可代用,对不对?
3. 在起重施工过程中哪些建筑不可系结索具?
4. 起重作业中发生事故的主要原因有哪些?
5. 为保证起重作业安全,操作人员应做到“六不得”具体内容是什么?
6. 旋转类型起重机的起重特性曲线有哪两方面组成?试在你厂使用的旋转类型起重机举一例,说明其起重特性?
7. 什么叫上风?什么叫下风?
8. 物体有哪四种平衡与不平衡状态?

习 题

1. 编制起重施工方案包括哪些内容?
2. 起重施工前应做好哪些准备工作?
3. 登高作业时,对登高者有哪些安全要求?
4. 旋转类型起重机翻车事故的主要原因是什么,使用时应注意什么?